고대인들이 펼쳐낸 무한한 상상 속 세계로의 여행

고본 산해경 도설 **상**

마창의(馬昌儀) 지음 / 조현주 옮김

古本山海經圖說

上

猩猩

다른생각

국립중앙도서관 출판시도서목록(CIP)

고본 산해경 도설. 상 / 지은이: 마창의 ; 옮긴이: 조현주
. -- 서울 : 다른생각, 2013
    p. ;   cm

원표제: 古本 山海經 圖說. 上
원저자명: 馬昌儀
중국어 원작을 한국어로 번역
ISBN 978-89-92486-15-6 94980 : ₩100000
ISBN 978-89-92486-14-9(세트) 94980

산해경[山海經]

912.02-KDC5
951.01-DDC21   CIP2013001556

古本山海經圖說

上

마창의(馬昌儀) 지음

조현주 옮김

다른생각

古本 山海經 圖說 (上)
고본 산해경 도설 (상)

초판 1쇄 인쇄 2013년 3월 20일
초판 1쇄 발행 2013년 3월 28일

지은이 | 마창의(馬昌儀)
옮긴이 | 조현주
펴낸이 | 이재연
편집 디자인 | 박정미
표지 디자인 | 아르떼203디자인
펴낸곳 | 다른생각

주소 | 서울 종로구 창덕궁3길 3 302호
전화 | (02) 3471-5623
팩스 | (02) 395-8327
이메일 | darunbooks@naver.com
등록 | 제300-2002-252호(2002. 11. 1)

ISBN 978-89-92486-14-9(전2권)
      978-89-92486-15-6 94980
값 100,000원(전2권 세트 : 낱권 구입 불가)

* 잘못된 책은 구입하신 서점이나 저희 출판사에서 바꾸어드립니다.

머리말

이 책, 『고본 산해경 도설(古本山海經圖說)』은 2001년 7월 산동화보출판사(山東畵報出版社)에서 출판된 이후, 5차례에 걸쳐 총 2만 권이 발행되었다. 이 책은 2003년에 중국사회과학원(中國社會科學院) 문학연구소(文學硏究所) 우수과학연구성과상 1등상을 수상했고, 2004년에는 제5회 중국사회과학원 우수과학연구성과상 3등상을 수상했다. 필자는 이 책이 중국 국내외 독자와 연구자들에게 널리 환영을 받고, 학계의 인정을 얻게 되어 더할 수 없이 기쁘다.

5년에 걸쳐, 필자는 서로 다른 판본의 『산해경(山海經)』 도본(圖本)들을 지속적으로 수집하여, 원래 10종이었던 판본을 16종으로 늘려, 3천여 컷에 달하는 『산해경』 도판(圖版)들을 확보하게 되었다. 다른 한편으로는 도문(圖文 : 그림과 글로 이루어진 것-역자) 『산해경』의 전승(傳承) 과정·서술 방식 및 특징을 비교 연구하여 『전상산해경도비교(全像山海經圖比較)』[북경(北京), 학원출판사(學苑出版社), 2003년판 : 2004년에 중국문련(中國文聯)[1]과 중국민협(中國民協)[2]이 수여한 제5회 중국민간문예산화상(中國民間文藝山花賞)·학술저작상(學術著作賞) 일등상(一等賞)을 수상함]라는 한 권의 책을 출판했다. 『고본 산해경 도설』이 이미 매진되었기에, 이 기회를 빌려 새로 수집한 산해경도(山海經圖)들을 『고본 산해경 도설』에 추가로 보충하여, 산해경도(山海經圖)를 좋아하고 연구하는 독자들에게 드려야겠다고 생각했다.

이 책의 증정본(增訂本)은 2001년 초판본에 기초하여 진행한 것으로, 초판본의 주요 내용·편성·체재와 풍격을 그대로 유지하여, 하나(혹은 여럿)의 신에 하나의 그림과 하나의 해설[一神(多神)一圖一說]을 두는 도설(圖說) 방식을 채택했으며, 『산해경』 18권(卷) 경문의 순서에 따라 서술했다.

필자는 이 책에서 독자들에게 완전히 새로운 면모를 보여주고자 다음과 같이 노력했다.

먼저, 초판본과의 가장 큰 차이점은, 이 책에 선별하여 실은 산해경도들이 크게 증

---

1) 중국문학예술계연합회(中國文學藝術界聯合會)
2) 중국민간문예가협회(中國民間文藝家協會)

가하여, 원래의 10개 판본에서 16개 판본으로 확충되었다는 점이다. 이 책에 선별하여 사용된 도판들은 원래의 1,000컷 정도에서 1,600여 컷으로 증가되어, 독자들에게 더욱 풍부하고 다채로우며 더욱 매력적인 산해경도의 세계를 열람하고 감상할 수 있는 기회를 제공했다. 이 책에 실린 그림들의 출처는 주로 명(明)·청(淸) 시대의 각기 다른 시기에 나온 16종의 『산해경』 도본들로, 이 도본들은 그림을 사용하여 이야기를 전개하는 방식이 서로 다르다. 산천(山川)과 신수(神獸)를 배경으로 하여 줄거리를 서술하는 방식, 하나의 그림과 하나의 해설[一圖一說]로 서로 보완하여 서술하는 방식, 『산해경』 18권의 경문 속에 그림을 끼워 넣어 서술하는 방식, 곽박(郭璞)의 도찬(圖讚)으로 보완하여 서술하는 방식 등등이 있다. 다른 배경에 다른 형태를 한 신과 짐승들이 하나의 『산해경』 이야기를 전개해 나가니, 이 얼마나 신기하고 흥미로운가!

둘째, 하나의 신이 여러 가지 형상[一神多形]을 갖는 것은, 신화가 전승되고 변화하는 과정에서 흔히 볼 수 있는 현상으로, 각종 판본의 산해경도들에서 하나의 신 혹은 하나의 짐승은 종종 다른 모습으로 등장하는데, 하나의 신이 여러 가지 형상[一神多形]을 하고 있는 현상이 특히 두드러진다. 우리가 알고 있듯이, 명·청 시기의 산해경도들은 주로 화가와 각공(刻工)들이 『산해경』 문본(文本)[3]에 근거하여 창작해낸 작품이므로, 경문의 부정확성, 문자의 착오, 화공(畵工)의 경문에 대한 서로 다른 이해, 심지어는 경문 표점(標點)의 차이까지도 모두 새로운 그림들이 나오게 되는 요인들이었다. 이 책에서 그림을 선별할 때, 특히 각기 다른 판본에서 나타나는, 하나의 신에 대해 여러 가지 그림[一神多圖]이 있는 현상에 주의를 기울여, 각기 다른 모습을 한 신(혹은 짐승)이 독자들의 눈앞에 펼쳐질 수 있도록 하는 데 심혈을 기울였다.

『산해경』은 매우 오래된 책으로, 거기에서 기술하고 있는 이야기들은 여러 가지 유형들이 있다. 문본(文本)들을 보자면, 다음과 같은 것들이 있다. 어떤 산에 어떤 짐승이 산다는 식으로 서술한 기사형(記事型), 기이한 모습과 특이한 기질[異形異稟] 및 변형(變形)된 신이나 짐승에 대해 묘사한 묘사형(描寫型), 어떤 산에 어떤 새가 사는데, 생김새는 어떠하며, 그것이 나타나면 큰 홍수가 난다거나 혹은 병을 치료할 수 있고 화재를 피할 수 있다는 등등의 내용을 서술한 품격형(品格型), 어떤 산에 어떤 신이 사는데, 생김새는 어떠하며, 어떻게 제사를 지낸다는 등등의 내용을 서술한 무사형(巫事型), 그리고 구미호(九尾狐)·서왕모(西王母)·정위(精衛)·형천(刑天)·개명수(開明獸)·과보

---

3) 경문본, 즉 도본이 아니라 문장만으로 이루어진 판본을 가리킨다.

(夸父)·욕수(蓐收)·알유(窫窳)·이부(貳負)의 신하 위(危) 등등과 같이, 상대적으로 완전한 줄거리가 있고, 과정이 있고, 시작과 끝이 있는 이야기를 묘사한 스토리형[정절형(情節型)]이 있다. 독자들은 이 책을 통해 각종 산해경도가 어떻게 그림을 이용하여 그러한 이야기들을 풀어내고 있는지를 살펴볼 수 있다. 각기 다른 판본의 『산해경』 도본들은, 마치 각기 다른 이야기꾼이 다른 유형의 고사를 이야기할 때 자신만의 독특한 표현 방식을 갖는 것과 비슷하다. 예를 들면, 알유는 『산해경』에 나오는 짐승들 중 사람을 잡아먹는 무서운 짐승인데, 그것은 원래 사람의 얼굴에 뱀의 몸을 한 천신(天神)[이 책의 「해내서경(海內西經)」〈권11-4〉의 그림 1을 보라.]이었지만, 이부신(貳負神)에게 죽임을 당한 후, 사람의 얼굴에 소의 몸과 말의 발을 가진 괴물로 변했다[「북산경(北山經)」〈권3-22〉의 그림 1을 보라]. 또 다른 전설로, 알유가 그리 큰 잘못을 저지른 것도 아닌데, 이부신한테 죽임을 당하자, 천제(天帝)가 개명(開明) 동쪽의 무당들[群巫]에게 명하여 불사약(不死藥)을 만들어, 알유를 살려냈으며, 되살아난 알유는 용의 대가리를 한 모습으로 나타나 사람을 잡아먹으며 살았다고 한다[「해내남경(海內南經)」〈권10-2〉의 그림 1을 보라]. 명대(明代)의 장응호회도본(蔣應鎬繪圖本)은 차례로 세 폭의 그림을 이용하여 알유에 대한 이야기를 풀어냈는데, 이는 동일한 신의 모습이 변해가는 전 과정을 드러내주고 있다. 그리고 청대(淸代)의 왕불도본(汪紱圖本)은 단지 「북산경」에 있는, 사람의 얼굴에 소의 몸과 말의 발을 가진 알유만을 선택하고 있다[「북산경」〈권3-22〉의 그림 3을 보라]. 그림을 대비해가면서 읽으면, 그 속에서 독자들은 재미를 맛볼 수 있을 것이다.

셋째, 『산해경』의 고도(古圖)는 이미 오래 전에 유실되었는데, 최초의 산해경도는 도대체 어떤 것이었을까? 우정(禹鼎)[4]에 새겨진 그림이었을까? 산천지도(山川地圖)였을까? 암벽화(巖壁畵)였을까? 월령천문도(月令天文圖)[5]였을까? 무도(巫圖)나 기신이수도(奇神異獸圖)였을까? 이에 대해 고고학적(考古學的)·문헌적인 뒷받침을 얻을 수 없기 때

---

4) 하(夏)나라의 우(禹)임금이 주조했다는 아홉 개의 정(鼎 : 솥)으로, 그 표면에는 온갖 사물들의 모양을 주조하여, 백성들로 하여금 좋은 사물과 나쁜 사물을 알게 해주었다고 전해진다. 당시 정(鼎)은 권력을 상징했으며, 크기나 무게는 곧 권력의 크기를 상징했다고 전해진다.

5) 월령(月令)이란 상고 시대의 문장 체재(體裁)의 일종으로, 12달의 시기에 따라 국가에서 지내는 제사(祭祀)·예의(禮儀)·직무(職務)·법령(法令)·금령(禁令) 등을 기술했으며, 또한 그것들을 오행상생(五行相生)의 계통 속에 귀납(歸納)해냈는데, 현재는 『예기(禮記)』에 「월령」편이 있으며, 또한 『일주서(逸周書)』에도 「월령」편이 있었으나, 후자는 이미 유실되고 존재하지 않는다. 이를 천문도(天文圖) 형태로 그린 것이 월령천문도이다.

문에, 현재의 모든 견해들 역시 단지 추측에 불과하다. 만약 우리가 현존하는 문헌 자료나, 혹은 산해경도의 역대 전승 과정이나, 혹은 고고 발굴로 출토된 『산해경』과 동시대의 그림 자료[예를 들면 전국(戰國)·한(漢)나라 초기의 백화(帛畵)[6]·칠화(漆畵)[7]·침각화(針刻畵)[8]] 등등으로부터 출발한다면, 어느 정도는 『산해경』 고도의 풍격과 모습을 재현해내고, 도문(圖文) 『산해경』을 기술한 언어적 상황[語境]을 재현해낼 수 있지 않을까? 그래서 이 책에서는 소량의 고고학적 그림들을 선택하여 사용하고, 또 청대 화가인 소운종(蕭雲從)의 『천문도(天問圖)』 중에서 관련된 몇 폭의 그림들을 골라 사용함으로써, 독자들이 산해경도의 전승 과정 및 그림의 형상에 대해 한층 잘 이해할 수 있도록 했다.

넷째, 초판본(初版本)을 쓸 당시, 필자는 단지 10종의 『산해경』 도본들만을 보았었다. 현재 확보하고 있는 16종의 판본들은 우리가 명·청 시대 산해경도들의 특색과 풍격을 더 많이 이해할 수 있게 해준다. 이 새로 수집된 도본들은 다음과 같다.

1. 청(淸) 『산해경광주(山海經廣注)』, 오임신(吳任臣) 주(注), 강희(康熙) 6년(1667년) 도본, 수록 도판 144컷.

2. 청 『증보회상산해경광주(增補繪像山海經廣注)』, 오임신 주, 건륭(乾隆) 51년(1786년) 도본, 수록 도판 144컷.

3. 청 『산해경회도광주(山海經繪圖廣注)』, 오임신 주, 사천(四川) 성혹인(成或因) 회도(繪圖), 사천 순경(順慶) 해청루판(海淸樓版), 함풍(咸豊) 5년(1855) 각인본(刻印本), 수록 도판 74컷.

4. 청 『고금도서집성(古今圖書集成)·변예전(邊裔典)』 중 면 지역의 이민족.

5. 『산해경도설(山海經圖說)』, 상해금장도서국(上海錦章圖書局) 민국(民國)[9] 8년(1919년) 판, 필원도본(畢沅圖本)을 근거로 한 모본(摹本), 수록 도판 144컷.

6. 일본 『괴기조수도권(怪奇鳥獸圖卷)』, 일본 분쇼도(文唱堂) 주식회사 2001년 판본, 수록 도판 76컷. 이 도본은 에도(江戶) 시대의 일본 화가가 중국의 『산해경』과 산해경도에 근거해서 그린 『산해경』 도본이다.

---

6) 비단 위에 그려진 그림.

7) 관곽(棺槨)이나 공예품 등에 옻으로 그린 그림.

8) 옥기(玉器)나 칠기·도기(陶器) 등에 뾰족한 도구를 이용하여 새긴 그림.

9) 청나라가 멸망하고, 1912년에 민주공화국이 성립된 뒤부터 중화인민공화국(中華人民共和國)이 건립되기까지의 중국의 국호(國號)이자 연호(年號)이다.

여기에서 필자는 이것들 가운데 몇 종을 특별히 독자들에게 소개하고자 한다.

1. 일본의 『괴기조수도권』은 일본 에도 시대(1603~1867년, 중국의 명·청 시기에 해당)에 중국의 『산해경』과 산해경도에 근거하여 그린 컬러판 도본(2001년 일본 분쇼도 주식회사 출판)으로, 모두 76컷의 그림이 수록되어 있다. 필자는 초보적인 연구를 통해, 일본 도본에 수록된 76컷의 그림들 중 66컷이 중국 명대에 호문환(胡文煥)이 지은 『산해경도(山海經圖)』에 보이며, 양자(兩者)는 그림의 배치·신명(神名) 및 풍격 등 다방면에 걸쳐 유사한 부분이 상당히 많다는 것을 알아냈다[마창의(馬昌儀) 『전상산해경도비교(全像山海經圖比較)·도론(導論)』을 참조하라]. 필자가 추측하기로는, 일본의 화가가 『괴기조수도권』을 그릴 때 호문환의 도본을 참고한 것 같다. 그러나 일본의 도본은 형상의 조형(造型)에서 또한 자신만의 특색을 가지고 있어, 『산해경』에 대한 일본 화가의 독특한 이해를 잘 표현해냈다. 예를 들면 「해외북경(海外北經)」에 촉음신(燭陰神)이 나오는데, 경문(經文)에서 이르기를, 이 신은 "사람의 얼굴에 뱀의 몸을 하고 있으며, 붉은색이다.[人面蛇身, 赤色.]"라고 했다. 지금 보이는 일본도본의 촉음(이 책 〈권8-2〉의 그림 3을 보라)은 사람의 얼굴에 뱀의 몸을 하고 있는데, 몸에는 붉은색 얼룩무늬가 있고, 등은 녹색을 띠고 있다. 가장 흥미로운 점은, 촉음의 얼굴을 여성으로 그렸으며, 더구나 일본 여인의 모습을 하고 있다는 점인데, 긴 머리를 어깨까지 늘어뜨리고, 머리를 빗어 올려 얹은머리를 하고 있다. 이 신의 이름이 촉음인데, 음(陰)은 여성(女性)이므로, 화가가 이 점에 착안하여 촉음을 여성신으로 그린 것으로 보인다. 촉음이 여성신인 이러한 형상은, 중국의 신화 관련 전적(典籍)들은 물론 이전의 산해경도나 중국인의 관념 속에서 이제껏 출현한 적이 없는 듯하다. 이 책에서 이번에 제공한 파촉(巴蜀) 풍격을 띤 사천(四川)의 성혹인(成或因)이 그림을 그린 촉음도(燭陰圖 : 이 책 〈권8-2〉의 그림 4를 보라)에도 여성신의 흔적이 있는지를 흥미 있는 독자라면 대조해보는 것도 좋을 것이다. 일본 도본이 이 책에 눈부신 광채를 더해줄 것으로 기대한다.

2. 청대 최초의 『산해경』 도본은 강희(康熙) 6년(1667년)에 간행된, 오임신이 주석(注釋)한 『산해경광주(山海經廣注)』이다. 이 도본은 육조(六朝)의 장승요(張僧繇)·송대(宋代) 서아(舒雅)의 10권짜리 『산해경』 도본 및 명대 호문환도본의 전통을 계승했고, 장승요가 처음으로 고안한, 『산해경』의 신과 짐승들을 신(神)·수(獸)·조(鳥)·충(蟲)·이역(異域) 등 5종류로 나눈 것을, 권수(卷首)에 배치하는 편성 구조와 격식을 채용했다. 도상(圖像)의 조형에서는 144컷의 그림들 중 71컷이 전체적으로 혹은 대부분을 호문환도

문에서 채용했다. 오임신의 강희도본(康熙圖本)은 매우 광범위하게 유포되었는데, 이후의 건륭도본(乾隆圖本)·근문당도본(近文堂圖本)·필원도본(畢沅圖本)·학의행도본(郝懿行圖本)은 모두 이 도본의 모본(摹本)[10]들이다. 오임신의 각본(刻本)[11]에는 또 이른바 서원본(書院本)·관간본(官刊本) 및 민간판본 등 여러 종류가 있는데, 이 책에 수록된 강희도본과 건륭도본은 서원본과 관간본에 속하고, 근문당도본은 민간판본에 속한다. 오임신 각본은 사천(四川)에게까지 전해져 성혹인회도본(成或因繪圖本)이 출현하게 되었는데, 이 도본은 더욱 큰 변모를 보여준다. 이 책은 오임신 주본(注本)의 몇몇 각본들 및 그 배경 자료를 모두 독자에게 소개하여 참고할 수 있도록 했다.

　3. 청대의 『산해경회도광주(山海經繪圖廣注)』는 오임신이 주석하고, 성혹인(成或因)이 그림을 그린 사천(四川) 순경(順慶) 해청루판(海淸樓版)으로, 함풍(咸豊) 5년(1855년-역자)에 간행되었다. 이 사천성혹인회도본은 필자가 초판본을 쓸 당시에 이미 보기는 했지만, 당시 절친한 친구인 장승택(張勝澤)이 중경도서관(重慶圖書館)에서 수집한 것은 단지 4컷에 불과했다. 그런데 올해(2006년-역자) 초, 러시아의 한학자(漢學者)인 이복청(李福淸)이 이탈리아의 도서관에서 이 각본의 그림 2컷을 수집했고, 뒤이어 북경대학의 진연산(陳連山) 교수가 그 나머지 대부분의 그림들을 수집했다[일부는 손상되어 불완전함]. 현재 우리가 볼 수 있는 명·청 시대의 산해경도 각본들은 대부분이 오(吳) 지역과 월(越) 지역의 각본들이다. 그러나 사천성혹인회도본은 파촉(巴蜀) 각본에 속한다. 이 때문에 특히 관심을 가질 필요가 있다. 사천성혹인회도본은 모두 74컷으로, 비록 청대에 오임신이 주석했다고 명기되어 있지만, 그림의 구도·편성·격식은 오히려 오임신 각본과 완전히 다르다. 게다가 명대의 장응호(蔣應鎬)회도본이 채택한, 산천을 배경으로 한 일도다신(一圖多神 : 한 폭의 그림 안에 여러 신들을 그린 것-역자) 혹은 일도일신(一圖一神 : 한 폭의 그림 안에 하나의 신만을 그린 것-역자)의 구도를 채용했다. 전체 74컷(손상된 것 제외)의 신과 짐승들은 그림의 구도·편성·격식에서 비록 상당 부분이 장응호회도본과 같지만, 그림의 조형에서는 둘 사이에 큰 차이가 있다. 성혹인회도본의 신과 짐승들은 특징이 선명하고, 형상이 과장되어 있으며, 선이 거칠다. 또 개별 그림들은 세속화·

---

10) 어떤 작품을 베끼거나 모방하여 그리는 것에는 원래 두 종류가 있다. 하나는 임본(臨本)으로, 이는 원본을 보면서 그것과 유사하게 쓰거나 그리는 것이고, 다른 하나는 원본 위에 뒤가 비치는 얇은 종이나 천을 얹은 다음 똑같이 베끼는 것으로, 이를 모본(摹本)이라 한다. 대개 이 둘을 합쳐서 임모본(臨摹本)이라 하며, 그냥 혼용하기도 한다.

11) 판에 새긴 다음 찍어낸 책.

종교화·연환화(連環畫)[12]적인 경향이 뚜렷하다. 역사학자 몽문통(蒙文通)은 일찍이 『산해경』의 경문 부분은 파촉(巴蜀)의 문장이며, 그 산해경도들도 역시 파촉의 도화(圖畫)에서 기원했을 가능성이 있다고 했는데[몽문통의 「略論山海經的寫作時代及其産生地域」, 『巴蜀古史論述』, 사천인민출판사(四川人民出版社), 1981년을 참조하라], 이는 당연히 고도(古圖)를 가리켜 말한 것이다. 그러나 청대 함풍 연간에 활동했던 사천 지역의 화가인 성혹인이, 명대 산해경도의 오(吳)·월(越) 각본들에 배합시킨 선명한 파촉의 요소와 풍격은 마찬가지로 우리의 큰 흥미를 불러일으켰다. 이러한 파촉 풍격의 그림들은 분명 독자들에게도 환영받을 것으로 생각된다.

다섯째, 이 책은 필자가 발표한 논문인 「山海經圖 : 尋找『山海經』的另一半(산해경도 : 『산해경』의 또 다른 반쪽을 찾아)」[『문학유산(文學遺産)』, 2000년, 제6기]을 서론으로 삼았다. 책 전체의 도설(圖說) 내용은 수정을 가하여, 학술적 가치에 영향을 미치지 않는 범위 내에서 가능한 문장을 더 일반적이고 알기 쉽게 고쳤다.

도문(圖文) 『산해경』에 대한 전문적인 연구는 단지 시작에 불과할 뿐, 앞으로 해야 할 일들이 매우 많다. 얼마 전에 일본 도쿄대학(東京大學)의 학생인 마츠우라 치카코(松浦史子) 양이 방문했었는데, 그녀는 현재 곽박(郭璞)과 『산해경도찬(山海經圖讚)』에 관한 박사논문을 쓰고 있다고 했다. 그래서 산해경도에 깊은 관심을 드러냈다. 그녀의 소개에 의하면, 일본에는 『괴기조수도권』 이외에 또 『천지서상지(天地瑞祥志)』 도본[손케이카쿠 분고(尊經閣文庫)]이 있는데, 이 역시 『산해경』과 관계가 있다고 했다. 나는 『산해경』을 좋아하는 국내외의 학자들이 모두 이 과제에 관심을 가지고, 도문 『산해경』의 수집·연구·문화 교류 방면에서 새로운 성과를 이루어내기를 진정으로 바란다.

필자는 산해경도를 아끼는 모든 국내외의 학자·독자와 출판인들의 필자에 대한 관심·지지·격려에 대해 진심으로 감사드린다. 특히 필자에게 새로운 자료와 새로운 판본을 제공해준 스승과 벗들에게 감사드린다. 일본 게이오대학(慶應大學)의 이토 세이지(伊藤清司) 교수·일본 후쿠오카 세이난 학원(福岡西南學院)의 왕효렴(王孝廉) 교수·북경대학의 진연산(陳連山) 교수·중국사회과학원 문학연구소의 여미(呂微) 연구원·산동 연대 사범학원(烟臺師範學院)의 산만(山曼) 교수·학원출판사(學苑出版社)의 유연(劉漣) 편집

---

12) 연환도화(連環圖畫)·연환도(連環圖)·소인서(小人書)·소서(小書)·공자서(公仔書) 등으로도 불린다. 여러 컷의 화면들을 이용하여 연속으로 하나의 이야기나 사건의 발전 과정을 서술하는 그림을 가리키는데, 제재가 광범위하고, 내용이 다양하다. 중국 고유의 연속그림으로, 오늘날의 만화와 비슷한 개념이다.

등에게 특별히 감사드린다. 이들의 지도와 도움이 있었기에 이 책이 새로운 모습으로 독자들에게 선보일 수 있었다.

또한 광서사범대학출판사(廣西師範大學出版社)의 유서림(劉瑞琳) 부사장·채립국(蔡立國)·진릉운(陳凌雲) 선생에게 감사드리고자 한다. 이 분들은 원대한 안목과 고명한 견해로 이 책을 받아들여 성실하고 꼼꼼한 작업을 통해, 이 책이 순조롭게 출판될 수 있도록 해주셨다.

2006년 북경에서

서론(序論)

산해경도(山海經圖) : 『산해경』의 또 다른 반쪽을 찾아[1]

『산해경』은 그림이 있고 글이 있는[有圖有文] 책이다.

『산해경』은 중국 상고(上古) 문화의 진품(珍品)으로, 전국(戰國) 시대부터 한(漢)나라 초에 이르는 시기에 완성되어 지금에 이르고 있으며, 기서(奇書)로 공인받고 있다. 이 책을 '기서'라고 하는 이유는, 첫째, 3만 1천여 자가 안 되는 편폭 안에 대략 40개 방국(邦國), 550개의 산, 300개의 강, 100여 명의 역사 인물, 400여 종의 신괴(神怪 : 신과 요괴-역자) 및 외수(畏獸 : 무서운 짐승-역자)들을 기재하고 있기 때문이다. 『산해경』은 지리지(地理志)·방물지(方物志 : 각 지역의 특산물을 기록한 문헌-역자)·민족지(民族志)·민속지(民俗志)를 한데 모아놓은 것이며, 하나의 무서(巫書)이자 또한 중국 민족의 원시 신화를 대량으로 보존하고 있다. 둘째, 이 책이 중국의 유도유문(有圖有文) 서사(敍事) 전통의 효시를 이루었으며, 그 기이하고 변화무쌍함이 산해경도들에 생생하게 반영되어 있기 때문이다.

고대의 서적은 그림이 있고 글이 있는데, 그림과 글을 함께 사용하는 것은 중국 서사(敍事)의 오래된 전통이다. 1500여 년 전, 진대(晉代)의 유명한 시인인 도연명(陶淵明)은 "산해도(山海圖)를 두루 보았네.[流觀山海圖.]"라는 시구를 남겼고, 역시 진대의 곽박(郭璞)은 일찍이 『산해경도찬(山海經圖讚)』을 짓고 『산해경』에 주석을 달면서, "그림에도 또한 소의 형상으로 그려져 있다[圖亦作牛形]"·"외수화(畏獸畫) 중에 들어 있다.[在畏獸畫中]"·"오늘날의 그림에는 붉은 새로 그려져 있다[今圖作赤鳥]"라는 등의 문장들을 썼는데, 이를 통해 진대의 『산해경』에도 역시 그림이 있었음을 알 수 있다. 또한 『산해경』의 경문 중에 들어 있는 일부 방위(方位)나 인물의 동작을 나타내는 묘사가 그림에 대한 설명임을 분명하게 알 수 있게 해준다[예를 들면, 「대황동경(大荒東經)」에 왕해(王亥)가 "두 손으로 새를 잡아 그것의 대가리를 먹고 있다

---

[1] 저자주 : 이 논문은 원래 『문학유산(文學遺産)』 2000년 제6기에 실려 있으며, 서론[導論]으로 사용하면서 일부분을 보완했다.

兩手操鳥, 方食其頭)”·「해외서경(海外西經)」의 “개명수가 ……동쪽을 향해 곤륜 위에 서 있다(開明獸……東向立昆侖上)” 등등과 같은 경우]. 이는 바로 송대(宋代)의 학자인 주희(朱熹)가 다음과 같이 지적해낸 데서도 알 수 있다. “내가 일찍이 『산해경』 여러 편을 읽은 적이 있는데, 여러 이물(異物)과 비주류(飛走類 : 날짐승과 길짐승-역자)를 기록하면서 대부분 ‘동쪽을 향하고 있다[東向]’, 혹은 ‘대가리를 동쪽으로 두고 있다[東首]’ 운운했는데, 모두 일정하면서도 변함없는 형태로 되어 있었다. 이는 본래 그림[圖畵]에 근거하여 쓴 것이지 실제로 그곳에 이러한 것들이 있음을 기재한 것은 아닌 것 같다. 고대인들에게는 도화학(圖畵學)이라는 것이 있었는데, 이를테면 「구가(九歌)」·「천문(天問)」이 모두 그러한 종류들이다.[予嘗讀 『山海』諸篇, 記諸異物飛走之類, 多云‘東向’, 或云‘東首’, 皆爲一定而不易之形, 疑本依圖畵而爲之, 非實記載此處有此物也. 古人有圖畵之學, 如「九歌」·「天問」皆其類.]”[2] 유감스럽게도 곽박이나 도연명이 보았던 『산해경』의 고도(古圖)들은 모두 전해오지 않고 있다.

당대(唐代)에는, 산해경도들이 “옛것을 기술한 신비하고 진귀한 그림들[述古之秘畵珍圖]”로 간주되었다. 장언원(張彥遠)이 『역대명화기(歷代名畵記)』에서 열거한 90종의 이른바 “옛것을 기술한 신비하고 진귀한 그림들” 중에는 ‘산해경도(山海經圖)’와 ‘대황경도(大荒經圖)’가 들어 있다.[3] 송대의 학자인 요관(姚寬)과 현대의 학자인 요종이(饒宗頤)는 모두 『산해경』이 그림이 있고 글이 있는[有圖有文] 책이라고 보았다. 송대의 요관은 『서계총어(西溪叢語)』에서 말하기를, “『산해경·대황북경』에는 ‘어떤 신이 뱀을 입에 물고 있는데, 그 생김새는 호랑이의 대가리에 사람의 몸을 하고 있고, 네 개의 짐승 발굽이 있으며, 앞다리가 매우 길다. 이름은 강량(彊良)이라고 한다.’라고 되어 있다. ‘또한 외수서(畏獸書) 중에 들어 있다’라고 했는데, 이 책은 지금 유실되고 없다[『山海經·大荒北經』 : ‘有神銜蛇, 其狀, 虎首人身, 四蹄長肘, 名曰强良’, ‘亦在畏獸書中’, 此書今亡矣.]”라고 했다.[4] 요종이는 『외수화(畏獸畵)』설(說)』에서 요관의 글을 인용하여 이르기를, “대

---

2) 저자주 : 『주자어류(朱子語類)』 권 138.

3) 저자주 : 당대(唐代)의 장원언(張彥遠)은 『역대명화기』에서 이렇게 말했다. “고대의 신비하고 진귀한 그림[秘畵珍圖]들은 본래 많았는데, 세간에서 유실되어 볼 수가 없다. 지금 대략 대표적인 것을 들자면 곧 ……산해경도 ……대황경도가 있다.[古之秘畵珍圖固多, 散逸人間, 不得見之, 今粗擧領袖, 則有……山海經圖……大荒經圖.]” 경화출판사(京華出版社), 2000년, 40쪽. 이 설은 다른 기록들에서는 보이지 않는다.

4) 저자주 : 송대(宋代) 요관(姚寬) 『서계총어(西溪叢語)』 권하(卷下), 중화서국(中華書局), 1993년, 91쪽. 이 책에서는 “또한 외수서(畏獸書) 중에 들어 있다[亦在畏獸書中]”라는 구절의 앞뒤에 작은따옴표가 붙어 있고, 아울러 그에 대해 다음과 같이 주석하고 있다. 즉 “『산해경』에 근거하면, 이 구절은 곧 곽박의 주

황북경에 어떤 짐승이 나오는데, 뱀을 입에 물고 있고, 그 생김새는 호랑이의 대가리에 사람의 몸을 하고 있으며, 네 개의 짐승 발굽에 앞다리가 매우 길고, 이름은 강량이라 한다. 『외수화(畏獸畵)』 중에 들어 있는데, 이 책은 지금 유실되었다."라고 했다. 요종이 선생은 '외수화'라는 단어에 책명[書名]을 나타내는 부호를 사용하면서 말하기를, "요관의 말과 같이, 옛날에 실제로 『외수화』라는 책이 있었는데, 『산해경』에서 언급한 괴수라는 것들이 대부분 그 속에 들어 있다."라고 했다. 또한 "『산해경』에는 신물(神物)이 많이 열거되어 있다. 고대의 외수화는 보존되어 있는 것이 거의 없다!"라고 했다.[5] 요관이 말한 '畏獸'라는 두 글자는, 곽박이 그림에 근거하여 단 주석에서 기원했음이 분명한데, '외수서'가 가리키는 것은 바로 그림도 있고 글도 있는[有圖有文] 『산해경』이며, 이 책은 이미 유실되어 전해지지 않는다. 이로부터 추측해보건대, 『산해경』의 모본(母本)은 아마도 그림도 있고 글도 있는 형태로 되어 있었으며, 그것(혹은 그 중 일부 주요 부분)은 그림에 근거하여 글을 쓴(먼저 그림이 있었고, 나중에 글이 나온) 책인데, 고도(古圖)는 유실되고 오히려 글만 전해져 내려온 것으로, 이것이 바로 우리가 보고 있는 『산해경』일 것이다.

산해경도(山海經圖)의 자취를 찾아

역대 주소가(注疏家)들의 산해경도에 대한 소개는, 청대의 주소가인 필원(畢沅)과 학

석 문장이다. '亦'자 앞에 아마도 '注'자가 빠진 것 같다.[據『山海經』, 此句乃郭璞注文. '亦'前疑脫一'注'字.] 곽박이 '강량'에 대해 주석한 원문을 살펴보면, "또한 외수화(畏獸畵) 중에 들어 있다.[亦在畏獸畵中.]"라고 되어 있다. 송대의 우무(尤袤)는 『산해경전(山海經傳)』에 곽박이 강량에 대해 주석한 문장을 기재하기를, "또한 수화(獸畵) 중에 들어 있다.[亦在獸畵中.]"라고 했다(중화서국, 1984년, 영인본 제3책). 번체자에서 '畵畵'라는 두 글자의 자형이 서로 비슷하므로, 곽박이 주석한 '畏獸畵'는 아마도 '畏獸畵'의 오기(誤記)일 것이다. 요관의 글에 있는 "亦在畏獸書中[또한 외수서(畏獸書) 중에 들어 있다]"라는 구절에 대해, 반드시 곽박이 주석한 것은 아니라고 이해할 수도 있다. 그 이유는, 첫째 곽박이 강량에 대해 주석한 원문은 "亦在畏獸畵('獸畵'라고 된 것도 있음)中[또한 외수화 안에 들어 있다]"이지, '畏獸書(외수서)'가 아니라는 것이다. 둘째 『서계총어』 하권에서 요관의 명편(名篇)인 '도잠독산해경(陶潛讀山海經) 13수'를 수록하고, 여러 차례 곽박의 주를 인용했는데, 인용할 때마다 모두 "郭璞注云[곽박이 주석하기를]"이라고 명기했다. 그런데 만약 "또한 외수서 안에 들어 있다.[亦在畏獸書中.]"라는 구절이 확실하게 곽박의 주석이라면, 설명을 하지 않았을 리 없다. 그러므로 "또한 외수서 안에 들어 있다"라는 구절은 요관의 견해일 가능성이 높다. '외수(畏獸)'라는 단어는 곽박의 주에서 나온 것이지만, 외수서가 가리키는 것은 그림이 있고 글이 있는[有圖有文] 『산해경』이다.

5) 저자주 : 요종이 『징심논췌(澄心論萃)』, 상해문예출판사(上海文藝出版社), 1996년, 264~266쪽.

의행(郝懿行)의 논술이 가장 상세하다. 필원은 『산해경고금본편목고(山海經古今本篇目考)』에서 이에 대해 전문적으로 소개했다.

필원이 이르기를, 『산해경』에는 고도(古圖)가 있었고, 한대(漢代)에 전해지던 그림이 있었으며, 남조(南朝) 양(梁)나라 장승요(張僧繇) 등의 그림이 있었다. 13편 중에 「해외경(海外經)」・「해내경(海內經)」에서 언급한 그림은 우정도(禹鼎圖 : 이 책 6쪽 참조-역자)이다. 「대황경」 이하 5편에서 언급한 것은 한대에 전해지던 그림들인데, 그 그림들에 성탕(成湯 : 은나라의 탕왕-역자)의 고사・왕해(王亥)가 소를 부린 고사[王亥仆牛] 등이 있는 것을 통해 그것을 알 수 있다. 이 그림들은 또한 고도와는 약간 다르다. 『한서(漢書)・예문지(藝文志)』에 따르면, 『산해경』은 형법가(形法家)[6)로 분류되어 있는데, 본래 유향(劉向)의 『칠략(七略)』에서 『산해경』에 그림이 들어 있으므로 형법가에 넣었다. 곽박은 주석하기를, "그림에도 또한 소의 형상으로 그려져 있다[圖亦作牛形]"라고 했으며, 또 "외수화(畏獸畵) 중에 들어 있다[在畏獸畵中]"라고도 했다. 또한 곽박과 장준(張駿)은 도찬(圖讚)을 지었으며, 도잠의 시에서는 "산해도(山海圖)를 두루 보았네."라고 했다. ……[7)

학의행은 「산해경전소서(山海經箋疏敍)」에서 다음과 같이 말했다.

고대의 서적은 그림이 있고 해설이 있었는데[有圖有說], 『주관(周官)』[8)의 지도

---

6) 형법(形法)이란 풍수(風水)・골상(骨相) 등의 방술(方術)을 가리킨다. 『한서・예문지』에서 '술수(術數)'의 하나로 들고 있는데, "형법이란 것은, 대체로 구주(九州 : 온 나라-역자)의 형세를 들어 성곽이나 집의 모양을 세우고, 사람이나 육축(六畜)의 골법(骨法)의 도수(度數)나 기물의 모양을 가지고 그 기세・귀천・길흉을 찾는 것이다.[形法者, 大擧九州之勢以立城郭室舍形, 人及六畜骨法之度數・器物之形容以求其聲氣貴賤吉凶.]"라고 했다.

7) 저자주 : 청(淸) 필원(畢沅) 『산해경신교정(山海經新校正)・고금본편목고(古今本篇目考)』, 광서(光緒) 16년(1890년), 학고산방(學庫山房)에서 필원(畢沅)이 그림을 그리고 주(注)를 단 원본을 본떠서 교감하여 간행했다.

8) 『주례(周禮)』의 원래 명칭이다. 『주례』는 중국 고대의 정치・경제 제도에 관한 저작으로, 고대 유가(儒家)의 주요 경전(經典)들 가운데 하나이다. 그 안에는 천관(天官)・지관(地官)・춘관(春官)・하관(夏官)・추관(秋官)・동관(冬官) 등 6편이 포함되어 있기 때문에, 책 이름이 『주관』이 되었으며, 『주관경(周官經)』이라고도 부른다. 서한(西漢) 성제(成帝) 때, 유흠(劉歆)이 궁중의 비부(秘府)에 보관되어 있던 서적들을 교감하고 정리하면서 『주관』이 서목에 포함되었는데, 동관(冬官) 한 편이 빠져 부족한 것을 「고공기(考工記)」로 보충하여 채웠다. 왕망(王莽)이 신(新)나라를 건국한 다음 명칭을 『주례』라고 고쳤다. 서명으로 본다면 마땅히 주대(周代)의 관제(官制)를 기재한 서적이어야 하지만, 그 내용은 주대의 관제와 부합하지 않는다. 아마도 이상(理想)적의 정치 제도와 백관(百官)의 관제를 기록한 것인 듯하다.

(地圖)에 각각 장고(掌故)9)가 있다는 것이 그것을 증명해준다. 『후한서(後漢書)·왕경전(王景傳)』에 이르기를, "왕경에게 『산해경』·『하거서』·『우공도』를 하사했다.[賜景『山海經』·『河渠書』·『禹貢圖』.]"라고 했는데, 이는 한대의 「우공(禹貢)」10)에도 여전히 그림이 있었다는 것을 말해준다. 곽박은 이 경전(『산해경』-역자)을 주석하여 말하기를, "그림에도 또한 소의 형상으로 그려져 있다[圖亦作牛形]"라고 했으며, 또한 "외수화(畏獸畵) 중에 들어 있다[在畏獸畵中]"라고도 했다. 도연명은 이 경전을 읽고서, 시(詩)를 지어, "산해도(山海圖)를 두루 보았네."라고 했다. 이는 진대(晉代)에도 여전히 이 경전에 그림이 있었다는 것을 말해준다. 『중흥서목(中興書目)』에서, "『산해경도』 10권은 본래 양나라의 장승요가 그린 것인데, 함평(咸平)11) 2년(999년-역자)에 교리(校理)12)인 서아(舒雅)가 다시 10권을 그렸……"라고 했다. 이는 그 그림이 이미 곽박이나 도연명이 본 것들과는 다르며, 지금 볼 수 있는 그림 또한 장승요나 서아의 그림과는 다르므로, 실로 근거로 삼기에는 부족하다. 그러나 곽박이 본 그림도 이미 고도(古圖)가 아닌데, 왜냐하면 고도에는 마땅히 산천(山川)의 이정(里程)13)이 있기 때문이다. 지금 곽박이 기록한 것들을 살펴보면, 단지 외수(畏獸)와 선인(仙人)에 관한 것만 있는데, 산천의 맥락(脈絡)에 대해서는 그림을 보고 알 수 없었기 때문이다. 이로써 곽박도 고도를 보지 못했다는 것을 알 수 있다. 지금 『우공』(『우공도』-역자) 및 『산해도』는 마침내 자취가 끊겨, 더는 찾을 수가 없다.14)

필원과 학의행은 우리에게 그림이 있고 글이 있는[有圖有文] 『산해경』 원본의 대략적인 윤곽을 제시해주었는데, 이를 통해 산해경도는 적어도 다음에 열거하는 세 종류가 있었다는 것을 알 수 있다.

1. 고도(古圖) : 필원은 고도에 두 가지가 있다고 보았는데, 첫째, 「산외경(山外經)」과

---

9) 역사적 인물이나 사실(事實)·전장(典章) 제도 등에 대한 전해오는 고사나 일화 등을 가리킨다.

10) 『상서(尙書)』 즉 『서경(書經)』에 들어 있는 편명(篇名)의 하나이다. 전국(戰國) 시기에 위(魏)나라의 어떤 사람이 대우(大禹)의 이름을 차용하여 지었기 때문에 「우공(禹貢)」이라 부르게 되었다고 한다.

11) 북송(北宋)의 진종(眞宗) 조항(趙恒) 때의 연호로, 998년부터 1003년까지 사용되었다.

12) 중국 고대의 관직명으로, 궁정의 장서(藏書)들을 교감(校勘)하고 정리하는 일을 담당했다.

13) 한 곳에서 다른 곳까지의 길의 거리.

14) 저자주 : 청(淸) 학의행(郝懿行) 「산해경전소서(山海經箋疏敍)」(가경 9년, 1804년), 『중국역대소설서발집(中國歷代小說序跋集)』[정석근(丁錫根) 편저, 인민문학출판사(人民文學出版社), 1996년, 21쪽]을 보라.

「산내경(山內經)」에서 말한 그림은 우정도(禹鼎圖)이고, 둘째, 「대황경」 이하 5편은 한대에 전해지던 그림으로, 이들 두 종류의 고도는 약간 다른 점이 있다고 여겼다.

학의행도 역시 고도에는 두 가지가 있다고 보았지만, 필원의 설과는 차이가 있다. 첫째, 한대의 그림은 그림 위에 산천(山川)의 이정(里程)·외수와 선인이 있었는데, 곽박이 이 경전에 주석을 달 때는 이 그림들을 보지 못했다는 것이다. 둘째, 진대(晉代)에 곽박이 『산해경』을 주석하고, 『산해경도찬』을 짓고, 도연명이 "산해도(山海圖)를 두루 보았네."라는 시를 쓸 때 보았던 그림들은, 그림 위에 단지 외수와 선인만 있었으니, 가장 오래된 한대의 그림과도 다른 것 같다는 것이다.

2. 장승요(남조 때의 화가)·서아(송대의 화가)가 그린 『산해경도』 : 『중흥서목』에 따르면, 양(梁)나라의 장승요가 일찍이 『산해경도』 10권을 그렸는데, 송대의 교리인 서아가 함평 2년에 다시 10권을 그렸다고 한다. 장승요와 서아가 그린 『산해경도』는 곽박과 도잠이 보았던 『산해도(山海圖)』와 또한 다르다.

3. '지금 볼 수 있는 그림[今所見圖]' : 학의행이 말한 '지금 볼 수 있는 그림'이 가리키는 것은 그가 본 것이며, 또한 우리가 볼 수 있는 것인데, 명·청 시기에 출현하여 전해오는 산해경도이다. 명·청 시기의 고본(古本)들에 실려 있는 산해경도들도 마찬가지로 "장승요나 서아의 그림과 차이가 있다.[與繇·雅有異.]"

위에서 열거한 세 종류의 산해경도들 가운데 첫 번째의 고도는 두 번째와 세 번째의 그림과는 그 성격이 다르다. 이는 바로 1930년대의 연구자인 왕이중(王以中)이 제기한 바와 같이, 즉 위에서 열거한 각 그림들은 "필원이 언급한 한대에 전해지던 대황경도(大荒經圖) 및 곽박 등이 본 그림, 혹은 고도경(古圖經)에 담긴 본래의 뜻[遺意]을 다소 보존하고 있는 것들 외에, 그 후에는 대체로 모두 글에 따라 그림을 그린 것으로, 원래 『산해경』이 그림에 따라 글을 지은 것과는 마치 주객이 뒤바뀐 것과 같다."[15]

필원은, 고도는 유실되었고 장승요의 그림도 또한 유실되었다고 했고, 학의행은 "『산해도』는 마침내 자취가 끊겨 더는 찾을 수가 없다.[『山海圖』遂絶迹, 不復可得]"라고 했다. 이는 전설 속의 우정도(禹鼎圖)·한대에 전해지던 그림·한대의 그림과 진대(晉代)에 곽박과 도잠이 보았던 『산해도』는 모두 유실되었음을 가리킨다. 또 장승요·서아가 그린 10권짜리 『산해경도』도 역시 다시는 구해볼 수 없고, 전해지지 않는다는 것을 가리킨다.

---

15) 저자주 : 왕이중 「산해경도와직공도[山海經圖與職貢圖]」, 『우공(禹貢)』 제1권 제3기, 민국(民國) 23년 (1934년), 8쪽.

세 종류의 산해경도들 가운데 두 종류는 이미 전해오지 않기 때문에, 우리가 산해경도를 연구하는 데 수많은 어려움을 주고 있다. 그러므로 산해경도의 자취를 찾기 위해서는, 먼저 현재 볼 수 있는, 명·청 시기에 출현하여 전해오는 각종 판본의 산해경도들을 수집·정리·분류해야 한다. 또 역대 학자들의 『산해경』 고도와 관련된 각종 견해와 추측들에 대해서, 그리고 전해오지 않는 장승요·서아가 그린 산해경도들에 대해서도 대략적으로 이해해야 한다. 그런 다음, 그림을 기초로 하여 비교와 연구를 통해 가능한 한 『산해경』 고도의 면모를 재현해내고, 더 나아가 이 그림이 있고 글이 있는[有圖有文] 『산해경』 기서(奇書)를 연구하여 견고한 기초를 다져야 한다.

『산해경』의 고도(古圖)에 대한 몇 가지 추측

『산해경』의 고도에 대한 역대 주소가(注疏家)와 연구자들의 추측은, 대체로 우정설(禹鼎說)·지도설(地圖說)·벽화설(壁畵說)·무도설(巫圖說) 등 네 가지로 요약할 수 있다.

1. 우정설(禹鼎說)

우정(禹鼎)은 또 구정(九鼎)·하정(夏鼎)이라고도 한다. 전설에 따르면, 하대(夏代)의 첫 번째 왕인 우(禹)임금이 구목(九牧)[16]들에게서 조공으로 쇠[金 : 청동(靑銅)을 말함-역자]를 거두어들여 구정을 주조하고, 온갖 사물을 새겨 넣어, 백성들로 하여금 해로운 귀신과 괴이한 것들을 알 수 있게 했다고 한다. 우임금이 구정을 주조한 일과 관련하여, 『좌전(左傳)·선공3년(宣公三年)』에는 다음과 같은 상세한 기록이 있다. "옛날 하(夏)나라 군주가 덕이 있어, 먼 곳에 있는 나라들에서 사물을 그려 바쳤다. 구목들에게 쇠를 바치게 하여 정(鼎)을 주조하면서 거기에 사물을 본떠 넣었는데, 온갖 사물을 다 구비하여 백성들로 하여금 귀신과 괴이한 것들을 알 수 있게 했다. 그런 까닭에 백성들은 강택(江澤)이나 산림에 들어가서 해로운 것을 만나지 않고, 이매망량(魑魅魍魎)[17]을 만나지 않을 수 있었으니, 상하가 서로 화합하여 하늘이 내린 복과 보우[天休]를 받았다. 두예(杜預)는 주석하기를, '우임금 시기에 산천의 기이한 것들을 그려 그것을 바쳤

---

16) 하대(夏代)에는 전국을 구주(九州)로 나누고, 각 주(州)의 우두머리로 목(牧)을 두었다.
17) 물이나 산에 사는 모든 요괴나 도깨비를 총칭하는 말.

다. 구주(九州)의 목(牧)들로 하여금 금을 바치게 했다. 그리고는 그림에 그려진 사물들을 본떠 정에 새겼다. 귀물(鬼物 : 도깨비-역자)과 온갖 사물의 형상을 그려 백성들로 하여금 그것을 미리 대비하게 한 것이다.'라고 했다.[昔夏之方有德也, 遠方圖物, 貢金九牧, 鑄鼎象物, 百物而爲之備, 使民知神奸. 故民入川澤山林, 不逢不若, 魑魅魍魎, 莫能逢之. 用能協於上下, 以承天休. 杜預注云, 禹之世, 圖畵山川奇異之物而獻之. 使九州之牧貢金. 象所圖之物著之於鼎. 圖鬼物百物之形, 使民逆備之.]"[18] 왕충(王充)은 『논형(論衡)』에서, "유서(儒書)에 이르기를, 하나라가 번성하니, 먼 나라에서 사물을 그려 바치자, 구주의 목(牧)들에게 쇠[金]를 바치게 하여, 정(鼎)을 주조하고 사물을 본떠 넣어 온갖 사물을 다 구비했다. 그런 까닭에 산천에 들어가도 나쁜 것들을 만나지 않았고, 귀신이나 요괴들을 피하는 데 유용했다.[儒書言, 夏之方盛也, 遠方圖物, 貢金九牧, 鑄鼎象物而爲之備, 故入山川不逢惡物, 用辟神奸.]"라고 했다.[19] 위에서 말한, 이른바 정을 주조하고 사물을 본떠 넣으면서, 거기에 새겨 넣은 사물·온갖 사물·귀물 혹은 악물(惡物)들은 바로 강과 호수·산림 속에 있는 온갖 요괴와 도깨비이다. 이는 또한 사마천(司馬遷)이 『사기(史記)·대완열전(大宛列傳)』에서 말하기를, "나는 감히 말할 수 없다[余不敢言之也]"라고 했던 「산경(山經)」 속의 모든 괴물들이다. 정(鼎)에 각지의 독충과 해로운 짐승·귀신과 도깨비의 도상(圖像)을 새겨 넣어, 백성들로 하여금 미리 방비하게 한 것이다. 그리하여 해가 진 다음 집을 떠나 먼 길을 가면서 산림이나 강택에 들어갔다가, 나쁜 것들을 만나더라도 사악하고 간교한 것들을 피할 수 있었다.

그렇다면 구정도(九鼎圖)와 산해경도·『산해경』은 도대체 어떤 관계가 있는 것인가?

송대의 학자인 구양수(歐陽修)가 쓴 「독산해경도(讀山海經圖)」라는 시에는, "하정(夏鼎)은 구주를 본뜨고, 「산경」은 그것을 남겨 기록했네.[夏鼎象九州, 山經有遺載.]"라는 구절이 있는데,[20] 이는 우선적으로 『산해경』과 하정의 관계를 분명하게 밝혀주고 있다. 명대의 학자인 양신(楊愼)은 「산해경후서(山海經後序)」에서 『좌전·선공3년』에 있는 위의 인용문을 인용한 다음, 한 걸음 더 나아가 구정도(九鼎圖)는 『산해경』의 고도이고, 『산해경』은 우정의 그림이 남아 전해지는 것이라고 하면서, 다음과 같이 제기했다.

---

18) 저자주 : 『좌전(左傳)·선공3년(宣公三年)』, 악록서사(岳麓書社), 1988년, 21쪽.
19) 저자주 : 왕충(王充) 『논형(論衡)·유증편(儒增篇)』, 상해인민출판사(上海人民出版社), 1974년, 127쪽.
20) 저자주 : 『구양수전집(歐陽修全集)』 권3, 중국서점(中國書店), 1986년, 363쪽.

이 『산해경』이 처음 비롯된 바는 이렇다. 신(神) 우(禹)가 현규(玄圭)[21]를 하사받고 치수(治水)의 공을 이룬 뒤, 마침내 순에게 양위 받아 천하를 집으로 삼았다. 그리하여 구주의 목들에게 금(金)을 거두어들여 정을 주조했다. 정에 새긴 물상들은 곧 먼 나라들에서 바친 그림을 취했으니, 산 중에 기이한 것, 강[水] 중에 기이한 것, 풀 중에 기이한 것, 나무 중에 기이한 것, 날짐승 중에 기이한 것, 들짐승 중에 기이한 것들이다. 그 형상을 설명하고, 그것이 사는 곳을 기록하고, 그 성질을 구별하고, 그 종류를 나누었다. 그 신비하고 기이한 것들을 특별히 모았으니, 세상 사람들을 놀라게 하고 듣는 사람들을 놀라게 하는 것들로, 혹은 본 것, 혹은 들은 것, 혹은 항상 있는 것, 혹은 가끔씩 있는 것, 혹은 반드시 있는 것은 아닌 것 등등을 모두 일일이 기록했다. 대체로 기록하여 보존할 만한 것들은 모두 『우공도』에 있다. 또 기이하지만 본으로 삼을 수 없는 것들은 즉 모두 구정에 있다. 구정이 만들어지자, 만국에 보여, ……즉 구정의 그림은 ……그것을 일컬어 산해도라고 하고, 그 문장은 즉 『산해경』이라 했다. 진대(秦代)에 이르러 구정은 유실되어 없어지고, 오직 그림과 경문만이 남았으며, ……지금은 곧 경문은 존재하지만 그림은 유실되고 없다.[此『山海經』之所由始也. 神禹旣錫玄圭以成水功, 遂受舜禪以家天下, 于是乎收九牧之金以鑄鼎. 鼎之象則取遠方之圖, 山之奇, 水之奇, 草之奇, 木之奇, 禽之奇, 獸之奇. 說其形, 著其生, 別其性, 分其類. 其神奇殊匯, 駭世驚聽者, 或見, 或聞, 或恒有, 或時有, 或不必有, 皆一一書焉. 蓋其經而可守者, 具在『禹貢』. 奇而不法者, 則備在九鼎. 九鼎旣成, 以觀萬國……則九鼎之圖……謂之曰山海圖, 其文則謂之『山海經』. 至秦而九鼎亡, 獨圖與經存……已今則經存而圖亡.][22]

필원의 견해는 양신과 좀 다르다. 그는 「해외경(海外經)」·「해내경(海內經)」·「대황경(大荒經)」의 그림들을 우정도(禹鼎圖)라고 여겼다. 그는 「산해경신교정서(山海經新校正序)」에서 다음과 같이 말했다.

---

21) 규(圭)란, 위는 둥글고 아래는 모가 난 모양의 길쭉한 옥기(玉器)로, 우리말로는 '홀'이라 한다. 옛날에 천자가 각지의 제후들을 불러 조회할 때 제후들이 손에 들고 있었으며, 후에는 기록을 하는 용도로도 사용되었다. 현규는, 검은 옥으로 만든 규인데, 이것을 물려주는 것은 하늘 아래의 모든 것을 물려준다는 것을 뜻한다.

22) 저자주 : 명(明) 양신(楊愼) 「산해경후서(山海經後序)」, 『중국역대소설서발집(中國歷代小說序跋集)』 7~8쪽을 보라.

「해외경」4편과 「해내경」4편은 주(周)·진(秦) 시기에 기술되었다. 우(禹)가 정(鼎)을 주조하면서 사물을 새겨 넣어, 백성들로 하여금 사람에게 해로운 귀신과 괴이한 것들을 알 수 있게 했다. 그것을 살펴보면, 그 경문에는 나라 이름[國名]들이 있고, 산천(山川)이 있고, 신령하고 기괴한 것들을 기록한 것이 있는데, 이는 정에 그려진 것들이다. 정은 진나라 때 유실되었으므로, 그 이전 사람들이 그 그림을 설명하고, 책(冊)에 기록한 것이다. ……「대황경」4편은 「해외경」을 설명한 것이고, 「해내경」1편은 「해내경」(해내 4경을 가리킴-인용자)을 풀이한 것이다. 물론 이는 한대에 전해지던 것이며, 또한 산해경도(山海經圖)가 있는데, 옛것과는 상당히 다르다.[「海外經」四篇, 「海內經」四篇, 周秦所述也. 禹鑄鼎象物, 使民知神奸, 案其文有國名, 有山川, 有神靈奇怪之所標, 是鼎所圖也. 鼎亡于秦, 故其先時人尤能說其圖而著于冊……「大荒經」四篇釋「海外經」, 「海內經」一篇釋「海內經」. 當是漢時所傳, 亦有山海經圖, 頗與古異.]²³⁾

명대의 학자인 호응린(胡應麟)은 『소실산방필총(少室山房筆叢)』에서 말하기를, "(『산해경』은) 아마도 주나라 말엽의 문인(文人)이, 우(禹)가 구정(九鼎)을 주조하고, 온갖 사물의 형상을 새겨 넣어, 백성들로 하여금 산림이나 강택에 들어갔을 때 사람에게 해로운 귀신과 기괴한 것들을 모두 알 수 있게 했다는 설에 따랐기 때문에, 기록되어 있는 것이 대부분 요괴나 도깨비[魍魅魍魎]류인 듯하다.[蓋周末文人, 因禹鑄九鼎, 圖象百物, 使民入山林川澤, 備知神奸之說, 故所記多魍魅魍魎之類.]"라고 했다.²⁴⁾ 청대의 학자인 완원(阮元)은 「산해경전소서(山海經箋疏序)」에서 다음과 같이 제기했다. "『좌전』에서 '우가 정을 주조하면서 사물을 본떠 넣어, 백성들로 하여금 사람에게 해로운 귀신과 괴이한 것들을 알 수 있게 했다.'라고 했다. 그러나 우정(禹鼎)은 볼 수 없으니, 지금의 『산해경』이 어쩌면 그것의 그림이 남아 전해오는 것이 아닐까?[『左傳』稱, '禹鑄鼎象物, 使民知神奸.' 禹鼎不可見, 今『山海經』或其遺象歟?]"²⁵⁾라고 했다. 현대의 학자인 강소원(江紹原)은, 우정이 비록 우의 전설이기는 하지만, 온갖 사물들을 본떠 새겼다는 관념은 오히려 옛날부터 이미 있었던 것으로, 이러한 관념은 산해경도 가운데 요괴와 신수(神獸)의 중요한 기원이

---

23) 저자주 : 청(淸) 필원(畢沅) 「산해경신교정서(山海經新校正序)」, 『중국역대소설서발집』 15쪽을 보라.

24) 저자주 : 명(明) 호응린(胡應麟) 『소실산방필총(少室山房筆叢)』 권32 「사부정위(四部正僞) 下」, 중화서국(中華書局), 1958년, 413쪽.

25) 저자주 : 청(淸) 완원(阮元) 「산해경전소서(山海經箋疏序)」, 『중국역대소설서발집』 22쪽을 보라.

되었다고 보았다.[26] 현대 학자인 원가(袁珂)는 여기서 한 걸음 더 나아가, 「산경(山經)」 부분이 구정의 도상(圖像)에 근거하여 나온 것이라고 제기했다.[27]

우정설은, 『산해경』의 고도(古圖)가 구정도(九鼎圖)에 근거한 것이고, 『산해경』은 바로 우정에 새겨져 있던 그림들이 남아 있는 것이라고 보았다. 이 설은 반드시 다음과 같은 두 가지 중요한 전제가 있어야만 비로소 성립될 수 있다. 첫째는, 우가 틀림없이 구정을 주조했다는 것이고, 둘째는, 틀림없이 그 위에 온갖 사물의 도상을 새겨 넣은 정이나 구정도가 있었다는 것이다. 그러나 고고학에서는 현재에도 여전히 우리에게 이 두 방면의 실물 증거를 제공하지 못하고 있다. 이 때문에 우가 구정을 주조했다는 것과 정을 주조하여 사물을 새겨 넣었다는 것은 단지 전설에 지나지 않으며, 옛 사람들이 나라를 세우고 나라를 전승하고 천하를 안정시킨 일을 상징하는 구정을 주조한 위업을 대우(大禹)한테 갖다 붙인 것이다. 그리하여 이른바 구주(九州)에서 쇠[金]를 바치고, 먼 나라들에서 그림을 바치고, 우가 구정을 주조한 일 역시, 식양(息壤)[28]으로 못을 메운 것, 신룡(神龍)이 땅에 그림을 그린 것, 우가 방풍(防風)을 죽인 것, 공공(共工)과 다툰 것, 상류(相柳)를 주살한 것, 도산씨(塗山氏)의 딸을 아내로 맞이한 것, 곰으로 변해 산을 통하게 한 것, 바위가 갈라져 아들을 낳은 것 등의 이야기들과 마찬가지로, 우가 홍수를 다스린 것과 관련된 일련의 신화 전설의 한 구성 부분이 되었다. 정을 주조하여 사물을 본떠 새겨 넣은 것에 대해 말하자면, 이는 이른바 "온갖 사물[百物]·악물(惡物)·요괴를 그림 형태로 그려 넣어, 사람들이 산림이나 강택에 들어갔을 때 그것들을 식별해서 대비하도록 했으며, 또 이것은 사악한 것을 피하고, 요괴를 쫓고, 귀신을 몰아내는 작용을 했다. 이 일대에는 무속(巫俗) 색채가 농후한 관념이 있었기에, 무풍(巫風)이 극성했던 선진(先秦) 시기에는 매우 중시되어, "온갖 사물을 본떠 새겨 넣은[象百物]" 행위를 신성한 구정과 서로 연관시키게 되었고, 마침내는 국가에서 공식적인 방식으로 온갖 요괴와 도깨비[魑魅魍魎]들의 모습을 정(鼎)에 새겨 넣었을 뿐만 아니라, 또한 주나라 대부(大夫)인 왕손만(王孫滿)의 입을 통해 『좌전』·『사기』 등의 사서(史書)들 속에 기록되었다. 그리하여 비록 우정과 구정도가 현재 고고학의 뒷받침을 얻지는 못하고 있지만, 청동기[갖가지 형태의 정(鼎)들을 포괄하여]는 예기(禮器)로서, 겉면

26) 저자주 : 강소원(江紹原) 『중국고대여행의 연구[中國古代旅行之硏究]』, 상무인서관(商務印書館), 1937년, 현재 상해문예출판사(上海文藝出版社) 1989년 영인본 7쪽·13쪽을 보라.
27) 저자주 : 원가(袁珂) 『원가신화논집(袁珂神話論集)』, 사천대학출판사(四川大學出版社), 1996년, 17~18쪽.
28) 아무리 퍼 써도 스스로 증식하여 줄어들지 않는다는 전설 속의 흙.

에 동물이나 괴수의 문양을 주조하여 새겨 넣던 습속은『산해경』이 책으로 만들어지기 이전,『산해경』고도가 여전히 존재하던 시기, 심지어는 더욱 이른 시기인 하(夏)·상(商)·주(周) 시대에 이미 성행하여 하나의 풍조를 이루었다. 고고학자의 연구에 따르면, 하·상·주 시대 청동 예기(禮器)들의 문양 장식은 동물 문양이 주를 이루었으며, 또 짐승의 얼굴 문양이 대부분이라고 한다. 그 함의(含義)에 대해서는 여러 가지 해석들이 있는데, 왕손만의 해석이 가장 실제에 가깝다. 왜냐하면 왕손만은 춘추 시대 사람이고, 이 시기는 예기가 발달했었기에, 그의 해석은 당연히 그가 본 것 및 당시 유행하던 견해에 근거하여 나왔을 것이기 때문이다. 왕손만은, 문양 장식이 선신(善神)과 악신(惡神)으로 되어 있는 것은 보호(保護)와 벽사(辟邪 : 사악한 것을 물리침-역자)의 작용을 한다고 여겼다.[29] 그러므로 우가 구정을 주조하고, 정을 주조하면서 사물을 본떠 새겨 넣은 것은 전설일 가능성이 매우 크며, 오히려 무속의 풍습이 매우 번성한 것과 온갖 사물을 본떠 그림으로 그리던 무속 활동이 이러한 전설의 탄생 배경임을 잘 설명해주고 있다. 또한 우리에게, 아래에서 논하고자 하는『산해경』고도가 무도(巫圖)일 가능성이 있다는 추측에 중요한 근거를 제공해준다.

2. 지도설(地圖說)

예로부터 상당수의 중국 국내외 학자들은『산해경』을 지리서(地理書)로 간주했으며, 또한『산해경』이 지도였다고 추측했다. 동한(東漢)의 명제(明帝) 때, 왕경(王景)이 치수를 담당하자, 명제가 왕경에게『산해경』·『하거서(河渠書)』·『우공도(禹貢圖)』를 하사했는데, 이로써『산해경』이 당시에 지리서로 간주되었다는 것을 알 수 있다.

고대의 지리서들은 통상적으로 지도를 근거로 삼았는데, 이는 그림을 근거로 하여 문장을 지은 작품이라고 할 수 있다. 이를테면 6세기 초에 북위(北魏)의 역도원(酈道元)이 지은『수경주(水經注)』가 바로 그러하다. 역학(酈學)[30] 연구 전문가인 진교역(陳橋驛)은 다음과 같이 주장했다. "역도원이 주해(注解)를 저술할 때 지도를 근거로 삼았다. 이것이 바로 양수경(楊守敬)이『수경주도(水經注圖)·자서(自序)』에서 말한, '역도원은 그

---

29) 저자주 : 이선등(李先登)「우주구정변석(禹鑄九鼎辨析)」,『중국역대박물관관간(中國歷史博物館館刊)』, 1992년, 제18~19기, 98쪽.

30)『수경주(水經注)』는 중국 고대에 나온 비교적 완정한 지리서로, 명·청대 이후로 많은 학자들이 각 방면에서 심도 있고 세밀한 연구를 하여, 관련 저술과 관련 내용이 광범위한 하나의 학문 분야를 이루게 되었는데, 이를 '역학(酈學)'이라 한다.

림에 근거하여 책을 지었다.'라고 한 것이다.[酈氏在注文撰述時是有地圖作爲依據的. 這就是楊守敬在『水經注圖·自序』中所說的, '酈氏據圖以爲書.']"[31]

필원은 「산경(山經)」이 고대의 토지 그림이었다고 하면서, 다음과 같이 명확하게 지적했다.

> 『산해경·오장산경(五藏山經)』 34편은 옛날의 토지 그림이었는데, 『주례(周禮)·대사도(大司徒)』에서는 이를 사용하여 구주의 지역 넓이의 수치를 두루 알고, 그 산림·강과 호수·구릉·물가와 평지[墳衍]·높고 마른 땅과 낮고 젖은 땅[原隰]의 명물(名物)들을 구분해 놓았다. 『관자(管子)』에서, "무릇 군대의 우두머리는, 반드시 먼저 지도에서 형세가 험요(險要)한 길의 요해지를 자세히 알아야 한다."라고 했는데, 수레보다 깊은 물·명산(名山)·깊은 골짜기·큰 강·구릉·언덕의 위치, 풀·나무·부들과 갈대가 무성한 곳, 이정(里程)의 멀고 가까움과 같은 것들이 모두 이 경(經)에서 분류하고 있는 것들이다.[『山海經·五藏山經』三十四篇, 古者土地之圖, 『周禮·大司徒』用以周知九州之地域廣輪之數, 辨其山林川澤丘陵墳衍原隰之名物. 『管子』, "凡兵主者, 必先審知地圖轅轅之險." 濫車之水, 名山通谷經川陵陸丘阜之所在, 苴草林木蒲葦之所茂, 道里之遠近, 皆此經之類.][32]

1930년대에 왕이중(王以中)은 『우공』에 쓴 논문인 「산해경도와 직공도(山海經圖與職貢圖)」[33]에서 필원의 말에 근거하여 다음과 같이 두 가지 견해를 제기했다. "첫째, 예로부터 중국의 지지(地志)들은 대부분 지도에서 변화 발전해왔다. 즉 그것은 원래 그림을 주(主)로 하고, 설명은 부차적인 것이었는데, 후에 설명은 나날이 증가하고 그림은 많이 넣지 않거나, 혹은 그림은 유실되고 설명만이 남게 되어, 대부분 설명만 있고 그림은 없거나, 그림이 '부속물'에 불과한 지지들로 변했다. 이 설과 필원의 설이 모두 정확하다면, 곧 『산해경』이라는 책은 중국의 원시적 지지일 뿐만 아니라, 또한 중국에서 가장 오래된 지도의 자취라고 할 수 있다. 둘째, 『산해경』은 고대 중국의 각 부족들 간에

---

31) 저자주 : 진교역(陳橋驛) 「민국 이래 『수경주』를 연구한 총 성적[民國以來研究『水經注』之總成績]」, 『중화문사논총(中華文史論叢)』 제53집, 상해고적출판사(上海古籍出版社), 1994년, 67쪽.

32) 저자주 : 필원 「산해경신교정서(山海經新校正序)」, 『중국역대소설서발집(中國歷代小說序跋集)』 15쪽을 보라.

33) 저자주 : 왕이중 「산해경도와 직공도[山海經圖與職貢圖]」, 『우공(禹貢)』 제1권 제3기, 민국 23년(1934), 6쪽.

회맹(會盟)과 정벌 및 민간에서 사람들의 입을 통해 전해진 지리 지식과 관련된 그림과 기록으로서, 후대의 직공도의 성격과 유사하기 때문에, 산해경도는 또한 직공도의 시조라고도 할 수 있다." 왕이중은 또 다음과 같이 주장했다. "필원이 「오장산경」을 토지의 그림으로 본 것에 대해 논하자면, 또한 매우 유사하다. 또 나는 중국 고대의 지도들이 바로 혹시 이러한 산해도설(山海圖說)로부터 변천해온 것은 아닌가 하고 생각해본다." 원가도 역시 고대 학자들이 일찍이 고지도에 근거하여 『산해경』 고도의 형태를 추측했다고 하면서 다음과 같이 주장했다. "학의행이 '고도에는 마땅히 산천(山川)의 이정(里程)이 있어야 한다'고 했는데, 이는 또한 단지 『주례·지관(地官)』에서 '대사도(大司徒)의 직무는 나라의 토지 그림을 만드는 것을 관장한다'고 한 것과, 『주례·하관(夏官)』에서 '직방씨(職方氏 : 주나라 때의 관직명—역자)는 천하의 그림을 관장한다'고 한 것에 근거하여 추론한 것이다."[34]

1930년대에, 일본 학자인 오가와 타쿠지(小川琢治)[35]도 역시 산해도(山海圖)가 "주나라 직방씨가 관장했던 천하의 지도에 근거하여 편찬된 것으로", 중세기 유럽의 고지도와 유사하다고 추측했다. 그는 「『산해경』고(考)」에서 다음과 같이 말했다. "서한(西漢) 시기에는 산해도와 경문(經文)이 함께 존재했는데, 후세에 그림은 유실되고 오직 경문만이 존재하게 되었다. ……나는 이 그림이 유럽의 중세 말엽에 만들어진 지도와 비슷하다고 보는데, 모두가 임금의 사자가 타던 수레[輜車]가 갈 수 없는 먼 곳으로, 그곳의 이인(異人)과 기물(奇物)들을 그린 것이다. 바로 경문에 기재된 산천·초목·금수(禽獸)·인물·귀신을 지도 속에 그려 넣은 것이다. 이것은 산해도의 옛 면모를 엿보는 데 도움을 준다."[36]

---

34) 저자주 : 원가(袁珂) 『원가신화논집(袁珂神話論集)』, 17쪽.
35) 오가와 타쿠지(小川琢治, 1870~1941)는 일본의 저명한 지질지리학자이자, 중국 역사지리학자이기도 하다. 그는 지리학에서의 탁월한 성취 이외에도, 고고학·서화·도검(刀劍)·바둑·중국 문화 등의 방면에도 해박한 지식을 갖고 있었으며, 또한 일본 돈황학(敦煌學)의 개척자 중 한 명이기도 하다. 그는 중국 고대 신화 연구에서도 상당한 성취를 이루었는데, 『산해경』·『목천자전(穆天子傳)』 및 기타 지리서이면서 또한 고대 신화 방면의 서적이기도 한 책들에 관한 논문들을 발표하여, 비교적 큰 영향을 미쳤다.
36) 저자주 : 오가와 타쿠지 『『산해경』고(『山海經』考)』, 『선진경적고(先秦經籍考)』 下, 상해상무인서관(上海商務印書館), 1931년, 2쪽·82쪽을 보라. 오가와 타쿠지의 글에서는 또한 프랑스 학자인 떼리앙 드 라꾸뻬리(Terrien de Lacouperie)의 견해를 소개했다. 라꾸뻬리는 『고대 중국 문명 서원론(Western Origin of Early Chinese Civilization)』(1894년)에서 「해외경」·「해내경」의 두 경(經)은 주(周)나라 시기의 지리도(地理圖)라고 주장했다. 「산경(山經)」 5편에는 원래 기괴한 인수도(人獸圖)가 있었는데, 경문에 첨부되어 널리 유행하다가, 6세기에 이르러 이 옛 그림이 유실되자, 따로 새로운 그림을 첨부했다고 보았다(오가와 타쿠지의 위 인용문, 9~10쪽을 보라). 여기에서 말한 옛 그림은 아마도 『산해경』의 고도(古圖)를 가리키

이 시대의 학자인 부영발(扶永發)은 『신주의 발견—『산해경』 지리고[神州的發見—『山海經』地理考]』라는 책에서, 산해경도가 지도라는 설에 대해 자세하게 설명했다. 저자의 관점은 다음과 같이 정리할 수 있다. ⑴ 『산해경』은 그림도 있고 경문도 있었는데[有圖有經], 먼저 그림이 있었고, 후에 경문이 나왔으며, 그림은 지도이고, 경문은 그림에 대한 설명이다. ⑵ 산해경도는 지리도인데, 이 그림은 상고 시대에 중국이 위치해 있던 지역, 즉 고대 곤륜(昆侖) 일대의 대략적인 상황을 분명하게 보여준다. 『산해경』에 기재되어 있는 세 가지의 지리 현상[즉 북쪽에는 "겨울이나 여름이나 눈이 쌓여 있는(冬夏有雪)" 산이 있고, 남서쪽에는 "불꽃이 뿜어져 나오는 염화산(炎火山)"이 있으며, 또 "똑바로 서면 그림자가 없는(正立無景)" 수마국(壽麻國)이 있다.]에 근거하면, 이 고대 곤륜이 운남(雲南)의 서부에 있었다는 것을 증명할 수 있다. 『산해경』에 기록된 것은 운남 서부의 상고 시기의 지리였다. ⑶ 산해경도에 있는 괴물은 상형(象形) 그림으로, 지도부호(地圖符號)이다. '괴물'의 형상이 아니라 '지도부호'로 보고 『산해경』을 해독하는 것이 이 책의 보고(寶庫)를 여는 열쇠이다. ⑷ 산해경도의 제작 시대는 마땅히 대우(大禹)가 재위하던 시기이다. 이 그림은 한 사람이 그린 것이지만, 『산해경』은 여러 사람이 쓴 것이다. 그러나 이 책의 첫 번째 작자는 산해경도의 제작자이며, 그 밖의 제작자들은 단지 책 속의 세계(世系)·전설 등의 내용에 대해 보충했을 뿐이다. 원래의 산해경도는 주(周)나라 말에 이미 실전(失傳)되었다.[37]

말레이시아의 화교 학자인 정진종(丁振宗)은 『고대 중국의 x파일—현대 과학기술 지식으로 『산해경』의 수수께끼를 풀다[古中國的x檔案—以現代科技知識解『山海經』之謎]』에서, "『산해경』은 여러 명의 작자들이, 각기 다른 시기에 산해도를 참고하여 쓴 것이며, 이 그림은 사실 황제(黃帝) 시대의 청장고원(靑藏高原)[38]의 지도이다."라고 주장했다.[39]

『산해경』의 고도를 지도라고 보는 설에 관해서도, 또한 고고학적 발견과 검증을 기

는 것이며, 6세기의 새 그림은 장승요가 그린 산해경도일 것이다.

37) 저자주 : 부영발(扶永發) 『신주의 발견—『산해경』 지리고[神州的發現—『山海經』地理考]』(修訂本), 운남인민출판사(雲南人民出版社), 1998년.

38) 청장고원(靑藏高原 : Qinghai-Tibet Plateau, 혹은 Tibetan Plateau)은 중국 최대의 고원이자, 세계에서 해발 고도가 가장 높은 고원이다. 중국 국경 내 서남쪽의 서장자치구(西藏自治區)·사천성(四川省) 서부 및 운남성(雲南省) 일부 지역, 서북쪽으로는 청해성(靑海省) 전체와 신강위구르자치구(新疆維吾爾自治區) 남부 및 감숙성(甘肅省) 일부 지역에 걸쳐 분포하고 있다. 전체 청장고원은 또한 부탄·네팔·인도·파키스탄·아프가니스탄·타지키스탄·키르기스스탄의 일부를 포괄하는데, 총 면적이 300만 평방킬로미터에 달한다. 중국 내 면적은 257만 평방킬로미터이고, 평균 해발 고도는 4000~5000미터이다. '세계의 지붕'·'지구의 제3극(第三極)'이라고 불린다.

다려야 한다.

3. 벽화설(壁畵說)

증소율(曾昭燏) 등은 그들이 지은 『기남 고화상석묘 발굴 보고(沂南古畵像石墓發掘報告)』라는 책에서 다음과 같이 말했다. "기남(沂南)의 화상석(畵像石)들 가운데 신화(神話) 인물·기이한 금수(禽獸)는 도합 31폭이다. ……신화 인물과 금수를 기록한 책들 가운데 『산해경』이 가장 완비된 것이다. 이 경서(經書)는 원래 또한 그림이 있었는데, ……우리가 『산해경』의 원도(原圖)를 추측해보건대, 그 중 일부분은 또한 큰 폭의 그림 혹은 조각으로 되어 있었으며, 오늘날 볼 수 있는 화상석과 유사했을 것이다. 그래서 경문에서는 항상 어떤 나라는 어떤 나라의 동쪽에 있고, 어떤 나라는 어떤 나라의 남쪽에 있으며, 어떤 사람이 바야흐로 어떤 일을 하고 있다고 기록하고 있는데, 이는 마치 전적으로 그림을 묘사하기 위해 문장을 쓴 것 같다."[40]

역사학자 여자방(呂子方)은 「독『산해경』 잡기(讀『山海經』雜記)」에서 분명하게 지적하기를, 초국(楚國) 선왕묘(先王廟)의 벽화 위에 그려진 이야기는 주로 「대황경(大荒經)」으로, 굴원(屈原)이 이들 벽화를 보고서 「천문(天問)」을 쓴 것이라고 했다. 즉 "굴원이 본 종묘(宗廟) 내의 벽화 이야기의 각본(脚本)은 바로 『산해경』이며, 그 중에서도 주로 「대황경」이었다. 이는 「천문」의 내용이 대부분 『산해경』에서 수많은 제재를 취했을 뿐만 아니라, 더욱 중요한 것은 그가 『산해경』을 묘사한 벽화 고사를 보고 나서 비로소 이 유명한 작품을 지었다는 점이다."[41] 역사학자 몽문통(蒙文通)은 『산해경』 부분은 파촉(巴蜀)[42] 지역의 책이고, 산해경도도 역시 파촉 지역에서 전해지던 벽화와 관련이 있다고 보았다. 즉 "『산해경』은 옛날에 분명히 그림이 있었는데, ……『산해경』의 이 그림

---

39) 저자주 : 정진종(丁振宗) 『고대 중국의 x파일−현대 과학기술 지식으로 『산해경』의 수수께끼를 풀다[古中國的x檔案−以現代科技知識解『山海經』之謎]』, 대북(臺北) 소명출판사(昭明出版社), 1999년, 서문(序文) 3쪽.

40) 저자주 : 증소율(曾昭燏)·장보경(蔣寶庚)·여충의(黎忠義) 『기남 고화상석묘 발굴 보고(沂南古畵像石墓發掘報告)』, 남경박물관(南京博物館), 산동성문물관리처(山東省文物管理處) 편, 문화부(文化部) 문물관리국(文物管理局) 출판, 1956년, 42쪽.

41) 저자주 : 여자방(呂子方) 「독『산해경』 잡기(讀『山海經』雜記)」, 『중국과학기술사논문집(中國科學技術史論文集)』, 사천인민출판사(四川人民出版社), 1984년, 113쪽·160쪽을 보라.

42) 선진(先秦) 시기의 지역 명칭이자 지방정권 명칭으로, 오늘날의 중경(重慶)과 사천(四川) 지역에 해당한다. 동쪽인 중경은 파국(巴國 : 지금의 중경)이었고, 서쪽은 촉국[蜀國 : 지금의 사천성 성도(成都)]이었다.

은 그 기원이 응당 매우 오래되었다. ……「천문」의 문장은 벽화에 근거하여 지어진 것인데, 바로 『산해경』의 그림과 그 경문도 또한 그 정황이 틀림없이 이와 같을 것이다. 또 「천문」에서 기술한 이야기의 10분의 9가 모두 「대황경(大荒經)」에 보는데, 아마도 초(楚)나라 사람의 사묘(祠廟)에 그려진 벽화가 바로 이 부분에 해당하는 『산해경』의 그림일 가능성이 있다. 「천문」과 「대황경」의 다른 점을 논하자면, 이는 응당 초 지역에서 전해지던 벽화와 파촉에서 전해지던 벽화의 차이라는 것이다. 『후한서(後漢書)·착도이전(筰都夷傳)』[43]에 이르기를, '군위(郡尉)[44]의 관저에는 모두 조각 장식이 있으며, 산신령[山靈]과 해신(海神)·기이한 금수를 그렸다[郡尉府舍, 皆有雕飾, 畫山靈海神, 奇禽異獸]'고 했는데, 『산해경』 부분은 파촉의 책이며, 이 착도 지역의 그림은 바로 산해경도가 한대에 파촉에 전해진 것일 가능성이 있다. 『화양국지(華陽國志)』에서는, '제갈량이 오랑캐 때문에 도보(圖譜)를 만들었는데, 먼저 천지·일월을 그렸고[諸葛亮乃爲夷作圖譜, 先畫天地·日月]……'라고 했는바, 이 역시 아마도 일부는 산해경도를 답습하여 나온 것일 가능성이 있다. 「천문」은 천지·일월에서 시작하고 있고, 착도의 그림도 역시 천지·일월에서 시작하고 있는 것은 분명히 우연이 아니다. ……그러나 『산해경』의 이 고도(古圖)는 오히려 오래 전에 이미 유실되었으며, 현재 전해지는 그림은 후세 사람들이 그린 것이다."[45]

산야(山野)의 석벽(石壁)·조묘(祖廟 : 조상의 사당–역자)나 신사(神祠)에 벽화를 그리는 것은 중국의 오래된 전통으로, 일찍이 선진(先秦) 시기부터 이미 성행하여 하나의 풍조를 이루었는데, 바로 유사배(劉師培)가 『고금화학변천론(古今畵學變遷論)』에서 다음과 같이 말한 바와 같다. "옛 사람들은 사물을 본떠 그림을 그렸는데, 후에는 그림에 근거하여 설명을 덧붙였다. '도화(圖畵)'라는 두 글자는 서로가 서로를 해석해 주는 단어이다. 대개 고대의 신사는 벽에 그림을 그리는 것을 가장 중시했으며, ……신사에 그린 것은 반드시 언급할 만한 명물(名物)이었는데, 마음에서 나오는 대로 자신의 생각을 그린 것과는 달랐다."[46] 거의 백 년 동안 수많은 초사(楚辭)[47] 전문가들이 「천문」과 초

---

43) 착도이(筰都夷)는 고대 부족명이다. 착인(筰人)이라고도 부른다. 주로 지금의 아안(雅安)과 양산(凉山) 지구에 분포해 있었다.

44) 군위(郡尉)는 진(秦)·한(漢) 시기에 군수(郡守)를 보좌하던 관직으로, 진나라 때 처음 설치되었으며, 군사(軍事) 업무를 관장했다. 여기서는 군수와 군위를 모두 일컫는 것으로 보인다.

45) 저자주: 몽문통(蒙文通) 『산해경』의 저술 시대 및 그 탄생 지역에 대한 약론[略論山海經的寫作時代及其産生地域]」, 『파촉고사논술(巴蜀古史論述)』, 사천인민출판사(四川人民出版社), 1981년, 176쪽.

46) 저자주 : 유사배(劉師培) 「고금화학변천론(古今畵學變遷論)」, 『유신숙 유서(劉申叔遺書)』 권13을 보라.

47) 초사(楚辭)는 초사(楚詞)라고도 하는데, 전국(戰國) 시대의 뛰어난 시인인 굴원(屈原)이 창조한 시체(詩

나라 종묘에 그려진 벽화의 관계에 대해 진지하게 연구하고 토론했다. 「천문」과 『산해경』은 거의 동시대의 작품이기 때문에, 초나라 종묘에 있는 벽화의 형태는 우리가 『산해경』 고도와 벽화의 관계를 이해하는 데 중요한 의의를 갖는다.

4. 무도설(巫圖說)

무도설은, 『산해경』이 고대의 무서(巫書)·기양서(祈禳書)[48]이며, 그 중 상당 부분은 고대의 무사(巫師)들이 조상에게 제사 지내고, 혼을 불러내고, 혼을 전송하고, 재액을 없애기 위해 기도할 때 사용되던 무도와 무사(巫辭 : 주문-역자)에 근거하여 쓰여진 것이라고 여긴다. 맨 처음에는 문자가 없어 단지 그림만 있었고, 무사(巫辭)도 그저 구전(口傳)되었을 뿐이다. 후에 문자가 생기자, 비로소 글자를 아는 무사들이 이를 기록하여 무속 활동에 사용하던, 그림도 있고 글도 있는 무본(巫本)이 만들어졌다고 주장했다.

『산해경』과 무속의 관계에 관해서는 노신(魯迅)의 견해가 가장 권위를 가진다. 그는 『중국소설사략(中國小說史略)』에서 지적하기를, 『산해경』은 "아마 고대의 무서(巫書)일 것이며", 무서는 "무사가 사용하던 기양서인데"[『문외문담(門外文談)』], 그 작자는 무당이며, "신사(神事 : 신에게 제사지내는 일-역자)를 기록했다."[『한문학사강요(漢文學史綱要)』]라고 했다. 노신은, 이러한 무서에는 다음과 같은 두 가지의 중요한 특징이 있다고 지적했다. 첫째는 "무속에 뿌리를 두고 있으며", 둘째는 "대부분 고대 신화를 포함하고 있는데"[49], 이 두 가지 점이 바로 그림도 있고 글도 있는[有圖有文] 『산해경』 모본(母本)의 특징과 성격을 띠고 있는 부분이라고 주장했다. 원가는 노신의 견해를 기초로 하여, 한 걸음 더 나아가 『산해경』의 그림은 무도라며, 다음과 같이 분명하게 밝혔다.

『산해경』, 특히 그림이 주를 이루는 「해경(海經)」 부분에 기록되어 있는 각종

體)를 일컫는다. 초 지역(지금의 호남성과 호북성 일대)의 문학 양식과 방언 음운을 사용하여, 초 지역의 산천·인물·역사·풍치를 묘사하고 있어, 초 지역의 지방 색채가 짙다. 한대에 유향(劉向)이 굴원·송옥 등 초나라 사람들의 작품 및 한나라 사람들의 모방작을 모아 시가(詩歌) 총집을 만들고, 이를 『초사(楚辭)』라고 했다. 초사는 중국의 낭만주의 문학을 대표하는 작품이다.

48) 복을 주고 재앙을 물리쳐 달라고 비는 내용을 기록한 책.

49) 저자주 : 1925년에 노신은 부축부(傅築夫)에게 쓴 편지에서 다음과 같이 썼다. "중국의 귀신 이야기는 진(秦)·한(漢) 시기의 방사(方士)들에 이르러 완전히 변한 듯하다. ……또 세 시기로 나눌 수 있는데, 제1기는 상고(上古) 시기부터 주(周)나라 말까지의 서적들로, 이것들은 무속[巫]에 뿌리를 두고 있으며, 고대 신화를 많이 포함하고 있다. ……" 『노신서신집(魯迅書信集)』, 인민문학출판사(人民文學出版社), 1976년, 66쪽을 보라.

신과 요괴 및 이인[異人]들은, 아마 고대의 무사가 혼을 부를 때 말하던 내용의 대강(大綱)일 것이다. 이것은 처음에는 아마도 그림만 있었을 것이며, 그 그림에 대한 해설은 전적으로 무사가 술법을 행할 때 조사(祖師)가 전수해준 것에 근거하고, 자신이 또한 임의적으로 편성해 넣은 일부 가사(歌詞)에 전적으로 의지했을 것이다. 그래서 가사에는 자연히 절반 가까이가 토속 방언이 섞여 있고, 또 번잡하고 장황하여 기록하기가 어려웠을 것이다. 그러나 이러한 것들은 모두 고대 문화의 귀중한 유산으로, 지식을 갖춘 사인(士人)들은 어렵지 않게 알 수 있었다[굴원·송옥(宋玉)[50] 같은 사람들이 그 실례이다]. 그리하여 일부 호사가 문인들은 무사들의 가사의 대의(大意)에 근거하여 이러한 그림에 간단한 해설을 쓰기도 했다. 그런 까닭에 「해경」의 문장 중에는 매번 "두 손에 각각 물고기를 한 마리씩 쥐고 있다[兩手各操一魚]"[「해외남경(海外南經)」]……와 같은 묘사가 나오는데, 이는 분명히 그림을 설명하는 말임을 알 수 있다.[51]

앞에서 우리는 역대 학자들의 『산해경』고도(古圖)에 대한 몇 가지 추측들을 소개했는데, 네 가지의 견해가 모두 무속 신앙의 핵심을 포함하고 있으며, 이것은 상고 시대 사람들이 세계를 인식하고 또 세계를 파악하고자 시도했던 초보적 경험의 산물임을 알 수 있었다. 고고학·문헌학·민족학·민속학이 발견해낸 대량의 실물과 자료들로부터, 또한 중국의 상당수 일부 소수민족들이 조상을 받들고, 제사를 지내고, 혼을 불러내고, 재앙을 물리치고, 장사(葬事)를 치를 때 항상 사용하던 신로도(神路圖)·지로도(指路圖)·송혼도(送魂圖)·타귀도(打鬼圖)[52] 및 현재까지 전해오면서 이것들과 세트를 이루는 경서(經書)·무가(巫歌)·초혼사(招魂詞)·화본(畵本)과 일부 부서(符書)[53] 등의 문자 자료들로부터, 이러한 무속을 근간으로 하고, 또 고대 신화를 많이 포함하고 있는, 그림도 있고

---

50) 송옥(宋玉, 생몰년 미상)은 이름이 자연(子淵)이며, 전국(戰國) 시기 언[鄢 : 지금의 호북성(湖北省) 의성현(宜城縣) 서남쪽] 지역 사람이다. 전국 후기 초나라의 사부(辭賦) 작가로, 굴원보다 늦게 태어났으며, 굴원의 제자였다고도 전해진다. 그는 사부에 뛰어나, 당륵(唐勒)·경차(景差)와 이름을 나란히 했다. 그가 지었다고 전해지는 사부는 상당히 많은데, 현재까지 전해지는 작품으로는 『초사』 가운데 「구변(九辯)」·「초혼(招魂)」이 있고, 『문선(文選)』에 실린 「고당부(高唐賦)」·「신녀부(神女賦)」 등의 부(賦) 12편도 그의 걸작이라고 전해진다. 그러나 이러한 작품들 중 일부는 송옥이 지은 것이 아니라, 비교적 후대 사람들이 지은 것으로 추정된다.

51) 저자주 : 원가(袁珂) 『원가신화논집(袁珂神話論集)』, 15쪽.

52) 악귀를 물리치는 그림, 즉 액막이 그림을 말한다.

53) 부적, 혹은 부적이나 주문을 기록한 서적.

글도 있는[有圖有文] 무본(巫本)은, 무속이 매우 성행하고 문자가 발달하지 못했던 시대와 민족의 유물임을 알 수 있다. 아울러 이로부터, 무속에 뿌리를 두고 있고, 고대 신화를 많이 포함하고 있다는 특징을 가진 『산해경』 모본(母本 : 일부분에 해당)은, 그것이 책으로 만들어지는 과정에서 이러한 민족들의 이와 같은 무속 활동과 거기에 사용되던 무도(巫圖)·무사(巫辭)와 마찬가지로, 그 문자 부분은 맨 처음에 고대의 무도를 해설하는 말이었으며, 몇 차례 전해지면서 수정을 거치고 나서야, 비로소 우리가 보는 『산해경』이 나오게 되었을 것으로 추측할 수 있다. 그러므로 일부 산해경도들이 주로 무도에서 기원했다는 설은 비교적 근거가 있으며, 그래서 비교적 믿을 만하다고 여겨진다.

명(明)·청(淸)의 고본(古本) 산해경도(山海經圖) 및 그 특징

『산해경』의 고도(古圖)는 오래 전에 이미 유실되었다. 그 후 서기 6세기에 남조(南朝) 양(梁)나라의 유명한 화가인 장승요(張僧繇)와 송대(宋代)의 교리(校理)인 서아(舒雅)가 일찍이 10권(卷)본 『산해경도』를 그린 적이 있다. 학의행(郝懿行)은 「산해경전소서(山海經箋疏敍)」에서 『중흥서목(中興書目)』을 인용하면서 말하기를, "『산해경도』 10권은 본래 양나라의 장승요가 그렸으며, 함평(咸平) 2년에 교리인 서아가 다시 10권을 그렸는데, 각 권(卷)들마다 먼저 그림의 이름을 분류해놓았으며, 모두 247종이다.[『山海經圖』十卷, 本梁張僧繇畫, 咸平二年校理舒雅重繪爲十卷, 每卷中先類所畫名, 凡二百四十七種.]"[54]라고 했다.

장승요(502~549년)는 남조(南朝) 시기 양나라 무제[이름은 소연(蕭衍)] 때 오(吳) 지역의 유명한 화가로, 구름과 용[雲龍]·신선과 부처[仙佛]·인물(人物)을 잘 그렸는데, 정교하고 생동감이 넘친다. 장승요와 관련해 화룡점정(畫龍點睛)[55]·화룡주(畫龍柱)[56]·우묘

---

54) 저자주 : 청(淸) 학의행(郝懿行), 「산해경전소서(山海經箋疏序)」, 저자주 14와 동일.

55) 장승요가 금릉(金陵)에 있는 안락사(安樂寺)의 벽에 네 마리의 용을 그렸는데, 눈동자를 그리자 살아서 날아갔다는 고사이다. 장승요가 어느 날 지방을 유람하다가 흥이 돋자, 금릉의 안락사라는 절의 벽면에 네 마리의 용을 그리게 되었는데, 용을 다 그리고 나서도 눈동자는 그리지 않았다. 사람들이 "왜 용의 눈을 그리지 않습니까?"라고 묻자, 그는 "눈동자는 용의 가장 중요한 부분입니다. 만약 눈동자를 그리면 용은 하늘로 날아가버릴 것입니다."라고 대답했다. 그러자 모든 사람들이 그를 나무라고 큰 소리로 웃으면서, 미치광이 취급했다. 그러자 그가 두 마리의 용 그림에 눈동자를 그려 넣었는데, 곧바로 검은 구름이 몰려들더니, 갑자기 천둥번개가 치면서 두 마리의 용이 하늘로 날아 올라가버렸다. 사람들은 모두 놀라 어안이 벙벙하여, 멍하니 쳐다볼 뿐이었다. 이로부터 '화룡점정'은 말이나 그림이나 글에서 가장 핵심적인 한두 마디나 한두 필획을 일컫는 말이 되었다.

매량(禹廟梅梁)[57] 등의 전설들은, 그의 뛰어난 회화 예술을 입신(入神)의 경지로까지 과장하고 있는데, 10권본 『산해경도』는 바로 이러한 그의 붓끝에서 나온 것이다. 서아는 송대의 정덕(旌德)[58] 사람으로, 일찍이 함평 2년(999년)에 교리에 임명되어 경서(經書)와 사서(史書)를 교감하고 편찬하면서, 장승요의 옛 그림을 보고 『산해경도』 10권을 다시 그렸다. 그러나 안타깝게도 이들 2종의 10권본 『산해경도』는 모두 전해지지 않는다. 비록 이와 같다고는 하나, 명·청 시대에 창작되어 전해오는 약간의 『산해경』 고본들에는 장승요와 서아의 회화본이나, 혹은 오래된 그림에 근거하여 첨삭하고 수정을 가해서 만들어진 산해경도들이 보존되어 있어, 여전히 그림이 있고 글이 있는[有圖有文] 중국의 오래된 서사 전통을 엿볼 수 있다. 또한 그림에 근거하여 글이 지어지고, 그림을 사용하여 견해를 피력한 『산해경』의 뚜렷한 서사 풍격도 볼 수 있다. 곽박(郭璞)·양신(楊愼)·오임신(吳任臣)·왕불(汪紱)·필원(畢沅)·학의행(郝懿行)·원가(袁珂) 등의 역대 주소가들은 바로 일부 『산해경』 그림들에 근거하여 경문에다 교주(校注)를 달았던 것이다.

---

56) 용이 그려진 기둥이라는 뜻으로, 장승요가 혜취사(慧聚寺)라는 절의 벽에는 신상(神像)을 그리고, 기둥에는 용을 그렸는데, 용이 살아 움직였다는 고사가 전해진다. 혜취사는 남조 시기의 양(梁)나라 때 절강성 곤산(昆山) 지역에 지어진 유명한 사찰이다. 이 혜취사가 지어진 후, 양나라 무제(武帝)는 남조 제일의 화가인 장승요에게 명하여 정전(正殿)의 양쪽 벽면에 신상(神像)을 그리게 하고, 기둥에는 용을 그리게 했다. 병이나 학질에 걸린 사람이 벽화에 그려진 신상 아래에 서 있기만 해도 병이 나았다고 하며, 용이 그려져 있던 기둥은 몹시 흐리고 비가 오는 날이면, 용의 비늘이 축축이 젖어 있었다고 한다. 심지어는 이 용이 전각에서 날아 나가 풍파를 일으키자, 무제는 어쩔 수 없이 장승요에게 다시 명하여, 쇠사슬을 그려 용을 붙들어 매게 하니, 용은 더 이상 움직이지 못했다고 한다.

57) 장승요가 우(禹)임금 사당의 들보에 그린 용이 진짜 용으로 변해 경호(鏡湖 : 지금의 절강성 소흥에 있는 호수)로 날아 들어갔다는 고사이다. 명나라 사람 유적(劉績)의 『비설록(霏雪錄)』에 기록되어 있기를, "우임금 사당[禹廟]의 매화나무 들보[梅梁]는 바로 대매산(大梅山)에서 나는 매화나무로 만든 것이다. 그 산은 은현(鄞縣)에서 남동쪽으로 70리 떨어진 곳에 있다. ……당(唐 : 後梁)나라의 장승요가 그 들보 위에 용을 그렸는데, 비바람이 크게 부는 밤이면, 늘 경호로 날아 들어가 용과 다투었다. 어떤 사람이 들보가 물에 흥건하게 젖어 있고, 거기에 개구리밥[萍藻]이 가득 붙어 있는 것을 보고는, 비로소 그것을 의아하게 생각했다. 이에 곧 쇠사슬로 기둥을 붙들어 맸다……[禹廟梅梁, 乃大梅山所産梅樹也, 山在鄞縣東南七十裏. ……唐張僧繇圖龍其上. 夜大風雨, 嘗飛入鏡湖與龍鬥. 人見梁上水淋漓濕, 萍藻滿焉, 始駭異之, 乃以鐵索鎖於柱…….]"라고 했다. 또 남송(南宋) 당시 명주[明州 : 지금의 절강성 영파(寧波)]의 지방지인 『사명도경(四明圖經)』에는, "은현의 대매산 꼭대기에 매화나무가 있는데, 그것을 베어 회계(會稽 : 지금의 절강성 소흥)에 있는 우임금 사당의 들보를 만들었다. 장승요가 그 들보 위에 용을 그렸는데, 밤에 혹 비바람이 치면, 경호로 날아 들어가 용과 다투었다. 후에 어떤 사람이 들보가 물에 흥건하게 젖어 있는 것을 보고는, 비로소 그것을 의아하게 생각했다.[鄞縣大梅山頂有梅木, 伐爲會稽禹廟之梁. 張僧繇畫龍於其上, 夜或風雨, 飛入鏡湖與龍鬥. 後人見梁上水淋漓, 始駭異之…….]"라고 기록되어 있다.

58) 안휘성(安徽省) 동남쪽의 환남산(皖南山) 지구에 위치하며, 그 땅은 황산(黃山)의 북쪽 기슭에 자리하고 있는데, 동쪽으로는 강소성(江蘇省)과 절강성(浙江省)에 접해 있고, 북쪽으로는 안휘성의 장강 유역과 맞닿아 있다.

현재 볼 수 있는 산해경도들은 명·청 시대에 그려져 전해지는 도본들이다. 필자가 본 것은 다음과 같은 10종의 판본들이다.

1. 명(明) 『산해경도』, 호문환(胡文煥) 편, 격치총서본(格致叢書本), 명나라 만력(萬曆) 21년(1593년)에 간행. 모두 133컷의 그림이 있는데, 그 중에 23컷의 신괴(神怪)나 이수(異獸) 그림들은 『산해경』에 보이지 않는다.

2. 명 『산해경[도회전상(圖繪全像)]』18권, 장응호(蔣應鎬)·무림보(武臨父) 그림, 이문효(李文孝) 조각, 취금당(聚錦堂) 간행본, 명나라 만력 25년(1597년)에 간행. 모두 74컷의 그림이 있다.

3. 명 『산해경석의(山海經釋義)』18권, 1함(函) 4책(冊), 왕숭경(王崇慶) 석의(釋義), 동한유(董漢儒) 교정, 장일규(蔣一葵) 교각(校刻), 명나라 만력 25년(1597년)에 판각 착수, 만력 47년(1619년)에 간행. 제1책인 『도상산해경(圖像山海經)』에 모두 75컷의 그림이 있다.

4. 명 『산해경』18권, 일본(日本) 간행본, 4책, 출처 미상. 모두 74컷의 그림이 있으며, 장응호회도본(蔣應鎬繪圖本)의 번각본(翻刻本 : 복제하여 새로 새긴 판본−역자)이다. 책 전체에 일본 독자가 읽을 수 있도록 한문 훈독(訓讀)을 첨부했다.

5. 청(淸) 『증보회상산해경광주(增補繪像山海經廣注)』, 오임신[즉 오지이(吳志伊)] 주(注), 불산사인가(佛山舍人街) 뒷거리[後街]의 근문당(近文堂) 소장판[藏版]. 그림[圖] 5권으로, 모두 144컷의 그림이 있다.

6. 청 『산해경』, 필원 도주(圖注), 광서(光緒) 16년(1890년)에 학고산방(學庫山房)에서 필원도본(畢沅圖本)의 원본을 본떠서 교감하여 간행함, 4책, 그림 1책으로, 모두 144컷의 그림이 있다.

7. 청 『산해경존(山海經存)』, 왕불 해설[釋], 광서 21년(1895년)에 입설재(立雪齋)영인본[印本], 그림 9권.

8. 청 『산해경전소(山海經箋疏)』, 학의행 지음[撰], 광서 임진년(壬辰年) 18년(1892년) 오채공사(五彩公司) 3차 석인본(石印本). 그림 5권으로, 모두 144컷의 그림이 있다.

9. 청 『고금도서집성(古今圖書集成)·금충전(禽蟲典)』 가운데 이금부(異禽部)와 이수부(異獸部).

10. 청 『고금도서집성·신이전(神異典)』 가운데 산천신령(山川神靈).

위에서 언급한 10종의 명·청 시대의 고본(古本) 산해경도(山海經圖)들은 모두 그림 2천여 컷을 수록하고 있는데, 이것들을 정리하고 배열하여 비교해본 결과, 대체로 다음과 같은 특징을 지니고 있음을 알 수 있었다.

1. 명·청 고본들 속에 있는 산해경도들은 이미 고도(古圖)가 아니며, 양자는 본질적인 차이가 있다. 고도의 상당 부분은 아마도 고대의 무사(巫師)가 "사물을 본떠서 그림을 그려"[유사배(劉師培)의 말] 무속 활동에 필요한 무도(巫圖)를 마련한 것인 듯하다. 그러나 명·청 시대의 고본들 속에 있는 그림들은 명·청의 화가와 민간 화공들이 『산해경』 경문에 근거하여 창작한 작품으로, 명·청 시대 『산해경』에 대한 민중의 이해를 반영하고 있으며, 명·청 시대의 특색이 선명한데, 수많은 신(神)들이 입고 있는 명·청 시대의 복식을 통해 이러한 사실을 어느 정도 짐작할 수 있다. 그러나 명·청 시대의 고본 산해경도들과 고도(古圖)들 사이에는 또한 오래된 연원(淵源) 관계가 있다. 고도들이 비록 전해지지는 않지만, 우리가 명·청 시대의 산해경도와, 현재 이미 발견된 고도 및 동시대인 상고 시대의 암화(巖畵)·전국(戰國) 시대의 백서(帛書)·한대(漢代)의 화상석(畵像石) 및 신석기 시대의 도기(陶器)·상주(商周) 시대의 청동기에 새겨진 도상(圖像)이나 도식(圖飾) 및 문양들을 비교해본다면, 또 다른 측면에서 양자 간의 연원 관계가 매우 오래되었다는 것을 발견할 수 있다. 게다가 역대 주소가들이 그림에 근거하여 주석을 달면서 그림에 대해 해석하고 설명한 내용들 및 일부 오래된 소수민족들의 현존하는, 글도 있고 그림도 있는[有圖有文] 무도들 역시 더 다양한 측면에서 우리가 양자 간의 오래된 연원을 고찰하는 데 도움을 준다. 이 밖에, 명·청 시대의 갖가지 판본들에 있는 산해경도 그림의 조형은 비교적 고정된 유형을 띠고 있는데, 어떤 그림은 거의 유사하다는 점[혼돈(混沌)의 신(神)인 제강(帝江), 머리가 잘리고도 싸우는 것을 멈추지 않았던 형천(刑天) 등]을 놓고 본다면, 오래된 그림을 모본(母本)으로 삼았을 가능성이 매우 크다. 혹자는 말하기를, 일부 그림들은 장승요·서아의 도본(圖本)을 기초로 삼고, 거기에 첨삭을 가하여 만들어진 것이라고도 한다. 이렇게 전체적인 측면에서 두루 살펴보았을 때, 명·청 시대의 고본들 가운데 산해경도는 여전히 고의(古意)를 잃지 않고 있어, 그림의 조형·특징 묘사·선의 운용·구성·풍격·의경(意境)·사실(寫實)·상징의 처리 등 수많은 측면에서, 여전히 고도와 『산해경』 모본의 원시적이고 고풍스러우며 질박한 풍격과 면모를 유지하고 있으며, 도교와 불교의 영향은 그다지 뚜렷하지 않다. 이렇게 명·청 시대의 고본 산해경도들이 이미 유실된 『산해경』 고도를 어느 정도 재현하

고 있어, 그림도 있고 글도 있는 이『산해경』이라는 기서(奇書)를 한층 더 심도 있게 탐구하는 데 중요한 의의를 가진다고 할 수 있다.

2. 편집 배열과 구성 형식이 다양하다. 위에서 서술한 여러 가지『산해경』도본들 속의 그림과 글의 편집과 배열이라는 측면에서 살펴보면, 그림이 독립적으로 권(卷)을 이루는 것(예를 들면, 명나라의 호문환도본·명나라의 왕숭경석의도본·청나라의 필원도본)이 있고, 전체 그림을 다섯 가지[신기(神祇)[59]·이역(異域)·수족(獸族)·우금(羽禽)·인개(鱗介 : 어패류─역자)]로 분류하여『산해경』18권의 경문 속에 각각 삽입한 것(예를 들면, 청나라 오임신근문당도본·학의행도본)도 있고,『산해경』18권의 경문에 따라 차례로 그림을 넣은 것(예를 들면, 명나라 장응호회도본·일본 판본·청나라 왕불도본)도 있으며, 총서(叢書)로서 삽도를 선별하여 사용한 것(이를테면『고금도서집성·금충전』본,『고금도서집성·신이전』본) 등등 여러 종류들이 있다.

그림을 사용하여 서술하는 방식의 측면에서 살펴보면, 그림과 설명을 겸비하여, 좌측에는 그림이 있고, 우측에는 설명이 있으며, 배경은 없고 하나의 신(神)에 대해 하나의 그림과 하나의 설명만이 있는 것(예를 들면, 호문환도본)이 있다. 또 산천을 배경으로 하여 하나의 신이나 여러 신들을 함께 그린 것(예를 들면, 명나라의 장응호회도본·왕숭경석의도본 및 일본 판본)도 있으며, 산천을 배경으로 하거나 혹은 배경 없이 하나의 신을 그린 것(예를 들면『고금도서집성』의 두 가지 판본)도 있고, 배경이 없이 하나의 신에 하나의 그림만을 그린 것(하나의 신에 하나의 그림만 있는 것들 중에는, 또한 그림의 위에 신의 이름·이름의 풀이·곽박의 도찬을 덧붙인 것도 있는데, 필원도본·학의행도본과 같은 것들이 그러하며, 도찬을 덧붙이지 않는 것도 있는데, 오임신근문당도본과 같은 것이 그러하다)도 있고, 배경 없이 여러 신들을 하나의 그림으로 그린 것과 하나의 신을 하나의 그림으로 그린 것이 번갈아가며 배치되어 있는 것(예를 들면 왕불도본) 등등 여러 가지 방식들이 있다.

3. 명·청 시기의 고본 산해경도는 명·청의 화가들(서명이 있는 것과 없는 것이 있다)과 민간 화공들의 작품인데, 그 풍격이 각기 다르다. 명나라 장응호회도본[왕숭경도본과 일본 판본의 도상(圖像)들은 이것과 기본적으로 같은데, 아마도 모두 장응호회도본에서 나온 것으로 보인다]·명나라 호문환도본과 청나라 왕불도본의 도상이 비교적 정교하고 생동적이며, 선이 시원스럽고 독창적인데, 이것들은 경험이 많은 화가의 붓끝에서 나온 것임이 분명하다. 또 이것들에 비하면, 오임신도본·필원도본·학의행도본은 서로 유사하

---

59) 신(神)은 하늘의 신령을 말하고, 기(祇)는 땅의 신령을 말한다.

며, 상당 부분의 그림들을 호문환도본에서 취했는데, 그 그림의 조형도 비교적 간단하고, 선이 거칠며, 도상의 편집 배열과 그림 위에 첨부한 글자의 오류가 적지 않다. 이는 민간 화공(畵工)이나 각공(刻工)들이 만들었을 가능성이 매우 크다. 같은 오임신도본이더라도 또한 관각본(官刻本)과 민간 판본 간에 차이가 있고, 서로 다른 지역에서 만든 판각본의 그림들도 거칠거나 정교하고 간단하거나 복잡한 정도의 차이가 있는데, 이는 바로 민간 판본들에서 자주 보이는 특징이다. 이러한 것들을 통해 명·청 시대의 고본 산해경도들은 중상층 문화와 하층 문화가 함께 창조해낸 결과물임을 알 수 있다.

4. 하나의 신에 대해 여러 가지의 그림이 있다는 것과 하나의 신에 대해 두 가지 형상(혹은 여러 가지 형상)이 있다는 것은 신화 연구에 대해 암시하는 바가 있다. 필자가 현재 수집해놓은 2천여 컷의 그림들에 포함되어 있는 479종의 신과 요괴[神怪] 및 외수(畏獸 : 무서운 짐승-역자)들 가운데에는, 하나의 신에 대해 여러 가지의 그림들이 있는 경우와 하나의 신에 대해 두 가지 형상이나 심지어는 여러 가지 형상들이 있는 현상을 곳곳에서 볼 수 있다. 동일한 신·요괴와 외수는 다른 판본·다른 시대·다른 화가의 붓 끝에서 대단히 많은 변이(變異)가 있었다. 이는 이러한 변이성(變異性)이 신화 고유의 것임을 말해줄 뿐만 아니라, 또한 산해경도라는 화랑(畵廊)을 더욱 풍부하고 다채롭게 만들어주었다. 예를 들어 「서산경(西山經)」과 「해외남경(海外南經)」에 모두 필방조(畢方鳥)가 있는데, 이것은 불이 날 것을 암시하는, 다리가 하나인 기조(奇鳥)로, 이것이 나오는 8컷의 그림들 가운데 7컷은 사람의 얼굴을 하고 있지 않은, 다리가 하나인 새지만, 『금충전』본의 「해외남경」에 나오는 필방도는 오히려 사람의 얼굴을 하고 있는, 다리가 하나인 새이다. 오승지(吳承志)·학의행·원가 등의 역대 주소가들은 모두 「해외남경」에 기록되어 있는, "그것은 사람의 얼굴에 다리가 하나인 새이다[其爲鳥人面一脚]"라는 문장에서, '인면(人面)'이라는 두 글자는 연자(衍字 : 불필요한데도 잘못 들어간 글자-역자)이므로 마땅히 삭제해야 한다고 보았다. 이는 그들이 신화 속의 필방조는 사람의 얼굴을 한 것과 사람의 얼굴을 하지 않은 것의 두 가지 형태가 있다는 것을 보지 못했기 때문이다. 명·청 시대의 고본 산해경도들은 『산해경』의 문본(文本 : 글로 이루어진 책-역자)을 근거로 하여, 형상(形象)이라는 방식을 통해 원시인들의 세계 및 인류 자신에 대한 초보적인 인식을 반영해냈으며, 자연히 또한 명·청 시대의 민중 및 화가와 판각공들의 『산해경』에 대한 이해를 반영하고 있다. 따라서 하나의 신에 대해 여러 가지의 그림이 있거나[一神多圖] 혹은 하나의 신에 대해 여러 가지의 형상이 있다는[一神多形] 것은

바로 다른 시대·다른 지역·다른 화가들이 각기 다르게 이해한 결과이며, 이는 우리가 『산해경』 신화의 다의성(多義性)·기의성(歧義性 : 여러 가지로 해석이 가능한 성격-역자)·변이성(變異性)을 이해하는 데 생생한 형상 자료를 제공해준다.

5. 산해경도의 전파와 변이. 명·청 무렵에, 산해경도는 전국 각지에 널리 전파되었다. 모두가 알고 있듯이, 노신은 일찍이 그림이 있는 2종의 『산해경』을 수집했었다. 하나는 그가 어렸을 때 보모 아줌마가 그에게 사준 4권짜리 책으로, 판각과 인쇄가 모두 매우 조잡했으며, 종이는 누렇고, 그림도 그다지 좋지 못해, 거의 대부분이 직선으로 조합되어 있었는데, 동물의 눈까지도 장방형으로 되어 있었다. 그 책에는 사람의 얼굴을 한 짐승, 대가리가 아홉 개인 뱀, 다리가 하나인 소, 머리가 없어 "젖꼭지를 눈으로 삼고, 배꼽을 입으로 삼은" 자루처럼 생긴 제강(帝江), 또 "방패와 도끼를 들고 춤을 추는" 형천(刑天)이 그려져 있었다. 노신은 "이 4권의 책은 곧 내가 최초로 얻은 가장 좋아하던 귀중한 서적이었다."라고 했다. 다른 하나는 그가 후에 산 것으로, 그림을 덧붙여 석인(石印)한 『산해경』 학의행본인데, 각 권마다 모두 도찬(圖贊)이 있고, 녹색의 그림에 글씨는 붉은색이며, 이전의 목각본(木刻本)에 비해 훨씬 더 정교했다.[60] 이 2권의 책은 노신의 일생 동안, 그에게 중요한 영향을 미쳤다.

청나라 말기와 민국(民國) 기간에, 전국 각지에서 각인된, 그림이 있는 『산해경』의 지방 판본들에 많은 변이가 발생했다. 현재 보이는 바로는 두 가지 정황을 들 수 있는데, 첫째는 옛 판본을 저본(底本)으로 삼아, 그림에 손질을 가한 것으로, 예를 들면 상해금장도서국(上海錦章圖書局)에서 민국 8년(1919년)에 간행한 『산해경도설(山海經圖說)』(교정본)이 있다. 이 책은 모두 4책(冊)으로 되어 있으며, 위에서 언급한 필원의 도본에 근거하여 각인한 것으로, 모두 144컷의 그림이 수록되어 있는데, 그 편집 배열과 구성이 필원도본과 동일하며, 그림에 신의 이름[神名]·이름 풀이[釋名]·곽박의 도찬이 있다. 그림도 또한 필원도본과 같은데, 단지 일부 그림의 경우는 손질을 가하여, 그 선이 뚜렷하고 균일하며, 용모가 아름다운 신과 짐승들은 마치 옛 판본의 질박함과 운치를 다소 잃어버린 감이 있지만, 전체적으로 말하자면, 또한 나름대로의 맛이 느껴지는 판본이다.

둘째는, 일부 그림들의 경우 상당히 뚜렷한 요괴화(妖怪化)·연환화화(連環畵化)적인 경향을 띤다는 점이다. 주목할 만한 예로는, 사천(四川) 순경(順慶)의 해청루(海淸樓)에

---

60) 저자주 : 노신 「아장과 산해경[阿長與山海經]」, 『노신전집(魯迅全集)』(2), 인민문학출판사(人民文學出版社), 1958년, 229~231쪽.

서 청나라 함풍(咸豐) 5년(1855년)에 각인한 『산해경회도광주(山海經繪圖廣注)』가 있는데, 청나라 오임신이 주석을 달고, 성혹인(成或因)이 그림을 그렸다. 이 책은 청대에 오임신이 주석한 판본을 사용했다고 명시했지만, 그림은 오히려 오임신의 도본과는 완전히 다르다. 앞에서 소개했듯이, 청대 오임신근문당도본이 채용한 것은, 배경 없이 하나의 신을 하나의 그림으로 그린 구성과 방식이다. 그러나 사천의 이 성혹인회도본은 오히려 명대의 장응호회도본식처럼 산천(山川)을 배경으로 하여 한 폭의 그림에 여러 신들을 그려 넣은 구성과 방식을 채용했다. 그 중 일부 신들과 짐승들의 조형은 뚜렷한 종교화(宗敎化)·연환화화적인 경향을 띠고 있다. 예를 들면 「중차십이경(中次十二經)」에 나오는 요임금의 두 딸[帝二女]인 아황(娥皇)과 여영(女英)을, 짙은 화장을 하고 통통한 모습의 두 귀부인의 모습에, 몸 뒤에는 후광(後光)이 있는 형태로 그렸다. 또 「해외서경(海外西經)」에 나오는 여자국도(女子國圖)의 경우, 24명의 나체 여인들이 물속에서 목욕하고 있고, 바위 위에는 3명의 여인들이 옷을 입고 부채를 든 채 서 있는데, 목욕하는 여인이 바위 위의 여인에게 손을 흔들며 마치 뭔가를 말하고 있는 듯한 장면으로 그려져 있다. 안타깝게도 필자는 이 판본의 몇 폭의 그림만을 보았기 때문에, 전모(全貌)를 살피기에는 어려움이 있다. 또 다른 것으로는, 상해(上海) 상양(上洋)의 구화재(久和齋)에서 간행한 『신출산해경희기정괴후본(新出山海經希奇精怪後本)』(현재 헝가리 동방예술박물관 소장)의 경우, 그림에 전부 물고기 요괴·닭 요괴·여우 요괴·양 요괴만 그려져 있어, 『산해경』의 본래 모습을 완전히 잃어버렸다.

산해경도의 전파와 변이는 매우 큰 의의를 갖는 주제로, 한층 더 자료를 수집하고 심도 깊은 연구를 할 만한 가치가 있다.

『산해경』의 그림[圖像] 세계

신비롭고 기이하며 매우 아름다운 산해경도는 우리에게 중국 원시 선민들의 마음속에 자리하고 있던 신화의 그림 세계를 보여주며, 각기 다른 수백 가지 형태의 신화 형상들을 우리의 눈앞에 나타내 보여준다. 이러한 신화 형상들은 모두 다음과 같은 다섯 종류가 있다. (1) 천제[제준(帝俊)·전욱(顓頊)·제순(帝舜)·서왕모(西王母)·제단주(帝丹朱)……], 자연신[낮과 밤을 관장하는 신인 촉음(燭陰)·일월(日月)의 신·사방(四方)의 신·시간의 신·수신

(水神)·산신(山神)……], 인왕[人王 : 하후개(夏后開)·형천(刑天)·왕해(王亥)……] 등을 포함한 신령. (2) 이수(異獸). (3) 기조(奇鳥). (4) 이어(異魚)와 괴사(怪蛇). (5) 먼 곳의 이민(異民) 등이다. 중국의 유명한 상고 시대 신화는 모두 그 그림이 있다. 예를 들어 희화(羲和)가 해를 목욕시킨 신화·상희(象羲)가 달을 낳은 신화·과보(夸父)가 해를 뒤쫓은 신화·정위(精衛)가 바다를 메운 신화·형천이 신과 싸운 신화·여와(女媧)의 창자가 사람으로 변한 신화·황제(黃帝)와 치우(蚩尤)가 싸운 신화·단주(丹朱)가 새로 변한 신화·왕해(王亥)가 소를 부린 신화·서왕모(西王母)와 삼청조(三靑鳥) 신화·혼돈신인 제강 신화·창세신인 촉룡(燭龍) 신화·전욱이 죽었다가 다시 살아나 반인반어(半人半魚)인 어부(魚婦)로 변한 신화·사람의 얼굴에 용의 몸을 한 뇌신(雷神) 신화·아홉 개의 대가리에 뱀의 몸을 한 괴물인 상류(相柳) 신화·파사(巴蛇)가 코끼리를 삼킨 신화…….

이러한 형상들은 조형(造型)·상상(想像)·표현 형식이 모두 전형적인 중국식이다. 그리스 신화에서의(그 주체를 말하자면) 인간과 신의 일체[人神一體]·인간과 신의 조화·형체미와 균형의 중시·신의 형상과 거동이 우아하고 풍모가 늠름한 것 등과는 달리, 산해경도의 형상들은 원시적이고 조잡하며, 진솔하고 유치하며, 야성이 충만한데, 중국인의 시조인 황제 헌원씨·창세신(創世神)인 여와는 놀랍게도 사람의 얼굴에 뱀의 몸을 하고 있는 괴물이 아니던가! 인간 형상의 신과 비인간 형상의 신(혹은 인간과 짐승과 신의 합체)은 약 1 대 4의 비율이다. 산해경도의 형상과 조형은 과장되고 기이한데, 인간과 동물의 기관(器官)·사지(四肢)와 몸통의 가감(加減)·뒤섞음[交錯]·위치 이동·과장·변형을 통해 다시 조합하여 새로운 신화 형상들을 만들어냈다. 『산해경』의 신들은 인간의 형체미를 중시하지 않고, 흔히 사람의 기관과 사지나 몸통을 여러 새·짐승·뱀의 몸에 갖다 붙여, 사람의 얼굴을 한 새·사람의 얼굴을 한 짐승·사람의 머리에 뱀의 몸을 한 형상들이 대량으로 출현했다. 중국인들은 이러한 형상들을 통해 자신들의 인간과 자연에 대한 이해와 천(天)·지(地)·인(人)의 관계에 대한 이해를 표현했다. 또 이러한 방식으로 천지와 소통하고, 자연과 조화를 이루고, 산천·동식물과 대화하고 교류하면서, 대량의 원시 사유(思惟)의 양식과 유풍(遺風)을 보존해왔다.

산해경도는 중국인의 어린 시절의 꿈을 재현한 것이다. 신화는 인류의 어린 시절의 꿈이며, 인류가 혼돈을 벗어나오면서 처음으로 내지른 함성이며, 인류가 자연 상태에서 문명을 향해 가면서 따낸 첫 번째 열매이다. 신화는 민족 생명력의 원천이고, 민족 문화의 뿌리이며, 민족정신이 담겨 있는 것이다. 모든 민족들은 자신들만의 신화가 있고, 자신들만의 신화 때문에 자부심을 느낀다. 중국은 다민족 국가로, 매우 풍부한 신화를 지니고 있으며, 신화의 종류와 유형들을 완비하고 있다. 산해경도는 형상(形象 : 이미지-역자)이라는 방식을 통해 후대의 자손들에게, 먼 옛날에 발생하여 하나하나가 지금까지도 유실되지 않고 전해오며 사람들을 감동시키는 이야기들을 들려주고 있어, 중국의 신화 세계와 중국인들의 어린 시절의 꿈을 독자들의 눈앞에 펼쳐 보여준다.

한 민족을 이해하려면 그 민족의 신화에서 출발하는 것이 가장 좋다. 산해경도는 중국인들이 창조한 것으로, 중국의 민족정신을 구현하고 있는데, 사람의 얼굴을 한 짐승·대가리가 아홉 개인 뱀·다리가 하나인 소·자루처럼 생긴 혼돈신 제강 등은 사람들에게 무궁무진한 예술적 향수(享受)를 주고 있다. 또 해와 경주를 하다 길에서 목이 말라 죽자 그의 지팡이가 등림(鄧林)으로 변했다는 과보·입으로 나무와 돌을 물어다 동해를 메운 정위·머리가 없어 젖꼭지가 눈이 되고 배꼽이 입이 된 제강·방패와 창을 들고 끊임없이 싸운 형천 등은 바로 중국인들의 민족정신을 묘사해내고 있다. 산해경도는 견고한 중국 문화를 내포하고 있으며, 중국 민족정신의 역사이자 민족 생명력의 찬가(讚歌)이다. 동시에 또 각 학문 분야들의 무궁무진한 원천으로서, 예술발생학·신화학·고고예술학·민속문화학·고전문학 등 모두가 그 속에서 관련된 연결 고리를 찾을 수 있다. 더욱이 우리가 『산해경』이라는 이 넓고 심오한 기서(奇書)를 이해하는 데에서 산해경도가 갖는 의의는 말할 필요도 없이 중요하다.

산해경도에 대한 수집·정리·연구는 대규모의 기초 구축 작업인데, 여기에는 다음과 같은 세 가지 연구 계열이 포함되어 있다. (1) 고본 산해경도의 수집·정리·제작인데, 이는 연구자와 독자에게 감상하고 소장하고 연구할 가치가 있고, 믿을 만한 고본 산해경도를 제공해준다. (2) 산해경도와 『산해경』의 비교 연구인데, 이 작업의 첫걸음은 독자에게 연구 성격을 띠는 도설(圖說)을 제공해준다. (3) 산해경도와 고문헌·고고문물·민속문물·민족 무도(巫圖) 및 기타 학문 분야와의 비교 연구이다.

필자가 현재까지 거둔 약간의 성과는 단지 위에서 언급한 기초 작업의 첫걸음에 불과할 뿐이며, 도본은 여전히 보충과 완비가 필요하고, 그에 대한 연구 또한 여전히 깊이 있는 개척이 필요하다. 필자는 진정으로 국내외 학자들의 가르침과 지지를 바라마지 않는다.

2000년 봄

북경에서

역대 주요 『산해경』 주소가(注疏家) 및 연구자들*

1. 곽박(郭璞, 276~324년)은 진(晉)나라 때 건평(建平) 태수(太守)를 지낸 곽원(郭瑗)의 아들이다. 동진(東晉)의 저명한 학자로, 문학가이자 훈고학자(訓詁學者)였다. 하동(河東) 문희(聞喜 : 지금의 산서성) 사람으로, 자(字)는 경순(景純)이다. 중국 풍수학(風水學)의 시조라고 일컬어진다. 원제(元帝 : 司馬睿) 때 저작좌랑(著作佐郎)과 상서랑(尙書郎)을 지냈고, 나중에 정남대장군(征南大將軍) 왕돈(王敦)의 기실참군(記室參軍)이 되었다. 후에 왕돈이 무창(武昌)에서 반란을 일으키자, 이에 반대하다가 살해되었다. 유곤(劉琨 : 越石)과 더불어 서진(西晉) 말기부터 동진에 걸친 시풍(詩風)을 대표하는 시인이다. 그의 시에는 노장(老莊)의 철학이 반영되어 있으며, 「유선시(遊仙詩)」 14수가 특히 유명하다. 부(賦)로는 「강부(江賦)」가 널리 알려져 있다. 『이아(爾雅)』·『산해경(山海經)』·『방언(方言)』·『초사(楚辭)』 등에 주(註)를 달았다. 저서로는 풍수를 다룬 『장경(葬經)』이 있다.

2. 왕숭경(王崇慶, 1484~1565년)은 명대(明代)의 관리이자 학자로, 개주[開州 : 지금의 복양현(濮陽縣) 호상향(胡狀鄕) 노왕장(老王莊)] 사람이다. 자는 덕정(德征), 호는 단계(端溪)이다. 홍치(弘治) 3년(1489년)에 진사(進士)에 급제하여, 처음에 상숙현령(常熟縣令)을 제수했고, 후에 심주지주(沁州知州)로 승진했다. 그의 묘비 기록에 따르면, 관직에 있는 동안 청렴했으며, 효성이 지극했고, 일생 동안 오로지 책을 쓰는 일만을 즐겨하여, 매우 많은 저작을 남겼다. 대표작으로는 『고풍소저(古風所著)』·『오경심의(五經心義)』·『산해경석의(山海經釋義)』·『원성어록해(元城語祿解)』·『단타문집(端妥文集)』 등이 있으며, 특별한 것으로는 그가 편저(編著)한 『개주지(開州志)』가 있다.

3. 양신(楊愼, 1488~1559년)은, 명나라 중기의 관리이자 학자로, 사천(四川) 신도(新都) 사람이다. 자는 용수(用修)이고, 호는 승암(升菴)이며, 양정화(楊廷和)의 아들이다. 정덕(正德) 6년(1511년)에 과거에 장원급제하여, 한림수찬(翰林修撰)을 제수했다. 가정(嘉靖) 3년(1524년)에 경연강관(經筵講官)이 되었고, 이어서 한림학사(翰林學士)가 되었는데, 세

---

* 이 부분은 편집자가 독자들의 이해를 위해 첨부한 것이다.

조(世祖)가 계악(桂萼) 등을 등용하는 것에 대해, 왕원정(王元正) 등과 함께 반대하며 직간했다. 그리하여 황제 앞에서 곤장을 맞고 사형에 처해질 뻔했는데, 사면을 받고 겨우 목숨을 부지한 채 운남(雲南)의 영창위(永昌衛)로 유배되었다. 그 후 줄곧 30여 년 동안 초야에 묻혀 시를 지으며 술로 세월을 보내다가 유배지에서 세상을 떠났다. 책 읽기를 좋아하여 박학다식했고, 경학(經學)과 시문(詩文)에 탁월했다. 저서로는 『단연총록(丹鉛總錄)』·『승암집(升菴集)』·『산해경보주(山海經補注)』 등과 많은 편찬서들이 있다.

4. 호문환(胡文煥, 생몰년 미상, 1596년 전후에 생존)은, 명대(明代)의 문학가(文學家)·장서가(藏書家)·각서가(刻書家)이다. 자는 덕보(德甫)·덕문(德文)이며, 호는 전암(全庵)·포금거사(抱琴居士)이다. 원적(原籍)은 강서(江西) 무원(婺源)이며, 인화[仁和 : 지금의 절강(浙江) 항주(杭州)]에서 살았다. 음률(音律)에 정통했으며, 금(琴)을 잘 탔다. 장서(藏書)를 좋아하여, 만력(萬曆)·천계(天啓) 연간에 장서각인 '문회당(文會堂)'을 지었는데, 후에 다시 진(晉)나라 장한(張翰)의 시구를 따 '사혜관(思蕙館)'으로 이름을 바꿨다. 또한 서점을 열고, 각서(刻書)에 종사하면서, 고서(古書)의 유통에 이용했다. 일생 동안 간각(刊刻)한 도서가 6백여 종, 1300여 권에 달한다. 그가 수많은 문헌들을 편집한 『격치총서(格致叢書)』에만 181종 6백여 권(일설에는 206종이라고도 하고 346종이라고도 한다)이 수록되어 있는데, 이 속에 『산해경도(山海經圖)』가 포함되어 있다. 저서로는 『기화기(奇貨記)』·『서패기(犀佩記)』·『삼진기(三晉記)』·『여경기(餘慶記)』 등의 전기(傳奇)가 있다. 『군음유선(群音類選)』26권을 편집했는데, 이는 명대 최대의 희곡선(戲曲選)이다. 그 밖에 『문회당금보(文會堂琴譜)』·『고기구명(古器具名)』·『소씨수편(胡氏粹編)』 등 다수가 있다.

5. 오임신(吳任臣, 1628~1689년)은 청대의 역사학자이자 장서가로, 본명은 오지이(吳志伊)이다. 자는 행(行)인데, 나중에 지이(志伊)로 고쳤으며, 또 다른 자는 이기(爾器)이다. 처음의 이름은 홍왕(鴻往)이었고, 호는 탁원(托園)이다. 본적은 복건(福建) 보전(莆田)인데, 아버지를 따라 인화[仁和 : 지금의 절강(浙江) 항주(杭州)]로 왔다. 강희(康熙) 18년(1679년)에 박학홍사과(博學鴻詞科)에 급제하여, 검토(檢討)라는 관직을 제수한 뒤, 『명사(明史)』 편찬을 담당했다. 기서(奇書)를 즐겨 읽었지만, 집안이 가난하여 책을 살 돈이 없었는데, 마침 전쟁이 일어나 강남의 부호들이 모두 도망치자, 그는 1전(錢)으로 책 한 권씩과 바꾸었다. 매일 책을 모으자, 오중(吳中)의 서적들 대다수가 그의 차지가

되었다. 장서인(藏書印)으로는 '志伊父'·'仁和吳任臣印' 등이 있다. 천관(天官)·악률(樂律)·기서(奇書) 등에 정통하여, 고염무(顧炎武)에게 높이 평가받았으며, 당시의 유명한 장서가인 오농상(吳農祥)과 이름을 나란히 했다. 그리하여 두 사람을 함께 일컬어 '이오(二吳)'라고 했다. 저서로는 『주례대의(周禮大義)』·『자휘보(字彙補)』·『춘추정삭고변(春秋正朔考辨)』·『예통(禮通)』·『산해경광주(山海經廣注)』 등이 있다.

6. **왕불**(汪紱, 1692~1759년)은 청대의 학자로, 초명(初名)이 훤(烜)이고, 자는 찬인(燦人), 호는 쌍지(雙池)·중생(重生)이며, 안휘(安徽) 무원(婺源) 사람이다. 그는 어려서 어머니 강씨(江氏)에게 가르침을 받았는데, 구두로 사서(四書)와 오경(五經)을 전수받았으며, 스승에게 사사(師事)한 적이 없다. 23세에 어머니가 세상을 떠나자, 가난 때문에 강서 경덕진(景德鎭)에서 도자기에 그림 그리는 일을 했는데, 그러면서도 학문을 게을리 하지 않았다. 건륭(乾隆) 연간 초기에 제생(諸生)이 되었으며, 후에 남동(南東) 지역에서 유명한 유학자가 되었다. 그는 평생을 청빈하게 지내며 벼슬길에 나가지 않고, 오로지 후학들을 가르치는 데 전념했다. 만년에는 안휘 휴녕현(休寧縣) 남도학관(藍渡學館)에서 책을 저술하고 강학(講學)했다. 학식이 해박하고 유학 경전에 두루 정통했으며, 저술이 매우 풍부한데, 『역경전의(易經詮義)』 15권, 『서경전의(書經詮義)』 13권, 『시경전의(詩經詮義)』 15권, 『춘추집전(春秋集傳)』 16권, 『예기장구(禮記章句)』 10권, 『효경장구혹문(孝經章句或問)』 2권, 『시운석(詩韻析)』 6권, 『산해경존(山海經存)』 9권 등 평생 모두 2백여 권의 책을 저술했다. 왕불은 회화에도 조예가 깊었는데, 산수·인물·화조(花鳥)에 능하여, 그림이 정교하고 뛰어났다.

7. **필원**(毕沅, 1730~1797년)은 청대(淸代)의 관리이자 학자였으며, 진양[鎭洋 : 지금의 강소(江蘇) 태창(太倉)] 사람으로, 자는 양형(纕蘅), 호는 추범(秋帆)이다. 유명한 시인인 심덕잠(沈德潛)에게 영암산(靈巖山)에서 배웠으므로, 스스로 호를 영암산인(靈巖山人)이라 했다. 건륭(乾隆) 25년(1760년)에 진사(進士)가 되었으며, 정시(廷試)에서 장원급제하여, 한림원편수(翰林院編修)를 제수했고, 건륭 50년에 관직이 하남순무(河南巡撫)에 이르렀다. 이듬해에 호광총독(湖廣總督)에 발탁되었다. 가경(嘉慶) 원년(1796년)에 경거도위(輕車都尉) 세습을 상으로 받았다. 병으로 세상을 떠나자 태자태보(太子太保)에 추증되었다. 세상을 떠난 이듬해에 사건에 연루되어 가산을 몰수당하고, 세습 관직을 박탈

당했다. 그는 경(經)·사(史)·소학(小學)·금석(金石)·지리(地理) 등 통달하지 않은 분야가 없었다. 사마광(司馬光)의 뒤를 이어, 『속자치통감(續資治通鑑)』을 썼으며, 『전경표(傳經表)』·『경전변정(經典辨正)』·『영암산인시문집(靈巖山人詩文集)』 등의 저작을 남겼다.

8. **학의행**(郝懿行, 1757~1825년)은, 자가 순구(恂九)이고, 호는 난고(蘭皐)이며, 산동(山東) 서하(栖霞) 사람이다. 청(淸)나라 가경(嘉慶) 연간에 진사(進士)가 되었으며, 벼슬이 호부주사(戶部主事)에 이르렀다. 청대의 저명한 학자로, 경학자(經學者)·훈고학자(訓詁學者)이다. 명물훈고(名物訓詁) 및 고증학에 뛰어났으며, 『이아(爾雅)』 연구에 특히 심혈을 기울였다. 저서로는 『이아의소(爾雅義疏)』·『산해경전소(山海經箋疏)』·『역설(易說)』·『서설(書說)』·『춘추설략(春秋說略)』·『죽서기년교정(竹書紀年校正)』 등이 있다.

9. **오승지**(吳承志, 1844~1917년)는, 자(字)가 기보(祁甫)이며, 전광(錢廣 : 지금의 절강성 항주시) 사람이다. 청나라 말기의 유명한 『산해경』 연구자로, 경학(經學)의 대가인 유월(兪樾)에게 배웠다. 저술로는 『한서지리지수도도설보정(漢書地理志水道圖說補正)』 2권·『산해경지리금석(山海經地理今釋)』 6권·『금수경주(今水經注)』 4권·『횡양찰기(橫陽札記)』 10권 등이 있다. 『산해경지리금석』은 청대에 지리학적 관점에서 『산해경』을 고찰한 대표 저작 중 하나로 꼽힌다. 청대의 학자인 필원·학의행이 『산해경』에 주를 달고 지리적 고증에 힘썼던 전통을 계승하고 발전시킨 것이다.

10. **원가**(袁珂, 1916~2001년)는, 사천(四川) 신도(新都) 사람으로, 사천 신번현(新繁縣)에서 살았다. 신화학자(神話學者)이며, 본명은 원성시(袁聖時)인데, 필명으로는 병생(丙生)·고표(高標)·원전(袁展) 등을 사용했다. 『중국고대신화(中國古代神話)』(1950년)로 학술적 명망을 얻었으며, 그 후 『중국신화전설(中國神話傳說)』·『중국신화전설사전(中國神話傳說詞典)』·『고신화선석(古神話選釋)』·『신화논문집(神話論文集)』·『원가신화논집(袁珂神話論集)』·『중국신화백제(中國神話百題)』·『중국민족신화사전(中國民族神話詞典)』·『중국고사신편(中國故事新編)』·『중화문화집수총서(中華文化集粹叢書)·신이편(神異篇)』·『산해경교주(山海經校注)』·『파촉신화(巴蜀神話)』(공저) 등의 저술과 수많은 논문을 남겼으며, 한국·일본·미국·유럽 등 세계 여러 나라들에서 많은 저술들이 번역되어 출간되었다.

범례

1. 이 책은 현재 수집된 16종의 『산해경』 도본들(판본에 대해서는 「머리말」과 「서론」을 보라.) 중에서 456종의 신괴(神怪 : 신과 요괴—역자)와 외수(畏獸 : 무서운 짐승—역자)의 그림 1600여 컷을 정선(精選)했다. 수록된 도목(圖目)은 『산해경』 중의 신괴·외수·기조(奇鳥 : 기이한 새—역자)·이어(異魚 : 특이한 물고기—역자)·괴사(怪蛇 : 괴이한 뱀—역자)·먼 지역의 이민(異民)·신산(神山) 등이다. 도목은 『산해경』 18권에서 신수(神獸)가 출현하는 순서에 따라 배열했으며, 이름도 같고 같은 사물인 경우[同名同物]에는 먼저 나오는 도목에 편입시켰다. 예를 들면 「남산경」·「해외동경」에 모두 구미호도(九尾狐圖)가 있는데, 이 경우 「남산경」에 배치해두었다. 그 외에 이름은 같으나 형체는 다른 경우[同名異形 : 예를 들어, 「서산경」의 궁기(窮奇)는 소의 형상을 하고 있고, 「해내북경」의 궁기는 호랑이처럼 생겼고 날개가 있다]·이름은 같지만 다른 사물인 경우[同名異物 : 예를 들어, 「중차팔경」의 짐(鴆)새는 뱀을 잡아먹는 독조(毒鳥)이고, 「중차십일경」의 짐새는 빈대를 잡아먹는 새이다], 혹은 이름은 다르지만 같은 사물인 경우[異名同物 : 예를 들어 촉룡(燭龍)과 촉음(燭陰)이 그러하다]에는 모두 따로 나누어 목록을 두었다. 그리고 도목의 앞에는 번호를 붙였는데, 예를 들면 〈권1-6〉 선구(旋龜)'의 경우, '권1'은 『산해경』의 제1권인 「남산경」을 가리키고, '6'은 선구가 제1권에서 출현하는 순서이다.

2. 이 책은 그림·경문·해설의 세 부분으로 나뉜다. 그림의 명칭과 경문은 주로 원가(袁珂)의 『산해경교주(山海經校注)』(1996년) 파촉서사본(巴蜀書社本 : 기타 주석본들을 참고하여 부분적으로 고쳤음)을 따랐다. 이 책이 채용한 도본들 중, 어떤 그림의 명칭과 경문이 일치하지 않는 경우에는 도설(圖說)에서만 설명했다. 또 그림 위의 글에 간혹 오류가 있는 경우, 독자들이 도설과 서로 비교해보면 명확히 알 수 있기 때문에, 일일이 설명하지 않았다.

3. 이 책에서 사용한 간체자는 『간화자총표(簡化字總表)』에서 규정한 것과 『사해(辭海)』에 실린 범위 이내로 제한했으며, 일반적으로 편방(偏旁 : 한자의 왼쪽 부분을 '편', 오른쪽 부분을 '방'이라 한다—역자)에 근거하여 유추하지 않았다. 또 두 가지 이상의 의미가 발생할 가능성이 있을 경우에는, 원래의 번체자(繁體字)나 이체자(異體字)를 유지했다.

번역 관련 일러두기

1. 중국의 지명과 인명은 모두 한국어 독음(讀音)으로 표기했다.

2. 「머리말」·「서론」을 제외한 본문의 각주는 대부분 옮긴이가 독자들의 이해를 돕기 위해 추가한 것이므로, 전체적으로 옮긴이가 추가한 것이다. 따라서 각주의 앞에 '저자주'라고 표기한 것만이 이 책의 저자인 마창의(馬昌儀)의 주석이고, 나머지는 모두 옮긴이가 단 주석이다.

3. 이 책에 인용된 문헌들은 모두 한문이나 중국어로 된 것들이지만, 독자들의 편의를 위해 한글로 표기한 뒤, ( )나 [ ] 속에 원문을 표기했다. 한글 독음과 원문 제목이 일치하는 경우에는 ( ), 원문 서명이나 논문명을 이해하기 쉽게 풀어 번역한 경우에는 [ ] 속에 원문 제목을 병기했다.

4. 각 도목(圖目)들마다 첫머리에 경문(經文)이 수록되어 있는데, 이 책의 저자는 경문에서, 그림을 설명하는 데 필요한 부분만을 발췌하여 수록했지만, 한국어판에서는 그 그림과 관련된 경문 문장 중 생략된 부분을 모두 수록했다. 그리고 저자가 중국어판 원본에 수록한 부분은 별색(別色)으로 밑줄을 그어 두었으며, 그 부분만 한국어로 번역했다.

5. 경문 속의 한자(漢字) 뒤에 별도로 발음을 표기한 것[예 : 휘(彙 : '會'로 발음)]은, 이 책의 저자(즉 馬昌儀)가 표기한 것으로, 중국어 발음을 기준으로 한 것이다. 이 책의 번역에서는 한국에서 보편적으로 사용되는 옥편이나 자전들을 기준으로 삼아, 한글 독음을 표기했다.

6. 그림의 출처 표기에 […회도본(繪圖本)]과 […도본(圖本)]의 두 가지가 있는데, 이는 중국식 표현이지만, 표현이 마땅치 않아 그대로 표기했다. 전자(前者)는 그 사람이 직접 그린 도본을 가리키고, 후자(後者)는 그 사람 혹은 기관 등이 다른 전적들에서 수집하거나 편집하여 해설을 넣거나 도찬을 지은 것 등이다. 예를 들어 [장응호회도본(蔣應鎬繪圖本)]은 장응호가 직접 그린 도본이고, [호문환도본(胡文煥圖本)]은 호문환이 여러 도본에서 수집하여 편집한 뒤, 해설을 넣은 것이다.

7. 각주 번호는 전체 18권(卷)의 각 권마다 새로운 번호로 시작했는데, 이는 편집상의 편의를 위해서이며, 특별한 의미는 없다.

古本 山海經 圖說(고본 산해경 도설) · 차례

상 권 上卷

第一卷

南山經

제1권 남산경

|권1-1| 성성(狌狌)

【경문(經文)】

「남산경(南山經)」: 소요산(招搖山)에 ……어떤 짐승이 사는데, 원숭이처럼 생겼고,
귀가 희며, 기어 다니기도 하고 사람처럼 걸어 다니기도 한다. 이 짐승의 이름은
성성(狌狌)이라 하며, 이것의 고기를 먹으면 잘 걷게 된다. …….

[「南山經」之首曰鵲山. 其首曰招搖之山, 臨於西海之上, 多桂, 多金玉. 有草焉, 其狀
如韭而靑華, 其名曰祝餘, 食之不饑. 有木焉, 其狀如穀而黑理, 其華四照, 其名曰迷
穀, 佩之不迷. 有獸焉, 其狀如禺而白耳, 伏行人走, 其名曰狌狌, 食之善走. 麗䴇之
水出焉, 而西流注於海, 其中多育沛, 佩之無瘕疾.]

【해설(解說)】

　성성(狌狌)은 고자(古字)로, 즉 지금의 성성(猩猩)이다. 성성의 생김새에 관해, 일설
에는 원숭이를 닮았고, 귀가 희며, 기어 다니기도 하고 사람처럼 서서 걸을 수도 있다
고 했다(「남산경」). 일설에는 또 사람의 얼굴에 돼지의 몸을 하고 있다고 했다[「해내남경
(海內南經)」: "성성은 사람의 이름을 알아맞힐 수 있는데, 그 모습은 돼지와 비슷하며, 사람의
얼굴을 하고 있다. 순(舜)임금이 묻힌 곳의 서쪽에 산다.(狌狌知人名, 其爲獸如豕而人面, 在舜葬
西.)"]. 또 다른 일설에는 사람의 얼굴을 한 푸른색 짐승이라고 했다[「해내경(海內經)」].
일설에는 또한 이 짐승이 사람의 얼굴에 개의 몸을 하고 있으며, 긴 꼬리를 가지고 있
다고 했다[『여씨춘추(呂氏春秋)·본미(本味)』[1]편의 고유(高誘) 주석]. 일설에는 누런 개와 비
슷하게 생겼는데, 사람의 얼굴에 대가리는 수탉처럼 생겼다고 했다[『주서(周書)』]. 일설

---

1) 고대 중국의 거상(巨商)이자 진(秦)나라의 재상이었던 여불위(呂不韋, ?~기원전 235)가 선진(先秦) 시대의
여러 학설과 사실(史實)·설화들을 모아 편찬한 책이다. 총 26권 160편으로, 연감에 해당하는 기(紀) 12
권, 보고서에 해당하는 람(覽) 8권, 논문에 해당하는 논(論) 6권으로 구성되어 있다. 진나라 장양왕(莊襄
王)이 즉위하는 데 공을 세우고, 진시황(秦始皇) 초기까지 재상을 역임했던 여불위가 식객 3천 명에게 저
술을 맡겨 편찬했다고 하며, 일종의 백과전서라 할 수 있다. 「십이기(十二紀)」의 춘하추동(春夏秋冬)에서
'여씨춘추(呂氏春秋)'라는 명칭이 생겼으며, 「팔람(八覽)」에서 이름을 따 '여람(呂覽)'이라고도 한다. 「십이
기」는 4계절의 순환과 만물의 변화, 인사(人事)의 치란(治亂)·흥망·길흉의 관계를 기록하고 있다. 「팔람」
은 유시(有始)·효행(孝行)·신대(愼大)·선식(先識)·심분(審分)·심응(審應)·이속(離俗)·시군(恃君) 등 8부
로, 「육론(六論)」은 개춘(開春)·신행(愼行)·귀직(貴直)·불구(不苟)·사순(似順)·사용(士容) 등 6부로 되어
있다. 도가(道家)·유가(儒家)·법가(法家)·음양가(陰陽家)·농가(農家) 등의 여러 학설과 시사(時事)들을
수록하고 있어, 선진 시대의 사상사 등을 연구하는 데 빼놓을 수 없는 중요한 자료이다. 주석서로는 윤
중용(尹仲容)의 『여씨춘추교석(呂氏春秋校釋)』 등이 있다.

에는 성성은 누런 개와 비슷하게 생겼고, 사람의 얼굴을 하고 있으며, 말을 할 수 있다고 했다[『박물지(博物志)』].

　고서(古書)에서 성성이 말을 할 줄 안다고 했다[『예기(禮記)·곡례(曲禮)』]. 굴원(屈原)이 지은 「천문(天問)」에는 "석림은 어디에 있으며, 말할 줄 아는 짐승은 어디에 있는가?[焉有石林, 何獸能言?]"라는 시구가 있는데, 천하의 어디에 석목(石木 : 돌로 된 나무-역자)으로 이루어진 숲이 있고, 말을 할 수 있는 짐승이 있는지를 물은 것이다. 청대(淸代)의 화가 소운종(蕭雲從)[2]은 그림[그림 1]을 이용하여 굴원의 질문에 대답했다. 이 「천문도(天問圖)」에서 성성이 사람의 말을 할 수 있다는 특징을 표현하기 위해, 성성의 혀를 아주 길게 과장하여 묘사했다.

　「해내남경」에서는 성성이 사람의 이름을 알아맞힐 수 있다고 했다. 전설에 의하면 성성은 백여 마리가 한 무리를 이루어 생활하며, 산골짜기에서 출몰한다고 했다. 또 이 짐승은 특히 술과 짚신을 아주 좋아하여, 이곳 사람들은 성성을 잡으려고 자주 지나다니는 길 위에 술상을 차려놓고, 서로 이어진 짚신을 여러 켤레 놓아두었다고 한다. 그러면 성성이 지나다가 보고는, 이 물건들을 차려둔 사람과 그 조상의 이름을 금방 알아맞혔다. 처음에는 덫을 놓은 사람과 그의 조상의 이름을 부르며 "나를 속이려고 했지."라고 욕을 하면서 그냥 가버린다. 그러나 오래지 않아 자신의 무리와 함께 되돌아와서는, 고래고래 욕을 하며 술을 마시고, 짚신을 신어보곤 한다[그림 2]. 이놈들은 술을 얼마 마시지도 않아 금방 취해서는 서로 이어진 짚신을 신은 채 어기적거리다가 사람에게 잡히고 만다고 했다[당대(唐代) 사람인 이조(李肇)의 『당국사보(唐國史補)』와 이현(李賢)[3]이 주석하면서 인용한 『남중지(南中志)』를 보라.]. 『수경주(水經注)·엽유하(葉楡河)』에 기재되어 있기를, 성성은 사람과 말을 나눌 수 있는데, 음성이 여자처럼 고우며, 이놈의 말을 듣다보면 슬프고 괴롭지 않은 것이 없다고 했다. 또 성성의 고기는 맛이 달

---

2) 소운종(蕭雲從, 1596~1673년)은 원래의 이름이 소룡(蕭龍)이며, 자(字)는 척목(尺木), 호(號)는 묵사(黙思)·무민도인(無悶道人)이며, 늙어서는 종산노인(鍾山老人)이라고 했다. 안휘(安徽) 무호(蕪湖) 출생으로, 명나라 말기에는 향공(鄕貢)의 부사(副事)였으나, 청나라가 들어서자 관직에서 떠났다. 시문서화·육서육률(六書六律)에 통달했고, 그림은 산수화에 뛰어났으며, 예찬(倪瓚)과 황공망(黃公望)의 필법을 따랐다. 그의 화파를 고숙파(姑熟派)라고 부른다.

3) 이현(李賢, 654~684년)은 당나라 고종(高宗)의 여섯째아들이자, 측천무후(則天武后)의 둘째 아들로, 675년에 황태자가 되었다가 680년 폐위되었다. 자는 명윤(明允)이고, 시호(諡號)는 장회태자(章懷太子)이다. 태어난 뒤 노왕(潞王)에 봉해졌다가, 7세 때 다시 패왕(沛王)에 봉해졌다. 18세 때에는 이름을 이덕(李德)으로 바꾸고 옹왕(雍王)에 봉해졌지만, 20세부터는 다시 이현이라는 이름을 사용했다. 장대안(張大安) 등의 학자들을 소집하여 범엽(范曄)의 『후한서(後漢書)』에 주석을 달았다.

며(『수경주』), 사람이 이 고기를 먹으면 잘 걷게 된다고 했다(「남산경」).

곽박(郭璞)의 『산해경도찬(山海經圖讚)』[4] : "성성은 원숭이처럼 생겼는데, 서서 걷기도 하고 기어서도 다닌다네. 회목(槐木)[5]은 힘을 좋게 하고, 소신(少辛)[6]은 눈을 밝게 해주네. 비렴(蜚廉)[7]은 걸음이 빠르니, 어찌 그 고기 먹을 수 있겠는가[狌狌似猴, 走立行伏. 槐木挺力, 少辛明目. 蜚(飛)廉迅足, 豈食斯肉.]". 또 「해내남경·도찬」 : "성성의 생김새는, 꼭 짐승 같다네. 천성적으로 지나간 일들을 알 수 있고, 됨됨이가 약삭빠르면서 분간을 잘한다네. 술 때문에 화를 자초하니, 갓끈을 엮어 만든 덫에 스스로 잡히고 만다네.[狌狌之狀, 形乍如獸(『백자전서(百子全書)』[8]본에는 '犬'으로 썼음]. 厥性識往, 爲物警辨. 以酒招災, 自貽纓胃]"

산해경도(山海經圖)들에 보이는 성성의 그림에는 네 가지 형태가 있다.

첫째, 원숭이의 모습으로, [그림 3-장응호회도본(蔣應鎬繪圖本)「남산경(南山經)」도]·[그림 4-왕불도본(汪紱圖本)]과 같은 것들이다.

둘째, 사람의 모습에 짐승의 꼬리가 달려 있는 것으로, [그림 5-성혹인회도본(成或因繪圖本)]과 같은 것이다.

셋째, 사람의 얼굴에 돼지의 몸을 하고 있는 것으로, [그림 6-장응호회도본「해내남경」도]·[그림 7-성혹인회도본「해내남경」도]와 같은 것들이다.

넷째, 사람의 모습에, 온 몸이 짐승 털로 덮여 있는 것으로, [그림 8-호문환도본(胡文煥圖本)]과 같은 것이다. 호문환도설(胡文煥圖說)에서는, "작산[鵲山 : 소요산(招搖山)]에 어떤 짐승이 사는데, 생김새가 불(禺)과 비슷하고, 원숭이 종류로, 털이 땅바닥까지 늘어져 있다. 강동산(江東山)에도 이 짐승이 사는데, 성성이라고 하며, 말을 할 수 있다.[鵲山

4) 『산해경』의 그림에 대한 찬시(讚詩)이다.

5) 정재서 역주, 『산해경』(민음사, 2007년)에는 '懷木'으로 표기되어 있다.

6) 즉 세신(細辛)이라고도 하며, 족두리풀이나 민족두리풀의 뿌리이며, 한약재로 쓰인다.

7) '蜚廉(비렴)'은 '飛廉(비렴)'이라고도 표기한다. 중국 전설 속에 나오는 상상의 새로, 대가리는 참새처럼 생겼고, 뿔이 있으며, 몸은 사슴과 같으나, 표범과 같은 얼룩무늬가 있고, 꼬리는 뱀과 같이 생겼다고 한다. 바람을 잘 일으킨다고 알려져 있다.

8) 1875년에 호북성(湖北省)의 숭문서국(崇文書局)에서 펴낸 총서이다. 춘추 시대부터 명나라 때까지 편찬된 제자백가의 책들을 유가(儒家)·병가(兵家)·법가(法家)·도가(道家)·소설가(小說家)로 분류하여 수록했으며, 509권으로 되어 있다. 이 책의 가장 큰 특색은 수록한 책이 무려 100종이나 된다는 점이다. 그런데 여기에 수록된 책들의 상당수는 위서(僞書)들이며, 이 때문에 이 책이 학계에 미친 영향은 매우 작았다. 그러나 임의대로 대충 훑어보고 말하자면, 이 책은 또한 옳은 것들이며, 분명히 그 책의 목록들은 기타 몇 가지 유사한 책들에 비해 종류도 많고 좋은 점도 많아, 한번 볼 만한 가치가 있다.

(招搖山)有獸, 狀如窩('弗'로 발음), 類彌猴, 髮垂地. 江東山中亦有, 名猩猩, 能言.]"라고 했다.

[그림 1] "성성은 말을 할 줄 안다.[狌狌能言.] 청(淸)·소운종(蕭雲從) 「흠정보회이소도(欽定補繪離騷圖)·천문도(天問圖)」

[그림 2] 성성 청(淸)·왕불도본(汪紱圖本) 『산해경
존(山海經存)·해내남경(海內南經)』도.

[그림 3] 성성 명(明)·장응호회도본

猩
猩

[그림 4] 성성 청(淸)·왕불도본

[그림 5] 성성 청(淸)·사천(四川)성혹인회도본

[그림 6] 성성 명(明)·장응호회도본 「해내남경」도.

[그림 7] 성성 청(淸)·사천성혹인회도본 「해내남경」도.

[그림 8] 성성 명(明)·호문환도본 「산해경도(山海經圖)」

|권1-2| 백원(白猿)

【경문(經文)】

「남산경(南山經)」: 당정산(堂庭山)이라는 곳에는 ……흰 원숭이가 많다. …….

[又東三百里, 曰堂庭之山, 多梭木, 多白猿, 多水玉, 多黃金.]

【해설(解說)】

백원(白猿 : 흰 원숭이-역자)은 원숭이와 비슷하게 생겼는데, 팔다리가 매우 길어 민첩하고 나무에 잘 기어오르며, 우는 소리는 매우 구슬퍼서 "원숭이가 세 번 울면 사람도 눈물을 흘린다[猿三鳴而人淚]."[『수경(獸經)』[9]]라는 말이 있기도 하다. 또 유종원(柳宗元)의 「입황계문원(入黃溪聞猿)」에는, "시냇물은 천 리를 굽이치는데, 구슬픈 원숭이는 어디에서 우는가. 외로운 신하의 눈물은 이미 다했건만, 헛되이 애끓는 소리 내는구나.[溪路千里曲, 哀猿何處鳴. 孤臣淚已盡, 虛作斷腸聲.]"라는 구절이 있다. 『포박자(抱朴子)·대속편(對俗篇)』에, 후(猴 : 원숭이)는 나이가 팔백 살이 되면 원(猿 : 원숭이)[10]으로 변하고, 나이가 오백 살이 되면 확(玃 : 큰 원숭이)으로 변한다고 했다. 이시진(李時珍)의 『본초강목(本草綱目)』에서는, 원(猿)은 강이 넓고 산이 깊은 곳에 사는데, 팔이 매우 길며, 기(氣)를 끌어들일 수 있어 수명이 길다고 했다.

곽박(郭璞)의 『산해경도찬(山海經圖讚)』: "흰 원숭이는 방자하고 약삭빠르니, 유기(由基)[11]가 활을 어루만지는구나. 대응하여 노려보며 울부짖었으나, 신기하게도 화살이 앞서 가서 맞추었도다. 운수(運數)는 마치 돌고 도는 듯하니, 그 신묘함이 무궁하구나.[白猿肆巧, 由(繇)基撫弓, 應眄而號, 神有先中. 數如循環, 其妙無窮.]"

[그림 1-장응호회도본(蔣應鎬繪圖本)]·[그림 2-호문환도본(胡文煥圖本)]·[그림 3-성

---

9) 명대(明代)에 황성증(黃省曾)이 저술했으며, 주이정(周履靖)이 증보(增補)했다.

10) 원숭이는 종류가 매우 많다. 후(猴)는 행동이 민첩하고 무리를 이루어 살며, 볼 아래에 주머니가 있다. 원(猿)은 후(猴)와 비슷한데, 좀 더 크다. 뺨 아래에 주머니가 없고, 꼬리도 없다. 여기에서는 이에 정확히 부합하는 의미로 사용한 것은 아니다.

11) 초(楚)나라 사람으로, 성은 양(養), 이름은 숙(叔), 자는 유기(由基)이다. 초나라 장왕(莊王)이 사냥을 나갔다가 나무에 흰 원숭이 한 마리가 있는 것을 발견하고는 화살을 쏘게 했는데, 원숭이가 날아가는 화살을 잡아채며 희롱했다. 그리하여 여러 신하들로 하여금 쏘게 했으나 맞추는 사람이 없었다. 이에 왕이 신하들에게 활을 잘 쏘는 자가 있는지 묻자, 유기가 활을 잘 쏜다고 아뢰었다. 그리하여 유기가 활을 쏘려 하자 원숭이가 나무를 껴안고서 구슬피 울부짖었고, 화살을 쏠 즈음에는 나무를 끼고 돌면서 화살을 피하려고 했다. 그러나 화살도 나무를 끼고 돌아 나무 뒤로 숨은 원숭이를 정확히 맞췄다고 한다.

혹인회도본(成或因繪圖本)]·[그림 4-왕불도본(汪紱圖本)]

[그림 1] 백원 명(明)·장응호회도본

[그림 2] 백원 명(明)·호문환도본

[그림 3] 백원 청(淸)·사천(四川)성혹인회도본

白猿

[그림 3] 백원 청(淸)·왕불도본

|권1-3| 복충(蝮蟲)

【경문(經文)】

「남산경(南山經)」: 원익산(猿翼山)이라는 곳이 있는데, 그 속에 괴상한 짐승[怪獸]들이 많고, 그 물에는 괴상한 물고기[怪魚]들이 많으며, 백옥(白玉)이 많고, 복충(蝮蟲: 살무사—역자)과 괴상한 뱀들이 많으며, 괴상한 나무[怪木]가 많아서 올라갈 수 없다.

[又東三百八十里, 曰猨翼之山, 其中多怪獸, 水多怪魚, 多白玉, 多蝮蟲, 多怪蛇, 多怪木, 不可以上.]

【해설(解說)】

복충(蝮蟲)은 즉 복(蝮)·복사(蝮蛇)·복훼(蝮虺)이다. 곽박(郭璞)은 말하기를, 색깔이 인끈[12]의 무늬와 비슷하고, 콧등에 뾰족한 독침이 있으며, 큰 것은 백여 근(斤)이 나가는데, 일명 반비충(反鼻蟲)이라고도 한다고 했다. 『이아(爾雅)·석어(釋魚)』에는, "복훼(蝮虺: 살무사—역자)는 굵기가 3치[寸] 정도이며, 대가리의 크기가 엄지손가락만하다.[蝮虺博三寸首大如擘.]"라고 기재되어 있다. 복충은 무서운 동물의 하나인데, 굴원(屈原)은 『이소(離騷)·대초(大招)』의 초혼사(招魂詞)에서 천 리가 온통 불꽃으로 타오르는 남쪽으로 가지 말라고 하면서, 그곳에는 복충 등의 무서운 생물들이 득실거린다고 했다. 「남산경」 외에 「남차이경(南次二經)」의 우산(羽山)·「남차삼경(南次三經)」의 비산(非山)에도 모두 "복충이 많다[多蝮蟲]"고 했다.

[그림 1—장응호회도본(蔣應鎬繪圖本)]·[그림 2—성혹인회도본(成或因繪圖本), 그림에 괴어(怪魚)·복충(蝮蟲)·괴사(怪蛇: 괴상한 뱀—역자) 등 세 가지 생물들이 그려져 있다.]

---

12) 인끈[綬]은 조복이나 제복 위에 착용하는 끈의 일종이다. 중국에서는 직인(職印)을 허리에 차는 끈으로 사용했다.

[그림 1] 복충 명(明)·장응호회도본

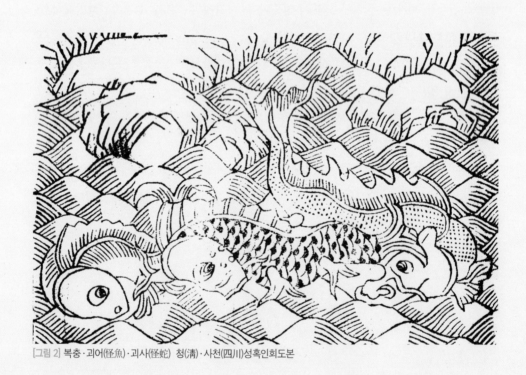

[그림 2] 복충·괴어(怪魚)·괴사(怪蛇) 청(淸)·사천(四川)성혹인회도본

|권1-4| 괴사(怪蛇)

【경문(經文)】

「남산경(南山經)」: 원익산(猿翼山)이라는 곳이 있는데, ……괴사(怪蛇)가 많다. …….
[又東三百八十里, 曰猨翼之山, 其中多怪獸, 水多怪魚, 多白玉, 多蝮蟲, 多怪蛇, 多怪木, 不可以上.]

【해설(解說)】

이른바 괴사(怪蛇)라는 것은 생김새가 괴상하고 범상치 않은 뱀을 가리킨다. 「북차이경(北次二經)」의 원산(洹山)·「중차구경(中次九經)」의 거산(崌山)·「중차십이경(中次十二經)」의 영여산(榮余山)에도 또한 괴사가 많다.

[그림-장응호회도본(蔣應鎬繪圖本)]

[그림] 괴사 명(明)·장응호회도본

|권1-5| 녹촉(鹿蜀)

【경문(經文)】

「남산경(南山經)」: 유양산(枏陽山)이라는 곳에, ……어떤 짐승이 사는데, 그 생김새는 말과 비슷하며, 대가리가 희고, 무늬는 호랑이 같고 꼬리가 붉다. 그 울음소리는 노랫소리는 같고 그 이름은 녹촉(鹿蜀)이라 하는데, 그것을 지니고 있으면 자손이 번창한다. …….

[又東三百七十里, 曰枏陽之山, 其陽多赤金, 其陰多白金. 有獸焉, 其狀如馬而白首, 其文如虎而赤尾, 其音如謠, 其名曰鹿蜀, 佩之宜子孫. 怪水出焉, 而東流注於憲翼之水. 其中多玄龜, 其狀如龜而鳥首虺尾, 其名曰旋龜, 其音如判木, 佩之不聾, 可以爲底.]

【해설(解說)】

녹촉(鹿蜀)은 일종의 신수(神獸)로, 말과 비슷하게 생겼는데, 흰색 대가리와 붉은색 꼬리가 달려 있으며, 몸은 호랑이 무늬로 덮여 있고, 울음소리는 마치 사람이 노래를 부르는 소리 같다. 전하는 바에 따르면, 명대(明代) 숭정(崇禎) 시기에 민남(閩南)[13] 지역에서 녹촉을 본 사람이 있었다고 한다[오임신(吳任臣) 주석]. 또 사람이 그것의 가죽을 몸에 지니거나 이불을 만들어 덮으면[호문환도설(胡文煥圖說)에는 "사람이 그 가죽을 덮고 잔다(人寢其皮)"라고 했다], 자손이 번성한다고 했다.

곽박(郭璞)의 『산해경도찬(山海經圖讚)』: "녹촉이라는 짐승은, 말의 모습에 호랑이 무늬가 있다네. 대가리를 치켜들고 울부짖으며, 다리를 곧추세우고 무리들 속을 내달리는구나. 그 가죽을 지니고 있으면, 자손이 구름과 같이 번창한다네.[鹿蜀之獸, 馬質虎文. 驤首吟鳴, 矯足騰群. 佩其皮毛, 子孫如雲.]"

[그림 1-장응호회도본(蔣應鎬繪圖本)]·[그림 2-호문환도본(胡文煥圖本)]·[그림 3-성혹인회도본(成或因繪圖本)]·[그림 4-필원도본(畢沅圖本)]·[그림 5-왕불도본(汪紱圖本)]

---

13) 민(閩)은 복건성(福建省)의 다른 이름이다. 그러므로 민남(閩南)은 복건성의 남부를 일컫는다. 지리상으로는 하문시(廈門市)·천주시(泉州市)·장주시(漳州市)·포전시(莆田市)·용암시(龍巖市)의 신라구(新羅區)·장평시(漳平市) 등 대부분의 지역을 포괄한다. 그러나 이 가운데 포전시 및 용암시 신라구와 장평시에서 통용되는 언어는 민남어와 차이가 있어, 두 지역 모두 민남어계에 속하지 않는다. 그래서 오늘날 협의(狹義)의 민남은 하문·천주·장주 등 세 지역만을 가리킨다.

[그림 1] 녹촉 명(明)·장응호회도본

[그림 2] 녹촉 명(明)·호문환도본

[그림 3] 녹촉 청(淸)·사천(四川)성혹인회도본

鹿蜀之獸馬
質虎文驤首
吟鳴矯足騰
羣佩其皮毛
子孫如雲

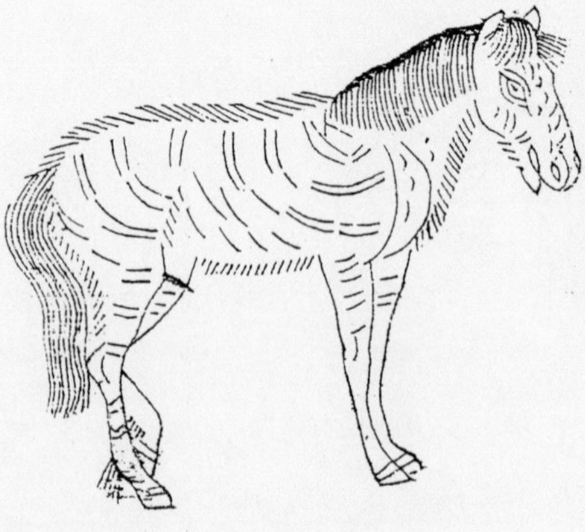

鹿蜀
尾佩　狀如馬而白首其文如虎而赤
　　　其皮宜子孫出杻陽山

[그림 4] 녹촉 청(淸)·필원『산해경』도본

[그림 5] 녹촉 청(淸)·왕불도본

|권1-6| 선구(旋龜)

【경문(經文)】

「남산경(南山經)」: 유양산(枏陽山)이라는 곳이 있는데, ……괴수(怪水)가 시작되어 동쪽으로 흘러 헌익수(憲翼水)로 들어간다. 그 속에는 검은 거북이 많이 사는데, 생김새는 거북과 비슷하고, 새의 대가리에 살무사의 꼬리를 하고 있으며, 이름은 선구(旋龜)라고 한다. 그 소리는 마치 나무를 쪼개는 듯하고, 이것을 지니고 있으면 귀가 멀지 않고, 발의 굳은살[못]을 치료할 수 있다.

[又東三百七十里, 曰枏陽之山, 其陽多赤金, 其陰多白金. 有獸焉, 其狀如馬而白首, 其文如虎而赤尾, 其音如謠, 其名曰鹿蜀, 佩之宜子孫. 怪水出焉, 而東流注於憲翼之水. 其中多玄龜, 其狀如龜而鳥首虺尾, 其名曰旋龜, 其音如判木, 佩之不聾, 可以爲底[14].]

【해설(解說)】

선구(旋龜)의 생김새는 보통의 거북처럼 생겼지만, 새의 대가리와 독사의 꼬리가 달려 있다. 그것이 내는 소리는 나무 쪼개지는 소리와 비슷하다. 사람이 그것을 지니고 있으면, 귀가 먹지 않고, 또 발에 생긴 굳은살[못]을 치료하는 놀라운 효과가 있다고 한다. 「중차육경(中次六經)」의 밀산(密山)에도 선구가 있는데, 그 생김새는 새의 대가리에 자라의 꼬리를 하고 있어, 이것과는 다르다. 선구는 또 현구(玄龜)라고도 하는데, 『습유기(拾遺記)』에, 우(禹)임금이 치수(治水)를 할 때 "황룡(黃龍)이 앞에서 꼬리를 끌고, 현구가 뒤에서 푸른 진흙을 짊어졌다.[黃龍曳尾於前, 玄龜負靑泥於後.]"라는 기록이 있다. 이 기록을 통해, 현구는 또한 신화 속의 치수에서 중요한 역할을 맡았음을 알 수 있다. 굴원(屈原)의 「천문(天問)」에 "치구(鴟龜)조차도 서로 끌어주고 재갈을 물어 앞으로 가건만, 곤(鯀)[15]은 어찌 듣지 않는가.[鴟龜曳銜, 鯀何聽焉[16].]"라는 구절이 있는데, 문

---

14) 원가(袁珂)는 "底(저)는 胝(굳은 살 지)와 같다. 발이 부르튼 것이다. '可以爲底'란 발이 부르튼 것을 치료할 수 있다는 것이다.[底同胝, 足繭也. 可以爲底, 可以治足繭也.]"라고 해석했다.

15) 하(夏)나라를 세운 우(禹)임금의 아버지이다. 순(舜)임금 때 황하(黃河)의 치수에 나섰다가 실패하여 처형되었다. 전설에 의하면, 황하 치수를 위해 저절로 자라는 흙인 식양(息壤)을 훔친 죄로 상제(上帝)에게 처형되었다고 전해진다.

16) 역자는 "曳銜(예함)"을, 서로 꼬리를 물고 끌어주며 연달아 앞으로 나가는 것을 의미한다고 보았다. 이 해석은 문일다(聞一多)의 견해를 따른 것이다. 문일다는 『천문소증(天問疏證)』에서 "曳는 끄는 것이고, 銜은 이어지는 것을 일컫는다. 앞에서 끌어당기고 뒤에서 재갈을 물어 서로 따라서 나가는 것이다. 치

일다(聞一多)[17]는 이 구절에 나오는 치구(鴟龜)를 곧 「남산경」의 선구(旋龜)라고 보았다 [『천문소증(天問疏證)』을 보라.]. 청대(淸代)의 화가 소운종(蕭雲從)은 「천문도(天問圖)」[그림 1]에서 치구를 부엉이와 거북의 두 동물로 그렸는데, 그림의 오른쪽 아래에 있는 거북이 아마도 거북의 대가리와 거북의 몸에 뱀의 꼬리를 한 선구인 듯하다.

곽박(郭璞)의 『산해경도찬(山海經圖讚)』: "그 울음소리는 마치 나무 쪼개는 소리 같은데, 이름은 선구라고 부른다네.[聲如破木, 號曰旋龜.]"

선구의 그림에는 두 가지 형상이 있다.

첫째, 새의 대가리에 거북의 몸을 하고 있고, 뱀의 꼬리가 달려 있으며, 다리가 네 개인 것으로, [그림 2-장응호회도본(蔣應鎬繪圖本)]·[그림 3-필원도본(畢沅圖本)]·[그림 4-성혹인회도본(成或因繪圖本)]·[그림 5-상해금장도본(上海錦章圖本)]과 같은 것들이다.

둘째, 거북의 대가리에 뱀의 꼬리가 달려 있으며, 다리가 네 개인 것으로, [그림 6-호문환도본(胡文煥圖本)]·[그림 7-왕불도본(汪紱圖本)]과 같은 것들이다.

구가 서로 끌어주며 재갈을 물어 앞으로 나아가는데, 곤은 어째서 그 방법을 사용하여 둑을 쌓지 않았느냐고 말하는 것이다.[曳謂牽引, 銜謂連接, 前者曳之, 後者銜之, 以相隨而行也; 言鴟龜曳銜而行, 鯀何得用其法以築隄哉?]"라고 했다. 이 구절에 대해서는 다양한 견해가 있다. 왕일(王逸)의 『초사장구(楚辭章句)』에서는, "곤이 치수에 성공하지 못하자, 요(堯)임금이 그를 우산(羽山)으로 내쫓아 처형했는데, 날짐승과 수중 동물들이 그의 시체를 끌고가 뜯어먹자, 곤은 어쩔 수 없이 그대로 내버려두었다.[鯀治水績用不成, 堯乃放殺之羽山, 飛鳥水蟲曳銜食鯀的屍體, 鯀只好聽之任之.]"라고 했다. 주희(朱熹)는 『초사집주(楚辭集注)』에서, "그 문맥을 자세히 살펴보면, 마땅히 뒤에 나오는 응룡과 유사해야 한다. 곤이 꼬리로 끌어주고 재갈을 물어 서로 도우며 앞으로 나아가는 치구의 방책을 따랐으나, 치수에 실패한 것을 일컫는다.[詳其文勢, 當與下文應龍相似, 謂鯀聽鴟龜曳銜之計而敗其事.]"라고 했다. 또 곽말약(郭沫若)은 『굴원부금역(屈原賦今譯)』에서 "'鴟龜曳銜'은 아마도 곤이 치수하면서 제방을 쌓을 때, 짐승과 물고기들이 둑을 무너뜨렸던 것을 말한 것 같다.['鴟龜曳銜'疑是伯鯀築堤時, 禽魚的破壞作用.]"라고 했다. 원가는 "'鴟龜曳銜'은 마땅히 치구가 서로 끌어주는 방책을 곤에게 올렸고, 곤은 치구의 방책을 따른 것이다. 백성들의 염원에 어긋나지 않았고, 치수도 곧 성공할 수 있었는데, 갑자기 천제에 의해 죽임을 당한 것이다.['鴟龜曳銜'當卽鴟龜互相牽引, 獻銜計於鯀, 鯀聽從鴟龜的獻計. 順了衆人的心願, 治水方將成功, 忽遭天帝刑戮.]"라고 해석했다.

17) 문일다(1899~1946년)는 중국의 시인이자 문헌학자로, 이름은 자화(家驊), 자는 우삼(友三)이며, 일다(一多)는 필명이다. 낭만적 시를 쓰고 신시(新詩) 운동을 전개했으나, 시집 『홍촉(紅燭)』과 『사수(死水)』를 발표한 후에는 고대 문학의 연구에 몰두했다. 중일전쟁 때 국민정부 운동에 앞장섰다가 암살당했다. 저서로는 『초사교보(楚辭校補)』가 있다.

[그림 2] 선구 명(明)·장응호회도본

[그림 1] 부엉이와 거북은 서로 끌어주고 재갈을 물어 나아간다.[鴟龜曳銜.] 청(淸)·소운종(蕭雲從) 「천문도(天問圖)」

旋龜狀如龜而鳥首
虺尾出英水

鳥首虺尾

其名旋龜

[그림 3] 선구 청(淸)·필원도본

[그림 4] 선구 청(淸)·사천(四川)성혹인회도본

古本 山海經 圖說 (上)

74

旋龜
狀如龜
而鳥首
虺尾
英水

鳥首虺尾
其名旋龜

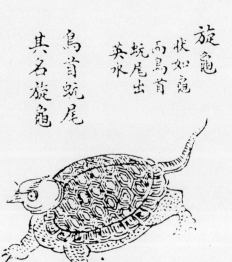

[그림 5] 선구 상해금장도본

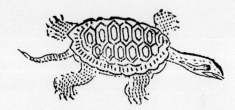

[그림 6] 선구 명(明)·호문환도본

旋龜

[그림 7] 선구 청(淸)·왕불도본

|권1-7| 육(鯥)

【경문(經文)】

「남산경(南山經)」: 저산(柢山)은 물이 많고, 초목이 자라지 않는다. 그곳에 어떤 물고기가 사는데, 그 모습은 소와 비슷하며, 언덕에 산다. 뱀의 꼬리와 날개가 달려 있는데, 날개가 겨드랑이 밑에 나 있고, 그 소리가 유우(留牛: 야크-역자) 소리와 비슷하며, 그 이름은 육(鯥)이라 한다. 겨울에는 죽어 있다가 여름이 되면 살아나는데, 이것을 먹으면 종기가 나지 않는다.

[又東三百里柢山, 多水, 無草木. 有魚焉, 其狀如牛, 陵居, 蛇尾有翼, 其羽在鮭('脅'으로도 씀)下, 其音如留牛, 其名曰鯥, 冬死而夏生18), 食之無腫疾.]

【해설(解說)】

육(鯥)은 새·짐승·물고기·뱀 등 네 가지 동물의 모습을 한 몸에 지니고 있는데, 죽은 것도 아니고 산 것도 아닌 괴상한 물고기[怪魚]의 일종으로, 물가의 언덕에 산다. 그 모습은 소와 비슷하며, 뱀의 꼬리가 달려 있고, 갈빗대 아래에 날개가 돋아 있다. 또 소의 울음과 비슷한 소리를 내며, 겨울에는 동면(冬眠)을 하고, 여름이 되면 다시 나와서 활동하기 때문에, 겨울에는 죽어 있고 여름에는 살아 있다고 한 것이다. 사람이 이 물고기를 먹으면 종기가 나지 않는다.

곽박(郭璞)의 『산해경도찬(山海經圖讚)』: "육(鯥)이라 부르는 물고기, 사는 곳은 물 속이 아니라네. 그 생김새는 소와 비슷한데, 새의 날개와 뱀 꼬리가 달려 있다네. 절기에 따라 숨었다 나타났다 하니, 생사(生死) 사이에 걸쳐 있도다.[魚號曰鯥, 處不在水. 厥狀如牛, 鳥翼蛇尾. 隨時隱見, 倚乎生死.]"

육의 그림은 다리가 없는 것과 다리가 네 개인 것의 두 가지로 크게 나뉘며, 다섯 가지 형상들이 있다.

첫째, 다리가 없는 종류로, 소의 대가리에 물고기의 몸을 하고 있으며, 뱀의 꼬리와 날개가 달려 있는 것인데, [그림 1-장응호회도본(蔣應鎬繪圖本)]·[그림 2-성혹인회도본

---

18) 곽박은, "이것 또한 겨울잠을 자는 종류이다. 그것을 죽었다고 한 것은, 그것이 겨울잠을 자면서 마치 죽은 듯이 아무것도 인지하는 것이 없는 것을 말한다.[此亦蟄類也; 謂之死者, 言其蟄無所知如死耳.]라고 했다.

(成或因繪圖本)]과 같은 것들이다.

둘째, 다리가 없는 종류로, 짐승의 대가리에 물고기의 몸을 하고 있고, 뱀의 꼬리와 날개가 달려 있는 것인데, [그림 3-오임신강희도본(吳任臣康熙圖本)]·[그림 4-상해금장도본(上海錦章圖本)]과 같은 것들이다.

셋째, 다리가 없는 종류로, 짐승의 대가리에 물고기의 몸을 하고 있고, 뱀의 꼬리에 날개가 없는 것인데, [그림 5-왕불도본(汪紱圖本)]과 같은 것이다.

넷째, 다리가 네 개인 종류로, 짐승의 대가리에 물고기의 몸을 하고 있고, 소의 발굽이 있으며, 뱀의 꼬리와 날개가 있는 것인데, [그림 6-호문환도본(胡文煥圖本)]과 같은 것이다.

다섯째, 다리가 네 개인 종류로, 생김새는 호문환도본과 같고, 물속에서 빠르게 다니는 것인데, [그림 7-『금충전(禽蟲典)』]과 같은 것이다.

[그림 1] 육 명(明)·장응호회도본

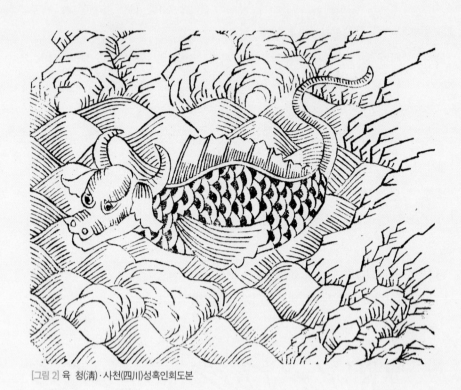

[그림 2] 육 청(淸)·사천(四川)성혹인회도본

[그림 3] 육[육어(鯥魚)] 청(淸)·오임신강희도본

鯥魚狀如牛陵居
尾有蛇尾有翼
其羽在尾下出柢山

魚號曰鯥
處不在水
厥狀如牛
鳥翼蛇尾
隨時隱見
倚乎生死

[그림 4] 육 상해금장도본

[그림 5] 육 청(淸)·왕불도본

鯥魚

[그림 6] 육[육어(鯥魚)] 명(明)·호문환도본

第
一
卷
南
山
經

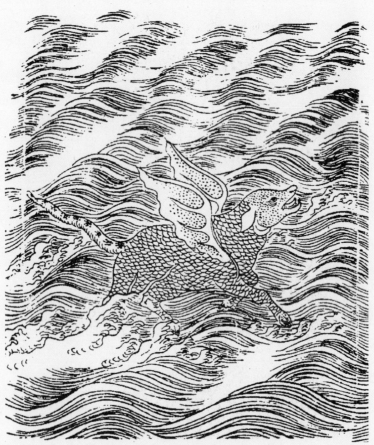

鯥魚圖

[그림 7] 육[육어(鯥魚)] 청(淸)·『고금도서집성(古今圖書集成)·금충전』

|권1-8| 유(類)

【경문(經文)】

「남산경(南山經)」: 선원산(亶爰山)이라는 곳에는 물이 많은데, 초목이 자라지 않으며, 올라갈 수 없다. 그곳에 어떤 짐승이 사는데, 그 생김새가 너구리와 비슷하지만 갈기가 있다. 그것의 이름은 유(類)라고 하는데, 스스로 암수한몸을 이루고, 그것을 먹으면 질투를 하지 않는다.

[又東四百里, 曰亶爰之山, 多水, 無草木, 不可以上. 有獸焉, 其狀如貍而有髦, 其名曰類, 自爲牝牡, 食者不妬.]

【해설(解說)】

유(類)는 영리(靈貍)·영묘(靈猫)라고도 한다. 생김새는 살쾡이와 비슷하고, 대가리는 갈기로 덮여 있으며, 암수가 한 몸을 이루고 있는 기이한 짐승이다. 전설에 의하면, 지금의 운남성(雲南省) 몽화현(蒙化縣)에 이 짐승이 있었는데, 그 지방 사람들은 향빈(香髦)이라고 불렀으며, 한 몸에 암수를 둘 다 가졌다고 한다[양신(楊愼) 주석본]. 학의행(郝懿行)은 진장기(陳藏器)[19]의 『본초습유(本草拾遺)』를 인용하여 말하기를, "영묘는 남해의 산골짜기에 사는데, 생김새가 살쾡이와 비슷하며, 암수한몸으로 되어 있다.[靈猫生南海山谷, 狀如貍, 自爲牝牡.]"라고 했다. 또 『이물지(異物志)』를 인용하여 말하기를, "영리는 한 몸에 음양(陰陽: 암컷과 수컷을 가리킴-역자)으로 되어 있다.[靈貍一體, 自爲陰陽.]"라고 했다. 『열자(列子)』에는 다음과 같은 기록이 있다. "선원산에 사는 어떤 짐승은 저 혼자 임신하여 새끼를 낳는데, 유라고 한다. 하천이나 연못[河澤] 주변에 사는 어떤 새는 서로 바라보기만 해도 새끼를 낳는데, 역(鷁)이라고 한다.[亶爰之獸, 自孕而生, 曰類, 河澤之鳥, 相視而生, 曰鷁.]" 또 『초사(楚辭)』에서 말하기를, "붉은 표범을 타고 얼룩무늬 살쾡이[文貍]를 타네.[乘赤豹兮載文貍]"라고 했다. 왕일(王逸)은 얼룩무늬 살쾡이에 대해 주석하기를, "신령한 너구리로, 그 생김새에 대해서는 언급이 없다. 살펴보건대, 「남산경(南山經)」의 선원산에 사는 유라는 짐승은 그 생김새가 살쾡이와 비슷하고, 그 무늬는 표범무늬와 비슷한데, 아마도 이 동물인 듯하다.[神貍而不言其狀, 考「南山經」亶爰之

---

19) 당대(唐代)의 본초학자(本草學者)로, 사명(四明: 지금의 절강성에 속함) 사람이다.

山有獸名類, 其狀如貍, 其文如豹, 疑卽此物也.]"라고 했다. 전하는 말에 따르면, 이 짐승의 고기를 먹으면 질투를 하지 않는다고 한다.

곽박(郭璞)의 『산해경도찬(山海經圖讚)』: "유(類)라는 짐승은, 한 몸에 암수를 둘 다 갖추었구나. 가까이 자기 몸에서 취하니, 다른 것(몸)에게 빌려 쓰지 않는다네. 요조숙녀가 이것을 몸에 지니면 질투를 않는다 하네.[類之爲獸, 一體兼二. 近取諸身, 用不假物(器). 窈窕是佩, 不知妒忌.]"

유의 그림에는 두 가지 형상이 있다.

첫째, 짐승의 모습을 한 것으로, [그림 1-장응호회도본(蔣應鎬繪圖本)]·[그림 2-일본도본(日本圖本)]·[그림 3-성혹인회도본(成或因繪圖本)]·[그림 4-왕불도본(汪紱圖本)]과 같은 것들이다.

둘째, 사람의 얼굴에 짐승의 몸을 한 것으로, [그림 5-호문환도본(胡文煥圖本)]·[그림 6-오임신근문당도본(吳任臣近文堂圖本)]·[그림 7-상해금장도본(上海錦章圖本)]과 같은 것들이다.

[그림 1] 유 명(明)·장응호회도본

[그림 3] 유 청(淸)·사천(四川)성혹인회도본

類

類

[그림 4] 유 청(淸)·왕불도본

[그림 5] 유 명(明)·호문환도본

[그림 2] 유 일본도본

類狀如狸而有髦目
為牝牡出亹亹之山

[그림 6] 유 청(淸)·오임신근문당도본

類狀如
有狸而
為牝牡
出亹亹
之山

類之為獸
一體兼二
近取諸身
用不假器
窈窕是佩
不知妬忌

[그림 7] 유 상해금장도본

|권1-9| 박이(猼訑)

【경문(經文)】

「남산경(南山經)」：기산(基山)이라는 곳에 ……어떤 짐승이 사는데, 그 생김새는 양과 비슷하지만, 아홉 개의 꼬리와 네 개의 귀가 달려 있고, 눈은 등 뒤에 있으며, 그 이름은 박이(猼訑)라 한다. 이것을 지니고 있으면 무서움을 타지 않는다. …….

[又東三百里, 曰基山, 其陽多玉, 其陰多怪木. 有獸焉, 其狀如羊, 九尾四耳, 其目在背, 其名曰猼訑, 佩之不畏. 有鳥焉, 其狀如雞而三首六目, 六足三翼, 其名曰鵸䳜, 食之無臥.]

【해설(解說)】

박이(猼訑)는 괴수(怪獸)의 일종으로, 양처럼 생겼는데, 아홉 개의 꼬리와 네 개의 귀가 달려 있고, 두 눈이 등 뒤에 있다. 사람이 이것의 가죽을 얻어 몸에 지니고 있으면, 무서움을 타지 않는다고 한다.

곽박(郭璞)의 『산해경도찬(山海經圖讚)』："박이는 양처럼 생겼으나, 눈은 등 뒤에 있다네. 보기에는 신기하나, 따져보면 괴상할 것도 없다네. 무서움을 타지 않으려면, 그것의 가죽을 지니면 된다네.[猼訑似羊, 眼反在背. 視之則奇, 推之無怪. 若欲不恐, 厥皮可佩.]"

[그림 1-장응호회도본(蔣應鎬繪圖本)]·[그림 2-오임신근문당도본(吳任臣近文堂圖本)]·[그림 3-성혹인회도본(成或因繪圖本)]·[그림 4-왕불도본(汪紱圖本)]·[그림 5-『금충전(禽蟲典)』]

[그림 2] 박이 청(淸)·오임신근문당도본

[그림 1] 박이 명(明)·장응호회도본

[그림 3] 박이 청(淸)·사천(四川)성혹인회도본

[그림 4] 박이 청(淸)·왕불도본

[그림 5] 박이 청(淸)·『금충전』

|권1-10| 창부(鶬鶒)

【경문(經文)】

「남산경(南山經)」: 기산(基山)이라는 곳에 ……어떤 새가 사는데, 그 생김새는 닭과 비슷하지만 세 개의 대가리와 여섯 개의 눈이 있고, 여섯 개의 다리와 세 개의 날개가 달려 있다. 그것의 이름은 창부(鶬鶒)라고 하는데, 그것을 먹으면 잠이 없어진다.

[又東三百里, 曰基山, 其陽多玉, 其陰多怪木. 有獸焉, 其狀如羊, 九尾四耳, 其目在背, 其名曰猼訑, 佩之不畏. 有鳥焉, 其狀如雞而三首六目, 六足三翼, 其名曰鶬鶒, 食之無臥[20].]

【해설(解說)】

창부(鶬鶒)는 '鶬鶒(창부)'라고 쓰기도 하며, 생김새는 닭과 비슷하지만, 세 개의 대가리, 여섯 개의 눈, 여섯 개의 다리, 세 개의 날개가 달려 있다. 『광아(廣雅)』에 기록하기를, 남쪽에 세 개의 대가리, 여섯 개의 눈, 여섯 개의 다리, 세 개의 날개가 달려 있는 새가 있는데, 그 새를 창부라 부른다고 했다. 곽박(郭璞)은 말하기를, 창부는 성미가 급하고, 사람의 잠을 줄여준다고 했다. 사람이 이것을 먹으면 잠이 줄어든다고 전한다.

곽박의 『산해경도찬(山海經圖讚)』: "창부는 여섯 개의 다리가 있고, 세 개의 날개를 나란히 하여 훨훨 난다네.[鶬鶒六足, 三翅竝翬.]"

[그림 1-장응호회도본(蔣應鎬繪圖本)]·[그림 2-호문환도본(胡文煥圖本)]·[그림 3-성혹인회도본(成或因繪圖本)]·[그림 4-왕불도본(汪紱圖本)]·[그림 5-상해금장도본(上海錦章圖本)]

---

20) 곽박은, "사람으로 하여금 잠을 적게 자게 한다.[使人少眠.]"라고 주석했다.

[그림 1] 창부 명(明)·장응호회도본

鳥鳴

[그림 2] 창부 명(明)·호문환도본

[그림 3] 창부 청(淸)·사천(四川)성혹인회도본

尚鳲

[그림 4] 창부 청(清)·왕불도본

鳲鳩
六足
三翅
並量

鳲鳩 狀如雞而三首六目
六足 三翼 出基山

[그림 5] 창부 상해금장도본

|권1-11| 구미호(九尾狐)

【경문(經文)】

「남산경(南山經)」: 청구산(靑丘山)이라는 곳에 ……어떤 짐승이 사는데, 그 생김새가 여우와 비슷하지만 아홉 개의 꼬리가 달려 있고, 그 울음소리는 갓난아이가 우는 소리와 비슷하며, 사람을 잡아먹는다. 그것을 먹는 사람은 사악한 기운에 빠지지 않는다. …….

[又東三百里, 曰靑丘之山, 其陽多玉, 其陰多靑䨾. 有獸焉, 其狀如狐而九尾, 其音如嬰兒, 能食人, 食者不蠱. 有鳥焉, 其狀如鳩, 其音若呵, 名曰灌灌, 佩之不惑. 英水出焉, 南流注於卽翼之澤. 其中多赤鱬, 其狀如魚而人面, 其音如鴛鴦, 食之不疥.]

【해설(解說)】

구미호(九尾狐)는 『산해경』과 고대 전적(典籍)들에 많이 보이며, 고대 신화 속의 중요한 동물이다. 「해외동경(海外東經)」에, "청구국(靑丘國)이 그[조양곡(朝陽谷)을 가리킴-역자] 북쪽에 있는데, 그곳에 사는 여우는 다리가 네 개에 꼬리가 아홉 개다.[靑丘國在其北, 其狐四足九尾.]"라고 했고, 「대황동경(大荒東經)」에도 또한, "청구국이라는 나라에 여우가 사는데, 꼬리가 아홉 개다.[有靑丘之國, 有狐, 九尾.]"라고 했다. 『주서(周書)·왕회편(王會篇)』에서 말하기를, "청구(靑丘)에 사는 여우는 꼬리가 아홉 개다.[靑丘狐九尾.]"라고 했다.

「남산경」에 나오는 구미호는 사람을 잡아먹는 무서운 짐승으로, 그 울음소리는 갓난아이가 크게 우는 소리와 매우 비슷하다. 전설에 따르면, 사람이 이 고기를 먹으면 사악한 기운을 피하고 고독(蠱毒)[21]을 견딜 수 있다고 한다. 구미호는 『산해경』에 세 차례 나오는데, 이때까지만 해도 상서로운 풍격으로 묘사된 경우는 보이지 않고, 서왕모(西王母)와도 관련이 없었으며, 구미호의 가장 오래된 형상을 보존하고 있다.

그러나 구미호는 후에 점차 상서로움과 자손 번식의 상징이 되었다. 곽박(郭璞)은 『산해경』에 주석을 달면서, 구미호는 "태평성대에 나타나니 상서로운 징조이다.[太平則

---

21) 옛날에 두꺼비·지네·뱀과 같이 독을 가진 생물들을 한 항아리에 넣고서, 서로를 잡아먹게 하여 마지막까지 살아남은 것을 고독(蠱毒)이라고 했으며, 사람을 해치는 힘이 있다고 믿어 사술(邪術)에 이용되기도 했다. 또한 뱀·지네·두꺼비 등의 독, 또는 그 독이 들어 있는 음식을 먹어서 생기는 병을 가리키기도 한다.

出爲瑞.]"라는, 후대에 형성된 관념을 주석에 반영했다. 『오월춘추(吳越春秋)·월왕무여외전(越王無餘外傳)』에는, 우(禹)임금이 도산(塗山)의 여인을 아내로 맞이한 이야기가 기록되어 있는데, 즉 우임금이 도산의 여인을 아내로 맞이한 것은, 꼬리가 아홉 개인 백호(白狐 : 흰 여우)가 가져다 준 상서로운 결과라고 했다. 전설에 따르면, 우임금은 30세가 되도록 계속해서 치수(治水)에 힘썼는데, 그때까지도 아내를 얻지 못했다고 한다. 그러던 중에 한번은 그가 도산을 지나다가 꼬리가 아홉 개 달린 흰 여우를 보게 되자, 자신도 모르게 도산 지역에 전해오던 민간 가요가 떠올랐다고 한다. 그 민간 가요의 의미는 대략 다음과 같다. 즉 꼬리가 아홉 개 달린 흰 여우를 보는 사람은 곧 왕이 될 것이며, 도산의 딸을 만나는 사람은 곧 가세(家勢)가 흥성할 것이다. 이리하여 우임금은 도산씨의 딸인 여교(女嬌)를 아내로 맞이하게 되었다.

후대에 출현한 문헌일수록 구미호의 상서로운 색채가 더욱 짙다. 『백호통(白虎通)·봉선편(封禪篇)』에서는, "군왕의 덕(德)이 지극하여 조수(鳥獸)에까지 미치면 곧 구미호가 나타난다.[德至鳥獸則九尾狐見.]"라고 했다. 『예문유취(藝文類聚)·서응도(瑞應圖)』에 기록되어 있기를, 왕이 여색에 빠지지 않으면 곧 구미호가 나타난다고 했다. 또 국법(國法)이 공명하고, 삼재(三才)[22]가 제자리를 지키면 구미호가 오며, 또 육합(六合)[23]이 하나가 되면 구미호가 나타난다고 했는데, 문왕(文王) 때 동방(東方)이 주(周)나라에 귀속되었다.

상(商)·주(周) 및 전국(戰國) 시대의 청동기와 침각화(針刻畫)에 구미호의 원시 형상이 남아 있다. 한(漢)나라 시기의 화상석(畫像石)[24]들 중에도 구미호·토끼·두꺼비·삼족오 등이 서왕모 옆에 늘어서 있는 것을 흔히 볼 수 있는데, 상서로움과 자손 번성의 상징이 되면서, 구미호는 서왕모 신화 구성원의 일원이 되었다.

[그림 1 : ① 청동준(青銅尊 : 청동으로 만든 술잔—역자)에 새겨진 구미호. ② 강소(江蘇) 회음(淮陰) 고장(高莊)에 있는 전국 시대 묘에서 출토된 청동염(青銅匲 : 청동으로 만든 화장용구 그릇—역자)에 새겨진 구미호. ③ 산동(山東) 가상(嘉祥) 홍산촌(洪山村)에서 출토된 한대(漢代)의 화상석에 새겨진 구미호. ④ 정주(鄭州) 신통교(新通橋)에서 출토

---

22) 천(天)·지(地)·인(人)을 가리킨다.

23) 천지(天地)와 동서남북(東西南北), 즉 동(東)·서(西)·남(南)·북(北)·상(上)·하(下) 등 여섯 개의 방위로, 천하(天下) 또는 우주(宇宙)를 가리킨다.

24) 석조의 분묘(墳墓)나 사당(祠堂)의 평평한 내벽(內壁)·석주(石柱)·석관(石棺) 등의 표면, 또는 전(磚 : 벽돌)·축묘(築墓)의 석문(石門) 등에 그림을 새긴 것을 가리킨다.

된 동한(東漢) 시기의 화상석에 새겨진 구미호.]

　곽박의 『산해경도찬(山海經圖讚)』: "청구에 사는 기이한 짐승, 꼬리가 아홉 개 달린 여우라네. 도가 있으면 상서롭게 나타나니, 나타날 땐 글을 물고 온다네. 주(周) 문왕(文王)을 상서롭게 만들어, 영험함을 드러냈네.[青丘奇獸, 九尾之狐. 有道翔見, 出則銜書. 作瑞周文, 以標靈符.]"

　[그림 2-장응호회도본(蔣應鎬繪圖本)]·[그림 3-호문환도본(胡文煥圖本)]·[그림 4-일본도본(日本圖本)]·[그림 5-성혹인회도본(成或因繪圖本)]·[그림 6-왕불도본(汪紱圖本)]·[그림 7-『금충전(禽蟲典)』]

① 청동준(青銅尊)에 새겨진 구미호.

② 강소 회음(淮陰) 고장(高莊)에 있는 전국 시대 묘에서 출토된 청동염(青銅盦)에 새겨진 구미호.

③ 산동 가상(嘉祥) 홍산촌(洪山村)에서 출토된 한대(漢代)의 화상석에 새겨진 구미호.

④ 정주(鄭州) 신통교(新通橋)에서 출토된 동한(東漢) 시기의 화상석에 새겨진 구미호.

[그림 1]

九尾狐

[그림 2] 구미호 명(明)·장응호회도본

[그림 3] 구미호 명(明)·호문환도본

九尾狐圖

[그림 5] 구미호 청(淸)·사천(四川)성혹인회도본

[그림 7] 구미호 청(淸)·『금충전』

せいさうこくは

きつ○あうき

うびことりふ

栢柿子おこの

よのさねしり

九尾狐

[그림 4] 구미호 일본도본

九尾狐

[그림 6] 구미호 청(淸)·왕불도본 「해외동경(海外東經)」도.

|권1-12| 관관(灌灌)

【경문(經文)】

「남산경(南山經)」 : 청구산(靑丘山)이라는 곳에 ……어떤 새가 사는데, 그 생김새는
비둘기와 비슷하고, 그 울음소리는 마치 사람이 서로 욕하며 싸우는 듯하다. 이름
은 관관(灌灌)이라 하는데, 이것을 몸에 지니면 미혹되지 않는다. …….

[又東三百里, 曰靑丘之山, 其陽多玉, 其陰多靑矐. 有獸焉, 其狀如狐而九尾, 其音如
嬰兒, 能食人, 食者不蠱. 有鳥焉, 其狀如鳩, 其音若呵, 名曰灌灌, 佩之不惑. 英水
出焉, 南流注於卽翼之澤. 其中多赤鱬, 其狀如魚而人面, 其音如鴛鴦, 食之不疥.]

【해설(解說)】

관관(灌灌)이라는 새는 확확(濩濩)이라고도 하며, 일종의 길조(吉鳥)로, 생김새는 비
둘기와 비슷하고, 울음소리는 사람들이 서로 욕하며 싸우는 소리 같다. 사람이 이 새
의 깃털을 뽑아 몸에 지니고 있으면, 미혹(迷惑)되지 않는다. 전하는 말에 따르면, 이
새의 고기는 불에 구우면 맛이 특별히 좋다고 한다[『여씨춘추(呂氏春秋)·본미편(本味
篇)』]. 도잠(陶潛)의 시에는 이렇게 기록되어 있다. "청구에 기이한 새가 있는데, 혼자
안다고 스스로 말을 한다네. 본래가 미혹한 자를 위해 생겨났으니, 군자를 깨우쳐주지
는 않으리.[靑丘有奇鳥, 自言獨見爾, 本爲迷者生, 不以喻君子.]"

곽박(郭璞)의 『산해경도찬(山海經圖讚)』 : "그 울음소리는 마치 사람이 꾸짖는 소리
같고, 그 모습은 비둘기 같네. 이것을 지니면 미혹을 가릴 수 있나니, 청구에서 나온다
네.[厥聲如呵, 厥形如鳩. 佩之辨惑, 出自靑丘.]"

[그림 1-장응호회도본(蔣應鎬繪圖本)]·[그림 2-성혹인회도본(成或因繪圖本)]·[그림 3-
『금충전(禽蟲典)』]

[그림 1] 관관 명(明)·장응호회도본

[그림 2] 관관 청(淸)·사천(四川)성혹인회도본

本屬迷書生又以喻君子

灌鳩圖也圖贊曰厥聲如呵厥形如鳩佩之辨惑出自青丘又陶潛詩青丘有奇鳥自言獨見爾

青丘之山有鳥焉其狀如鳩其音若呵名曰灌灌佩之不惑　郭曰或作濩濩　任臣按雅曰瀳

山海經　南山經

灌灌圖

古今圖書集成

[그림 3] 관관 청(淸)·『금충전』

|권1-13| 적유(赤鱬)

【경문(經文)】

「남산경(南山經)」 : 청구산(靑丘山)이라는 곳이 있는데 ……영수(英水)가 시작되어, 남쪽으로 흘러 즉익택(卽翼澤)으로 들어간다. 그 속에는 적유(赤鱬)가 많은데, 생김새는 물고기 같지만 사람의 얼굴을 하고 있으며, 그 울음소리는 마치 원앙과 같고, 그것을 먹으면 옴이 오르지 않는다.

[又東三百里, 曰靑丘之山, 其陽多玉, 其陰多靑䨼. 有獸焉, 其狀如狐而九尾, 其音如嬰兒, 能食人, 食者不蠱. 有鳥焉, 其狀如鳩, 其音若呵, 名曰灌灌, 佩之不惑. 英水出焉, 南流注於卽翼之澤. 其中多赤鱬, 其狀如魚而人面, 其音如鴛鴦, 食之不疥.]

【해설(解說)】

적유(赤鱬)는 인어류(人魚類)에 속한다. 「북차삼경(北次三經)」의 인어·「중차칠경(中次七經)」의 제어(鯑魚)·「해외서경(海外西經)」의 용어(龍魚)·「해내북경(海內北經)」의 능어(陵魚) 등이 모두 이것이다. 오임신(吳任臣)은 유회맹(劉會孟)의 주장을 인용하여 다음과 같이 말했다. 즉 자주(磁州)에도 해아어(孩兒魚)[25]가 사는데, 다리가 네 개이고, 꼬리가 길며, 어린아이의 울음소리와 비슷한 소리를 내고, 이것의 기름은 태워도 없어지지 않는다. 유회맹의 주장에 따르면, 이것이 바로 예어(鯢魚)이다. 인어(人魚)를 또한 예어라고도 부르는데, 『광지(廣志)』의 기록에 따르면, 예어가 내는 소리는 어린아이가 우는 소리와 비슷하며, 다리가 네 개이다. 그리고 적유는 사람의 얼굴에 물고기의 몸을 하고 있으며, 울음소리가 마치 원앙새와 같다. 사람이 만약 그 고기를 먹으면 병을 예방할 수 있고, 옴이 오르지 않는다고 한다.

곽박(郭璞)의 『산해경도찬(山海經圖讚)』 : "적유라는 것은, 물고기의 몸에 사람의 머리를 하고 있다네.[赤鱬之物('狀'자로 된 것도 있음), 魚身人頭.]"

적유의 그림에는 두 가지 형상이 있다.

첫째, 사람의 얼굴에 물고기의 몸을 하고 있는 것으로, [그림 1-장응호회도본(蔣應鎬繪圖本)]·[그림 2-오임신강희도본(吳任臣康熙圖本)]·[그림 3-성혹인회도본(成或因繪圖

---

25) '해아(孩兒)'란 어린아이라는 뜻으로, 이 물고기가 어린아이의 울음소리와 비슷한 소리를 내기 때문에 붙여진 이름으로 보인다.

本)]·[그림 4-『금충전(禽蟲典)』]·[그림 5-상해금장도본(上海錦章圖本)]과 같은 것들이다.

둘째, 물고기의 모습에 사람의 얼굴을 하고 있지 않은 것으로, [그림 6-왕불도본(汪紱圖本)]과 같은 것이다.

[그림 1] 적유 명(明)·장응호회도본

[그림 2] 적유 청(淸)·오임신강희도본

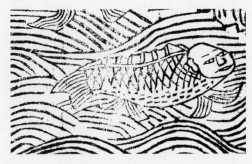

[그림 3] 적유 청(淸)·사천(四川)성혹인회도본

赤鱬圖

[그림 4] 적유 청(淸)·『금충전』

人頭 魚身 赤鱬之狀

赤鱬

赤鱬狀如魚而人面出英水

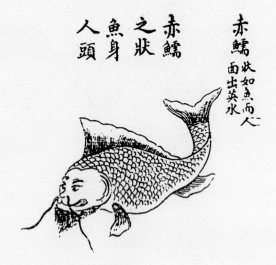

[그림 5] 적유 상해금장도본

赤鱬

[그림 6] 적유 청(淸)·왕불도본

|권1-14| 조신용수신(鳥身龍首神) : 새의 몸에 용의 대가리를 한 신

【경문(經文)】

「남산경(南山經)」: 작산(誰山)의 첫머리, 소요산(招搖山)부터 기미산(箕尾山)에 이르기까지 모두 열 개의 산이 있으며, 그 거리는 2,950리(里)이다. 그 신들의 모습은 모두 새의 몸에 용의 대가리를 하고 있다. …….

[凡誰山之首, 自招搖之山, 以至箕尾之山, 凡十山, 二千九百五十里. 其神狀皆鳥身而龍首, 其祠之禮. 毛用一璋玉瘞, 糈用稌米, 一璧, 稻米·白菅爲席.]

【해설(解說)】

　소요산(招搖山)부터 기미산(箕尾山)에 이르기까지 모두 열 개 산의 산신들은, 작신(鵲神)이라고 불리는데, 모두 새의 몸에 용의 대가리를 하고 있다.

　소요산의 산신인 작신은 두 가지 형상이 있다.

　첫째, 사람의 얼굴에 용의 대가리와 새의 몸을 하고 있는 것으로, [그림 1-장응호회도본(蔣應鎬繪圖本)]·[그림 2-『고금도서집성(古今圖書集成)·신이전(神異典)』]·[그림 3-성혹인회도본(成或因繪圖本)]과 같은 것들이다.

鵲神

　둘째, 용의 대가리에 새의 몸을 하고 있는 것으로, [그림 4-호문환도본(胡文煥圖本), '작신'이라 함]·[그림 5-일본도본(日本圖本), '작신'이라 함]·[그림 6-왕불도본(汪紱圖本), '남산신(南山神)'이라 함]과 같은 것들이다.

[그림 4] 조신용수신(작신) 명(明)·호문환도본

[그림 1] 조신용수신 명(明)·장응호회도본

山海經
招搖山至其
尾山共十山
之神圖

[그림 2] 조신용수신 청(淸)·『고금도서집성·신이전』

[그림 3] 조신용수신 청(淸)·사천(四川)성혹인회도본

[그림 6] 조신용수신(남산신) 청(淸)·왕불도본

[그림 5] 작신 일본도본

|권1-15| 이력(貍力)

【경문(經文)】

「남차이경(南次二經)」: 거산(柜山)이라는 곳에 ……어떤 짐승이 있는데, 그 생김새는 돼지와 비슷하며, 닭발처럼 생긴 발이 달려 있고, 울음소리는 마치 개가 짖는 소리 같다. 이름은 이력(貍力)이라고 하는데, 이것이 나타나면 그 고을에 토목 공사가 많아진다. …….

[南次二經之首, 曰柜山, 西臨流黃, 北望諸毗, 東望長右. 英水出焉, 西南流注於赤水, 其中多白玉, 多丹粟. 有獸焉, 其狀如豚, 有距, 其音如狗吠, 其名曰貍力, 見則其縣多土功. 有鳥焉, 其狀如鴟而人手, 其音如痺, 其名曰鴸, 其名自號也, 見則其縣多放士.]

【해설(解說)】

이력(貍力)은 생김새가 돼지와 비슷한데, 다리에는 닭의 발이 달려 있으며, 우는 소리는 개가 짖는 소리와 비슷하다. 이력이 출현한 지방에는 토목 공사가 많아진다고 전해지는데, 아마도 이력은 땅을 잘 파는 짐승이었던 것 같다.

곽박(郭璞)의 『산해경도찬(山海經圖讚)』: "이력과 여호(鴽鶘)[동차이경(東次二經)을 보라], 하나는 날아다니고 하나는 기어 다닌다네. 이것들은 땅의 길조로, 나타나면 토목 공사가 왕성해진다네. 긴 성[長城]을 쌓는 노역, 모두 진(秦)나라에 집중되었구나.[貍力鴽鶘, 或飛或伏. 是惟土祥, 出興功築. 長城之役, 同集秦域.]"

[그림 1-장응호회도본(蔣應鎬繪圖本)]·[그림 2-성혹인회도본(成或因繪圖本)]·[그림 3-왕불도본(汪紱圖本)]·[그림 4-『금충전(禽蟲典)』, 이 그림 속의 이력은 닭의 발이 달려 있지 않아, 집돼지와 다르지 않다.]

[그림 1] 이력 명(明)·장응호회도본

[그림 2] 이력 청(淸)·사천(四川)성혹인회도본

狸
力

[그림 3] 이력 청(淸)·왕불도본

[그림 4] 이력 청(淸)·『금충전』

|권1-16| 주(鶏)

【경문(經文)】

「남차이경(南次二經)」 : 거산(柜山)이라는 곳에 ……어떤 새가 사는데, 그 생김새는 부엉이와 비슷하며, 발은 사람의 손처럼 생겼다. 그 소리는 암꿩 소리 같으며, 이름은 주(鶏)라고 하는데, 자신의 이름을 부르듯이 운다. 이 새가 나타나면 그 고을에 쫓겨나는 선비가 많아진다.

[南次二經之首, 曰柜山, 西臨流黃, 北望諸毗, 東望長右. 英水出焉, 西南流注於赤水, 其中多白玉, 多丹粟. 有獸焉, 其狀如豚, 有距, 其音如狗吠, 其名曰貍力, 見則其縣多土功. 有鳥焉, 其狀如鴟而人手, 其音如痺, 其名曰鶏, 其名自號也[26], 見則其縣多放士.]

【해설(解說)】

주(鶏)라는 새는 단주(丹朱)의 화신이다. 단주는 요(堯)임금의 아들로, 전설에 따르면 그는 오만하고 잔인하며 어리석고 포악했다고 한다. 그래서 요임금은 천하를 순(舜)임금에게 물려주고, 단주는 남방 단수(丹水)의 제후로 보냈다. 단주는 그곳에 살던 삼묘(三苗)의 우두머리와 연합하여 요임금을 공격했다가 실패했다. 그리하여 삼묘의 우두머리는 주살당하고, 단주는 남해에 빠져 자살했는데, 이 단주의 혼백이 주라는 새로 변했다고 한다. 주는 생김새가 부엉이와 비슷한데, 발은 사람의 손처럼 생겼고, 하루종일 '주주'하고 울어대며, 그 소리가 마치 그 이름을 부르는 것 같다. 주가 나타나는 지방에서는 재주 있는 사람들이 많이 쫓겨나게 된다. 전설에 따르면, 단주의 자손들이 남해에 국가를 세우고, 이를 환두국(讙頭國) 혹은 환주국(驩朱國)이라고 불렀는데, 이 나라가 바로 단주국(丹朱國)이다(이 셋은 발음이 비슷함). 이 나라 사람들은 생김새가 아주 특이하여, 사람의 얼굴을 하고 있고, 날개가 달려 있다[「해외남경(海外南經)」을 보라].

오임신(吳任臣)은 주석에서, '주'라는 새는 부엉이처럼 생긴 눈에 사람의 손을 가졌다고 했다. 『사물감주(事物紺珠)』에서는 말하기를, 주는 부엉이처럼 생겼는데, 사람의 얼

---

26) 원가(袁珂)는 이 구절에 대해, "그 이름을 스스로 부르는 것이다.[自呼其名也.]"라고 했으며, 또 "아래 문장들의 "其鳴自呼"·"其鳴自詨" 등은 모두 이러한 의미이다.[下文"其鳴自呼"·"其鳴自詨"等均此意.]"라고 주석했다.

굴과 사람의 손을 가지고 있다. 을유(乙酉)년 여름 6월에 어떤 새가 항(杭) 지방의 경춘문(慶春門) 위에 내려왔는데, 눈이 세 개이고, 발이 어린아이처럼 생겼으며, 얼굴은 마치 노인 같았다. '주주'하면서 울었는데, 아마도 '주'라는 새인 것 같다고 했다.

주의 그림에는 두 가지 형상이 있다.

첫째, 새의 대가리와 새의 몸을 하고 있고, 발이 사람의 손처럼 생긴 것으로, [그림 1-장응호회도본(蔣應鎬繪圖本)]·[그림 2-성혹인회도본(成或因繪圖本)]·[그림 3-왕불도본(汪紱圖本)]과 같은 것들이다.

둘째, 사람의 얼굴에 새의 몸을 하고 있고, 발이 사람의 손처럼 생긴 것으로, [그림 4-호문환도본(胡文煥圖本)]·[그림 5-일본도본(日本圖本)]·[그림 6-필원도본(畢沅圖本)]·[그림 7-상해금장도본(上海錦章圖本)]과 같은 것들이다. 호문환은 그림 설명에서 말하기를, "장설산(長舌山)에 어떤 새가 있는데, 모습이 마치 부엉이 같지만 사람의 얼굴을 하고 있고, 발은 사람의 손처럼 생겼으며, 이름은 '주'라 한다.[長舌山有鳥, 狀如鴟而人面, 脚如人手, 名曰鵁.]"라고 했다. 오임신·필원(畢沅)·학의행(郝懿行) 등 세 사람의 도본의 그림 설명에서도 말하기를, "생김새가 부엉이와 비슷한데 사람의 얼굴과 사람의 손을 하고 있다.[狀如鴟而人面人手.]"라고 했다. 「남차이경」의 경문에는 '인면(人面)'이라는 두 글자가 없다. '주'를 사람의 얼굴로 그린 것은, 화공이 위에 언급한 『사물감주』 등 고서들의 기록들을 참고했거나, 아니면 「해외남경」에 나오는 단주국 사람들의 생김새를 참고했음이 분명하다고 생각된다. 필원도본(畢沅圖本)의 그림 해설에서 말하기를, "이 새가 보이면 그 마을에 요절하는 사람이 많아진다.[見則其縣多夭亡]"라고 했는데, 이 말 역시 경문에는 보이지 않는다.

곽박(郭璞)의 『산해경도찬(山海經圖讚)』: "주라는 새가 고을에서 울면, 그 고을의 어진 선비들이 쫓겨난다네. 그 이치는 지극히 오묘하니, 그것을 형체가 없다[無象]고 하네.[鵁鳴於邑, 賢士見放. 厥理至微, 言之無象('況'자로 된 것도 있음).]" 도잠(陶潛)의 「독산해경시(讀山海經詩)」: "주아(鵁鶘)라는 새가 도읍에 나타나면, 그 나라에 쫓겨나는 선비가 생겨난다네. 저 초회왕(楚懷王) 때를 생각해보니, 당시에 그 새가 여러 번 왔었네.[鵁鶘見城邑, 其國有放士. 念彼懷王世, 當時數來止.]" 여기서 주아가 바로 단주(丹鵁)이다. 황성증(黃省曾)[27]은 시에서, "작은 저 '주'라는 새가 울면 선비들이 쫓겨나니, 참으로 슬프

---

27) 황성증(1490~1546)은 명(明)나라 때의 학자로, 자(字)는 면지(勉之)이고, 호는 오악산인(五岳山人)이며, 장서가(藏書家)이자 학자인 황로증(黃魯曾)의 동생이다. 일생 동안 매우 많은 저술들을 남겼으며, 그 내

기 그지없구나.[宛彼鵃鳥鳴, 放士眞堪哀.]"라고 했다. 이 이야기들은 모두 '주'라는 새와
관련된 고사(故事)이다.

[그림 1] 주 명(明)·장응호회도본

[그림 2] 주 청(淸)·사천(四川)성혹인회도본

鵃

[그림 3] 주 청(淸)·왕불도본

[그림 4] 주 명(明)·호문환도본

용도 경학(經學)·사학(史學)·지리(地理)·농학(農學) 등 다방면에 걸쳐 있다.

[그림 5] 주 일본도본

鴸狀如鴟而人面人手見
則其縣多天亡出柜山

慧星橫天鯨
魚死浪鴸鳴
于邑賢士見
放厥理至微
言之無況

[그림 6] 주 청(淸)·필원도본

鴸狀如鴟而人面人手見
則其縣多天亡出柜山

慧
星
橫
天鯨魚死
浪鴸鳴于邑
賢士見放厥
理至微言之無況

[그림 7] 주 상해금장도본

|권1-17| 장우(長右)

【경문(經文)】

「남차이경(南次二經)」: 장우산(長右山)이라는 곳에는, 초목이 자라지 않고 물이 많다. 그곳에 어떤 짐승이 사는데, 그 생김새가 긴꼬리원숭이와 비슷하지만 네 개의 귀가 달려 있고, 그 이름은 장우(長右)라 하며, 그 소리는 마치 신음소리 같다. 이것이 나타나면 고을에 큰물이 진다.

[東南四百五十里, 曰長右之山, 無草木, 多水. 有獸焉, 其狀如禺而四耳, 其名長右, 其音如吟, 見則郡縣大水.]

【해설(解說)】

장우(長右)는 원숭이처럼 생긴 수괴(水怪 : 물에 사는 괴물—역자)이다. 성성(狌狌)·거보(擧父)와 더불어 모두 원숭이류에 속한다. 장우산(長右山)에서 이 짐승이 나기 때문에, 산의 이름을 따서 그것의 이름을 붙였다. 장우는 큰물이 질 징조인데, 그 특징은 원숭이의 모습에 귀가 네 개이며, 울음소리는 마치 사람이 신음하는 소리 같다.

곽박(郭璞)의 『산해경도찬(山海經圖讚)』: "장우는 네 개의 귀가 달려 있고, 그 생김새는 원숭이 같다네. 실로 홍수가 날 징조이니, 이것이 보이면 큰물이 진다네.[長右四耳, 厥狀如猴. 實爲水祥, 見則橫流.]"

장우의 그림에는 두 가지 모습이 있다.

첫째, 원숭이의 모습을 한 것으로, [그림 1-장응호회도본(蔣應鎬繪圖本)]·[그림 2-오임신근문당도본(吳任臣近文堂圖本)]·[그림 3-왕불도본(汪紱圖本)]·[그림 4-『금충전(禽蟲典)』]·[그림 5-상해금장도본(上海章圖本)]과 같은 것들이다.

둘째, 사람의 얼굴에 짐승의 몸을 한 것으로, [그림 6-성혹인회도본(成或因繪圖本)]과 같은 것이다.

[그림 1] 장우 명(明)·장응호회도본

[그림 2] 장우 청(淸)·오임신근문당도본

[그림 3] 장우 청(淸)·왕불도본

[그림 4] 장우 청(淸)·『금충전』

[그림 5] 장우 상해금장도본

[그림 6] 장우 청(淸)·사천(四川)성혹인회도본

長右四耳厥狀
如猴質為水祥
見則橫流為虎
其身厥尾如牛

長右狀如禺而四目見
則大水出長右山

|권1-18| 활회(猾褢)

【경문(經文)】

「남차이경(南次二經)」: 요광산(堯光山)이라는 곳에 ……어떤 짐승이 살고 있는데, 그 생김새가 사람과 비슷하지만 돼지털 같은 게 나 있고, 동굴에서 살며 겨울잠을 잔다. 그 이름은 활회(猾褢)라고 하는데, 울음소리가 마치 나무를 패는 소리와 비슷하며, 이것이 나타나면 고을에 큰 요역(繇役)이 있게 된다.

[又東三百四十里, 曰堯光之山, 其陽多玉, 其陰多金. 有獸焉, 其狀如人而彘鬛, 穴居而冬蟄, 其名曰猾褢, 其音如斫木, 見則縣有大繇[28].]

【해설(解說)】

활회(猾褢)의 생김새는 사람과 비슷한데, 돼지털처럼 뻣뻣하고 긴 털이 온몸에 나 있고, 동굴에서 살며, 겨울에는 겨울잠을 자며 나오지 않는다. 그것은 마치 사람이 나무를 패는 듯한 소리를 내며 울고, 그것이 출현한 곳은 천하가 크게 혼란스러워진다. 호문환도설(胡文煥圖說)에서는, "요광산(堯光山)에 어떤 짐승이 사는데, 모습은 미후(獼猴)[29]처럼 생겼고, 사람의 얼굴을 하고 있으며, 돼지털 같은 게 나 있다.[堯光山有獸, 狀如獼猴, 人面彘鬛.]"라고 했다.

곽박(郭璞)의 『산해경도찬(山海經圖讚)』: "활회라는 짐승이 있으니, 이것이 나타나면 곧 요역(徭役)이 많아진다네. 정사(政事)에 호응하여 나타나는데, 어지럽지 않으면 오지 않는다네. 천하에 도가 있으면, 모습을 감추고 종적을 숨긴다네.[猾褢之獸, 見則興役. 應('膺'자로 된 것도 있음)政而出, 匪亂不適. 天下有道, 幽形匿迹.]"

황성증(黃省曾)의 「독산해경(讀山海經)」이라는 시(詩)에서는, "나라의 도읍에 큰 요역(繇役)이 있으니, 대로에 활회가 다니네.[國邑有大繇, 康莊行猾褢.]"라고 했다.

[그림 1-장응호회도본(蔣應鎬繪圖本)]·[그림 2-호문환도본(胡文煥圖本)]·[그림 3-성혹인회도본(成或因繪圖本)]·[그림 4-필원도본(畢沅圖本)]·[그림 5-왕불도본(汪紱圖本)]·[그림 6-상해금장도본(上海錦章圖本)]

---

28) 곽박은 "요역이 있게 됨을 일컫는다. 혹은 그 고을이 혼란스러워지는 것이라고 한다.[謂作役也. 或曰其縣是亂.]"라고 했다. 원가(袁珂)는 "'繇'자와 '亂'자는 형태가 비슷하여 헷갈리기 쉽다.[繇亂形近易訛.]"라고 주석했다.

29) 아시아나 아프리카 등지에 서식하는 짧은꼬리원숭이로, 길들이기도 쉬우며, 과일과 풀 등을 먹는다.

[그림 1] 활회 명(明)·장응호회도본

[그림 3] 활회 청(淸)·사천(四川)성혹인회도본

猾裹狀如人而彘鬣穴居冬蟄
其音如斲木見則其縣有繇

出克
光山

猾裹之獸
見則興役
鷹政而出
匪亂不適天下
有道幽形匿跡

[그림 6] 활회 상해금장도본

[그림 2] 활회 명(明)·호문환도본

猾褢狀如人面是黄音如嬰末

猾褢見則其縣有繇出比尧山

猾褢之鳥見則
與役膚政而出
距亂不遺天下
有道幽形匿跡

[그림 4] 활회 청(淸)·필원도본

[그림 5] 활회 청(淸)·왕불도본

120

|권1-19| 체(彘)

【경문(經文)】

「남차이경(南次二經)」: 부옥산(浮玉山)이라는 곳에 ……어떤 짐승이 사는데, 그 생김새가 호랑이와 비슷하지만 소의 꼬리가 달려 있다. 그것의 소리는 마치 개가 짖는 듯하며, 그 이름은 체(彘)라 하고, 사람을 잡아먹는다. …….

[又東五百里, 曰浮玉之山, 北望具區, 東望諸毗. 有獸焉, 其狀如虎而牛尾, 其音如吠犬, 其名曰彘, 是食人. 苕水出於其陰, 北流注於具區. 其中多紫魚.]

【해설(解說)】

체(彘)는 수괴(水怪 : 물에 사는 괴물-역자)로, 사람을 잡아먹는 무서운 짐승이다. 생김새는 호랑이와 비슷하지만, 소의 꼬리가 달려 있고, 개가 짖는 것 같은 소리를 낸다.

체의 그림에는 다섯 가지 형상이 있다.

첫째, 호랑이의 몸에 소의 꼬리가 달려 있는 것으로, [그림 1-장응호회도본(蔣應鎬繪圖本)]과 같은 것이다.

둘째, 사람의 얼굴에 원숭이처럼 생겼고, 네 개의 귀가 있으며, 호랑이의 털에 소의 꼬리가 달려 있는 것으로, [그림 2-호문환도본(胡文煥圖本), 장체(長彘)라 함]·[그림 3-오임신근문당도본(吳任臣近文堂圖本)]·[그림 4-『금충전(禽蟲典)』]·[그림 5-상해금장도본(上海錦章圖本), 이 그림의 도찬(圖贊)에는 오류가 있음]과 같은 것들이다.

호문환도설(胡文煥圖說)에서는, "부옥산(浮玉山)에 어떤 짐승이 사는데, 생김새는 원숭이를 닮았고, 네 개의 귀가 있으며, 호랑이 털에 소의 꼬리가 달려 있다. 그 소리는 마치 개가 짖는 것과 비슷하며, 이름은 장체(長彘)라고 한다. 사람을 잡아먹으며, 이 짐승이 나타나면 홍수가 난다.[浮玉山有獸, 狀如猴, 四耳, 虎毛而牛尾, 其音如犬吠, 名曰長彘. 食人, 見則大水.]"라고 했다. 『사물감주(事物紺珠)』에 기록되어 있는 호주(湖州) 부옥산의 장체라는 짐승은, 생김새가 원숭이와 비슷하고, 네 개의 귀가 달려 있으며, 호랑이의 몸에 소의 꼬리가 달려 있는데, 역시 이 짐승도 체와 같은 종류의 괴수(怪獸)이다.

셋째, 호랑이의 대가리와 호랑이의 몸에 뿔이 하나이고, 발은 원숭이와 비슷하며, 이름은 장체라고 하는데, [그림 6-일본도본(日本圖本)]과 같은 것이다.

넷째, 호랑이의 대가리에 호랑이의 몸과 호랑이의 꼬리가 달려 있는 것으로, [그림

7-성혹인회도본(成或因繪圖本)]과 같은 것이다.

다섯째, 몸은 곰처럼 생겼고, 호랑이의 발에 소의 꼬리가 달려 있으며, 두 눈은 마치 햇불처럼 타오르는 것으로, [그림 8-왕불도본(汪紱圖本)]과 같은 것이다.

곽박(郭璞)의 『산해경도찬(山海經圖讚)』: "체(彘)는 그 몸이 호랑이 같고, 그 꼬리는 소를 닮았다네.[彘虎其身, 厥尾如牛.]"

[그림 1] 체 명(明)·장응호회도본

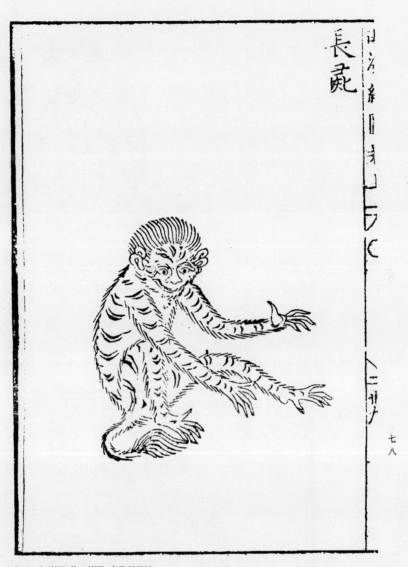

[그림 2] 체(장체) 명(明)·호문환도본

犺
狀如虎而牛尾音如吠犬是食人出浮玉山

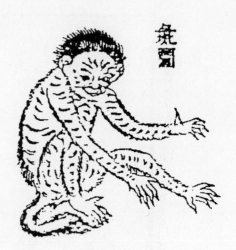

犺

[그림 3] 체 청(淸)·오임신근문당도본

[그림 4] 체 청(淸)·『금충전』

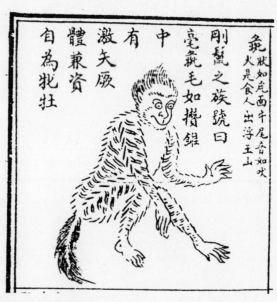

犺狀如虎而牛尾音如吠犬是食人出浮玉山
剛髭之簇號曰
毫氣毛如攢錐
中
有
激矢㢱
體兼資
自為牝牡

[그림 5] 체 상해금장도본

[그림 6] 체(장체) 일본도본

[그림 7] 체 청(淸)·사천(四川)성혹인회도본

[그림 8] 체 청(淸)·왕불도본

|권1-20| 제어(鮆魚)

【경문(經文)】

「남차이경(南次二經)」: 부옥산(浮玉山)이라는 곳이 있는데, ……초수(苕水)가 북쪽에서 나와, 북쪽으로 흘러 구구(具區)³⁰⁾로 들어가는데, 그 속에 제어(鮆魚)가 많이 산다. [又東五百里, 曰浮玉之山, 北望具區, 東望諸毗. 有獸焉, 其狀如虎而牛尾, 其音如吠犬, 其名曰彘, 是食人. 苕水出於其陰, 北流注於具區. 其中多鮆魚.]

【해설(解說)】

제어(鮆魚)는 도어(刀魚)·제어(鱭魚)·방어(魛魚)라고도 한다. 제어는 대가리가 길쭉하고 몸통이 가늘고 얇아, 배와 등이 마치 칼날처럼 생겼기 때문에 도어(刀魚)라고 부른다. 큰 것은 길이가 한 척(尺)이 넘으며, 회(膾)를 뜰 수 있다[『이아익(爾雅翼)』]. 이시진(李時珍)은 말하기를, 제어(鱭魚)는 강이나 호수에 사는데, 보통 3월이 되면 나온다고 했다. 이것의 생김새는 가늘고 길며 얇게 생겼고, 흰색의 작은 비늘로 덮여 있으며, 주둥이 위에는 두 개의 빳빳한 수염이 나 있고, 아가미 밑에는 보리 까끄라기 같은 수염이 나 있다. 또 배 밑에 딱딱한 뿔이 있는데, 칼처럼 뾰족하고 날카롭다고 했다[『본초강목(本草綱目)』]. 「북차이경(北次二經)」의 현옹산(縣雍山)에 기록되어 있는 물고기는, 그 생김새가 피라미 같으면서 붉은 비늘로 덮여 있고, 그것이 내는 소리는 마치 꾸짖는 소리 같은데, 이것을 먹으면 교만하지 않게 된다. 전하는 말에 따르면, 그 고기를 먹으면 암내가 나는 것을 막을 수 있다고 한다.

곽박(郭璞)의 『산해경도찬(山海經圖讚)』: 양감(陽鑑 : 옛날에 햇빛을 이용하여 불을 채취하던, 구리로 만든 오목거울-역자)은 해를 움직이고, 토사(土蛇)는 밤을 이르게 한다네. 미묘하구나 제어, 이것을 먹으면 교만해지지 않는다니. 사물에는 느끼지는 바가 있으나, 그 효용은 드러나지 않는구나.[陽鑑動日, 土蛇致宵. 微哉鮆魚, 食則不驕. 物有所感, 其用無標.]」

[그림 1-장응호회도본(蔣應鎬繪圖本)]·[그림 2-왕불도본(汪紱圖本)]·[그림 3-왕불도본 「북차이경(北次二經)」도]·[그림 4-『금충전(禽蟲典)』, '제어(鱭魚)'라 함]

---

30) 곽박의 주석에서, "구구는 지금의 오현 남서쪽에 있는 태호(太湖)이다. 『상서(尙書)』에서는 그것을 진택(震澤)이라 했다.[具區, 今吳縣西南太湖也. 尙書謂之震澤.]"라고 기록하고 있다.

[그림 1] 제어(鮆魚) 명(明)·장응호회도본

鮆魚圖

[그림 4] 제어[鱭魚 : 제어(鮆魚)] 청(淸)·『금충전』

紫

[그림 2] 제어 청(淸)·왕불도본

[그림 3] 제어 청(淸)·왕불도본 「북차이경」도.

古本 山海經 圖說 (上)

| 권1-21 | 환(羦)

【경문(經文)】

「남차이경(南次二經)」: 순산(洵山)이라는 곳에 어떤 짐승이 사는데, 그 생김새는 양과 비슷하지만 입이 없으며, 죽지 않는다. 그 이름은 환(羦)이라 한다.

[又東四百里, 曰洵山, 其陽多金, 其陰多玉. 有獸焉, 其狀如羊而無口, 不可殺也[31], 其名曰羦. 洵水出焉, 而南流注於閼之澤, 其中多茈蠃.]

【해설(解說)】

환(羦 : '換'으로 발음)은 괴상한 짐승으로, 생김새는 양과 비슷하며, 입이 없어 먹지 못하지만, 타고난 기운이 자연스러워 굶어죽지 않는다. 『사물감주(事物紺珠)』에는, 이 짐승은 양처럼 생겼으며, 입이 없고, 몸이 검다고 기록되어 있다. 호문환도설(胡文煥圖說)에서는, "순산(旬山)에 어떤 짐승이 사는데, 생김새는 양과 비슷하고, 입이 없으며, 검은색이고, 이름은 '환'이라 한다. 그 성질이 매우 사나워 사람이 죽일 수 없으며, 그 품기가 자연스럽다.[旬山有獸, 狀如羊而無口, 黑色, 名曰羦. 其性頑狠, 人不可殺, 其稟氣自然.]"라고 했다.

곽박(郭璞)의 『산해경도찬(山海經圖讚)』: "입이 없는 어떤 짐승이 있으니, 그 이름이 환이라네. 나쁜 기가 들어가지 않으니, 그 몸체에 틈이 없다네. 이치의 다함에 이르면, 저절로 나온다네.[有獸無口, 其名曰羦, 害氣不入, 厥體無間. 至理之盡, 出乎自然.]"

[그림 1-장응호회도본(蔣應鎬繪圖本)]·[그림 2-호문환도본(胡文煥圖本)]·[그림 3-일본도본(日本圖本)]·[그림 4-필원도본(畢沅圖本)]·[그림 5-왕불도본(汪紱圖本)]

---

31) 학의행은 주석하기를, "'不可殺'이란 죽지 않을 수 있는 것을 말한다. 즉 입이 없어 먹지 못해도, 스스로 생존할 수 있다.[不可殺, 言不能死也; 無口不食, 而自生活.]"라고 했다.

[그림 1] 환 명(明)·장응호회도본

羫

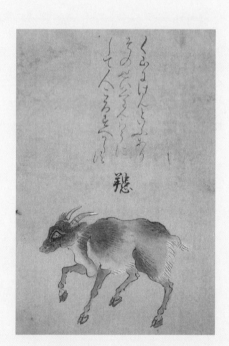

[그림 3] 환 일본도본

[그림 2] 환 명(明)·호문환도본

髶先狀如羊而無
口出渝渝山

有獸無口其名
曰髶害氣不入
厭體無間至理
之盡出乎自然

[그림 4] 환 청(淸)·필원도본

髶

[그림 5] 환 청(淸)·왕불도본

第一卷 南山經

【경문(經文)】

「남차이경(南次二經)」: 녹오산(鹿吳山)이라는 곳이 있는데, 산 위에는 초목이 자라지 않고, 금과 돌이 많다. 택경수(澤更水)가 시작되어, 남쪽으로 흘러 방수(湋水)로 들어간다. 그곳에 어떤 짐승이 사는데, 이름은 고조(蠱雕)라고 하며, 그 생김새는 독수리 같지만 뿔이 있으며, 그 소리는 갓난아이의 울음소리 같고, 사람을 잡아먹는다.

[又東五百里, 曰鹿吳之山, 上無草木, 多金·石. 澤更之水出焉, 而南流注於湋水. 有獸焉, 名曰蠱雕, 其狀如雕而有角, 其音如嬰兒, 是食人.]

【해설(解說)】

고조(蠱雕)는 찬조(纂雕)라고도 부르는데, 새 같기도 하고 새가 아닌 것 같기도 하며, 사람을 잡아먹는 괴수(怪獸)의 일종이다. 모습이 독수리를 닮았는데, 뿔이 있고, 울음소리는 갓난아이가 크게 우는 소리와 비슷하다. 『병아(駢雅)』에는, "고조는 독수리와 비슷하며 뿔이 있다.[蠱雕如雕而戴角.]"라고 기록되어 있다. 『사물감주(事物紺珠)』에는, "고조는 표범과 비슷한데, 새의 부리에 뿔이 하나 달려 있고, 소리는 갓난아이의 울음소리 같다.[蠱雕如豹, 鳥喙一角, 音如嬰兒.]"라고 기록되어 있다.

고조라는 짐승은 독수리처럼 생긴 것과 표범처럼 생긴 것의 두 가지 형상이 있다.

첫째, 새의 모습으로, 독수리와 비슷하며 뿔이 하나인 것인데, [그림 1-장응호회도본(蔣應鎬繪圖本)]·[그림 2-왕불도본(汪紱圖本)]과 같은 것들이다.

둘째, 표범의 모습으로, 새의 부리에 뿔이 하나인 것인데, [그림 3-호문환도본(胡文煥圖本)]·[그림 4-오임신강희도본(吳任臣康熙圖本)]·[그림 5-오임신근문당도본(吳任臣近文堂圖本)]·[그림 6-상해금장도본(上海錦章圖本)]과 같은 것들이다.

호문환도설(胡文煥圖說)에서는, "육오산(陸吳山)[32]에 사는 짐승이 있는데, 그 이름이 고조이며, 생김새는 표범을 닮았지만 독수리의 부리가 달려 있고, 뿔이 하나 나 있다. 소리는 갓난아이의 소리와 비슷하고, 사람을 잡아먹는다.[陸吳山有獸, 名曰蠱雕, 狀如豹

---

32) 녹오산(鹿吳山)의 오기(誤記)로 보인다.

而雕喙, 有一角. 音如嬰兒, 食人.]"라고 했다.

곽박(郭璞)의 『산해경도찬(山海經圖讚)』: "찬조(纂雕)라는 짐승은 뿔이 있고, 소리는 아이의 울음소리 같다네.[纂雕有角, 聲若兒號.]"

『산해경』에 나오는 고조처럼, 새의 부리가 있고 짐승의 몸을 한 형상들은 매우 주목할 만한 가치가 있다. 고고학자들은 섬서(陝西) 신목납림(神木納林) 고토촌(高兎村)에 있는 전국(戰國) 시대 후기의 흉노(匈奴) 무덤에서 출토된, 순금으로 만들어진, 매의 부리가 있고 사슴처럼 생긴 괴상한 짐승을 발견했는데[그림 7, 매의 부리가 있고 짐승의 몸을 한 신(鷹嘴獸身神)], 그 형상에는 『산해경』의 고조와 서로 유사한 부분이 있다. 이러한 형상은 전형적인 북방 초원 문화의 특징을 띠고 있다[최대용(崔大庸) 『중국역사문물(中國歷史文物)』 2002년 제4기(期)의 글을 보라].

[그림 1] 고조 명(明)·장응호회도본

[그림 2] 고조 청(淸)·왕불도본

[그림 3] 고조 명(明)·호문환도본

[그림 4] 고조 청(淸)·오임신강희도본

蠱雕狀如雕而有角食人出鹿吳山是

蟲雕狀如雕而有角是
蟲周食人出鹿吳山

[그림 5] 고조 청(淸)·오임신근문당도본

蟲雕狀如鵰而有角是
食人出鹿吳山

[그림 6] 고조 상해금장도본

第一卷 南山經

135

[그림 7] 매의 부리가 있고 짐승의 몸을 한 신[鷹嘴獸身神]. 섬서 신목납림 고토촌에 있
는 전국 시대 후기의 흉노 무덤에서 출토.

|권1-23| 용신조수신(龍身鳥首神) : 용의 몸에 새의 대가리를 한 신

【경문(經文)】

「남차이경(南次二經)」: 거산(柜山)부터 칠오산(漆吳山)까지는 모두 열일곱 개의 산이 있으며, 그 거리는 7,200리에 달한다. 그 산의 신들은 모두 용의 몸에 새의 대가리를 하고 있다. …….

[凡「南次二經」之首, 自柜山至於漆吳之山, 凡十七山, 七千二百里. 其神狀皆龍身而鳥首. 其祠, 毛用一璧瘞, 糈用稌.]

【해설(解說)】

거산(柜山)부터 칠오산(漆吳山)까지는 모두 열일곱 개의 산이 있는데, 그 산신들은 모두 새의 대가리에 용의 몸을 하고 있다.

[그림 1-장응호회도본(蔣應鎬繪圖本)]·[그림 2-『신이전(神異典)』]·[그림 3-성혹인회도본(成或因繪圖本)]·[그림 4-왕불도본(汪紱圖本), 남산신(南山神)이라 함]

[그림 1] 용신조수신 명(明)·장응호회도본.

第一卷 南山經

137

柜山至
漆吳山
共十七
山之神
圖

[그림 2] 용신조수신 청(淸)·「신이전.」

[그림 3] 용신조수신 청(淸)·사천(四川)성혹인회도본

南山神

[그림 4] 용신조수신(남산신) 청(淸)·왕불도본.

|권1-24| 무소[犀]

【경문(經文)】

「남차삼경(南次三經)」: 도과산(禱過山)이라는 곳이 있는데, 그 위쪽에서는 금과 옥이 많이 나고, 그 아래쪽에는 무소(코뿔소)가 많다. ……

[又東五百里, 曰禱過之山, 其上多金·玉, 其下多犀·兕, 多象. 有鳥焉, 其狀如鵁而白首·三足·人面, 其名曰瞿如, 其鳴自號也. 泿水出焉, 而南流注於海. 其中有虎蛟, 其狀魚身而蛇尾, 其音如鴛鴦, 食者不腫, 可以已痔.]

【해설(解說)】

무소[犀]는 물소[水牛]와 비슷하게 생겼으며, 돼지의 대가리에 짧은 다리를 가지고 있는데, 다리는 코끼리처럼 생겼고, 세 개의 발굽이 있다. 배가 크고 색깔은 검다. 뿔이 세 개인데, 하나는 정수리 위에 있고, 다른 하나는 이마에 있으며, 나머지 하나는 코 위에 있다. 코 위에 있는 것은 작지만 빠지지 않으며, 먹을 수 있는 뿔이다. 이 짐승은 가시를 씹어 먹기를 좋아하여, 입에서는 항상 피거품을 뿜어댄다(곽박 주석).

이시진(李時珍)의 『본초강목(本草綱目)』에서는 말하기를, 무소는 서번(西番)·남번(南番)·전남(滇南)·교주(交州) 등지에서 나며, 산코뿔소[山犀]·물코뿔소[水犀]·외뿔들소[兕犀] 등 세 종류가 있고, 또 모서(毛犀: 야크-역자)가 있는데, 산코뿔소와 비슷하고, 숲 속에 살며, 사람들이 그것을 많이 잡는다고 했다. 물코뿔소는 물속을 드나들어, 가장 잡기가 어렵다. 코뿔소는 뿔이 하나인 것·두 개인 것·세 개인 것이 있다. 『교광지(交廣志)·서잠(犀簪)』의 기록에 따르면, 서남(西南)쪽 오랑캐 땅에 이상한 코뿔소가 사는데, 뿔이 세 개이며, 밤에 다닐 때는 커다란 횃불처럼 불빛이 수천 걸음 앞까지 비춘다고 한다. 간혹 어떤 놈들은 도망쳐서 밀림 깊숙이 숨어버려 사람에게 발각되지 않는다. 임금은 그 기이함을 귀하게 여겨, 이것을 머리에 꽂음으로써 흉악하고 도리에 어긋나는 사람을 퇴치할 수 있다고 한다.

무소뿔은 해독(解毒)할 수 있는데, 이시진은 말하기를, 무소뿔은 무소의 정령(精靈)이 모여 있는 곳이므로, 족양명(足陽明)의 약재로 쓰이며, 여러 가지 독을 해독할 수 있다고 했다. 『포박자(抱朴子)·등섭편(登涉篇)』에는, "통천서(通天犀: 무소뿔의 한 종류-역자)가 해독할 수 있는 까닭은, 온갖 풀들 중에 독이 있는 것과 여러 나무들 중에 가시가 있는 것만을 먹고, 연하고 매끄러운 초목은 먹지 않기 때문이다.[通天犀所以能煞毒者, 其爲獸專食百草之有毒者, 及衆木有刺棘者, 不妄食柔滑之草木也.]"라고 기록되어 있다.

곽박(郭璞)의 『산해경도찬(山海經圖讚)』: "코뿔소 대가리는 돼지처럼 생겼고, 그 형상은 소의 몸을 겸비하고 있다네. 뿔이 나란히 세 개 있는데, 몸에 서로 나뉘어 돋아 있네. 코를 벌름거리며 바람을 일으키니, 굳센 기운이 가득 넘쳐나는구나.[犀頭似('如'로 되어 있는 것도 있음)猪, 形兼牛質. 角則竝三, 分身互出. 鼓鼻生風, 壯氣隘溢.]"

[그림 1-장응호회도본(蔣應鎬繪圖本)]·[그림 2-왕불도본(汪紱圖本)]·[그림 3-『금충전(禽蟲典)』]

[그림 1] 무소 명(明)·장응호회도본.

[그림 2] 뿔이 세 개인 무소[三角犀] 청(淸)·왕불도본.

[그림 3] "무소가 달을 쳐다보다.[犀牛望月.]" 청(淸)·『금충전.』

【경문(經文)】

「남차삼경(南次三經)」: 도과산(禱過山)이라는 곳이 있는데, ……그 아래쪽에는 외뿔소가 많다. …….

[又東五百里, 曰禱過之山, 其上多金玉, 其下多犀·兕, 多象. 有鳥焉, 其狀如鵁而白首·三足·人面, 其名曰瞿如, 其鳴自號也. 浪水出焉, 而南流注於海. 其中有虎蛟, 其狀魚身而蛇尾, 其音如鴛鴦, 食者不腫, 可以已痔.]

【해설(解說)】

외뿔소[兕]는 외뿔 짐승으로, 물소[水牛]와 비슷하고, 푸른색이며, 무게가 천 근(斤)이나 된다. 외뿔소는 「해내남경(海內南經)」에도 보이는데, "외뿔소는 순(舜)임금의 묘지 동쪽, 상수(湘水)의 남쪽에 사는데, 그 생김새가 소와 비슷하며, 검푸른색이고, 뿔이 하나이다.[兕在舜葬東, 湘水南, 其狀如牛, 蒼黑, 一角.]"라고 했다. 『이아(爾雅)』에는, "외뿔소는 소와 비슷하게 생겼고, 코뿔소는 돼지와 비슷하게 생겼다.[兕似牛, 犀似豕.]"라고 기록되어 있다. 『삼재도회(三才圖會)』에 기록되어 있는 외뿔소와 관련된 다음과 같은 고사(故事)는 매우 흥미롭다. 즉 외뿔소는 호랑이처럼 생겼으나 조금 작고, 사람을 물지는 않는다. 밤에 홀로 산꼭대기의 벼랑 끝에 서서 샘물 소리를 들으며, 조용히 있기를 좋아하는데, 날짐승이 울 때가 되어 하늘이 밝아오면 보금자리로 돌아간다. 외뿔소는 위엄과 덕망의 짐승으로, 고대 청동기와 화상석(畵像石)의 문양 장식에서 항상 보이는데, 이 짐승은 힘과 용맹의 상징[그림 1-엽시도(獵兕圖), 하남(河南) 휘현(輝縣) 유리각(琉璃閣)에 있는 전국(戰國) 시기 무덤에서 출토된 수렵문호(狩獵紋壺)]이라고 했다.

곽박(郭璞)의 『산해경도찬(山海經圖讚)』: "외뿔소는 강건한 짐승으로 숭배되며, 소와 닮았으나 검푸른색이라네. 힘은 뒤엎지 못하는 게 없을 정도로 세니, 스스로 그 가죽을 불타게 하고 마는구나. 가죽은 군사장비로 사용되고, 뿔은 문덕(文德)을 돕는다네.[兕推壯獸, 似牛青黑. 力無不傾, 自焚其革. 皮充武備, 角助文德.]"

[그림 2-장응호회도본(蔣應鎬繪圖本) 「해내남경」도]·[그림 3-호문환도본(胡文煥圖本)]·[그림 4-왕불도본(汪紱圖本)]·[그림 5-『금충전(禽蟲典)』]

[그림 1] 엽시도(獵兕圖), 하남(河南) 휘현(輝縣) 유리각(琉璃閣)에 있는
전국(戰國) 시기 무덤에서 출토된 수렵문호(狩獵紋壺).

엽시도 속의 외뿔소[兕]

兕

[그림 2] 외뿔소 명(明)·장응호회도본 「해내남경」도

[그림 3] 외뿔소 명(明)·호문환도본

[그림 4] 외뿔소 청(淸)·왕불도본

[그림 5] 외뿔소 청(淸)·『금충전』

|권1-26| 코끼리[象]

【경문(經文)】

「남차삼경(南次三經)」: 도과산(禱過山)이라는 곳이 있는데, ……그 아래쪽에는 코끼리[象]가 많다. …….

[又東五百里, 曰禱過之山, 其上多金玉, 其下多犀·兕, 多象. 有鳥焉, 其狀如𩿒而白首·三足·人面, 其名曰瞿如, 其鳴自號也. 泿水出焉, 而南流注於海. 其中有虎蛟, 其狀魚身而蛇尾, 其音如鴛鴦, 食者不腫, 可以已痔.]

【해설(解說)】

코끼리[象]는 몸집이 거대한 짐승이다. 곽박(郭璞)의 주석에서는, "코끼리는 짐승들 가운데 몸집이 가장 크며, 코가 긴데, 큰 놈은 상아의 길이가 한 장(丈)이나 된다.[象, 獸之最大者, 長鼻, 大者牙長一丈.]"라고 했다. 이시진(李時珍)의 『본초강목(本草綱目)』에는 다음과 같이 기재되어 있다. 코끼리는 교광(交廣: 광동과 광서-역자)·운남(雲南)·서역(西域)의 여러 나라들에서 나며, 야생 코끼리는 대부분 무리를 이루어 사는데, 오랑캐들은 길들여 사육하고, 추장들은 장식을 해서 그것을 타고 다닌다. 코끼리는 회색과 흰색의 두 종류가 있는데, 큰 것은 키가 한 장(丈)이 넘고, 고기는 소의 몇 배나 된다. 시력은 돼지와 비슷하고, 네 개의 다리는 기둥처럼 생겼는데, 발가락이 없지만 발톱은 있다. 걸을 때는 먼저 왼쪽 다리부터 옮기며, 누울 때는 앞다리를 땅에 붙이고, 대가리는 숙이지 못하며, 목은 돌리지 못한다. 코끼리 고기는 기름지고 맛있는데, 진장기(陳藏器)[33]는 말하기를, 코끼리는 십이생초(十二生肖)의 고기를 모두 갖추고 있는데, 각각 부위가 나뉘어져 있고, 오직 코만 코끼리 본래의 고기이며, 구워 먹거나 말려 먹으면 더욱 맛있다고 했다. 「중차구경(中次九經)」의 민산(岷山)·격산(崵山)에 코끼리가 많고, 「해내남경(海內南經)」에는 파사(巴蛇: 큰 뱀의 일종-역자)가 코끼리를 잡아먹는다고 기록되어 있다. 또 「대황남경(大荒南經)」에서는 창오(蒼梧)의 들에 코끼리가 산다고 했고, 「해

---

33) 진장기(陳藏器)는 당대(唐代)의 본초학자(本草學者)로, 사명[四明: 지금의 절강성(浙江省)] 사람이다. 그는 『신수본초(新修本草)』나 전대(前代)의 본초 서적들에 빠진 약물(藥物)이 매우 많은 것을 보고, 빠진 약물들을 모아 책을 만들려고 민간에서 조사 연구하면서, 백성들이 투병 과정에서 알아낸 경험들을 『본초습유(本草拾遺)』 10권으로 편찬했다. 그러나 그는 인육(人肉)이 허약함을 치료한다거나, 허벅지 살을 도려내어[割股] 부모의 질병을 치료한다는 등의 어리석은 행동을 제창하기도 했다.

내경(海內經)」에서는 주권국(朱卷國)에 흑사(黑蛇, 즉 파사)가 있는데 코끼리를 잡아먹는다고 했다.

곽박의 『산해경도찬(山海經圖讚)』: "코끼리 참으로 크고 우람하니, 몸은 거대하고 모습은 기이하도다. 고기는 소의 열 배가 넘고, 눈은 돼지보다 못하다네. 고개를 쳐들면 마치 꼬리 같고, 움직이면 마치 산이 움직이는 것 같다네.[象實魁梧, 體巨貌詭. 肉兼十牛, 目不逾豕. 望頭如尾, 動若山('丘'라고 되어 있는 것도 있음)徙.]"

[그림 1-성혹인회도본(成或因繪圖本)]·[그림 2-왕불도본(汪紱圖本)]

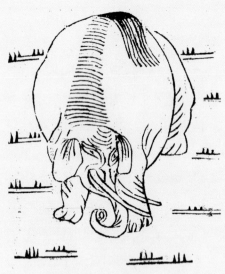

[그림 1] 코끼리 청(淸)·사천(四川)성혹인회도본

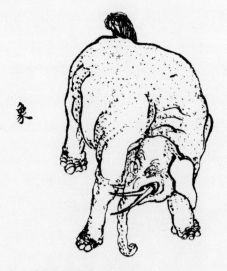

象

[그림 2] 코끼리 청(淸)·왕불도본

|권1-27| 구여(瞿如)

【경문(經文)】

「남차삼경(南次三經)」: 도과산(禱過山)이라는 곳에 ……어떤 새가 사는데, 그 생김새는 백로를 닮았지만, 대가리가 희고, 세 개의 다리가 있으며, 사람의 얼굴을 하고 있다. 그 이름은 구여(瞿如)이며, 그 울음소리는 마치 자신의 이름을 부르는 듯하다. …….

[又東五百里, 曰禱過之山, 其上多金玉, 其下多犀·兕, 多象. 有鳥焉, 其狀如鵁而白首·三足·人面, 其名曰瞿如, 其鳴自號也. 泿水出焉, 而南流注於海. 其中有虎蛟, 其狀魚身而蛇尾, 其音如鴛鴦, 食者不腫, 可以已痔.]

【해설(解說)】

구여(瞿如)는 사람의 얼굴에 다리가 세 개인 새이다. 생김새가 백로와 비슷한데, 대가리는 하얗고, 울음소리가 마치 자신의 이름을 부르는 듯하다.

구여의 그림에는 세 가지 형상이 있다.

첫째, 사람의 얼굴에 다리가 세 개인 새로, [그림 1-장응호회도본(蔣應鎬繪圖本)]·[그림 2-『금충전(禽蟲典)』]과 같은 것들이다.

둘째, 세 개의 대가리와 두 개의 다리가 있고, 사람의 얼굴을 하지 않은 새로, [그림 3-호문환도본(胡文煥圖本)]·[그림 4-일본도본(日本圖本)]과 같은 것들이다. 호문환도설에서 말하기를, "도과산(禱過山)에 어떤 새가 살고 있는데, 생김새가 백로와 비슷하며, 발은 물오리처럼 생겼지만 작고, 긴 꼬리에 흰 대가리를 하고 있으며, 세 개의 대가리에 두 개의 다리를 가지고 있다. 이름은 구여라고 하는데, 그 이름이 역시 자신의 울음소리 같다.[禱過山有鳥, 狀如鵁, 似鳧脚而小, 長尾白首, 三面二足, 名曰瞿如, 其名亦自呼.]"라고 했다.

셋째, 하나의 대가리에 세 개의 다리가 달린 새로, 사람의 얼굴을 하고 있지 않은 것인데, [그림 5-왕불도본(汪紱圖本)]·[그림 6-학의행도본(郝懿行圖本)]·[그림 7-상해금장도본(上海錦章圖本)] 과 같은 것들이다.

곽박(郭璞)의 『산해경도찬(山海經圖讚)』: "구여는 다리가 세 개이고, 그 생김새는 해오라기를 닮았다네.[瞿如三手, 厥狀似鵁.]"

[그림 1] 구여 명(明)·장응호회도본

[그림 3] 구여 명(明)·호문환도본

[그림 2] 구여 청(淸)·『금충전』

[그림 5] 구여 청(淸)·왕불도본

瞿如狀如鵁有白首三

瞿如三手

厥狀似鵁

[그림 6] 구여 청(淸)·학의행도본

瞿如狀如鵁而白首三
足出禱過之山

瞿如
三手
厥狀
似鵁

[그림 7] 구여 상해금장도본

[그림 4] 구여 일본도본

|권1-28| 호교(虎蛟)

【경문(經文)】

「남차삼경(南次三經)」: 도과산(禱過山)이라는 곳에서, ……은수(浪水)가 시작되어, 남쪽으로 흘러 바다로 들어간다. 그 속에 호교(虎蛟)가 많이 사는데, 그 생김새는 물고기의 몸에 뱀의 꼬리를 하고 있고, 그 울음소리는 원앙 소리와 비슷하며, 이것을 먹으면 종기가 생기지 않고, 치질을 치료할 수 있다.

[又東五百里, 曰禱過之山, 其上多金玉, 其下多犀·兕, 多象. 有鳥焉, 其狀如鳩而白首·三足·人面, 其名曰瞿如, 其鳴自號也. 浪水出焉, 而南流注於海. 其中有虎蛟, 其狀魚身而蛇尾, 其音如鴛鴦, 食者不腫, 可以已痔.]

【해설(解說)】

호교(虎蛟)는 물고기의 몸에 뱀의 꼬리를 하고 있는데, 물고기도 아니고 뱀도 아닌 흉포한 수생동물이다. 『비아(埤雅)』[34]에서 이르기를, 교(蛟)는 용의 일종으로, 그 생김새는 뱀과 비슷하지만 네 개의 발이 있다고 했다. 이시진(李時珍)은 『본초강목(本草綱目)』에서 말하기를, '어떤 물고기가 있는데 교(蛟)라고 한다. 호교의 울음소리는 원앙과 비슷한데, 그것의 고기를 먹으면 종기가 생기지 않고, 치질을 치료할 수 있다고 전해진다'고 했다.

호교의 그림에는 세 가지 형상이 있다.

첫째, 사람의 얼굴에 물고기의 몸이고, 뱀의 꼬리에 네 개의 발이 있으며, 물고기 지느러미에 비늘이 있는 것으로, [그림 1-장응호회도본(蔣應鎬繪圖本)]과 같은 것이다. 사람의 얼굴을 하고 있다는 설은 다른 기록들에서는 보이지 않는다.

둘째, 물고기의 몸에 물고기의 꼬리를 하고 있으며, 네 개의 발과 물고기의 지느러미가 있는 것으로, [그림 2-성혹인회도본(成或因繪圖本)]과 같은 것이다.

셋째, 물고기의 대가리에 물고기의 몸이고, 뱀의 꼬리가 아니라 짐승의 꼬리가 달려 있으며, 꼬리의 끝부분에 털이 나 있는 것으로, [그림 3-왕불도본(汪紱圖本)]과 같은 것

---

34) 송(宋)나라의 육전(陸佃, 1042~1102년)이 지었으며, 유명한 사물들에 대해 전문적으로 해석한 훈고서(訓詁書)인데, 20권으로 되어 있다. 『이아(爾雅)』를 보충했기 때문에 붙여진 이름이다('埤'는 '더하다'는 뜻임).

이다.

   곽박(郭璞)의 『산해경도찬(山海經圖讚)』: "물고기의 몸에 뱀의 꼬리가 달려 있는데,
이것을 호교라 한다네.[魚身蛇尾, 是謂虎蛟.]"

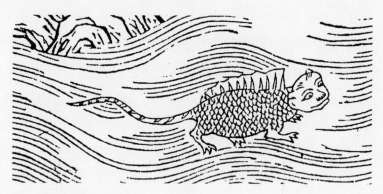

[그림 1] 호교 명(明)·장응호회도본

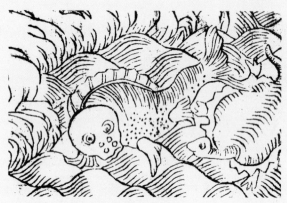

[그림 2] 호교 청(淸)·사천(四川)성혹인회도본

[그림 3] 호교 청(淸)·왕불도본

|권1-29| 봉황(鳳皇)

【경문(經文)】

「남차삼경(南次三經)」: 단혈산(丹穴山)이라는 곳에, ……어떤 새가 사는데, 그 생김새가 닭과 비슷하고, 다섯 가지 빛깔에 무늬가 있으며, 이름은 봉황(鳳皇)이라 한다. 대가리의 무늬는 덕(德)을, 날개의 무늬는 의(義)를, 등의 무늬는 예(禮)를, 가슴의 무늬는 인(仁)을, 배의 무늬는 신(信)을 말해준다. 이 새는 먹고 마시는 것이 자연스럽고, 저절로 노래하고 저절로 춤추니, 이 새가 나타나면 천하가 평안해진다.

[又東五百里, 曰丹穴之山, 其上多金玉. 丹水出焉, 而南流注於渤海. 有鳥焉, 其狀如雞, 五采而文, 名曰鳳皇, 首文曰德, 翼文曰義, 背文曰禮, 膺文曰仁, 腹文曰信. 是鳥也, 飲食自然, 自歌自舞, 見則天下安寧.]

【해설(解說)】

봉황(鳳皇)은 즉 봉황(鳳凰)으로, 수컷을 봉(鳳)이라 하고, 암컷을 황(凰)이라 한다. 기린·거북·용과 함께 사령(四靈)[35]이라 불린다[『예기(禮記)』]. 봉황은 모든 새들[百鳥]의 왕으로, "새와 짐승 360종류 가운데 봉황이 으뜸이다.[羽蟲三百六十, 鳳爲之長.]"라는 말이 있다[이시진(李時珍)의 『본초강목(本草綱目)』]. 봉황은 또 남방의 주조(朱鳥)로(이시진), 어질고 상서로움의 상징이다. 허신(許愼)의 『설문해자(說文解字)』에는 다음과 같은 기록이 있다. "봉은 신령한 새[神鳥]이다. 천로[天老 : 황제(黃帝)의 신하]가 말하기를, '봉의 형상은 기린의 앞부분에 사슴의 뒷부분, 뱀의 대가리에 물고기의 꼬리, 용의 무늬에 거북의 등, 제비의 턱(볼)에 닭의 부리를 하고 있으며, 오색이 모두 갖추어져 있다. 동방(東方) 군자의 나라에서 나는데, 사해 밖을 빙빙 돌며 날아, 곤륜산(昆侖山)을 지나, 지주산(砥柱山)[36]에서 물을 마시고, 약수(弱水)에서 깃털을 씻으며, 저녁에는 풍혈(風穴)[37]에서 잠을 잔다. 이 새가 나타나면 곧 천하가 크게 평안해진다'고 했다.[鳳, 神鳥也. 天

---

35) 전설(傳說) 속의 신비하고 영험한 네 가지 동물을 가리키는 말로, 기린(麒麟)·봉황(鳳凰)·거북[龜]·용(龍)을 일컫는다.

36) 황하(黃河)의 거센 물살 가운데 우뚝이 서 있는 바위산을 가리키는데, 그 모양이 기둥처럼 생겼다고 해서 붙여진 이름이다.

37) ① 높은 산등성이나 산기슭에 있어 늘 시원한 바람이 불어 나오는 구멍이나 바위 틈. ② 고대 중국인들이, 북방에서 찬바람을 일으킨다고 여기던 곳.

老曰, '鳳之象也, 麐前鹿後(鴻前麟後라고 되어 있는 것도 있음), 蛇頸魚尾, 龍文龜背, 燕頷鷄喙, 五色備擧. 出於東方君子之國, 翺翔四海之外, 過崑侖, 飮砥柱, 濯羽弱水, 莫宿風穴, 見則天下大安寧'.]"『논어위(論語緯)』에서 말하기를, "봉황은 육상(六象)이 있으니, 첫째로 대가리는 하늘을 본떴고, 둘째로 눈은 해를 본떴으며, 셋째로 등은 달을 본떴고, 넷째로 날개는 바람을 본떴으며, 다섯째로 다리는 땅을 본떴고, 여섯째로 꼬리는 위성(緯星)[38]을 본떴다.[鳳有六象, 一曰頭象天, 二曰目象日, 三曰背象月, 四曰翼象風, 五曰足象地, 六曰尾象緯.]"라고 했다. 『포박자(抱朴子)』에는 봉황이 오행(五行)을 갖추고 있다고 기록되어 있다. 즉 "무릇 목행(木行)은 인(仁)인데, 푸른 봉황의 대가리가 푸르기 때문에, 인을 이고 있다고 한다. 금행(金行)은 의(義)인데, 흰 봉황의 목덜미가 희기 때문에, 의를 두르고 있다고 한다. 화행(火行)은 예(禮)인데, 붉은 봉황의 등이 붉기 때문에, 예를 지고 있다고 한다. 수행(水行)은 지(智)인데, 검은 봉황의 가슴이 검기 때문에, 지를 향하고 있다고 한다. 토행(土行)은 신(信)인데, 노란 봉황의 발밑이 노랗기 때문에, 신을 밟고 있다고 한다.[夫木行爲仁, 爲靑鳳頭上靑, 故曰戴仁也. 金行爲義, 爲白鳳頸白, 故曰纓義也. 火行爲禮, 爲赤鳳背赤, 故曰負禮也. 水行爲智, 爲黑鳳胸黑, 故曰向智也. 土行爲信, 爲黃鳳足下黃, 故曰蹈信也.]"

곽박(郭璞)의 『산해경도찬(山海經圖讚)』 : "봉황은 신령한 새이니, 실로 날짐승의 우두머리라네. 팔상(八象)이 그 몸에 있고, 오덕(五德)이 그 무늬에 갖추어져 있네. 날개를 펼쳐들고 와서는 춤추며, 우리네 성군에 화답하네.[鳳皇靈鳥, 實冠羽群. 八象其體, 五德其文. 掀翼來儀[39], 應我聖君.]"

[그림 1-왕불도본(汪紱圖本)] · [그림 2-『금충전(禽蟲典)』]

---

38) 동양의 천문학에서는, 별자리를 이루는 붙박이별을 경성(經星, 즉 항성)이라고 하며, 이와는 달리 움직이며 돌아다니는 떠돌이별, 즉 금성(金星) · 목성(木星) · 수성(水星) · 화성(火星) · 토성(土星) 등 다섯 개의 별을 위성(緯星, 즉 행성)이라 한다.
39) "鳳凰來儀"는 "봉황이 와서 춤을 춘다"라는 뜻으로, 태평성대를 알리는 좋은 조짐을 일컫는 말이다.

[그림 1] 봉황 청(淸)·왕불도본

[그림 2] 봉황 청(淸)·『금충전』

|권1-30| 단어(鱄魚)

【경문(經文)】

「남차삼경(南次三經)」: 계산(雞山)이라는 곳에서 ……흑수(黑水)가 시작되어, 남쪽으로 흘러 바다로 들어간다. 그 속에 단어(鱄魚)가 많이 사는데, 그 생김새는 붕어와 비슷하지만 돼지털이 나 있고, 그 소리는 돼지 소리를 닮았으며, 이것이 나타나면 천하에 큰 가뭄이 든다.

[又東五百里, 曰雞山, 其上多金, 其下多丹雘. 黑水出焉, 而南流注於海. 其中有鱄魚, 其狀如鮒而彘毛, 其音如豚, 見則天下大旱.]

【해설(解說)】

단어(鱄[40]魚)는 괴어(怪魚)의 일종으로, 큰 가뭄이 들 징조이다. 이것의 생김새에 대해, 일설에는 붕어[鮒魚 : 즉 즉어(鯽魚)]처럼 생겼고, 돼지의 꼬리가 달려 있으며, 돼지가 울부짖는 것 같은 소리를 낸다고 했다. 또 다른 일설에는 "뱀처럼 생겼는데 돼지의 꼬리가 달려 있다.[似蛇而豕尾.]"라고 했다[오임신(吳任臣)이 주석하면서 『집운(集韻)』을 인용]. 전설에 따르면, 단어는 천하에 큰 가뭄이 들 징조이지만, 또한 맛이 있어 좋은 안주로 쓰이는데, 『여씨춘추(呂氏春秋)』에는 "물고기들 가운데 맛있는 것은, 동정호(洞庭湖)의 전어(鱄魚)이다.[魚之美者, 洞庭之鱄.]"라고 기록되어 있다.[41]

지금 볼 수 있는 단어의 그림에는 네 가지 형상들이 있는데, 각기 다른 점들이 있다.

첫째, 거북의 몸에 돼지털이 나 있는 것으로, [그림 1-장응호회도본(蔣應鎬繪圖本)]이 그것이다.

둘째, 거북의 대가리에 거북의 몸을 하고 있고, 꼬리가 있는 것으로, [그림 2-성혹인회도본(成或因繪圖本)]과 같은 것이다.

셋째, 물고기의 대가리에 물고기의 지느러미가 있어, 모습이 붕어와 비슷한 것으로, [그림 3-왕불도본(汪紱圖本)]과 같은 것이다.

넷째, 뱀과 비슷하게 생겼지만 돼지의 꼬리가 있는 것으로, [그림 4-『금충전(禽蟲典)』]과 같은 것이다.

---

40) 곽박(郭璞)은 주석에서, "音團扇之團.['團扇'의 '團'으로 읽는다.]"이라고 했다.
41) 여기에서의 단어(鱄魚)는 동정호의 전어(鱄魚)와는 다른 것이다.

곽박(郭璞)의 『산해경도찬(山海經圖讚)』: "옹조(顒鳥)는 숲속에 깃들고, 단어는 연못에 산다네. 모두 가뭄의 징조이니, 재앙이 천하에 두루 미친다네. 헤아려보니 형체는 없는데, 그 이치는 신묘하네.[顒鳥栖林, 鱄魚處淵. 俱爲旱徵, 災延普天. 測之無象, 厥數推玄('惟元'이라고 쓴 것도 있음).]"

[그림 1] 단어 명(明)·장응호회도본

[그림 2] 단어 청(淸)·사천(四川)성혹인회도본

[그림 3] 단어 청(淸)·왕불도본

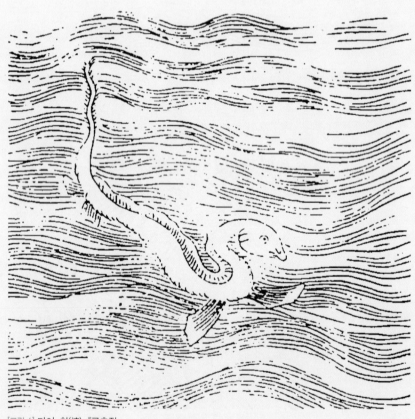

[그림 4] 단어 청(淸)·『금충전』

|권1-31| 옹(顒)

【경문(經文)】

「남차삼경(南次三經)」: 영구산(令丘山)이라는 곳에 ……어떤 새가 사는데, 그 생김 새는 올빼미와 비슷하며, 사람의 얼굴에 네 개의 눈이 있고, 귀가 있다. 그 이름은 옹(顒)이라고 하는데, 그 울음소리는 마치 자신의 이름을 부르는 것 같고, 이것이 나타나면 천하에 큰 가뭄이 든다.

[又東四百里, 曰令丘之山, 無草木, 多火. 其南有谷焉, 曰中谷, 條風自是出. 有鳥焉, 其狀如梟, 人面四目而有耳, 其名曰顒, 其鳴自號也, 見則天下大旱.]

【해설(解說)】

옹(顒)은 鸆(우)·鶹(우)·顒(우)라고도 쓴다. 옹은 사람의 얼굴에 올빼미[梟]의 몸을 하고 있고, 네 개의 눈에 귀가 있는 괴상한 새이다. 이 새도 역시 단어(鱄魚)와 마찬가지로 큰 가뭄이 들 징조이다. 전설에 따르면 만력(萬曆) 20년(1592년-역자)에 옹새[顒鳥]가 예장성(豫章城) 영사(寧寺)에 모여들었는데, 높이가 2척(尺)이 넘었다. 제비와 참새들이 그것들과 무리를 지어 짖어댔는데, 그 해 5월부터 7월까지 더위가 극심했다고 한다. 또 만력 연간의 임진(壬辰)년에 옹새가 예장성에 모여들었는데, 사람의 얼굴에 네 개의 눈이 있고 귀가 달려 있었다. 그 해 여름에 비가 내리지 않아 곡식이 전부 말라 죽었다고 한다[오임신(吳任臣) 주석].

지금 보이는 옛 그림들에 근거하면, 옹새는 세 가지 형상들이 있다.

첫째, 사람의 얼굴에 새의 몸이고, 두 개의 눈과 두 개의 다리가 있는 것으로, [그림 1-장응호회도본(蔣應鎬繪圖本)]·[그림 2-『금충전(禽蟲典)』]과 같은 것들이다.

둘째, 사람의 얼굴에 새의 몸이고, 네 개의 눈이 있으며, 귀가 달려 있는 것으로, [그림 3-호문환도본(胡文煥圖本)]·[그림 4-성혹인회도본(成或因繪圖本)]·[그림 5-필원도본(畢沅圖本)]·[그림 6-상해금장도본(上海錦章圖本)]과 같은 것들이다.

셋째, 네 개의 눈이 있고, 사람의 얼굴을 하고 있지 않은 새로, [그림 7-왕불도본(汪紱圖本)]과 같은 것이다.

곽박(郭璞)의 『산해경도찬(山海經圖讚)』: "옹새는 숲속에 깃들고, 단어(鱄魚)는 연못에 산다네. 모두 가뭄의 징조이니, 재앙이 천하에 두루 미친다네. 헤아려보니 형체는 없는데, 그 이치는 신묘하네.[鶤鳥栖林, 鱄魚處淵. 俱爲旱徵, 災延普天. 測之無象, 厥數惟元 ('玄'으로 되어 있는 것도 있음).]"

[그림 1] 옹새[鶤鳥] 명(明)·장응호회도본

鶤

[그림 2] 옹새 청(淸)·『금충전』

[그림 3] 옹(鶤) 명(明)·호문환도본

[그림 4] 옹새 청(淸)·사천(四川)성혹인회도본

[그림 7] 옹(顒:顒) 청(淸)·왕불도본

顒狀如梟人面四目有耳見
則天下大是出令正山

顒鳥栖林鱯魚
處淵俱爲旱徵
災延普天淵之
無象廠數推予

[그림 5] 옹 청(淸)·필원도본

鸚狀如枭人面四目有耳見
則天下大旱出令丘山

鸚鳥
栖林
鱄魚處淵
俱為旱徵災
延晉天淵之
無象厥數推于

[그림 6] 옹새 상해금장도본

| 권1-32 | 용신인면신(龍身人面神) : 용의 몸에 사람의 얼굴을 한 신

【경문(經文)】

「남차삼경(南次三經)」: 천우산(天虞山)부터 남우산(南禺山)까지 모두 열네 개의 산이 있으며, 그 거리는 6,530리에 달한다. 그 신들은 모두 용의 몸에 사람의 얼굴을 하고 있다. …….

[凡「南次三經」之首, 自天虞之山以至南禺之山, 凡一十四山, 六千五百三十里. 其神皆龍身而人面. 其祠皆一白狗祈, 糈用稌.]

【해설(解說)】

천우산(天虞山)부터 남우산(南禺山)까지 모두 열네 개의 산이 있는데, 그 산신(山神)들은 모두 용의 몸에 사람의 얼굴을 하고 있다.

지금 보이는 그 열네 개 산의 산신들 그림에는 두 가지 형상이 있다.

첫째, 사람의 얼굴에 용의 몸을 한 신으로, [그림 1-장응호회도본(蔣應鎬繪圖本)]·[그림 2-신이전(神異典)]·[그림 3-성혹인회도본(成或因繪圖本)]과 같은 것들이다.

둘째, 사람의 얼굴에 새의 몸을 한 신으로, [그림 4-왕불도본(汪紱圖本), 남산신(南山神)이라 함]과 같은 것이다. 왕불(汪紱)이 지은 『산해경존(山海經存)』의 경문에는, "그 신들은 모두 새의 몸에 사람의 얼굴[其神皆鳥身而人面]"이라고 했는데, 다른 그림의 산신 그림들도 역시 새의 몸에 사람의 얼굴을 하고 있어, 지금 보고 있는 경문과 다르다. 「남산경(南山經)」의 세 산들은 주로 새의 신앙(信仰)을 주(主)로 하는 것과 관계되므로, 각 산의 산신들은 주로 새의 모습을 하고 있으며, 때문에 왕불의 견해는 근거가 있다.

[그림 1] 용신인면신 명(明)·장응호회도본

[그림 2] 용신인면신 청(淸)·『신이전』

[그림 3] 용신인면신 청(淸)·사천(四川)성혹인회도본

[그림 4] 용신인면신(남산신) 청(淸)·왕불도본

第二卷 西山經

제2권 서산경

古本 山海經 圖說 (上)

|권2-1| **겸양**(羬羊)

【경문(經文)】

「서산경(西山經)」: 전래산(錢來山)이라는 곳에 ……어떤 짐승이 사는데, 그 생김새
가 양과 비슷하지만 말의 꼬리가 달려 있다. 이름은 겸양(羬羊)이라 하는데, 그것
의 기름으로 피부가 튼 것을 치료할 수 있다.

[「西山經」華山之首, 曰錢來之山, 其上多松, 其下多洗石. 有獸焉, 其狀如羊而馬尾,
名曰羬羊, 其脂可以已臘.]

【해설(解說)】

　겸양(羬羊)[1]은 일종의 괴수(怪獸)로, 생김새는 양 같은데, 말의 꼬리가 달려 있고, 이
양의 기름은 사람의 피부가 튼 것을 치료할 수 있다. 곽박(郭璞)은 말하기를, 지금 대
월지국(大月氏國)에 큰 양이 사는데, 당나귀처럼 생겼지만 말의 꼬리가 있다고 했다.
『이아(爾雅)』에서 말하기를, "양이 6척 정도 되는 것을 겸(羬)이라 한다.[羊六尺爲羬.]"라
고 했다.

　곽박의 『산해경도찬(山海經圖讚)』: "월지국의 양들은, 들판에 산다네. 그 크기는 6
척 정도인데, 꼬리는 붉고 말과 같다네. 어떻게 그것을 알 수 있는가? 『이아』에 보인다
네.[月氏之羊, 其類在野. 厥高六尺, 尾赤('亦'으로 된 것도 있음)如馬. 何以審之, 事見『爾雅』.]"

　[그림 1-장응호회도본(蔣應鎬繪圖本)]·[그림 2-호문환도본(胡文煥圖本)]·[그림 3-성
혹인회도본(成或因繪圖本)]·[그림 4-왕불도본(汪紱圖本)]·[그림 5-학의행도본(郝懿行圖
本)]

---

1) '羬'은 '암'·'침'으로도 발음한다.

[그림 1] 겸양 명(明)·장응호회도본

[그림 2] 겸양 명(明)·호문환도본

[그림 3] 겸양 청(淸)·사천(四川)성혹인회도본

[그림 4] 겸양 청(淸)·왕불도본

[그림 5] 겸양 청(淸)·학의행도본

|권2-2| 동거(鶇渠)

【경문(經文)】

「서산경(西山經)」 : 송과산(松果山)이라는 곳에 어떤 새가 사는데, 이름은 동거(鶇渠)라고 한다. 그 생김새는 산닭과 비슷한데, 몸빛은 검고 발은 붉다. 이것으로 피부가 튼 것을 치료할 수 있다.

[西四十五里, 曰松果之山. 濩水出焉, 北流注於渭, 其中多銅. 有鳥焉, 其名曰鶇渠, 其狀如山雞, 黑身赤足, 可以已㿇.]

【해설(解說)】

동거(鶇渠)는 용거(庸渠)·초거(草渠)라고도 하며, 재앙을 막아주는 기이한 새로, 생김새가 산닭[山鷄] 같은데, 털이 검고 발은 붉으며, 피부가 튼 것을 치료할 수 있다. 『운부군옥(韻府群玉)』에서는, 용거는 물오리처럼 생겼으며, 잿빛이고, 닭의 발을 갖고 있으며, 일명 수거(水渠)라 하는데, 즉 지금의 수계(水鷄)라고 했다[양신(楊愼)의 보주(補注) 인용].

곽박(郭璞)의 『산해경도찬(山海經圖讚)』 : "동거는 재앙을 그치게 하고, 붉은 꿩[赤鷩]은 불을 막아준다네.[鶇渠已殃, 赤鷩辟火.]"

[그림 1-장응호회도본(蔣應鎬繪圖本)]·[그림 2-성혹인회도본(成或因繪圖本)]·[그림 3-왕불도본(汪紱圖本)]·[그림 4-『금충전(禽蟲典)』]

[그림 1] 동거 명(明)·장응호회도본

[그림 2] 동거 청(淸)·사천(四川)성혹인회도본

[그림 3] 동거 청(淸)·왕불도본

[그림 4] 동거 청(淸)·『금충전』

|권2-3| 비유[肥蟥 : 비유사(肥蟥蛇)]

【경문(經文)】

「서산경(西山經)」: 태화산(太華山)이라는 곳은 깎아지른 듯이 험하고 네모꼴이며, 그 높이는 5천 길[仞][2], 너비가 10리로, 날짐승이나 들짐승이 살지 않는다. 이 산에 어떤 뱀이 사는데, 이름은 비유(肥蟥)라 하며, 여섯 개의 발과 네 개의 날개가 있고, 이것이 나타나면 천하에 큰 가뭄이 든다.

[又西六十里, 曰太華之山, 削成而四方, 其高五千仞, 其廣十里, 鳥獸莫居. 有蛇焉, 名曰肥蟥, 六足四翼, 見則天下大旱.]

【해설(解說)】

비유(肥蟥)는 비유사(肥遺蛇)라고도 하며, 재앙을 부르는 뱀인데, 여섯 개의 발과 네 개의 날개가 있고, 천하에 큰 가뭄이 들 징조이다. 곽박(郭璞)은 주석하기를, "탕왕(湯王) 때 이 뱀이 양산(陽山) 아래에 나타났었다. 또 비유사라는 것도 있는데, 아마도 같은 이름인 듯하다.[湯時此蛇見於陽山下. 復有肥遺蛇, 疑是同名.]"라고 했다. 비유사는 또한 「북산경(北山經)」의 혼석산(渾夕山)과 「북차삼경(北次三經)」의 팽비산(彭毗山)에도 보인다. 호문환도설(胡文煥圖說)에서는, "양산에 사는 신령한 뱀은, 이름이 복유(蠶蟥)인데, 대가리는 하나에 몸이 두 개이며, 발이 여섯 개이고 날개가 네 개이며, 이것이 나타나면 그 나라에 큰 가뭄이 든다. 탕왕 때 나타났었다.[陽山有神蛇, 名曰蠶蟥, 一首兩身, 六足四翼, 見則其國大旱. 湯時見出]"라고 했다. 오임신(吳任臣)은 말하기를, 호문환도에서 복유(蠶蟥)라고 했는데, 음(音)이 틀렸으며, 『병아(騈雅)』에 나오는 비유(肥遺)·비유(肥蟥)는 모두 독사라고 했다. 또한 말하기를, 탕왕 원년에 비유(肥遺)가 양산에 나타났었는데, 그 후 7년 동안 큰 가뭄이 들었다고 했다. 『술이기(述異記)』에 기재되어 있기를, 비유(肥蟥)는 서화산(西華山) 속에 사는데, 이것이 나타나면 큰 가뭄이 든다고 했다. 전설에 따르면, 지금 화산(華山)에 비유(肥遺)의 굴이 있고, 그 지방 사람들은 그것을 노군제[老君臍 : 배꼽-역자]라고 부르며, 명(明)나라 말기에 큰 가뭄이 들었는데, 그 전에 일찍이 어떤 사람이 이 뱀을 본 적이 있다고 했다. 태화산(太華山)의 비유(肥蟥)와 혼석산의 비유(肥

---

2) 1길[仞]은 약 8척(尺)으로, 대략 2.5미터 정도이다.

遺)는 모두 큰 가뭄을 예시하는 재앙의 뱀이자 독사지만, 이 둘은 생김새가 다르다. 전자는 여섯 개의 발과 네 개의 날개가 있고, 후자는 하나의 대가리에 두 개의 몸을 가지고 있다.

태화산의 비유 그림에는 두 가지 형태가 있다.

첫째, 여섯 개의 발과 네 개의 날개가 있는 뱀으로, [그림 1-장응호회도본(蔣應鎬繪圖本)]·[그림 2-성혹인회도본(成或因繪圖本)]·[그림 3-왕불도본(汪紱圖本)]과 같은 것들이다.

둘째, 뱀의 대가리에 용의 몸과 뱀의 꼬리 하나가 달려 있는 것으로, [그림 4-필원도본(畢沅圖本)]·[그림 5-상해금장도본(上海錦章圖本)]과 같은 것들이다.

곽박의 『산해경도찬(山海經圖讚)』: "비유라는 짐승, 재앙과 서로 맞아떨어지는구나. 양산에서 날갯짓하며, 큰 가뭄이 들 것을 나타냈다네. 상림(桑林)에서 (비를 내려달라고-역자) 빌자, 순식간에 사라져버렸네.[肥遺爲物, 與災合契. 鼓翼陽山, 以表亢厲. 桑林旣禱, 倏忽潛逝.]"

[그림 1] 비유(肥蠥) 명(明)·장응호회도본

175

[그림 2] 비유 청(淸)·사천(四川)성혹인회도본

肥䗋蛇

肥䗋蛇形六足四翼見
則大旱出太華山

肥䗋為物
與災合契
鼓翼陽山
以表充屬
桑林既禱
倏忽潜逝

[그림 3] 비유 청(淸)·왕불도본

[그림 5] 비유 상해금장도본

176

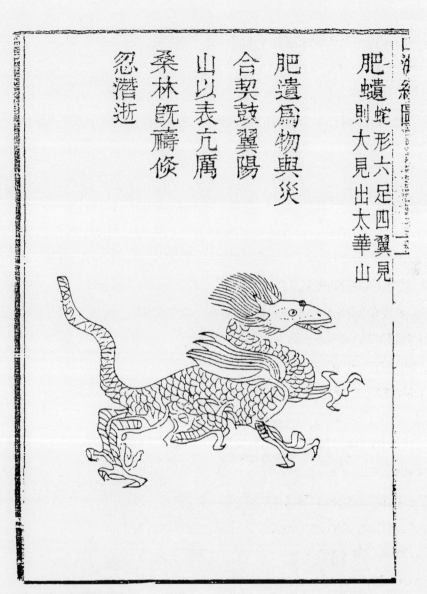

肥蟜則大見出太華山

肥蟜蛇形六足四翼見

肥遺爲物與災
合契鼓翼陽
山以表亢厲
桑林旣禱儌
忽潛逝

[그림 4] 비유 청(清)·필원도본

|권2-4| 작우(牸牛)

【경문(經文)】

「서산경(西山經)」 : 소화산(小華山)이라는 곳이 있는데, ……그곳에 사는 짐승으로는 작우(牸牛)가 많다. …….

[又西八十里, 曰小華之山, 其木多荊杞, 其獸多牸牛, 其陰多磬石, 其陽多㻬琈之玉, 鳥多赤鷩, 可以禦火, 其草有萆荔, 狀如烏韭, 而生於石上, 赤緣木而生, 食之已心痛.]

【해설(解說)】

작우(牸牛)는 몸집이 큰 소이다. 곽박(郭璞)은 주석하기를, 지금의 화음산(華陰山)에는 산소[山牛]와 산양(山羊)이 많으며, 고기가 모두 천 근이나 되는데, 산소는 바로 이 소라고 했다. 「서차이경(西次二經)」의 녹대산(鹿臺山)에도 작우가 많다.

[그림 1-성혹인회도본(成或因繪圖本)]・[그림 2-왕불도본(汪紱圖本)]

[그림 1] 작우 청(淸)・사천(四川)성혹인회도본

非牛

[그림 2] 작우 청(淸)·왕불도본

|권2-5| 적별(赤鷩)

【경문(經文)】

「서산경(西山經)」: 소화산(小華山)이라는 곳이 있는데, ……그곳에 사는 새로는 적별(赤鷩)이 많으며, 화재를 막을 수 있다. …….

[又西八十里, 曰小華之山, 其木多荊杞, 其獸多牦牛, 其陰多磬石, 其陽多㻬琈之玉, 鳥多赤鷩, 可以禦火, 其草有萆荔, 狀如烏韭, 而生於石上, 赤緣木而生, 食之已心痛.]

【해설(解說)】

적별[赤鷩('별'으로 발음)]은 즉 금계(錦鷄)로, 화재를 막아주는 새이며, 산닭[山鷄]처럼 생겼지만 몸집이 작다. 털색이 선명하고 아름다우며, 볏과 등은 황금색이고, 대가리는 녹색이며, 가슴과 배와 꼬리는 붉은색이다. 곽박(郭璞)의 주석에서, 적별은 산닭의 일종으로, 가슴과 배는 밝은 적색이고, 볏은 금색이며, 등은 노란색이고, 대가리는 녹색이며, 꼬리에는 붉은색이 섞여 있고, 털색이 선명하다고 했다. 그리고 발음은 蔽(폐)라고도 하고, 鷩(별)이라고도 한다고 했다. 『비아(埤雅)』에 기록하기를, 별(鷩)은 산닭과 비슷하지만 몸집이 작고, 볏과 등의 털은 노란색이고, 목 위는 녹색이 선명하며, 가슴과 배는 짙은 적색이라고 했다. 「서산경(西山經)」에서 이르기를, 적별은 화재를 막아줄 수 있는 것이라고 했다. 『박물지(博物志)』에 기록하기를, 산닭은 아름다운 털을 지니고 있는데, 스스로 그 빛깔을 좋아하여, 종일토록 물에 비춰보다가, 눈이 어지러워져 물에 빠져 죽는다고 했다.

곽박의 『산해경도찬(山海經圖讚)』: "동거(蝀渠)는 재앙을 그치게 하고, 적별은 불을 막아준다네.[蝀渠已殃, 赤鷩辟火.]"

[그림-왕불도본(汪紱圖本)]

赤鷩

[그림] 적별 청(淸)·왕불도본

|권2-6| 총롱(葱聾)

【경문(經文)】

「서산경(西山經)」: 부우산(符禺山)이라는 곳이 있는데, ……그곳에 사는 짐승으로는 총롱(葱聾)이 많으며, 그 생김새는 양과 비슷하지만 붉은 갈기가 있다. …….

[又西八十里, 曰符禺之山, 其陽多銅, 其陰多鐵. 其上有木焉, 名曰文莖, 其實如棗, 可以已聾. 其草多條, 其狀如葵, 而赤華黃實, 如嬰兒舌, 食之使人不惑. 符禺之水出焉, 而北流注於渭. 其獸多葱聾, 其狀如羊而赤鬣. 其鳥多鴖, 其狀如翠而赤喙, 可以禦火.]

【해설(解說)】

총롱(葱聾)은 산양[野羊]의 일종으로, 검은 대가리에 붉은 갈기가 있다. 호문환도설(胡文煥圖說)에는, "부우산(符禺山)에 어떤 짐승이 사는데, 이름은 총롱이라 한다. 생김새는 양과 비슷하지만, 붉은 갈기가 있으며 대가리가 검다.[符禺山有獸, 名曰葱聾, 狀如羊, 赤鬣而黑首.]"라고 했다. 학의행(郝懿行)은 주석에서, 이것은 바로 산양의 일종인데, 지금의 하양(夏羊) 또한 붉은 갈기를 지녔다고 했다. 『사물감주(事物紺珠)』에 기록하기를, "총롱은 양과 비슷한데, 검은 대가리에 붉은 갈기가 있다.[葱聾如羊, 黑首赤鬣.]"라고 했다. 신화에 나오는 기이한 양들 가운데, 뿔이 하나인 것을 동동(辣辣)이라 하고[「북차삼경(北次三經)」을 보라], 붉은 갈기를 가진 것을 총롱이라 한다(이 「서산경」을 보라). 이 두 종류의 기이한 양들은 모두 『산해경』에 나오는 무서운 짐승들이다.

[그림 1-장응호회도본(蔣應鎬繪圖本)]·[그림 2-호문환도본(胡文煥圖本)]·[그림 3-일본도본(日本圖本)]·[그림 4-오임신근문당도본(吳任臣近文堂圖本)]·[그림 5-성혹인회도본(成或因繪圖本)]·[그림 6-왕불도본(汪紱圖本)]·[그림 7-상해금장도본(上海錦章圖本), 이 짐승은 새의 부리를 하고 있고, 뿔이 하나여서, 그 모양이 다른 여러 책들과 다르다.]

[그림 1] 총롱 명(明)·장응호회도본

[그림 2] 총롱 명(明)·호문환도본

[그림 3] 총롱 일본도본

葱聾 狀如羊而赤 出符禺山

[그림 4] 총롱 청(淸)·오임신근문당도본

[그림 5] 총롱 청(淸)·사천(四川)성혹인회도본

葱聾

[그림 6] 총롱 청(淸)·왕불도본

葱聾 狀如羊而 赤髦 出行禺山

[그림 7] 총롱 상해금장도본

第二卷 西山經

185

|권2-7| 민(鴖)

【경문(經文)】

「서산경(西山經)」: 부우산(符禺山)이라는 곳이 있는데, ……그곳에 사는 새들에는 민(鴖)이 많으며, 그 생김새는 물총새와 비슷하지만 붉은 부리를 가졌으며, 화재를 막을 수 있다.

[又西八十里, 曰符禺之山, 其陽多銅, 其陰多鐵. 其上有木焉, 名曰文莖, 其實如棗, 可以已聾. 其草多條, 其狀如葵, 而赤華黃實, 如嬰兒舌, 食之使人不惑. 符禺之水出焉, 而北流注於渭. 其獸多葱聾, 其狀如羊而赤鬣. 其鳥多鴖, 其狀如翠而赤喙, 可以禦火.]

【해설(解說)】

민(鴖 : '民'으로 발음)은 鴖(민)이라고도 쓴다. 민은 불을 막아주는 새로, 생김새가 취조(翠鳥 : 물총새—역자)처럼 생겼고, 부리가 붉다. 『광운(廣韻)』에 이르기를, 민은 물총새와 비슷하며 붉은 부리가 있다고 했다. 곽박(郭璞)은 주석하기를, 물총새는 제비와 비슷하지만 감색(紺色 : 검푸른색—역자)이며, 이것을 기르면 화재를 막을 수 있다고 했다. 왕불(汪紱)은 말하기를, '물총새에는 두 종류가 있는데, 산취(山翠)는 크고 비둘기처럼 생겼으며, 감청색이고, 수취(水翠)는 작고 제비처럼 생겼으며, 붉은 부리와 붉은 배를 가졌고, 푸른 깃털이 곱고 예쁘며, 짧은 꼬리를 가지고 있다. 이 새는 산취와 비슷하며, 붉은 부리를 가지고 있다'고 했다.

곽박의 『산해경도찬(山海經圖讚)』: "민은 또한 화재를 막아주는데, 그 모습은 작다네.[鴖亦衛災, 厥形惟麼]"

[그림 1-장응호회도본(蔣應鎬繪圖本)]·[그림 2-성혹인회도본(成或因繪圖本)]·[그림 3-왕불도본(汪紱圖本)]·[그림 4-금충전(禽蟲典)]

[그림 1] 민 명(明)·장응호회도본

[그림 2] 민 청(淸)·사천(四川)성혹인회도본

[그림 3] 민 청(淸)·왕불도본

[그림 4] 민조(鴟鳥) 청(淸)·『금충전』

|권2-8| 방어(鮃魚)

【경문(經文)】

「서산경(西山經)」: 영산(英山)이라는 곳에서 ……우수(禹水)가 시작되어, 북쪽으로 흘러 소수(招水)로 들어가는데, 그 속에 방어(鮃魚)가 많이 산다. 그 생김새는 자라와 비슷하고, 양(羊)과 비슷한 소리를 낸다. …….

[又西七十里, 曰英山, 其上多杻檀, 其陰多鐵, 其陽多赤金. 禹水出焉, 北流注於招水, 其中多鮃魚, 其狀如鱉, 其音如羊. 其陽多箭䇹, 其獸多㸲牛·羬羊. 有鳥焉, 其狀如鶉, 黃身而赤喙, 其名曰肥遺, 食之已癘, 可以殺蟲.]

【해설(解說)】

방어(鮃魚)는 기이한 물고기의 일종으로, 생김새는 자라와 비슷하지만, 물고기의 꼬리가 달려 있고, 두 개의 발이 있으며, 양(羊)이 우는 듯이 소리를 낸다. 오임신(吳任臣)은 『사물감주(事物紺珠)』를 인용하여 말하기를, 방어는 자라처럼 생겼는데, 물고기의 꼬리가 있고, 두 개의 발이 있으며, 양과 비슷한 소리를 낸다고 했다.

[그림 1-호문환도본(胡文煥圖本)]·[그림 2-오임신근문당도본(吳任臣近文堂圖本)]·[그림 3-『금충전(禽蟲典)』]·[그림 4-상해금장도본(上海錦章圖本)]

鮃魚

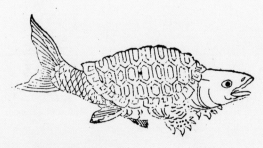

[그림 1] 방어 명(明)·호문환도본

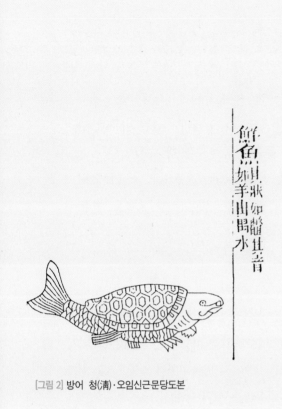

[그림 2] 방어 청(淸)·오임신근문당도본

[그림 3] 방어 청(淸)·『금충전』

[그림 4] 방어 상해금장도본

| 권2-9 | 비유[肥遺 : 비유조(肥遺鳥)]

【경문(經文)】

「서산경(西山經)」 : 영산(英山)이라는 곳에 ……어떤 새가 사는데, 그 생김새는 메추라기와 비슷하고, 누런 몸에 붉은 부리를 가지고 있다. 이 새의 이름은 비유(肥遺)라고 하는데, 이것을 먹으면 염병[癘]이 낫고, 독충을 죽일 수 있다.

[又西七十里, 曰英山, 其上多杻橿, 其陰多鐵, 其陽多赤金. 禺水出焉, 北流注於招水, 其中多鮭魚, 其狀如鱉, 其音如羊. 其陽多箭䉋, 其獸多㸲牛·羬羊. 有鳥焉, 其狀如鶉, 黃身而赤喙, 其名曰肥遺, 食之已癘, 可以殺蟲.]

【해설(解說)】

비유(肥遺)라는 새는 익조(益鳥)의 일종으로, 이것을 먹으면 역병(疫病)을 치료할 수 있고, 또 독충도 죽일 수 있다. 그것의 생김새는 메추라기와 비슷하며, 날개는 노랗고, 부리는 붉다. 왕불(汪紱)은 주석하기를, 메추라기 같으면서 병아리처럼 작고, 적순(赤鶉 : 메추라기-역자)·원순(元鶉)이 있다고 했다. 이 비유라는 새와 앞에서 나온 비유(肥𧕒 : 〈권2-3〉을 보라)라는 뱀은, 다른 것이지만 이름이 같다. '癘'는 역병(疫病)이며, 혹은 '癩(나병-역자)'이라고도 하는데, 지금의 마풍창(痲風瘡 : 나병-역자)이다. 태화산(太華山)의 비유(肥𧕒)라는 뱀이 나타나면 큰 가뭄이 들지만, 영산의 비유(肥遺)라는 새는 오히려 역병을 치료할 수도 있고, 독충을 죽일 수도 있으니, 이 둘은 이름은 같지만 좋고 나쁨은 다르다.

곽박(郭璞)의 『산해경도찬(山海經圖讚)』 : "비유는 메추라기처럼 생겼는데, 그 고기는 역병을 낫게 해준다네.[肥遺似鶉, 其肉已疫.]"

[그림 1-장응호회도본(蔣應鎬繪圖本)]·[그림 2-성혹인회도본(成或因繪圖本)]·[그림 3-왕불도본(汪紱圖本)]·[그림 4-금충전(禽蟲典)]

[그림 1] 비유조 명(明)·장응호회도본

[그림 2] 비유조 청(清)·사천(四川)성혹인회도본

[그림 3] 비유조 청(清)·왕불도본

[그림 4] 비유조 청(清)·「금충전」

|권2-10| 인어(人魚)

【경문(經文)】

「서산경(西山經)」: 죽산(竹山)이라는 곳이 있는데, ……단수(丹水)가 시작되어, 동남쪽으로 흘러 낙수(洛水)로 들어간다. 그 속에 수정이 많고, 인어(人魚)가 많이 산다. …….

[又西五十二里, 曰竹山, 其上多喬木, 其陰多鐵. 有草焉, 其名曰黃雚, 其狀如樗, 其葉如麻, 白華而赤實, 其狀如赭, 浴之已疥, 又可以已胕. 竹水出焉, 北流注於渭, 其陽多竹箭, 多蒼玉. 丹水出焉, 東南流注於洛水, 其中多水玉, 多人魚. 有獸焉, 其狀如豚而白毛, 大如笄而黑端, 名曰豪彘.]

【해설(解說)】

인어(人魚)는 즉 예어(鯢魚)·제어(鯑魚)인데, 네 개의 발이 달린 물고기로, 『산해경』에 많이 보인다. 「북차삼경(北次三經)」에서는, 용후산(龍候山)이 있고, "그 속에는 인어가 많은데, 그 생김새는 제어와 비슷하고, 네 개의 발이 있으며, 그 소리는 갓난아이의 울음소리 같고, 그것을 먹으면 치질(痴疾)에 걸리지 않는다.[其中多人魚, 其狀如鯑魚, 四足, 其音如嬰兒, 食之無痴疾.]"라고 했다. 곽박(郭璞)은 주석하기를, 인어는 즉 예어[鯢]로, 메기[鮎]처럼 생겼으며, 네 개의 발이 있고, 어린아이가 우는 것 같은 소리를 내는데, 지금도 역시 메기를 제어[鯑]라고 부르기도 한다고 했다. 『이아(爾雅)·석어(釋魚)』의 주(注)에서는, 지금 예어는 메기와 비슷하며, 네 개의 다리 달려 있는데, 앞모습은 원숭이를 닮았고, 뒷모습은 개를 닮았으며, 소리는 어린아이의 울음소리와 비슷하고, 큰 것은 길이가 8~9척 정도라고 했다. 이시진(李時珍)은 말하기를, 예어는 바로 제어 가운데 나무를 오를 수 있는 것으로, 전설에 따르면 예어는 산 계곡 속에 사는데, 메기와 비슷하며, 네 개의 발이 있고, 꼬리가 길며, 나무에 오를 수 있다고 했다. 큰 가뭄이 들면 물을 머금고 산에 올라, 풀잎으로 몸을 덮고서, 입을 벌리고 있으면, 새가 와서 물을 마시는 틈을 타, 그것을 빨아들여 잡아먹는다고 했다. 『이물지(異物志)』에서는 말하기를, 예어는 네 개의 발이 있고, 자라처럼 생겼지만 움직임이 재빠르며, 물고기의 몸을 하고 있는데, 발로 걸어 다니기에 예어라 한다고 했다('鯢'는 '도롱뇽'이다-역자). 물고기가 발로 걸어 다니기 때문에, 아름다운 인어라는 신화(神話) 이야기가 퍼져 나가게 되었다.

『산해경』의 인어(제어를 포함하여)에 대해, 흔히 "이것을 먹으면 치질을 앓지 않는다[食之無痔疾]"[「북차삼경(北次三經)」]·"이것을 먹은 사람은 고질(蠱疾)에 걸리지 않는다[食者無蠱疾]"[「중차칠경(中次七經)」]라는 기록들이 있다. 『임해이물지(臨海異物志)』에서는, "인어는 사람처럼 생겼고, 길이가 3척이 넘는데, 먹을 수는 없다.[人魚似人, 長三尺餘, 不可食.]"라고 했다. 예어는 독이 있기 때문에 먹을 수 없지만, 토착민들은 예어를 먹는 방법을 알고 있었다. 또 『유양잡조(酉陽雜俎)』의 내용에 따르면, 골짜기에 사는 사람들은 예어를 먹는데, 나무 위에 묶어놓고 닥나무 액처럼 하얀 액이 나올 때까지 채찍질을 하면, 비로소 먹을 수 있으며, 그러지 않으면 독이 있다고 했다.

상고(上古) 시대에 인어(예어)는 어떤 부족이 숭배하던 동물이었던 것으로 보인다. 감숙성(甘肅省) 감곡(甘谷) 서평(西坪)에서 출토된 묘저구(廟底溝) 문화[3]의 채도병(彩陶瓶) 복부(腹部)와 무산(武山)에서 출토된 마가요(馬家窯) 문화[4]의 채도병 복부에 모두 사람의 얼굴을 한 예어의 그림이 그려져 있다[그림 1].

곽박의 『산해경도찬(山海經圖讚)』: "인어는 제어와 비슷하며, 저 낙수에서 난다네.[人魚類鯑, 出於伊洛.]"

인어는 네 개의 발이 달린 물고기로, 인어 그림의 네 발을 자세히 살펴보면, 사람의 발을 닮은 것과 짐승의 발을 닮은 것으로 나뉜다.

첫째, 네 개의 발이 사람의 발과 비슷한 것은, [그림 2-청대(淸代) 『이아음도(爾雅音圖)』의 예어]·[그림 3-장응호회도본(蔣應鎬繪圖本) 「북차삼경(北次三經)」도]·[그림 4-성혹인회도본(成或因繪圖本)]과 같은 것들이다.

둘째, 네 개의 발이 짐승의 발과 비슷한 것은, [그림 5-호문환도본(胡文煥圖本)]·[그림 6-오임신근문당도본(吳任臣近文堂圖本)]·[그림 7-『금충전(禽蟲典)』]과 같은 것들이다. 호문환도설에서, "인어는 생김새가 복어(鯸魚)와 비슷하지만 네 개의 발이 있으며, 소리가 어린아이의 울음소리 같은데, 이것을 먹으면 역병이 낫는다.[人魚, 狀如鯸而四足, 聲如小兒啼, 食之療疫疾.]"라고 했다. 왕불도본(汪紱圖本)에는 두 폭의 인어 그림이 있다[그림 8과 그림 9].

---

3) 묘저구 문화는, 기원전 5000년경부터 기원전 3000년경까지 존재했던 중국 고대 신석기 문화인 앙소(仰韶) 문화 중기(中期)에 출현한 문화로, 그 유적들이 하남성(河南省) 섬현(陝縣)의 묘저구에서 발견되었으므로 붙여진 이름이다.
4) 마가요 문화는, 중국 신석기 시대 말기의 문화로, 기원전 3100년경부터 기원전 2700년경까지 존재했으며, 그 유적지가 최초로 발견된 감숙성(甘肅省) 임조현(臨洮縣) 마가요촌(馬家窯村)의 이름에서 유래된 명칭이다.

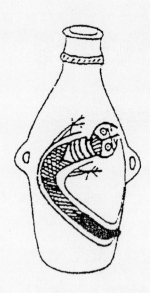

[그림 1] 예어문(鯢魚紋) 감숙성(甘肅省) 감곡(甘谷) 서평(西坪)에서 출토된 채도병(彩陶瓶)

[그림 2] 예어[鯢] 청(淸) · 『이아음도』

[그림 3] 인어 명(明) · 장응호회도본 『북차삼경』도

[그림 4] 인어 청(淸)·사천(四川)성혹인회도본

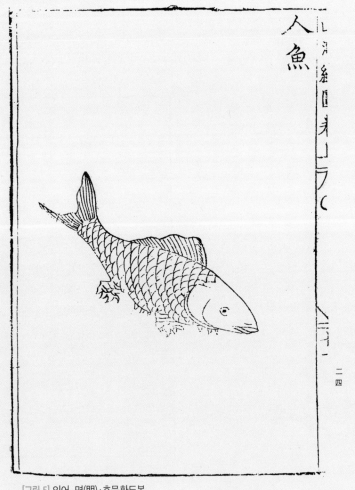

人魚

二四

[그림 5] 인어 명(明)·호문환도본

[그림 6] 인어 청(淸)·오임신근문당도본

[그림 8] 인어 청(淸)·왕불도본

[그림 9] 인어 청(淸)·왕불도본

[그림 7] 예어 청(淸)·『금충전』

古本 山海經 圖說 (上)

|권2-11| 호체(豪彘)

【경문(經文)】

「서산경(西山經)」 : 죽산(竹山)이라는 곳에 ……어떤 짐승이 사는데, 그 생김새가 돼지와 비슷하지만 털이 희고, 크기는 비녀만하면서 끝이 검고, 이름은 호체(豪彘)라 한다.

[又西五十二里, 曰竹山, 其上多喬木, 其陰多鐵. 有草焉, 其名曰黃蓶, 其狀如樗, 其葉如麻, 白華而赤實, 其狀如赭, 浴之已疥, 又可以已胕. 竹水出焉, 北流注於渭, 其陽多竹箭, 多蒼玉. 丹水出焉, 東南流注於洛水, 其中多水玉, 多人魚. 有獸焉, 其狀如豚而白毛, 大如笄而黑端, 名曰豪彘.]

【해설(解說)】

호체(豪彘)는 즉 호저(豪猪)·호체(毫彘)·전저(箭猪)이다. 생김새는 돼지 같은데, 다리는 너구리[貍]처럼 생겼고, 털은 뾰족한 송곳처럼 생겼으며, 가운데에 솟구치는 화살 같은 것이 있어 곧추세워 사람을 쏠 수 있으므로, 상고 시대에 사람과 가축과 곡식에 큰 피해를 입혔다. 곽박(郭璞)은 주석하기를, 넓적다리에 굵은 털이 나 있는데, 길이가 몇 척[尺]이나 되며, 목덜미의 털로 사물을 쏠 수 있다고 했다. 왕불(汪紱)은 주석하기를, 지금의 호저이며, 일명 훤(狟 : 오소리-역자)이라 하고, 또 다른 이름은 난저(鸞猪)이다. 그 생김새는 돼지와 비슷하고, 다리는 너구리처럼 생겼다고 했다. 『계해수지(桂海獸志)』에 기록하기를, 산저(山猪 : 산돼지-역자)는 즉 호저로, 몸에 가시가 있으며, 이것을 곧추세워서 사람을 쏠 수 있다. 2~3백 마리가 무리를 이루어 곡식에 피해를 입히자, 고을들이 이 짐승 때문에 매우 힘들어 했다고 하였다. 상(商)·주(周) 시대의 청동기와 한대(漢代)의 화상석(畫像石) 위에도 호저의 그림이 있다[그림 1].

곽박의 『산해경도찬(山海經圖讚)』 : "단단한 갈기가 있는 짐승, 호체라고 부른다네. 털은 송곳을 빼곡히 모아놓은 듯한데, 가운데에 솟구치는 화살이 있다네. 그 몸에 자질을 겸비하고 있어, 스스로 암수를 이룬다네.[剛鬣之族, 號曰豪彘. 毛如攢錐, 中有激矢. 厥體兼資, 自爲牝牡.]" 호체가 스스로 암수를 이룬다는 말은 경문(經文)이나 기타 기록들에는 보이지 않는다.

[그림 2-장응호회도본(蔣應鎬繪圖本)]·[그림 3-호문환도본(胡文煥圖本)]·[그림 4-오임

신근문당도본(吳任臣近文堂圖本)]·[그림 5-성혹인회도본(成或因繪圖本)]·[그림 6-왕불도
본(汪紱圖本)]

[그림 1] 호체　하남(河南) 밀현(密縣)에서 발견된 한(漢)나라 때의 화상전(畵像磚)

[그림 2] 호체　명(明)·장응호회도본

[그림 3] 호체 명(明)·호문환도본

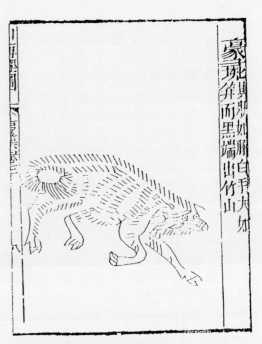

[그림 4] 호체 청(淸)·오임신근문당도본

[그림 5] 호체 청(淸)·사천(四川)성혹인회도본

[그림 6] 호체 청(淸)·왕불도본

| 권2-12 | **효[囂 : 효수(囂獸)]**

【경문(經文)】

「서산경(西山經)」: 유차산(羭次山)이라는 곳에 ……어떤 짐승이 사는데, 그 생김새는 원숭이[禺]와 비슷하지만 팔이 길며, 잘 집어던지고, 그 이름은 효(囂)라 한다. …….

[又西七十里, 曰羭次之山, 漆水出焉, 北流注於渭. 其上多棫橿, 其下多竹箭, 其陰多赤銅, 其陽多嬰垣之玉. 有獸焉, 其狀如禺而長臂, 善投, 其名曰囂. 有鳥焉, 其狀如梟, 人面而一足, 曰橐𪅀, 冬見夏蟄, 服之不畏雷.]

【해설(解說)】

효(囂)라는 짐승은 원숭이 종류에 속하는데, 팔이 길어 던지기를 잘한다. 곽박(郭璞)은 주석하기를, "역시 외수화(畏獸畵 : 무서운 짐승들의 그림-역자) 속에 들어 있는데, 원숭이[獼猴]처럼 생겼고 잘 집어던진다.[亦在畏獸畵中, 似獼猴投擲也.]"라고 했다. 학의행(郝懿行)은 효(囂)와 기(夔)는 소리가 비슷하다고 했고, 『설문해자(說文解字)』에서는, 기(夔)는 어미 원숭이로, 사람과 비슷하게 생겼다고 했다.

곽박의 『산해경도찬(山海經圖讚)』: "효(囂)라는 짐승은 팔이 길어, 물건을 잘 집어던진다네.[囂獸長臂, 爲物好擲.]"

효 그림에는 두 가지 형태가 있다.

첫째, 원숭이처럼 생긴 것으로, [그림 1-장응호회도본(蔣應鎬繪圖本)]·[그림 2-성혹인회도본(成或因繪圖本)]·[그림 3-왕불도본(汪紱圖本)]·[그림 4-『금충전(禽蟲典)』]과 같은 것들이다.

둘째, 사람의 얼굴에 짐승의 몸을 한 것으로, [그림 5-호문환도본(胡文煥圖本)]·[그림 6-일본도본(日本圖本)]과 같은 것들이다. 호문환도설에 이르기를, "유차산(嶓次山)에 어떤 짐승이 사는데, 생김새가 불(窋)과 비슷하며, 팔이 길어 잘 죽이는데, 이름은 효(囂)라 한다.[嶓次山有獸, 狀如窋('佛'로 발음), 長臂善殺, 名曰囂.]"라고 했다. '잘 죽인다[善殺]'라는 말은 경문에는 보이지 않는다.

[그림 1] 효 명(明)·장응호회도본

[그림 2] 효 청(淸)·사천(四川)성혹인회도본

[그림 4] 효 청(淸)·『금충전』

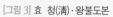

[그림 3] 효 청(淸)·왕불도본

[그림 5] 효 명(明)·호문환도본

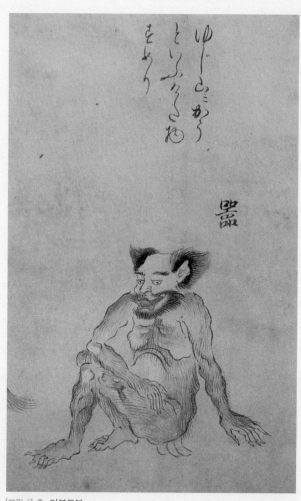

[그림 6] 효 일본도본

|권2-13| 탁비(橐䶄)

【경문(經文)】

「서산경(西山經)」 : 유차산(羭次山)이라는 곳에 ……어떤 새가 사는데, 그 생김새는 올빼미와 비슷하며, 사람의 얼굴에 다리가 하나이고, 이름은 탁비(橐䶄)라 하며, 겨울에 보이고 여름에는 여름잠을 잔다. 이것을 먹으면 천둥을 무서워하지 않게 된다.

[又西七十里, 曰羭次之山, 漆水出焉, 北流注於渭. 其上多棫橿, 其下多竹箭, 其陰多赤銅, 其陽多嬰垣之玉. 有獸焉, 其狀如禺而長臂, 善投, 其名曰囂. 有鳥焉, 其狀如梟, 人面而一足, 曰橐䶄, 冬見夏蟄, 服之不畏雷.]

【해설(解說)】

탁비(橐䶄)는 괴수(怪獸)의 일종으로, 생김새가 올빼미와 비슷하다. 일반적으로 조수(鳥獸)들은 여름에 활동하고 겨울에 잠을 자는데, 이 새는 오히려 반대이다. 때문에 그 깃털은 천둥을 막아준다고 한다. 이 새의 특징은 사람의 얼굴에 발이 하나라는 것이다. 『산해경』에 나오는 사람의 얼굴을 한 새들로는, 주(鴸)・구여(瞿如)・옹[顒 : 「남산경(南山經)」을 보라]・부혜[鳧徯 : 「북차이경(北次二經)」을 보라]・인면효[人面鴞 : 「서차삼경(西次三經)」을 보라]・송사[竦斯 : 「북산경(北山經)」을 보라]・반모[鴜鵂 : 「북차이경(北次二經)」을 보라], 첨차조[鶬鴜鳥 : 「해외서경(海外西經)」을 보라]・오색조[五色鳥 : 「대황서경(大荒西經)」을 보라] 등이 있다. 『산해경』에 나오는 발이 하나인 새들로는, 필방[畢方 : 「서차삼경(西次三經)」을 보라]・기종[跂踵 : 「중차십경(中次十經)」을 보라] 등이 있다. 이들 가운데 탁비라는 새만 사람의 얼굴과 발이 하나라는 두 가지 특징을 모두 갖추고 있다. 이시진(李時珍)의 『본초강목(本草綱目)』에는 발이 하나인 새에 대해 다음과 같이 자세하게 기재되어 있다. "발이 하나인 새는 민(閩)[5] 지역과 광(廣)[6] 지역에 사는데, 낮에는 웅크리고 있다가 밤에 날아다니며, 간혹 낮에 이 새가 나타나면, 새들이 떼를 지어 시끄럽게 울어댄다. 이 새는 오로지 벌레만 잡아먹고, 알곡은 먹지 않는다.[獨足鳥閩廣有之, 晝伏夜飛, 或時晝出, 群鳥噪之. 惟食蟲豸, 不食稻粱.]" 오임신(吳任臣)은 주석에서 『광주지(廣

---

5) 지금의 복건성(福建省)에 해당한다.
6) 지금의 광서성(廣西省)에 해당한다.

州志)』를 인용하여 말하기를, 발이 하나인 새는 일명 산초조(山肖鳥)라고도 하며, 크기가 고니[鵠] 정도이고, 푸른색인데, 자신을 부르는 듯이 소리를 낸다고 했다. 『임해지(臨海志)』의 기록에는, 발이 하나인 새는 몸에 무늬가 있고, 부리가 붉으며, 낮에는 웅크리고 있다가 밤에 날아다니고, 비가 오려고 하면 맴돌면서 울어대는데, 이 새가 바로 공자(孔子)가 말한 상양(商羊)이라는 새라고 했다. 하도(河圖)에서는, 새 중에 발이 하나인 것을 독립(獨立)이라고 부르는데, 이 새가 나타나면 곧 군주가 용맹하고 강해진다. 남조(南朝)의 진(陳)나라가 망하려고 하자, 발이 하나인 새들이 궁궐에 모여들어, 부리로 땅바닥에 그림을 그리고 글을 썼다고 한다.

무릇 이러한 것들이 모두 발이 하나인 새들이며, 또한 탁비 종류이다. 탁비의 또 다른 특징은, 겨울에 나타나고 여름에는 여름잠을 자며, 그 깃털로 옷을 만들어 입으면 천둥을 무서워하지 않는다는 것이다. 왕불(汪紱)은 해석하기를, 무릇 계절잠을 자는 것들은 대부분 여름에 활동하고 겨울에 겨울잠을 자는데, 이 새만은 겨울에 활동하고 여름에 여름잠을 자기 때문에, 그 깃털로 옷을 만들어 입으면 천둥을 무서워하지 않는다고 했다. 호문환도설(胡文煥圖說)에서는, "사람이 이 새의 깃털을 여러 옷들 속에 넣어두면, 격렬한 천둥을 무서워하지 않는다.[人以羽毛置諸衣中, 則不畏雷霆.]"라고 했다.

곽박(郭璞)의 『산해경도찬(山海經圖讚)』: "사람의 얼굴을 한 새가 있으니, 다리 하나로 홀로 선다네. 그 습성이 절기와 반대이니, 겨울에는 나오고 여름에는 잠을 잔다네. 그 깃털을 지니고 있으면, 맹렬한 천둥에 맞지 않는다네.[有鳥人面, 一脚孤立. 性與時反, 冬出夏蟄. 帶其羽毛, 迅雷不入.]"

탁비의 그림에는 두 가지 형태가 있다.

첫째, 사람의 얼굴에 발이 하나인 새로, [그림 1-장응호회도본(蔣應鎬繪圖本)]·[그림 2-호문환도본(胡文煥圖本)]·[그림 3-오임신근문당도본(吳任臣近文堂圖本)]·[그림 4-왕불도본(汪紱圖本)]·[그림 5-상해금장도본(上海錦章圖本)]과 같은 것들이다.

둘째, 사람의 얼굴에 발이 두 개인 새로, [그림 6-성혹인회도본(成或因繪圖本)]과 같은 것이다.

[그림 1] 탁비 명(明)·장응호회도본

[그림 2] 탁비 명(明)·호문환도본

[그림 3] 탁비 청(淸)·오임신근문당도본

橐蜚　此如梟人面一足冬
見夏蟄出翔　次山

帶其羽毛迅雷不入
時反冬見夏蟄
孤立性與
一脚
人面
有鳥

梟蜚

[그림 4] 탁비　청(淸)·왕불도본

[그림 5] 탁비　상해금장도본

[그림 6] 탁비　청(淸)·사천(四川)성혹인회도본

|권2-14| 맹표(猛豹)

【경문(經文)】

「서산경(西山經)」 : 남산(南山)이라는 곳이 있는데, ……그곳에 사는 짐승으로는 맹표(猛豹)가 많다. …….

[又西百七十里, 曰南山, 上多丹粟. 丹水出焉, 北流注於渭. 獸多猛豹, 鳥多尸鳩.]

【해설(解說)】

맹표(猛豹)는 뱀을 잡아먹을 수 있으며, 또한 구리와 철을 먹는 무섭고 기이한 짐승이다. 곽박(郭璞)은 주석하기를, 맹표는 곰과 비슷하지만 작고, 털이 적으며, 광택이 나는데, 뱀을 잡아먹을 수 있고, 구리와 철을 먹으며, 촉(蜀) 지역에서 난다. 표(豹)는 호(虎)라고 쓰기도 한다고 했다. 학의행(郝懿行)은, 맹표는 곧 맥표(貘豹)라고 주석했다. 『이아(爾雅)』에서는, 맥(貘)은 백표(白豹)라고 했다. 『모시육소광요(毛詩陸疏廣要)』에 기록하기를, 백표는 따로 맥이라 부르기도 하고, 지금 건녕군(建寧郡)에서 나며, 털색은 검고 가슴은 희며, 곰과 비슷하지만 작고, 뱀을 잡아먹을 수 있다. 혀로 철을 핥아먹는데, 순식간에 수십 근의 철을 먹어치우고, 오줌으로 철을 녹여 물로 만들 수 있다고 했다.

고서(古書)들 속에는 철을 먹는 이 기이한 동물에 관한 기록이 많으며, 당(唐)나라 때는 맥을 그려 병풍을 많이 만들었다고 전해진다. 당대(唐代)의 백거이(白居易)가 지은 「맥병찬(貘屛贊)」이라는 작품이 있는데, 그 글은 다음과 같다. "맥은 코끼리의 코에 코뿔소의 눈, 소의 꼬리에 호랑이의 발을 하고 있으며, 남방의 산골짜기에서 난다. 그 가죽을 덮으면 염병을 피할 수 있고, 그림으로 그려 가지고 있으면 사악한 기운을 물리칠 수 있다. 내가 오랫동안 심한 두통을 앓고 있어, 매번 침식을 할 때마다 항상 작은 병풍으로 머리맡에 두른다. 때마침 화공을 만나, 그 병풍에 맥을 그리게 했다. 『산해경』을 살펴보니, 이 짐승은 철과 동을 먹고, 다른 것은 먹지 않는다고 하니, 이에 느낀 바가 있어 찬을 쓴다.[貘者, 象鼻犀目·牛尾虎足, 生南方山谷中. 寢其皮辟瘟, 圖其形辟邪. 予舊病頭風, 每寢息常以小屛衛其首, 適遇畵工, 偶令寫之. 按『山海經』, 此獸食鐵與銅, 不食他物, 因有所感, 遂爲贊焉.]"

[그림 1-장응호회도본(蔣應鎬繪圖本)]·[그림 2-호문환도본(胡文煥圖本)]·[그림 3-일본도본(日本圖本)]·[그림 4-성혹인회도본(成或因繪圖本)]·[그림 5-왕불도본(汪紱圖本)]

207

[그림 1] 맹표 명(明)·장응호회도본

猛豹

[그림 2] 맹표 명(明)·호문환도본

[그림 3] 맹표 일본도본

[그림 4] 맹표 청(淸)·사천(四川)성혹인회도본

[그림 5] 맹표 청(淸)·왕불도본

|권2-15| 시구(尸鳩)

【경문(經文)】

「서산경(西山經)」 : 남산(南山)이라는 곳이 있는데, ……그곳에 사는 새로는 시구(尸鳩)가 많다.

[又西百七十里, 曰南山, 上多丹粟. 丹水出焉, 北流注於渭. 獸多猛豹, 鳥多尸鳩.]

【해설(解說)】

　　시구(尸鳩 : 뻐꾸기-역자)는 즉 시구(鳲鳩)·명구(鳴鳩)·호전(胡鸇)·대승(戴勝)이다. 곽박(郭璞)은 주석하기를, 시구는 포곡(布穀 : 뻐꾸기-역자) 종류인데, 혹은 호전(胡鸇)이라고도 한다고 했다. 이시진(李時珍)은 『본초강목(本草綱目)』에서 말하기를, 포곡은 이름이 많은데, 각각의 이름은 모두가 그 울음소리를 흉내 내어 부르는 것들이다. 예를 들면 흔히 아공아파(阿公阿婆)·할맥삽화(割麥揷禾)·탈각파고(脫却破袴) 같은 것들이다. 그것이 우는 때가 아마 농사를 지을 수 있는 시기이기 때문에 그렇게 부르는 것 같으며[7], 혹 시구(鳲鳩)라고도 부르는데, 즉 『예기(禮記)·월령(月令)』에 나오는 명구(鳴鳩)이다. 명구는 크기가 비둘기와 비슷하지만 노란색을 띠며, 울어대면서 서로를 부르지만 모이지는 않는다. 또 둥지를 만들 줄 모르기 때문에, 대부분 나무 구멍이나 빈 까치둥지에 산다. 새끼에게 먹이를 먹이려고 아침에는 둥지에서 내려오고, 저녁에는 둥지로 올라간다. 2월에 곡우(穀雨)[8]가 지나면 울기 시작하여, 하지(夏至)가 지난 후에야 그친다.

　　[그림 1-왕숭경(王崇慶)의 『산해경석의(山海經釋義)』 도본]·[그림 2-성혹인회도본(成或因繪圖本)]·[그림 3-왕불도본(汪紱圖本)]·[그림 4-『금충전(禽蟲典)』]

[그림 1] 시구 명(明)·왕숭경의 『산해경석의』 도본

7) 이시진(李时珍)의 『本草纲目』에서 예로 들고 있는 "阿公阿婆, 割麦揷禾, 脫却破袴"라는 것들은, 뻐꾸기의 울음소리를 가지고 보리를 수확하고 벼를 심어야 하는 시기임을 나타내주는 말들이다.
8) 24절기의 하나로, 음력 3월 중순경이며, 양력 4월 20일경이다. 이날 비가 오면 풍년이 든다고 하는데, 봄비가 내려 곡식을 풍성하게 한다는 뜻을 담고 있다.

[그림 2] 시구 청(淸)·사천(四川)성혹인회도본

尸鳩

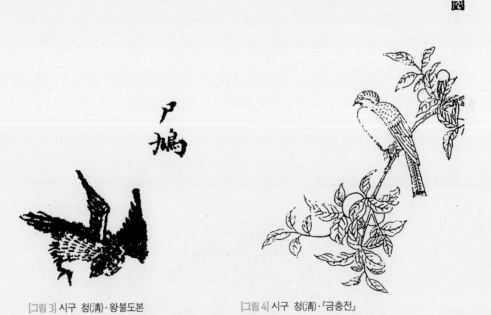

[그림 3] 시구 청(淸)·왕불도본   [그림 4] 시구 청(淸)·『금충전』

|권2-16| 곰[熊]

【경문(經文)】

「서산경(西山經)」 : 파총산(嶓冢山)이라는 곳이 있는데, ……그곳에 사는 짐승들로는 곰[熊]이 많다. …….

[又西三百二十里, 曰嶓冢之山, 漢水出焉, 而東南流注於沔. 囂水出焉, 北流注於湯水. 其上多桃枝鉤端, 獸多犀兕熊羆, 鳥多白翰赤鷩. 有草焉, 其葉如蕙, 其本如桔梗, 黑華而不實, 名曰蓇蓉, 食之使人無子.]

【해설(解說)】

『이아익(爾雅翼)』에 기록하기를, 곰[熊]은 개·돼지와 비슷한데, 사람의 발을 지니고 있고 검은색이다. 봄에 나와 활동하고 겨울잠을 자며, 민첩하고, 높은 나무에 잘 오르는데, 사람을 보면 뛰어내린다. 이시진(李時珍)은 『본초강목(本草綱目)』에서 말하기를, 일반적으로 곰[熊]은 저웅(豬熊)이라고 부르고, 비(羆)는 인웅(人熊)·말곰[馬熊]이라고 부르는데, 생김새는 비슷하지만 각각 조금씩 다르다고 했다. 『술이기(述異記)』에서는, 육지에 사는 것을 웅(熊)이라고 하고, 물에 사는 것을 능(能)이라고 하는데, 바로 곤(鯀 : 이 책 〈권1-6〉 참조-역자)이 변한 것이다. 그러므로 웅(熊)자는 능(能)자를 따르며, 비비(狒狒)는 또한 인웅(人熊)이라 부른다고 했다.

[그림-왕불도본(汪紱圖本)]

[그림] 곰 청(淸)·왕불도본

|권2-17| 말곰[羆]

【경문(經文)】

「서산경(西山經)」 : 파총산(嶓冢山)이라는 곳이 있는데, ……그곳에 사는 짐승으로는 ……말곰[羆 : 혹은 큰곰-역자]이 많다. …….

[又西三百二十里, 曰嶓冢之山, 漢水出焉, 而東南流注於沔. 囂水出焉, 北流注於湯水. 其上多桃枝鉤端. 獸多犀兕熊羆, 鳥多白翰赤鷩. 有草焉, 其葉如蕙, 其本如桔梗, 黑華而不實, 名曰蓇蓉, 食之使人無子.]

【해설(解說)】

『이아(爾雅)』에서는, "말곰[羆]은 곰과 비슷한데, 황백색의 무늬가 있다.[羆如熊, 黃白文.]"라고 했다. 그리고 주석하기를, 곰과 비슷하지만 대가리가 길쭉하며, 다리가 길고 사나우며 힘이 세서, 나무를 뽑을 수 있다. 관서(關西)에서는 가웅(猳熊)이라 부른다고 했다. 『비아(埤雅)』에서 말하기를, 말곰은 다리가 길고 눈이 위아래로 길쭉하며, 기어오를 수도 있고 일어설 수도 있는데, 사람을 만나면 잡아당겨서 낚아챈다고 했다. 『사기(史記)·오제본기(五帝本紀)』에는, 황제(黃帝)가 웅씨(熊氏)로 하여금 곰[熊]·말곰·비휴(貔貅 : 전설 속에 나오는 표범류의 맹수-역자)·추호(貙虎 : 큰 표범-역자)를 교화시켜, 이것들을 이용하여 염제(炎帝)와 판천(阪泉)의 들판에서 싸웠다고 한다.[9]

[그림-왕불도본(汪紱圖本)]

[그림] 비 청(淸)·왕불도본

---

9) 판천지전(阪泉之戰)이라는 고사를 가리킨다. 전하는 바에 따르면, 황제 시기(기원전 2500년경)에, 황제가 중원의 각 부족들을 정복하는 전쟁을 벌였는데, 황제와 염제(炎帝)의 두 부족연맹이 판천[지금의 산서성(山西省) 운성(運城) 해지(解池) 부근이라고도 하고, 하북성(河北省) 탁록(涿鹿)의 남동쪽이라고도 함]에서 치열한 전투를 벌여, 황제가 염제를 물리쳤다고 한다.

|권2-18| 백한(白翰)

【경문(經文)】

「서산경(西山經)」: 파총산(嶓冢山)이라는 곳이 있는데, ……그곳에 사는 새로는 백한(白翰)이 많다. …….

[又西三百二十里, 曰嶓冢之山, 漢水出焉, 而東南流注於沔. 囂水出焉, 北流注於湯水. 其上多桃枝鉤端, 獸多犀兕熊羆, 鳥多白翰赤鷩. 有草焉, 其葉如蕙, 其本如桔梗, 黑華而不實, 名曰蓇蓉, 食之使人無子.]

【해설(解說)】

백한(白翰)은 즉 백치(白雉: 흰 꿩—역자)이며, 상서로운 새이다. 그래서 『백호통(白虎通)』에는, "덕(德)이 조수에까지 이르면 백치가 내려온다.[德至鳥獸則白雉降.]"라는 말이 있다. 한대(漢代) 사람인 반고(班固)의 「백치시(白雉詩)」에서는, "신령한 글[靈篇]을 열고 상서로운 그림[瑞圖]을 펼치니, 흰 꿩에게서 얻은 것이요, 흰 까마귀를 본뜬 것이로다. 경사로운 길조(吉兆)가 왕성하니 황도(皇都)로 모여들어, 흰 깃 펴서 아름다운 날갯짓하는구나.[啓靈篇兮披瑞圖, 獲白雉兮效素烏[10]. 嘉祥阜兮集皇都, 發皓羽兮奮翹英.]"라고 했다.

[그림—왕불도본(汪紱圖本)]

[그림] 백한 청(淸)·왕불도본

---

10) '素烏'는 흰 까마귀[白烏]로, 옛날에는 상서로운 징조로 여겨졌다.

|권2-19| 계변(谿邊)

【경문(經文)】

「서산경(西山經)」: 천제산(天帝山)이라는 곳에 ……어떤 짐승이 사는데, 그 생김새는 개와 비슷하고, 이름은 계변(谿邊)이라 하며, 그 짐승의 가죽으로 자리를 만들어 앉는 자는 나쁜 기운이 들지 않는다. …….

[又西三百五十里, 曰天帝之山, 上多棕枬, 下多菅蕙. 有獸焉, 其狀如狗, 名曰谿邊, 席其皮者不蠱. 有鳥焉, 其狀如鶉, 黑文而赤翁, 名曰櫟, 食之已痔. 有草焉, 其狀如葵, 其臭如蘼蕪, 名曰杜衡, 可以走馬, 食之已癭.]

【해설(解說)】

계변(谿邊)은 개처럼 생긴 기이한 짐승으로, 그 짐승의 가죽으로 자리를 만들어 사용하면 나쁜 기운을 물리칠 수 있다고 전해진다. 오임신(吳任臣)은 말하기를, 계변은 검은 개처럼 생겼고, 나무를 오를 수 있다고 했다. 또 그 가죽으로 옷과 요를 만들어 사용하면 혈기가 왕성해진다고 했다. 이시진(李時珍)은 『본초강목(本草綱目)』에서 말하기를, 천서(川西)에 원표(元豹)라는 짐승이 사는데, 크기가 개[狗]만하고, 검은색이며, 꼬리도 역시 개처럼 생겼다고 했다. 그 가죽으로 옷과 요를 만들면 매우 따뜻한데, 이 짐승이 바로 계변의 종류인 것 같다고 했다. 『사물감주(事物紺珠)』의 기록에는, 계변은 개처럼 생겼는데, 그 가죽을 깔고 앉으면 고병[蠱]을 물리칠 수 있다고 했다. 고복병(蠱腹病)은 혹은 사고(蛇蠱)·금잠고(金蠶蠱)라고도 한다. 『사기(史記)·봉선서(封禪書)』에 기록하기를, 진덕공(秦德公)이 성 안의 사대문[四門]에서 개를 잡아 제사지내 고치(蠱菑 : 요괴 등을 숭배하여 해를 입는 것–역자)를 막았다고 했다. 『풍속통의(風俗通義)』권8「사전(祀典)」에는, "개를 잡아 성 안의 사대문에서 제사지냈다.[殺狗磔邑四門.]"라는 기록이 있다. 응소(應劭)[11]가 주석하기를, "『예기(禮記)·월령(月令)』에 '아홉 개의 문[九門]에 책양(磔禳)[12]을 하자 춘기(春氣)가 완전해졌다.'라고 했다. 대저 천자의 성은 열두 개의 문

---

11) 응소(약 153~196년)는 동한(東漢) 때의 학자로, 자는 중원(仲瑗)이다. 관직은 영제(靈帝) 때 태산군(泰山郡) 태수(太守)를 지냈으며, 어려서 열심히 공부하여 박학다식했다. 많은 저술을 남겼는데, 현재 『한관의(漢官儀)』·『풍속통의(風俗通義)』등이 전해지고 있다.

12) 문에 개나 닭의 대가리를 걸어두고 제사를 지내, 나쁜 기운이나 해충을 물리치는 고대의 주술 의식을 말한다.

이 있는데, 동쪽의 세 문은 기(氣)가 생성되는 문이니, 죽은 사물이 생문(生門 : 살아나는 문-역자)에 보이게 해서는 안 되기 때문에, 오직 나머지 아홉 개의 문에서 개를 죽여 책양해야 한다.[「月令」: '九門磔禳, '以畢春氣.' 蓋天子之城, 十有二門, 東方三門, 生氣之門也, 不欲使死物見於生門, 故獨於九門殺犬磔禳.]"라고 했다. 민간에 전해오는, 하얀 개를 죽여 그 피로 문에 글을 쓰고, 정월에 하얀 개의 피로 불길함을 없애기 위해 개를 죽여 책양하는 풍속은, 바로 『산해경』에 나오는 개과에 속하는 계변이라는 짐승이 독기를 막아주고 사악한 기운을 쫓아내는 작용을 한 것에서 유래한 것이다. 이는 후에 개의 피로 불길함을 없애는 습속으로 변화했다.

곽박(郭璞)의 『산해경도찬(山海經圖讚)』: "계변은 개와 비슷한데, 그 가죽이 요사스러운 기운을 막아준다네.[谿邊類狗, 皮厭妖蠱.]"

[그림 1-성혹인회도본(成或因繪圖本)]·[그림 2-왕불도본(汪紱圖本)]·[그림 3-『금충전(禽蟲典)』]

[그림 1] 계변 청(淸)·사천(四川)성혹인회도본

[그림 2] 계변 청(淸)·왕불도본

[그림 3] 계변 청(淸)·『금충전』

|권2-20| 영여(麠如)

【경문(經文)】

「서산경(西山經)」: 고도산(皋塗山)이라는 곳에, ……어떤 짐승이 사는데, 그 생김새는 사슴과 비슷하지만 꼬리가 희고, 말의 다리와 사람의 손을 가졌고, 네 개의 뿔이 있으며, 이름은 영여(麠如)라고 한다. …….

[西南三百八十里, 曰皋塗之山, 薔水出焉, 西流注於諸資之水. 塗水出焉, 南流注於集獲之水. 其陽多丹粟, 其陰多銀·黃金, 其上多桂木. 有白石焉, 其名曰礜, 可以毒鼠. 有草焉, 其狀如藁茇, 其葉如葵赤背, 名曰無條, 可以毒鼠. 有獸焉, 其狀如鹿而白尾, 馬足人手而四角, 名曰麠如. 有鳥焉, 其狀如鴟而人足, 名曰數斯, 食之已癭.]

【해설(解說)】

영여(麠如)는 즉 확여(玃如)인데, 이 짐승은 사슴·말·사람의 세 가지 모습들을 한 몸에 모두 지니고 있고, 뿔이 네 개인 괴수(怪獸)이다. 『광아(廣雅)』에는, 서방(西方)에 어떤 짐승이 있는데, 사슴과 비슷하게 생겼지만 꼬리가 희고, 뒷발은 말굽 같고 앞발은 사람의 손처럼 생겼으며, 네 개의 뿔이 있다. 그 이름은 영여라 하며, 영영(麠麠)이라고도 한다고 기록되어 있다. 『사물감주(事物紺珠)』에서는, 영여는 생김새가 흰 사슴[白鹿]과 비슷하며, 앞쪽의 두 다리는 사람의 손처럼 생겼고, 뒤쪽의 두 다리는 말굽처럼 생겼다고 했다. 호문환도설(胡文煥圖說)에서 이르기를, "고도산(皋塗山)에 흰 사슴처럼 생긴 짐승이 사는데, 앞쪽의 두 다리는 사람의 손처럼 생겼고, 뒤쪽의 두 다리는 말굽처럼 생겼으며, 네 개의 뿔이 있고, 확(玃)이라 부른다.[皋塗山有獸如白鹿, 前兩脚似人手, 後兩脚似馬蹄, 四角, 名玃.]"라고 했다.

곽박(郭璞)의 『산해경도찬(山海經圖讚)』: "영여라는 짐승은, 사슴 같은 생김새에 네 개의 뿔이 있다네. 말의 다리와 사람의 손을 가졌고, 그 꼬리는 희다네. 그 모습은 세 짐승의 형상을 겸비했으며, 나무를 타기도 하고 바위를 기어오르기도 한다네.[麠如之獸, 鹿狀四角, 馬足人手, 其尾則白, 貌兼三形, 攀木緣石.]"

[그림 1-장응호회도본(蔣應鎬繪圖本)]·[그림 2-호문환도본(胡文煥圖本)]·[그림 3-오임신근문당도본(吳任臣近文堂圖本)]·[그림 4-성혹인회도본(成或因繪圖本)]·[그림 5-왕불도본(汪紱圖本)]·[그림 6-『금충전(禽蟲典)』]

[그림 1] 영여 명(明)·장응호회도본

[그림 2] 영여 명(明)·호문환도본

獿如
狀如鹿而白尾馬足
人手四角出皐塗山

[그림 3] 영여 청(淸)·오임신근문당도본

[그림 4] 영여 청(淸)·사천(四川)성혹인회도본

獿如

[그림 5] 영여 청(淸)·왕불도본

獿如圖

[그림 6] 영여 청(淸)·『금충전』

|권2-21| 수사(數斯)

【경문(經文)】

「서산경(西山經)」: 고도산(皋塗山)이라는 곳에, ……어떤 새가 사는데, 그 생김새는 솔개와 비슷하지만 사람의 발이 달려 있다. 그 이름은 수사(數斯)인데, 그것을 먹으면 혹을 치료할 수 있다.

[西南三百八十里, 曰皋塗之山, 薔水出焉, 西流注於諸資之水. 塗水出焉, 南流注於集獲之水. 其陽多丹粟, 其陰多銀·黃金, 其上多桂木. 有白石焉, 其名曰礜, 可以毒鼠. 有草焉, 其狀如藁茇, 其葉如葵赤背, 名曰無條, 可以毒鼠. 有獸焉, 其狀如鹿而白尾, 馬足人手而四角, 名曰𤟤如. 有鳥焉, 其狀如鴟而人足, 名曰數斯, 食之已癭.]

【해설(解說)】

수사(數斯)는 기이한 새로, 생김새는 솔개와 비슷한데, 사람의 발이 나 있다. 『사물감주(事物紺珠)』에서 말하기를, 수사는 꿩과 비슷하게 생겼는데, 사람의 발이 나 있다. 그 새의 고기를 먹으면 간질병이나 어린이 간질을 치료할 수 있다고 했다.

곽박(郭璞)의 『산해경도찬(山海經圖讚)』: "수사는 사람의 다리가 달려 있고, 그 생김새는 솔개와 비슷하다네.[數斯人脚, 厥狀似鴟.]"

[그림 1-장응호회도본(蔣應鎬繪圖本)]·[그림 2-호문환도본(胡文煥圖本)]·[그림 3-일본도본(日本圖本)]·[그림 4-성혹인회도본(成或因繪圖本)]·[그림 5-왕불도본(汪紱圖本)]·[그림 6-『금충전(禽蟲典)』]

[그림 4] 수사 청(淸)·사천(四川)성혹인회도본

[그림 5] 수사 청(淸)·왕불도본

[그림 1] 수사 명(明)·장응호회도본

[그림 3] 수사 일본도본

[그림 2] 수사 명(明)·호문환도본

[그림 6] 수사 청(淸)·『금충전』

|권2-22| 민(犪)

【경문(經文)】

「서산경(西山經)」: 황산(黃山)이라는 곳에, ……어떤 짐승이 사는데, 그 생김새가 소와 비슷하며, 검푸르고 눈이 크며, 그 이름은 민(犪)이라 한다. …….

[又西百八十里, 曰黃山, 無草木, 多竹箭. 盼水出焉, 西流注於赤水, 其中多玉. 有獸焉, 其狀如牛, 而蒼黑大目, 其名曰犪. 有鳥焉, 其狀如鴞, 靑羽赤喙, 人舌能言, 名曰鸚鵡.]

【해설(解說)】

민(犪)은 눈이 큰 검은 소다. 『사물감주(事物紺珠)』에서는, 검푸른색에 눈이 크다고 했다.

곽박(郭璞)의 『산해경도찬(山海經圖讚)』: "민이라는 짐승은 눈이 크다네.[犪獸大眼.]"

[그림 1-장응호회도본(蔣應鎬繪圖本)]·[그림 2-성혹인회도본(成或因繪圖本)]·[그림 3-왕불도본(汪紱圖本)]

[그림 1] 민 명(明)·장응호회도본

[그림 2] 민 청(淸)·사천(四川)성혹인회도본

[그림 3] 민 청(淸)·왕불도본

| 권2-23 | 앵무(鸚鵡)

【경문(經文)】

「서산경(西山經)」: 황산(黃山)이라는 곳에, ……어떤 새가 사는데, 그 생김새가 올빼미[鴞]와 비슷하고, 푸른색 깃털에 붉은색 부리를 가지고 있으며, 사람의 혀가 있어 말을 할 수 있고, 이름은 앵무(鸚鵡)라 한다.

[又西百八十里, 曰黃山, 無草木, 多竹箭. 盼水出焉, 西流注於赤水, 其中多玉. 有獸焉, 其狀如牛, 而蒼黑大目, 其名曰䍺. 有鳥焉, 其狀如鴞, 靑羽赤喙, 人舌能言, 名曰鸚鵡.]

【해설(解說)】

　앵무(鸚鵡)는 즉 앵무(鸚鵡)이며, 말을 할 줄 아는 영험한 새이다. 곽박(郭璞)은 말하기를, 앵무(鸚鵡)의 혀가 어린아이와 비슷하다고 했다. 이시진(李時珍)은 『본초강목(本草綱目)』에서, "앵무(鸚鵡)는 갓난아이가 어미의 말을 배우는 것과 비슷하기 때문에, 그 글자가 '嬰(갓난아이)'자와 '母(어머니)'자를 따른다.[鸚鵡如嬰兒之學母語, 故字從嬰母.]"라고 했다. 『이아익(爾雅翼)』에 기록하기를, 이 새는 혀가 어린아이와 비슷하기 때문에, 소리를 사람처럼 흉내 낼 수 있으며, 또한 다른 새들은 아래쪽 눈꺼풀을 위쪽으로 깜빡이는데, 유독 이 새는 양쪽 눈꺼풀을 함께 움직이는 것이 사람의 눈과 같다고 했다. 날짐승들 중에 사람처럼 말을 할 줄 아는 것들은, 반드시 사람 모습의 일부를 갖고 있다. 이로부터 금수(禽獸)가 사람의 어떤 특성을 가지고 있는 것은, 대부분 어떤 생물학상의 유사함에 근거하는 것임을 알 수 있다. 『이물지(異物志)』에 기록하기를, 앵무(鸚鵡)에는 세 종류가 있는데, 푸른색에 크기가 조구(鳥鸜 : 수리부엉이-역자)만한 것, 흰색에 크기가 치효(鴟鴞 : 올빼미-역자)와 비슷한 것, 오색에 푸른색 앵무보다 큰 것이다. 교주(交州)[13]의 남쪽에 그것들이 모두 사는데, 오색 앵무는 두박주(杜薄州)[14]에서 난다고 했다.

　곽박의 『산해경도찬(山海經圖讚)』: "앵무(鸚鵡)는 영리한 새로, 푸른 깃털에 붉은 부

---

13) 중국의 옛 지명으로, 지금의 베트남 북부와 중부 및 중국 광서(廣西)·광동(廣東)의 일부분에 해당한다.
14) 두박주(杜薄州)는 즉 두박국(杜薄國)이다. 고대에 부남(扶南 : 메콩강 하류 지역에 있던 고대 힌두교 국가) 동쪽의 창해(漲海)에 있던 나라이다.

리를 가졌네. 네 발가락이 앞뒤로 나뉘어 있고, 다닐 때 부리를 사용한다네.[15] 스스로 그 둥지를 남겨놓고, 깊숙이 가지에 앉아 있구나.[鸚鵡慧鳥, 青羽赤喙. 四指中分, 行則以 觜. 自貽伊籠, 見幽坐枝('趾'자로 된 것도 있음).]"

[그림 1-장응호회도본(蔣應鎬繪圖本)]·[그림 2-『금충전(禽蟲典)』]

[그림 1] 앵무(鸚鵡) 명(明)·장응호회도본

[그림 2] 앵무 청(淸)·『금충전』

15) 앵무새의 발가락은 앞에 세 개가 모여 있는 다른 조류와 달리, 앞뒤로 각각 두 개씩 달려 있다. 또 부리 를 손처럼 사용하는데, 부리가 굉장히 단단하고 부리를 움직이는 근육이 발달되어 있다.

|권2-24| 모우(旄牛)

【경문(經文)】

「서산경(西山經)」 : 취산(翠山)이라는 곳이 있는데, ……그 북쪽에 모우(旄牛)가 많다. …….

[又西二百里, 曰翠山, 其上多棕柟, 其下多竹箭, 其陽多黃金·玉, 其陰多旄牛·麢·麝. 其鳥多鸓, 其狀如鵲, 赤黑而兩首四足, 可以禦火.]

【해설(解說)】

모우(旄牛)는 「북산경(北山經)」의 반후산(潘侯山)에도 나오는데, "그 생김새가 소와 비슷하지만, 네 부위에 털이 나 있다.[其狀如牛而四節生毛.]"라고 했다. 곽박(郭璞)은 주석하기를, 지금 모우는 등과 무릎 및 턱 밑과 꼬리에 모두 긴 털이 나 있다고 했다. 왕불(汪紱)은 주석하기를, 모우는 일명 이우(犛牛)라고 하며, 긴 털은 한 척(尺)이 넘는데, 꼬리·등·목·무릎의 털이 더욱 길어, 그것을 깃대의 장식으로 쓸 수 있으며, 파촉(巴蜀)의 남서쪽에 많이 있다고 했다. 옛날 사람들은 전쟁을 할 때, 항상 모우의 꼬리로 기(旗)를 만들어, 멀리에서 지휘하기에 편리했다. '명렬전모(名列前茅)'[16]라는 성어(成語)에서 '전모(前茅)'가 바로 이 '전모(前旄)'로, 맨 앞쪽의 군대가 갖는 깃발을 가리키는데, 이것이 선두의 부대에서 파생되어, '명렬전모'는 성적이 좋아 이름이 앞에 놓인다는 뜻의 성어가 되었다.

곽박의 『산해경도찬(山海經圖讚)』 : "소가 전쟁 장비[兵機]로 쓰이니, 그것을 가지고 있는 것이 깃발이라네. 선두에 깃발과 북을 두어, 군대의 표식으로 삼는다네. 살코기가 화를 부르는 것이 아니라, 또한 털이 초래하는 것이로세.[牛充兵機, 兼之者旄[17]. 冠於旄鼓, 爲軍之標. 匪肉致災, 亦毛之招.]"

[그림 1-장응호회도본(蔣應鎬繪圖本)]·[그림 2-성혹인회도본(成或因繪圖本)]·[그림 3-왕불도본(汪紱圖本)]·[그림 4-『금충전(禽蟲典)』]

---

16) 시험이나 시합에서 좋은 성적을 거두어 맨 앞자리에 선다는 뜻이다.
17) '모(旄)'는 소의 꼬리털로 장식한 군대의 깃발을 가리킨다.

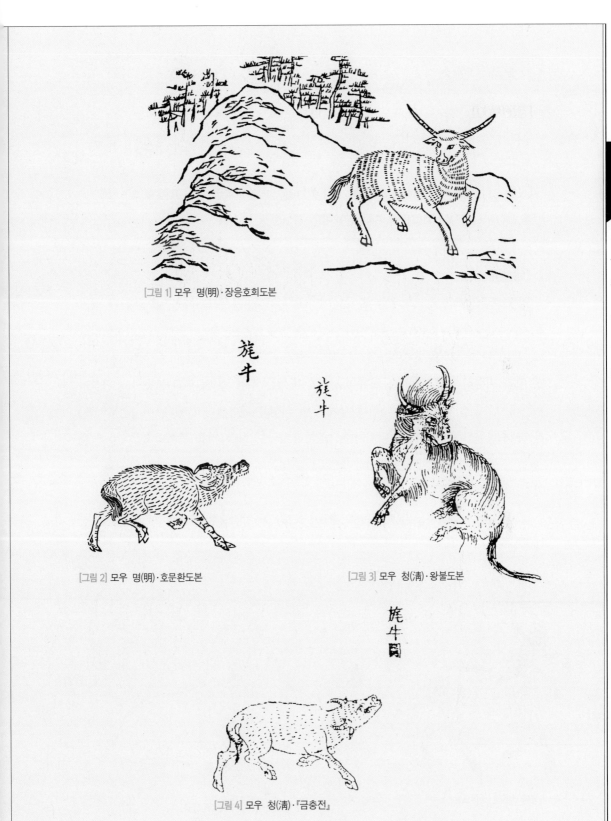

[그림 1] 모우 명(明)·장응호회도본

旄牛

旄牛

[그림 2] 모우 명(明)·호문환도본

[그림 3] 모우 청(淸)·왕불도본

旄牛圖

[그림 4] 모우 청(淸)·『금충전』

|권2-25| 영(麢)

【경문(經文)】

「서산경(西山經)」：취산(翠山)이라는 곳이 있는데, ……그 북쪽에 영(麢)이 많다. …….

[又西二百里, 曰翠山, 其上多棕枏, 其下多竹箭, 其陽多黃金·玉, 其陰多旄牛·麢·麝. 其鳥多鸓, 其狀如鵲, 赤黑而兩首四足, 可以禦火.]

【해설(解說)】

영(麢)은 영(羚)이라고도 쓰는데, 즉 영양(羚羊)이다. 큰 뿔을 가진, 몸집이 큰 양으로, 주로 산 절벽 사이에서 생활한다. 『설문해자(說文解字)』에서, 영은 몸집이 큰 양으로, 뿔이 가늘다고 했다. 『이아(爾雅)·석수(釋獸)』에서는, 영은 몸집이 큰 양이다. 영양은 양과 비슷하게 생겼지만 몸집이 더 크고, 뿔에는 주름살[螆] 무늬가 둥글게 휘감겨 있는데, 밤에 잘 때는 뿔을 나무에 걸어 두어 위험을 예방한다고 했다. 이시진(李時珍)은 『본초강목(本草綱目)』에서 말하기를, 영은 혼자 서식하는 것을 좋아하고, 나무에 뿔을 걸어 두어 위험을 피하니 영민하다고 할 수 있는데, 이때문에 '麢'자는 '鹿'자와 '靈'자를 따른다고 했다.

[그림 1-오임신강희도본(吳任臣康熙圖本)]·[그림 2-왕불도본(汪紱圖本)]·[그림 3-상해금장도본(上海錦章圖本)]

[그림 2] 영양 청(淸)·왕불도본

[그림 3] 영양 상해금장도본

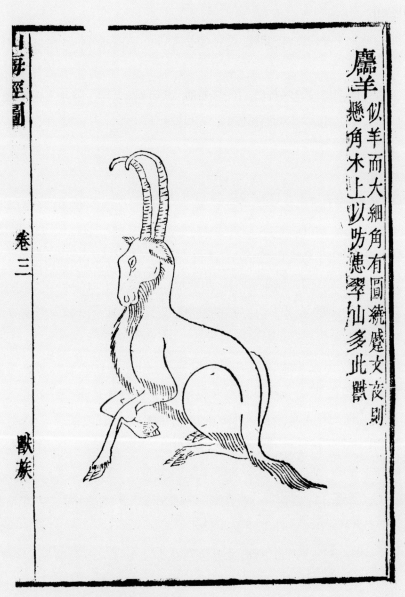

廌羊似羊而大細角有圓繞襞文爻則
廌羊懸角木上以防患翠仙多此獸

山海經圖　卷三　獸族

[그림 1] 영양(廌羊) 청(淸)·오임신강희도본

|권2-26| 사향노루[麝]

【경문(經文)】

「서산경(西山經)」: 취산(翠山)이라는 곳이 있는데, ……그 북쪽에는 사향노루[麝]가 많이 산다. …….

[又西二百里, 曰翠山, 其上多棕枏, 其下多竹箭, 其陽多黃金·玉, 其陰多旄牛·麢· 麝. 其鳥多鸓, 其狀如鵲, 赤黑而兩首四足, 可以禦火.]

【해설(解說)】

사향노루[麝]는 생김새가 노루와 비슷하지만 몸집이 작고, 검은색이며, 주로 측백나무 잎을 먹는데, 뱀을 먹기도 한다. 곽박(郭璞)은 말하기를, 사향노루는 노루와 비슷하지만 몸집이 작고, 향이 있다고 했다. 이시진(李時珍)은 『본초강목(本草綱目)』에서 다음과 같이 설명했다. 즉 사향노루의 향기는 멀리까지 퍼져나가기 때문에, 이 짐승을 사향노루라고 부른다. 사향은 어디에서 나는 것인가? 일설에는 이 짐승의 배꼽에서 나온다 하고, 일설에는 음경 앞의 피부에서 나는데, 따로 얇은 막(膜)의 주머니가 있어 속에 향을 가지고 있다고 한다. 오월에 이것을 잡아보면 간혹 뱃속에 뱀의 피골이 들어 있다고 했다. 이시진은 또 다음과 같이 설명했다. 즉 사향은 세 등급으로 나뉘는데, 제1등급은 생향(生香)으로, 유향(遺香)이라고 부르며, 사향노루가 스스로 후벼서 내는 것이지만, 얻기가 대단히 어렵기 때문에 값이 명주(明珠 : 광택이 수정처럼 빛나는 품질 좋은 진주-역자)와 맞먹는다. 제2등급은 제향(臍香 : 배꼽향-역자)으로, 사향노루를 잡아 죽여서 얻는다. 제3등급은 심결향(心結香)으로, 사향노루가 큰 짐승한테 쫓기며 두려워서 정신없이 달리다가 떨어져 죽은 것을 사람이 얻은 것이다. 이것은 심장이 파열되고 피가 흘러나온 것이 보이며, 비장(脾臟)에 마른 피가 뭉쳐 있어 약으로 쓸 수 없다고 했다. 때문에 이상은(李商隱)[18]의 시(詩)에, "바위를 던지니 사향노루가 스스로 향을 내는구나.[投巖麝自香.]"라는 구절이 있다. 또 허혼(許渾)[19]의 시에, "사향노루 찾아 생향(生

---

18) 이상은(813~858년)은 당대(唐代)의 저명한 시인으로, 자(字)는 의산(義山), 호(號)는 옥계생(玉溪生)·번남생(樊南生)·번남자(樊南子) 등이다. 『신당서(新唐書)』에 따르면, 저서로 『번남갑집(樊南甲集)』 20권·『번남을집(樊南乙集)』 20권·『옥계생시(玉溪生詩)』 3권·『부(賦)』 1권·『문(文)』 1권 등이 있었다고 하나, 일부 작품들은 이미 전해지지 않는다.

19) 허혼(791~858년)은 당대(唐代)의 시인으로, 자는 용회(用晦) 또는 중회(仲晦)라고도 한다. 저서로는 시집

香)을 채집하네.[尋麝采生香.]"라는 구절이 있다.

[그림 1-왕불도본(汪紱圖本)]·[그림 2-『금충전(禽蟲典)』]

[그림 1] 사향노루 청(淸)·왕불도본

[그림 2] 사향노루 청(淸)·『금충전』

인 『정묘집(丁卯集)』이 있다.

【경문(經文)】

「서산경(西山經)」: 취산(翠山)이라는 곳이 있는데, ……그곳에 사는 새로는 유(鸓)
가 많으며, 그 생김새는 까치와 비슷하고, 검붉은색의 대가리 두 개와 네 개의 발
이 달려 있으며, 화재를 막을 수 있다.

[又西二百里, 曰翠山, 其上多棕枏, 其下多竹箭, 其陽多黃金·玉, 其陰多旄牛·麢·
麝. 其鳥多鸓, 其狀如鵲, 赤黑而兩首四足, 可以禦火.]

【해설(解說)】

유(鸓 : '雷'로 발음)는 대가리가 두 개 달린 기이한 새로, 생김새는 까치와 비슷하고,
검은색이며, 두 개의 대가리와 몸통 하나에 네 개의 다리가 달려 있고, 화재를 막을
수 있다. 호문환도설(胡文煥圖說)에서 말하기를, "동화산(東華山)에 어떤 새가 있는데,
생김새는 황새와 비슷하고, 검붉은색이며, 하나의 몸에 두 개의 대가리와 네 개의 발
이 있다.[東華山有鳥, 狀如鸛, 色赤黑, 一身·二首·四足.]"라고 했다. 『사물감주(事物紺珠)』에
서 말하기를, 민(鳴)·유(鸓)·지도(鴵鵨)는 모두 화재를 막을 수 있다. 민·유·지도는 모
두 『산해경』에 나오는 기이한 새들이라고 했다.

곽박(郭璞)의 『산해경도찬(山海經圖讚)』: "유라는 새가 있는데, 두 개의 대가리에 네
개의 다리가 있으니, 마치 두 마리가 붙어서 나는 것 같다네.[有鳥名鸓, 兩頭四足, 翔若合
飛.]"

유새[鸓鳥]의 그림에는 두 가지 형태가 있다.

첫째, 두 개의 대가리에 네 개의 다리가 있는 새로, [그림 1-장응호회도본(蔣應鎬
繪圖本)]·[그림 2-호문환도본(胡文煥圖本)]·[그림 3-오임신근문당도본(吳任臣近文堂圖
本)]·[그림 4-학의행도본(郝懿行圖本)]·[그림 5-왕불도본(汪紱圖本)]과 같은 것들이다.

둘째, 하나의 대가리에 네 개의 다리가 있는 새로, [그림 6-성혹인회도본(成或因繪圖
本)]과 같은 것이다.

[그림 1] 유 명(明)·장응호회도본

鸓鳥

鸓鳥狀如鵲赤黑兩首四足
鸓出則可以禦火出渾山

[그림 2] 유 명(明)·호문환도본

[그림 3] 유 청(淸)·오임신근문당도본

鸜獸汎殺赤黑兩者毘足
鸜出則可以禦火出渾由
摯獸大眼有鳥
名鸖兩頭四足
翔若合飛

[그림 4] 유 청(淸) · 학의행도 본

[그림 5] 유 청(淸) · 왕불도본

[그림 6] 유 청(淸) · 사천(四川)성혹인회도본

| 권2-28 | 유산신(羭山神)

【경문(經文)】

「서산경(西山經)」: 전래산(錢來山)부터 괴산(騩山)에 이르기까지 모두 열아홉 개의 산이 있으며, 그 거리는 2,957리에 달한다. ……유산신(羭山神)이다. …….

[凡西經之首, 自錢來之山至於騩山, 凡十九山, 二千九百五十七里. 華山冢也, 其祠之禮. 太牢. 羭山神也, 祠之用燭, 齋百日以百犧, 瘞用百瑜, 湯其酒百樽, 嬰以百珪百璧. 其餘十七山之屬, 皆毛牷用一羊祠之. 燭者百草之未灰, 白蓆采等純之.]

【해설(解說)】

유산신(羭山神)은 전래산(錢來山)부터 괴산(騩山)까지 모두 열아홉 개 산들의 산신으로, 모두 양의 모습을 하고 있다. 왕불(汪紱)은 주석하기를, "유산신이란 그 산의 산신을 말하는데, 유(羭)다. 유는 양의 종류에 속한다.[羭山神也, 言其山之神, 羭也. 羭, 羊屬.]"라고 했다.

[그림-왕불도본(汪紱圖本), 유서산신(羭西山神)이라고 함.]

[그림] 유서산신 청(淸)·왕불도본

|권2-29| 난조(鸞鳥)

【경문(經文)】

「서차이경(西次二經)」: 여상산(女床山)[20]이라는 곳에, ……어떤 새가 사는데, 그 생김새가 꿩과 비슷하지만 다섯 빛깔의 무늬가 있으며, 이름은 난조(鸞鳥)라 한다. 이것이 나타나면 천하가 평안해진다.

[西南三百里, 曰女床之山, 其陽多赤銅, 其陰多石涅, 其獸多虎豹犀兕. 有鳥焉, 其狀如翟而五采文, 名曰鸞鳥, 見則天下安寧.]

【해설(解說)】

난조(鸞鳥)는 봉조(鳳鳥)에 속하며, 봉황과 같은 종류의 상서로운 새[瑞鳥]이다. 호문환도설(胡文煥圖說)에 이르기를, "여상산(女床山)에 어떤 새가 사는데, 생김새는 꿩과 비슷하고, 옥승(玉乘: 제왕이 타던 수레-역자)에는 모두 이것을 갖추고 있다. 몸은 꿩 같지만 꼬리가 길고, 이름은 난(鸞)이라 한다. 이 새가 나타나면 천하가 태평해진다. 주(周)나라 성왕(成王) 때 서융(西戎: 서쪽의 오랑캐-역자)에서 이 새를 바쳐왔다.[女床山有鳥, 狀如翟, 玉乘畢備, 身如雉而尾長, 名曰鸞. 見則天下太平. 周成王時西戎來獻.]"라고 했다. 「대황서경(大荒西經)」의 기록에 따르면, 다섯 가지 빛깔을 가진 새는 세 종류가 있는데, 하나는 황조(皇鳥)이고, 다른 하나는 난조(鸞鳥)이며, 또 다른 하나는 봉조(鳳鳥)이다. 난조는 신령스러운 정령(精靈)이며, 상서로운 새이니, 천하가 태평하고 평안하면 곧 이 새가 나타난다. 난조의 울음소리는 방울소리 같다. 주나라의 문물이 크게 정비되고 나서, 천자가 타는 법거(法車)에는 큰 방울을 달아 장식했는데, 그 방울소리는 마치 난조가 우는 소리 같았다. 후에 난거(鸞車)[21]라고 부르게 된 것은 바로 여기에서 유래한 것이다.

곽박(郭璞)의 『산해경도찬(山海經圖讚)』: "난조는 여상산에서 날아다니고, 봉새는 단혈산(丹穴山)에서 나온다네. 날갯짓하며 서로 어울려, 성철(聖哲)에 부응한다네. 석경 두드리니 따라 노래하고, 소음(韶音)[22]으로 그 뛰어남을 노래하네.[鸞翔女床, 鳳出丹穴.

---

20) '女牀山'이라고도 표기한다.
21) '난(鸞)'은 천자가 타는 수레에 다는 방울을 가리키며, 천자가 타는 수레를 일컫는 말로 쓰이기도 한다.
22) 소음(韶音)은 즉 소악(韶樂)이며, 순(舜)임금이 만들었다는 음악이다. 『서경(書經)·우서(虞書)·익직(益稷)』편에 "소소(簫韶)를 아홉 번 연주하자, 봉황이 와서 춤을 춘다.[簫韶九成, 鳳凰來儀.]"라고 했는데,

拊翼相和, 以應聖哲. 撃石靡詠, 韶音其絶.]"

　[그림 1-장응호회도본(蔣應鎬繪圖本)]·[그림 2-호문환도본(胡文煥圖本)]·[그림 3-일

본도본(日本圖本)]·[그림 4-성혹인회도본(成或因繪圖本)]·[그림 5-왕불도본(汪紱圖本)]

[그림 1] 난조 명(明)·장응호회도본

[그림 4] 난조 청(淸)·사천(四川)성혹인회도본

이 소소가 바로 소음이다.

[그림 2] 난조 명(明)·호문환도본

古本 山海經 圖說 (上)

240

[그림 3] 난조(난) 일본도본

[그림 5] 난 청(淸)·왕불도본

|권2-30| 부혜(鳧徯)

【경문(經文)】

「서차이경(西次二經)」: 녹대산(鹿臺山)이라는 곳에, ……어떤 새가 사는데, 그 생김 새가 수탉과 비슷하지만 사람의 얼굴을 하고 있으며, 이름은 부혜(鳧徯)라고 하는 데, 그 울음소리가 마치 자신을 부르는 것 같고, 이것이 나타나면 전쟁이 일어난다. [又西二百里, 曰鹿臺之山, 其上多白玉, 其下多銀, 其獸多柞牛·牂羊·白豪. 有鳥焉, 其狀如雄雞而人面, 名曰鳧徯, 其鳴自叫也, 見則有兵.]

【해설(解說)】

부혜(鳧徯)는 사람의 얼굴에 새의 몸을 한 괴상한 새로, 불길한 징조[凶兆]의 새이 다. 옛날 사람들은 부혜를 매우 불길한 새로 여겼다. 오임신(吳任臣)은 말하기를, 사람 의 얼굴을 한 새는 매우 길하지 않으면 매우 불길한데, 매우 길한 것으로는 빈가(頻迦) 가 있고, 매우 불길한 것으로 부혜가 있다고 했다. 황성증(黃省曾 : 이 책 〈권1-16〉 참조- 역자)은 시에서, '나라 안에서 군대를 일으키니, 부혜가 녹대(鹿臺)[23]로 내려오네.'라고 했다. 부혜와 주염(朱厭)[「서차이경(西次二經)」을 보라]은 모두 병란이 일어날 징조이다. 『의춘현지(宜春縣志)』의 기록에 따르면, 숭정(崇禎) 9년(1636년-역자) 여름에 큰 가뭄이 들어, 곡식 한 가마에 8전(錢)씩이나 했으며, 가을 7월에 침강(郴江) 일대에서 부혜가 나타났는데, 이듬해인 정축(丁丑)년에 마침내 초관(楚冠)의 난이 일어났다.

곽박(郭璞)의 『산해경도찬(山海經圖讚)』: "부혜와 주염은, 나타나면 전쟁이 일어난다 네. 종류는 다르나 감응하는 바는 같으니, 이치는 헛되이 행해지는 것이 아니라네. 그 것을 헤아려보면 자연스러우나, 그 이치는 밝히기가 어렵구나.[鳧徯朱厭, 見則有兵. 類異 感同, 理不虛行. 推之自然, 厥數難明.]"

부혜의 그림에는 두 가지 형태가 있다.

첫째, 사람의 얼굴을 한 새로, [그림 1-장응호회도본(蔣應鎬繪圖本)]·[그림 2-호문 환도본(胡文煥圖本)]·[그림 3-일본도본(日本圖本)]·[그림 4-성혹인회도본(成或因繪圖

---

23) 상(商)나라 주왕(紂王)이 7년에 걸쳐 건립했다는 궁궐로, 매우 크고 웅장했다고 전해진다. "그 크기는 3 리(里)이고, 그 높이는 천 척(尺)이었다."라고 한다. 주(周)나라 무왕(武王)이 주왕을 정벌하러 나서자, 주왕은 그에 맞서 목야[牧野 : 지금의 하남성(河南省) 신향(新鄉)]에서 큰 전쟁이 벌어졌다. 주왕의 군대 가 전쟁에서 패하자, 주왕은 도성인 상읍[商邑 : 지금의 하남성 기현(淇縣)]의 녹대로 도망쳤다.

本)]·[그림 5-오임신근문당도본(吳任臣近文堂圖本)]·[그림 6-상해금장도본(上海錦章圖本)]과 같은 것들이다.

둘째, 사람의 얼굴이 아닌 새로, [그림 7-왕불도본(汪紱圖本)]과 같은 것이다.

[그림 1] 부혜 명(明)·장응호회도본

[그림 2] 부혜 명(明)·호문환도본

[그림 5] 부혜 청(淸)·오임신근문당도본

[그림 3] 부혜 일본도본

[그림 4] 부혜 청(淸)·사천(四川)성혹인회도본

鳧徯狀如雄雞而人面見
則有兵出鹿治山

鳧徯
朱厭
見則有兵
類異感同
理不虛行
推之自然
厥數難明

[그림 7] 부혜 청(淸)·왕불도본   [그림 6] 부혜 상해금장도본

【경문(經文)】

「서차이경(西次二經)」: 소차산(小次山)이라는 곳에, ……어떤 짐승이 사는데, 그 생김새는 원숭이와 비슷하지만, 흰 대가리에 붉은 발을 가지고 있다. 이름은 주염(朱厭)이라 하며, 이것이 나타나면 큰 전쟁이 일어난다.

[又西四百里, 曰小次之山, 其上多白玉, 其下多赤銅. 有獸焉, 其狀如猿, 而白首赤足, 名曰朱厭, 見則大兵.]

【해설(解說)】

주염(朱厭)은 불길한 짐승으로, 원숭이류에 속하고, 흰 대가리에 붉은 발을 가지고 있다. 이 짐승은 부혜(鳧徯)와 마찬가지로 큰 전쟁이 일어날 징조이다.

곽박(郭璞)의 『산해경도찬(山海經圖讚)』: "부혜와 주염은, 나타나면 병란이 일어난다네. 종류는 다르나 감응하는 바는 같으니, 이치는 헛되이 행해지는 것이 아니라네. 그것을 헤아려보면 자연스러우나, 그 이치는 밝히기가 어렵구나.[鳧徯朱厭, 見則有兵. 類異感同, 理不虛行. 推之自然, 厥數難明.]"

주염의 그림에는 두 가지 형태가 있다.

첫째, 원숭이처럼 생긴 것으로, [그림 1-장응호회도본(蔣應鎬繪圖本)]·[그림 2-왕불도본(汪紱圖本)]·[그림 3-『금충전(禽蟲典)』]과 같은 것들이다.

둘째, 사람의 얼굴에 원숭이의 몸을 한 것으로, [그림 4-성혹인회도본(成或因繪圖本)]과 같은 것이다.

[그림 1] 주염 명(明)·장응호회도본

古本 山海經 圖說 (上)

[그림 2] 주염 청(淸)·왕불도본

[그림 3] 주염 청(淸)·『금충전』

[그림 4] 주염 청(淸)·사천(四川)성혹인회도본

|권2-32| 호랑이[虎]

【경문(經文)】

「서차이경(西次二經)」: 지양산(厎陽山)이라는 곳이 있는데, ……그곳에 사는 짐승으로는 호랑이[虎]……가 많다. …….

[又西四百里, 曰厎陽之山, 其木多㯉·枏·豫章, 其獸多犀·兕·虎·豹·牦牛.]

【해설(解說)】

호랑이[虎]는 맹수로, 산짐승[山獸]의 왕이다. 호랑이는 용맹하고 사나운 짐승이며, 길상(吉祥)의 상징이다. 이시진(李時珍)은 『본초강목(本草綱目)』에서 다음과 같이 말했다. 호랑이는 산짐승의 왕으로, 생김새는 고양이 같지만 크기는 소만하다. 누런 바탕에 검은 무늬가 있고, 톱날 같은 이빨과 갈고리 같은 발톱을 가졌으며, 수염이 빳빳하고 뾰족하다. 혓바닥은 크기가 손바닥만한데, 가시 같은 것이 나 있으며, 목이 짧고 코는 막혀 있다. 밤에 잘 보는데, 한쪽 눈으로는 빛을 내고, 한쪽 눈으로는 사물을 본다. 울부짖는 소리가 천둥소리 같아 바람이 일고, 모든 짐승이 두려워 떤다.

호랑이는 또한 양기가 왕성한 짐승인데, 『춘추위(春秋緯)』[24]에 기록하기를, 삼구는 이십칠(3×9=27)인데, 7은 양기가 왕성하기 때문에, 호랑이가 7월에 나온다. 양기가 7에서 완성되기 때문에, 호랑이 꼬리의 길이가 7척이다. 얼룩무늬는 음양이 섞인 것이라고 했다. 『포박자(抱朴子)·대속편(對俗篇)』에서는, "호랑이나 사슴·토끼는 모두 천 살까지 사는데, 만 오백 살이 되면 그 털빛이 하얗게 된다. 오백 살까지 살 수 있는 것들은 변화할 수 있다.[虎及鹿兎皆壽千歲, 滿五百歲者, 其毛色白. 能壽五百歲者, 則能變化.]"라고 했다.

[그림-왕불도본(汪紱圖本)]

---

24) 한대(漢代)에 유가(儒家)의 경의(經義)에 근거하여, 부록(符籙)·서응(瑞應)·점술의 영험[占驗] 등을 선양한 책이다. 경서(經書)와는 상대적인 개념으로 쓰여, 위서(緯書)라 했다. 『상서위(尙書緯)』·『시위(詩緯)』·『역위(易緯)』·『예위(禮緯)』·『춘추위(春秋緯)』·『악위(樂緯)』·『효경위(孝經緯)』를 '칠위(七緯)'라고 한다. 이러한 책들은 신학(神學)·성상(星相)·음양오행술을 가지고 유가의 경의를 해석했다. 그 속에는 고대의 신화 전설이 다수 보존되어 있으며, 고대의 천문·역법·지리 등과 관련된 기록들도 포함되어 있다. 인사(人事)·길흉(吉凶)이나 흥망성쇠에 관한 예언 등의 내용들을 억지로 갖다 붙여, 기괴하고 황당무계한 이야기들이 상당히 많다. 위서는 서한 말기에 시작되어, 동한 때 크게 성행했다. 그러나 남조(南朝) 송대(宋代)에 금지하기 시작하여, 수대(隋代)에 이르러서는 더욱 철저하게 금지했다. 수나라 제2대 황제인 양제(煬帝)가 즉위하고 나서, 천하의 서적들을 수집하여 참위(讖緯)와 관련된 것은 모두 태워버렸다. 그래서 대부분 유실되었지만, 경전의 주소(注疏) 및 기타 서적에 인용된 것들이 적지 않게 남아 있다.

虎

[그림] 호랑이 청(淸)·왕불도본

| 권2-33 | 순록[麋]

【경문(經文)】

「서차이경(西次二經)」: 서황산(西皇山)이라는 곳이 있는데, ……그곳에 사는 짐승으로는 순록[麋]……이 많다.

[又西三百五十里, 曰西皇之山, 其陽多金, 其陰多鐵, 其獸多麋·鹿·炸牛.]

【해설(解說)】

순록[麋]은 크기가 송아지만하며, 사슴류에 속한다. 이시진(李時珍)은 『본초강목(本草綱目)』에서 말하기를, 순록은 남산(南山)의 골짜기와 회해(淮海)²⁵⁾ 주변에서 사는데, 10월에 그것을 잡을 수 있다. 순록은 사슴과 비슷하지만 색깔이 검고, 크기는 송아지만하며, 살로 된 굽[肉蹄]이 있고, 수컷은 뿔이 있다. 순록의 눈 밑에는 두 개의 구멍이 있는데, 밤에 보는 눈이다. 그래서 『회남자(淮南子)』에서 말하기를, 임신한 여자가 순록을 보면 눈이 넷 달린 아이를 낳는다고 했다. 지금 해릉(海陵)²⁶⁾에, 많으면 수천 수백 마리씩 무리를 이루고 있는데, 암컷이 많고 수컷이 적다.

[그림 1-왕불도본(汪紱圖本)]·[그림 2-『금충전(禽蟲典)』]

[그림 1] 순록 청(淸)·왕불도본

---

25) 서주(徐州)를 중심으로 하여, 회수(淮水) 이북 지역과 해주(海州) 일대를 일컫는 말이다.
26) 태주성(泰州城)의 옛 명칭으로, 한(漢)나라 초기에 해릉현(海陵縣)이 설치되었다.

[그림 2] 순록 청(清)·『금충전』

|권2-34| 사슴[鹿]

【경문(經文)】

「서차이경(西次二經)」: 서황산(西皇山)이라는 곳이 있는데, ……그곳에 사는 짐승으로는 사슴[鹿]……이 많다.

[又西三百五十里, 曰西皇之山, 其陽多金, 其陰多鐵, 其獸多麋·鹿·怍牛.]

【해설(解說)】

사슴[鹿]은 상서로운 짐승으로, 장수(長壽)의 상징이다. 이시진(李時珍)은 『본초강목(本草綱目)』에서 다음과 같이 말하고 있다. 즉 사슴은 곳곳의 산림에 살고 있는데, 말의 몸에 양의 꼬리를 하고 있고, 대가리는 비스듬하고 길며, 다리가 길어 빨리 달린다. 수사슴은 뿔이 있는데, 하지(夏至)가 되면 떨어진다. 크기는 망아지만하고, 누런색 바탕에 흰색 반점 무늬가 있는데, 흔히 마록(馬鹿)이라고 부른다. 암사슴은 뿔이 없고, 크기가 작고 반점 무늬가 없으며, 털은 누런색과 흰색이 섞여 있는데, 흔히들 우록(麀鹿)이라고 부른다. 6개월간 임신하고 있다가 새끼를 낳는데, 사슴은 습성이 방탕하여 수사슴 한 마리가 여러 마리의 암사슴들과 교미를 하며, 이것을 일컬어 취우(聚麀)라 부른다. 옛날 미신에서는 하지가 되면 사슴뿔이 떨어져야 하는데, 떨어지지 않으면 전쟁이 끊이지 않는다고 믿었다. 『술이기(述異記)』에서는, 사슴은 천 살이 되면 푸른색으로 변하고, 또 오백 년이 지나면 흰색으로 변하며, 다시 또 오백 년이 지나면 원래대로 변한다고 했다.

[그림 1-왕불도본(汪紱圖本)]·[그림 2-『금충전(禽蟲典)』]

鹿

[그림 1] 사슴 청(淸)·왕불도본

[그림 2] 사슴 청(淸)·『금충전』

|권2-35| 인면마신신(人面馬身神) : 사람의 얼굴에 말의 몸을 한 신

【경문(經文)】

「서차이경(西次二經)」: 검산(鈐山)부터 내산(萊山)에 이르기까지는 모두 열일곱 개의 산이 있으며, 4,140리에 달한다. 그곳의 십신(十神)은, 모두 사람의 얼굴에 말의 몸을 하고 있다. …….

[凡「西次二經」之首, 自鈐山至於萊山, 凡十七山, 四千一百四十里. 其十神者, 皆人面而馬身. 其七神皆人面而牛身, 四足而一臂, 操杖以行, 是謂飛獸之神. 其祠之, 毛用少牢, 白菅爲席. 其十輩神者, 其祠之, 毛一雄雞, 鈐而不糈, 毛采.]

【해설(解說)】

검산(鈐山)부터 내산(萊山)에 이르기까지는 모두 열일곱 개의 산이 있는데, 그 중 열 개 산의 산신들은 모두 사람의 얼굴에 말의 몸을 한 신[人面馬身神]들이며, 십배신(十輩神)이라고도 부른다. 왕불도본(汪紱圖本)에서는 그 신들을 서산십신(西山十神)이라고 부르는데, 그는 해석하기를, 십신(十神)은 모두 검산부터 대차산(大次山)까지 열 개 산의 신들을 가리키는 것이라고 했다.

[그림 1-장응호회도본(蔣應鎬繪圖本)]·[그림 2-성혹인회도본(成或因繪圖本)]·[그림 3-왕불도본(汪紱圖本)]

[그림 3] 인면마신신(서산십신) 청(淸)·왕불도본

[그림 1] 인면마신신 명(明)·장응호회도본

[그림 2] 인면마신신 청(淸)·사천(四川)성혹인회도본

|권2-36| 인면우신신(人面牛身神) : 사람의 얼굴에 소의 몸을 한 신

【경문(經文)】

「서차이경(西次二經)」: 검산(鈐山)부터 내산(萊山)에 이르기까지는 모두 열일곱 개의 산이 있으며, 4,140리에 달한다. ……그곳의 칠신(七神)은, 모두 사람의 얼굴에 소의 몸을 하고 있고, 네 개의 발과 하나의 팔이 있으며, 지팡이를 쥐고 걷는데, ……이는 날짐승의 신[飛獸之神]이다.

[凡「西次二經」之首, 自鈐山至於萊山, 凡十七山, 四千一百四十里. 其十神者, 皆人面而馬身. 其七神皆人面而牛身, 四足而一臂, 操杖以行, 是謂飛獸之神. 其祠之, 毛用少牢, 白菅爲席. 其十輩神者, 其祠之, 毛一雄雞, 鈐而不糈, 毛采.]

【해설(解說)】

검산(鈐山)부터 내산(萊山)에 이르기까지는 모두 열일곱 개의 산이 있는데, 그 중 일곱 개 산의 산신들은 모두 사람의 얼굴에 소의 몸을 한 신[人面牛身神]들이며, 팔이 하나뿐이기 때문에 지팡이를 짚고 다니고, 마치 나는 듯이 빠르기 때문에, 그 이름이 날짐승의 신[飛獸之神]이며, 칠신(七神)이라고도 부른다.

[그림 1-장응호회도본(蔣應鎬繪圖本)]·[그림 2-성혹인회도본(成或因繪圖本)]·[그림 3-왕불도본(汪紱圖本)]·[그림 4-『신이전(神異典)』, 이 비수신(飛獸神) 그림에는 십배신(十輩神)과 비수신이 다 포함되어 있다.]

[그림 2] 인면우신신 청(淸)·사천(四川)성혹인회도본

[그림 1] 인면우신신 명(明)·장응호회도본

[그림 3] 인면우신신[서산칠신(西山七神)] 청(淸)·왕불도본

[그림 4] 인면우신신(비수신) 청(淸)·『신이전』

거보(擧父)

【경문(經文)】

「서차삼경(西次三經)」: 숭오산(崇吾山)이라는 곳에, ……어떤 짐승이 사는데, 그 생 김새는 긴꼬리원숭이와 비슷하지만 팔에 무늬가 있고, 표범의 꼬리를 하고 있으며, 던지기를 잘한다. 이름은 거보(擧父)라고 한다. …….

[「西次三經」之首, 曰崇吾之山, 在河之南, 北望冢遂, 南望䂖之澤, 西望帝之搏獸之 丘, 東望蟒淵. 有木焉, 員葉而白柎, 赤華而黑理, 其實如枳, 食之宜子孫. 有獸焉, 其狀如禺而文臂, 豹虎[27]而善投, 名曰擧父. 有鳥焉, 其狀如鳧, 而一翼一目, 相得乃 飛, 名曰蠻蠻, 見則天下大水.]

【해설(解說)】

거보(擧父)는 과보(夸父)라고도 하는데, 커다란 원숭이이며, 거(豦)라고도 부른다. 곽 박(郭璞)은 주석하기를, 지금 건평산(建平山)에 거가 사는데, 크기는 개만하며, 원숭이 처럼 생겼고, 흑황색에, 수염과 갈기가 많고, 대가리를 빠르게 흔들기를 잘하며, 돌을 집어 사람에게 던질 줄 안다고 했다.

[그림 1-장응호회도본(蔣應鎬繪圖本)]·[그림 2-성혹인회도본(成或因繪圖本)]·[그림 3-오임신근문당도본(吳任臣近文堂圖本)]·[그림 4-왕불도본(汪紱圖本)]·[그림 5-상해금 장도본(上海錦章圖本)]

---

27) 경문(經文)에는 "豹虎而善投"라고 되어 있는데, 여기에서 '虎'자는 '尾(꼬리 미)'자의 오기로 보인다. 오 임신(吳任臣)은 "글자가 틀렸다.[字有誤.]"라고 했고, 원가(袁珂)는 "경문에는 '虎'라고 되어 있는데, 아 마도 '尾'자의 오류인 듯하다.[經文虎, 疑是尾字之誤.]"라고 했다.

[그림 1] 거보 명(明)·장응호회도본

[그림 2] 거보 청(淸)·사천(四川)성혹인회도본

[그림 4] 거보 청(淸)·왕불도본

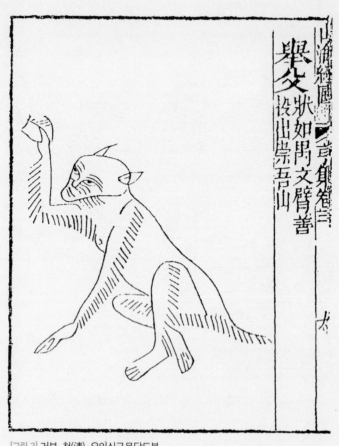

[그림 3] 거보 청(淸)·오임신근문당도본

[그림 5] 거보 상해금장도본

| 권2-38 | 만만[蠻蠻 : 비익조(比翼鳥)]

【경문(經文)】

「서차삼경(西次三經)」: 숭오산(崇吾山)이라는 곳에, ……어떤 새가 사는데, 그 생김새가 물오리와 비슷하고, 하나의 날개에 하나의 눈을 가지고 있어, 서로 의기투합하여 날며, 이름은 만만(蠻蠻)이라 하고, 이것이 나타나면 천하에 홍수가 난다.

[「西次三經」之首, 曰崇吾之山, 在河之南, 北望冢遂, 南望𢁥之澤, 西望帝之搏獸之丘, 東望蠕淵. 有木焉, 員葉而白柎, 赤華而黑理, 其實如枳, 食之宜子孫. 有獸焉, 其狀如禺而文臂, 豹虎而善投, 名曰擧父. 有鳥焉, 其狀如鳬, 而一翼一目, 相得乃飛, 名曰蠻蠻, 見則天下大水.]

【해설(解說)】

만만(蠻蠻)은 즉 비익조(比翼鳥)로, 적청색(赤青色)이며, 두 마리가 서로 돕지 않으면 날 수 없어, 『이아(爾雅)』에서는 겸겸조(鶼鶼鳥)라고 했다. 옛 사람들은 비목어(比目魚)·비익조·비견수(比肩獸)라고 불렀다고도 한다. 이 새는 서로 돕지 않으면 걸을 수도 없고 날 수도 없는데, 짝을 짓는 것을 상서롭게 여겨, 중국의 길상(吉祥)과 관련된 문화에서 중요한 내용을 이룬다. 고서에 나오는 비익조는 대부분 상서로운 짐승으로, 길상·비익제비(比翼齊飛)[28]와 충정과 사랑의 상징이다. 호문환도설(胡文煥圖說)에서 말하기를, 비익조는 "물오리와 비슷하고, 적청색이며, 눈도 하나이고 날개도 하나여서, 두 마리가 서로 의기투합해야만 날 수 있다. 왕이 효와 덕을 갖추면 아득히 먼 곳에서 날아온다.[似鳬, 青赤色, 一目一翼, 相得乃飛. 王者有孝德, 於幽遠則至.]"라고 했다. 『주서(周書)』에는, 성왕(成王) 때 파(巴)[29] 지역 사람이 비익조를 바쳤다는 기록이 있다. 「서응도(瑞應圖)」에는, 왕의 덕이 높고 멀리 미치게 되면, 비익조가 온다는 기록이 있다. 『습유기(拾遺記)』에는, '주나라 성왕 6년에 연구(燃丘)라는 나라에서 비익조 암컷과 수컷 각각 한 마리씩을 바쳤다. 비익조는 힘이 세고, 까치처럼 생겼으며, 남해의 붉은 진흙을 물어다 곤륜(昆侖 : 곤륜산-역자)의 원목(元木)에 둥지를 만든다. 성군을 만나면 모여드는데, 주공(周公)이 성군을 보좌할 것이라는 상서로운 징조를 나타냈다'고 기록되어 있다.

---

28) 서로 도우며 함께 나아간다는 뜻으로, 부부간의 애정이 매우 두터운 것을 비유하는 말이다.
29) 오늘날의 서장자치구(西藏自治區)에 위치한다.

『박물지(博物志)』에 기록하기를, '숭구산(崇丘山)에 사는 어떤 새는, 다리·날개·눈이 각각 하나씩뿐이어서, 두 마리가 의기투합해야만 날 수 있으며, 이름은 맹(䵷)이라고 한다. 이 새를 보면 좋은 일이 생기는데, 그것을 타면 천 살까지 장수한다'고 했다. 『박물지여(博物志餘)』에서는, '남방에 비익봉(比翼鳳)이 있는데, 날아가다가 멈춰서 물이나 먹이를 먹으면서도 둘이 서로 떨어지지 않으며, 또 죽었다가 다시 소생하면 반드시 한 곳에서 산다. 이 비익봉도 역시 비익조의 일종'이라고 했다.

곽박(郭璞)의 『산해경도찬(山海經圖讚)』: "비익조는 물오리와 비슷하고, 청적색이라네. 비록 하나라고 말들 하지만, 기(氣)는 같이 하고 몸은 나뉘어 있다네. 목을 늘리면 서로 떨어지고, 날개를 나란히 모아 이리저리 날아다닌다네.[比翼之鳥, 似鳬青赤. 雖云一形, 氣同體隔. 延頸離鳥, 翻飛合翮.]"

「서차삼경」에 나오는 숭오산(崇吾山)의 만만이라는 새는, 위에서 말한 상서로운 비익조와는 다른데, 그것은 천하에 홍수가 날 징조이므로, 학의행(郝懿行)은 주석하기를, "이것은 비익조지만 상서로운 날짐승은 아니다.[此則比翼鳥非瑞禽也.]"라고 했다. 이 홍수의 징조이며, 대가리가 두 개 달린 괴조(怪鳥)인 만만이 바로 길조(吉鳥)인 비익조의 원래 형태인 것으로 보인다.

[그림 1-장응호회도본(蔣應鎬繪圖本)]·[그림 2-호문환도본(胡文煥圖本)]·[그림 3-일본도본(日本圖本)]·[그림 4-성혹인회도본(成或因繪圖本)]·[그림 5-필원도본(畢沅圖本)]·[그림 6-왕불도본(汪紱圖本)]

[그림 1] 만만조(蠻蠻鳥) 명(明)·장응호회도본

[그림 2] 만만[비익조(比翼鳥)] 명(明)·호문환도본

[그림 3] 만만(비익조) 일본도본

[그림 4] 만만조 청(淸)·사천(四川)성혹인회도본

比翼之鳥
似鳧青赤雖云
一形氣同體
隔延頸離鳥
翻飛合翺

蠻蠻乃飛見則大水山崇吾山
山海經圖西
其狀如鳧而一翼二目相得

[그림 5] 만만 청(淸)·필원도본

蠻蠻鳥

[그림 6] 만만조 청(淸)·왕불도본

|권2-39| 고[鼓 : 종산신(鍾山神)]

【경문(經文)】

「서차삼경(西次三經)」: 종산(鍾山)의 산신 아들을 고(鼓)라 하는데, 그 생김새가 사람의 얼굴에 용의 몸을 하고 있다. 고가 흠비(欽䲹)와 함께 곤륜산의 남쪽에서 보강(葆江)을 죽이자, 이에 황제(黃帝)가 종산 동쪽의 요애(崤崖)라는 곳에서 그들을 죽였다. 그러자 흠비는 큰 악(鶚)새로 변했는데, 그 생김새는 독수리와 비슷하지만 검은색 무늬에 대가리가 희고, 붉은 부리와 호랑이의 발톱을 가졌다. 그 울음소리는 마치 물수리[晨鵠]의 소리 같고, 이것이 나타나면 큰 전쟁이 일어난다. 고는 또한 준조(鵔鳥)라는 새로 변했는데, 그 생김새가 솔개와 비슷하고, 붉은색 발에 곧은 부리를 가졌으며, 누런색 무늬에 대가리가 희다. 그 울음소리는 마치 고니 같으며, 이것이 나타나면 그 고을에 큰 가뭄이 든다.

[又西北四百二十里, 曰鍾山, 其子曰鼓, 其狀如人面而龍身[30], 是與欽䲹殺葆江於昆侖之陽, 帝乃戮之鍾山之東曰崤崖, 欽䲹化爲大鶚, 其狀如雕而黑文白首, 赤喙而虎爪, 其音如晨鵠[31], 見則有大兵. 鼓亦化爲鵔鳥, 其狀如鴟, 赤足而直喙, 黃文而白首, 其音如鵠, 見即其邑大旱.]

【해설(解說)】

고(鼓)는 종산(鍾山)의 산신인 촉음[燭陰 : 촉룡(燭龍)]의 아들로, 사람의 얼굴에 용의 몸을 하고 있으며, 그의 부친인 촉음도 역시 "사람의 얼굴에 뱀의 몸[印面蛇身]"을 하고 있거나[「해외북경(海外北經)」을 보라] "사람의 얼굴에 용의 몸[人面龍身]"을 하고 있어[『회남자(淮南子)』를 보라], 부자(父子) 관계인 두 신의 생김새가 서로 똑같다는 것을 알 수 있다. 전설에 따르면, 옛날에 천궁(天宮)에 있는 여러 제후들 간에 자주 분쟁이 일어났는데, 한번은 고와 흠비(欽䲹)라는 천신(天神)들이 보강[葆江 : 조강(祖江)이라고도 함]이라는 천신을 곤륜산에서 죽였다. 황제(黃帝)가 이를 알고는 매우 화를 내면서, 종산 동쪽의 요애(崤崖)라는 곳에서 두 신을 죽이라고 명령했다. 이 두 신들은 죽은 후에 그 영

---

30) 경문의 "其狀如人面而龍身"에서 '如'자는 '衍'자로 고쳐야 한다. 원가(袁珂)는 "경문의 '如'자를, 왕염손은 '衍'자로 교정했는데, 이는 옳다.[經文如字, 王念孫校衍, 是也.]"라고 했다.

31) 곽박(郭璞)은 주석하기를, "'晨鵠'은 물수리에 속하으로, 신부(晨鳧)라고 한다.[晨鵠, 鶚屬, 猶云晨鳧耳.]"라고 했다.

혼이 흩어지지 않고, 흠비는 큰 악(鶚)새로 변하고, 고는 준조(鵔鳥)로 변해, 전쟁과 큰 가뭄의 징조가 되었다고 한다. 도잠(陶潛)은 「독산해경(讀山海經)」이라는 시의 제11편에서 다음과 같이 읊었다. "몹시도 교활한 이들이 제멋대로 위세 부리고 포악하게 굴다, 흠비가 상제의 뜻을 어겼다네. 알유(窫窳 : 이 책 〈권3-22〉 참조-역자)는 애써 변할 수 있었으나, 조강은 결국 홀로 죽고 말았네.[巨猾肆威暴, 欽鵃違帝旨. 窫窳强能變, 祖江遂獨死.]"

곽박의 『산해경도찬(山海經圖讚)』: "흠비와 고가 조강을 죽였다네. 이에 황제는 곤륜의 동쪽에서 그들을 죽였다네. 이 둘은 모두 모습이 변했으나, 날개를 펼치고 나는 것은 둘 다 같다네.[欽鵃及鼓, 是殺祖江. 帝乃戮之, 昆侖之東. 二子皆化, 矯翼亦同.]"

[그림 1-장응호회도본(蔣應鎬繪圖本)]·[그림 2-호문환도본(胡文煥圖本)]·[그림 3-일본도본(日本圖本), 피(骳)라고 함]·[그림 4-『신이전(神異典)』]·[그림 5-오임신근문당도본(吳任臣近文堂圖本)]·[그림 6-성혹인회도본(成或因繪圖本)]·[그림 7-왕불도본(汪紱圖本)]

[그림 1] 고 명(明)·장응호회도본

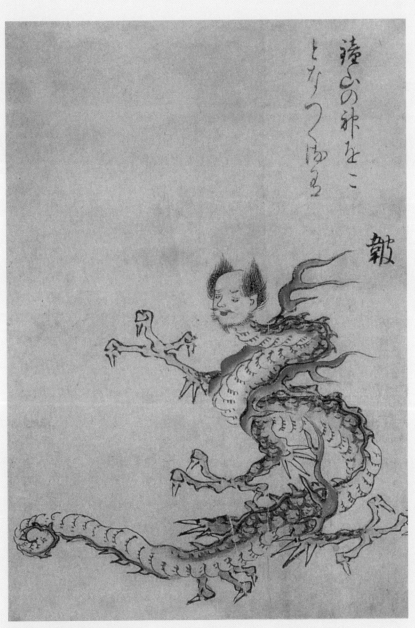

[그림 3] 종산신[피(𩑶)] 일본도본

鍾山神

[그림 2] 고(종산신) 명(明)·호문환도본

鼓神圖

[그림 4] 고[고신(鼓神)] 청(淸)·『신이전』

[그림 5] 고 청(淸)·오임신근문당도본

[그림 6] 고 청(淸)·사천(四川)성혹인회도본

鍾山子鼓

[그림 7] 고[종산자고(鍾山子鼓)] 청(淸)·왕불도본

|권2-40| 흠비(欽䲹)

【경문(經文)】

「서차삼경(西次三經)」: 종산(鍾山)의 산신 아들을 고(鼓)라 하는데, 그 생김새가 사람의 얼굴에 용의 몸을 하고 있다. 고가 흠비(欽䲹)와 함께 곤륜산의 남쪽에서 보강(葆江)을 죽이자, 이에 황제(黃帝)가 종산 동쪽의 요애(峰崖)라는 곳에서 그들을 죽였다. 그러자 흠비는 큰 악(鶚)새로 변했는데, 그 생김새는 독수리와 비슷하지만 검은색 무늬에 대가리가 희고, 붉은 부리와 호랑이의 발톱을 가졌다. 그 울음소리는 마치 신곡(晨鵠)이 우는 소리와 비슷하고, 이것이 나타나면 큰 전쟁이 일어난다. ……

[又西北四百二十里, 曰鍾山, 其子曰鼓, 其狀如人面而龍身, 是與欽䲹殺葆江於昆侖之陽, 帝乃戮之鍾山之東曰峰崖, 欽䲹化爲大鶚, 其狀如雕而黑文白首, 赤喙而虎爪, 其音如晨鵠, 見則有大兵. 鼓亦化爲鵕鳥, 其狀如鴟, 赤足而直喙, 黃文而白首, 其音如鵠, 見即其邑大旱.]

【해설(解說)】

촉음(燭陰)의 아들 고(鼓)와 흠비(欽䲹)는 보강[葆江 : 즉 조강(祖江)]을 죽였으므로, 황제(黃帝)에 의해 종산의 동쪽에 있는 요애에서 처형당했다. 두 신들은 죽은 후에 모두 새로 변했다. 흠비는 악(鶚)새로 변했는데, 생김새는 독수리와 비슷하고, 흰 대가리에 붉은 부리를 가졌다. 등에는 검은 얼룩무늬가 있고, 호랑이의 발톱이 나 있으며, 그것의 소리는 신곡(晨鵠)이 우는 소리와 비슷하다. 이 새가 나타난 지방에는 전쟁의 재난이 발생한다.

곽박(郭璞)의 『산해경도찬(山海經圖讚)』: "흠비와 고가 조강을 죽였다네. 이에 황제는 곤륜의 동쪽에서 그들을 죽였다네. 이 둘은 모두 모습이 변했으나, 날개를 펼치고 나는 것은 둘 다 같다네.[欽䲹及鼓, 是殺祖江. 帝乃戮之, 昆侖之東. 二子皆化, 矯翼亦同.]"

[그림 1-장응호회도본(蔣應鎬繪圖本)]·[그림 2-성혹인회도본(成或因繪圖本)]·[그림 3-왕불도본(汪紱圖本)]·[그림 4-『금충전(禽蟲典)』]

[그림 1] 흠비 명(明)·장응호회도본

[그림 2] 흠비 청(淸)·사천(四川)성혹인회도본

[그림 3] 흠비대악(欽䲹大鶚) 청(淸)·왕불도본

[그림 4] 흠비 청(淸)·『금충전』

|권2-41| 준조(鵕鳥)

【경문(經文)】

「서차삼경(西次三經)」 : 종산(鍾山)의 산신 아들을 고(鼓)라 하는데, 그 생김새가 사람의 얼굴에 용의 몸을 하고 있다. 고가 흠비(欽鵄)와 함께 곤륜산의 남쪽에서 보강(葆江)을 죽이자, 이에 황제(黃帝)가 종산 동쪽의 요애(峟崖)라는 곳에서 그들을 죽였다. 그러자 흠비는 큰 악(鶚)새로 변했는데, 그 생김새는 독수리와 비슷하지만 검은색 무늬에 대가리가 희고, 붉은 부리와 호랑이의 발톱을 가졌다. 그 울음소리는 마치 신곡(晨鵠)이 우는 소리와 비슷하고, 이것이 나타나면 큰 전쟁이 일어난다. 고도 또한 준조(鵕鳥)라는 새로 변했는데, 그 생김새가 솔개와 비슷하고, 붉은색 발에 곧은 부리를 가졌으며, 누런색 무늬에 대가리가 희다. 그 울음소리는 마치 고니와 같으며, 이것이 나타나면 그 고을에 큰 가뭄이 든다.

[又西北四百二十里, 曰鍾山, 其子曰鼓, 其狀如人面而龍身, 是與欽鵄殺葆江於昆侖之陽, 帝乃戮之鍾山之東曰峟崖, 欽鵄化爲大鶚, 其狀如雕而黑文白首, 赤喙而虎爪, 其音如晨鵠, 見則有大兵. 鼓亦化爲鵕鳥, 其狀如鴟, 赤足而直喙, 黃文而白首, 其音如鵠, 見即其邑大旱.]

【해설(解說)】

촉음(燭陰)의 아들 고(鼓)가 조강(祖江)을 죽인 죄로 처형당한 후 그 영혼이 준조(鵕鳥)라는 새로 변했다. 준조의 생김새는 솔개와 비슷한데, 흰 대가리에 붉은 발과 곧은 부리를 가지고 있으며, 등 위에는 노란 얼룩무늬가 있다. 그 울음소리는 큰 악(鶚)새 울음소리와 매우 비슷하다. 그것이 나타나면 큰 가뭄이 든다. 왕불(汪紱)은 주석에서 말하기를, 준(鵕)은 음(音)이 준(俊)이며, 솔개[鴟]·올빼미[梟]에 속한다. 무릇 올빼미류는 부리가 갈고리처럼 생겼는데, 이 새는 부리가 곧으니 다른 종류이다. 황제(黃帝)가 이들 두 사람을 죽이자, 두 사람은 각각 새로 변했다고 하는데, 곤(鯀)이 누런 곰[黃熊]으로 변했다(원문은 이와 같다.-인용자)는 설과 유사하다. 도잠(陶潛)은 「독산해경(讀山海經)」이라는 시에서 이렇게 읊었다. "영원히 죽는 것도 본디 이미 심하다지만, 준(鵕)새와 큰 악(鶚)새로 변한들 어찌 좋을 게 있겠는가.[長枯固已劇, 鵕鶚豈足恃.]" 여기에서 묘사한 것도 역시 두 신이 두 마리의 새로 변했다는 이야기이다.

[그림] 준조 청(淸) · 왕불도본

|권2-42| 문요어(文鰩魚)

【경문(經文)】

「서차삼경(西次三經)」 : 태기산(泰器山)이라는 곳에서 관수(觀水)가 시작되어, 서쪽으로 흘러 유사(流沙)로 들어간다. 거기에는 문요어(文鰩魚)가 많이 사는데, 그 생김새는 잉어와 비슷하며, 물고기의 몸에 새의 날개가 달려 있고, 푸른 무늬에 흰 대가리와 붉은 부리를 가졌다. 늘 서해를 날아다니고, 동해에서 노닐며, 밤에 날아다닌다. 그 소리는 마치 난계(鸞鷄)와 같고, 그 고기의 맛은 새콤달콤한데, 그것을 먹으면 미친병이 낫고, 그것이 나타나면 천하에 큰 풍년이 든다.

[又西百八十里, 曰泰器之山. 觀水出焉, 西流注於流沙. 是多文鰩魚, 狀如鯉魚, 魚身而鳥翼, 蒼文而白首, 赤喙, 常行西海, 遊於東海, 以夜飛. 其音如鸞雞, 其味酸甘, 食之已狂, 見則天下大穰.]

【해설(解說)】

문요어(文鰩魚)는 물고기와 새의 모습을 한 몸에 가지고 있는 기이한 물고기이다. 비어(飛魚)류에 속하며, 풍년이 들 징조이다. 문요어의 생김새는 잉어와 비슷한데, 물고기의 몸에 새의 날개가 달려 있으며, 흰 대가리와 붉은 부리를 가졌고, 깃털에는 푸른색 얼룩무늬가 있다. 울음소리는 난계(鸞鷄)와 비슷하고, 밤에는 항상 서해와 동해 사이를 이리저리 날아다닌다. 호문환도설(胡文煥圖說)에 이르기를, "푸른 무늬가 있는 새의 날개가 달려 있고, 낮에는 서해에서 노닐다가 밤에는 북해로 들어간다. 그 고기의 맛은 달콤새콤하며, 그것을 먹으면 미친병이 낫고, 그것이 나타나면 큰 풍년이 든다.[鳥翼蒼文, 晝遊西海, 夜入北海. 其味甘酸, 食之已狂, 見則大稔.]"라고 했다. 『비아(埤雅)』에는, 문요어는 길이가 한 척 남짓이며, 날개가 있다고 기록되어 있다. 『신이경(神異經)』에는, 동남해에 온호(溫湖)가 있으며, 거기에 요어(鰩魚)가 사는데, 길이가 8척이라고 기록되어 있다. 『이아익(爾雅翼)』에는, 문요어는 남해에서 나는데, 크기가 한 척이 넘고, 꼬리와 가지런하게 날개가 달려 있으며, 일명 비어(飛魚)라 한다. 무리를 지어 바다 위를 날아다니며, 어부가 이 새를 만나면 큰 풍랑이 인다고 기록했다. 「오도부(吳都賦)」에서는, 문요(文鰩)가 밤에 날아다니다 그물에 걸린다고 했다. 『흡주도경(歙州圖經)』에는, 문요어와 관련된 다음과 같은 이야기가 기재되어 있다. 즉 전설에 따르면 흡주(歙州)의 적령

(赤嶺) 아래에 큰 냇물이 있는데, 옛날에 어떤 사람이 냇물을 가로질러 어량(魚梁)[32]을 설치했다고 한다. 한밤중에 어떤 물고기가 날아서 이 고개를 지나가자, 그 사람이 곧바로 고개 아래에 그물을 쳐서 그것을 잡으려 했다. 그러자 그 물고기는 그물을 뛰어넘어 도망가려 했지만, 도망가지 못하고 바위로 변했다. 지금 비가 올 때마다 그 바위가 붉게 변하기 때문에, 그것을 적령이라고 했으며, 부량현(浮梁縣)이란 이름도 이로부터 얻어진 것이라고 한다.[33] 문요어는 그 맛이 새콤달콤하며, 이것을 먹으면 미친병을 치료할 수 있다고 전해진다. 『여씨춘추(呂氏春秋)·본미편(本味篇)』에서는, 맛이 좋은 것으로 관수(灌水)의 물고기가 있는데, 이름이 요(鰩)라 한다고 했다. 문요어는 풍년의 상징인데, 민간에서는 늘 물고기로 점을 치다가, 문요어가 보이면 곧 풍작이 든다고 여겨, 풍년의 징조가 되었다. 지금 어부들은 또한 그 해에 풍년이 들면, 이 물고기들이 많이 올라온다고 한다.

곽박(郭璞)의 『산해경도찬(山海經圖讚)』: "이 새가 나타나면 고을에 풍년이 드는데, 그 이름이 요(鰩)라 한다네. 두 바다를 아우르며, 한가로이 하늘을 날아다닌다네. 맛이 진기하여 그 요리에 감탄한다네.[見則邑穰, 厥名曰鰩. 經營二海, 矯翼閑('間'이라고 된 것도 있음)霄. 惟味之奇, 見嘆('難'이라고 된 것도 있음)伊庖]."

[그림 1-장응호회도본(蔣應鎬繪圖本)]·[그림 2-호문환도본(胡文煥圖本)]·[그림 3-성혹인회도본(成或因繪圖本)]·[그림 4-왕불도본(汪紱圖本)]·[그림 5-상해금장도본(上海錦章圖本)]

[그림 1] 문요어 명(明)·장응호회도본

---

32) 물고기를 잡는 장치로, 물살을 가로막고 물길을 한 군데만 터놓은 다음, 거기에 통발이나 살을 설치하여 물고기를 잡는 장치를 가리킨다.
33) '부량(浮梁)'이란 '어량을 공중에 띄워 설치하다'라는 뜻이다.

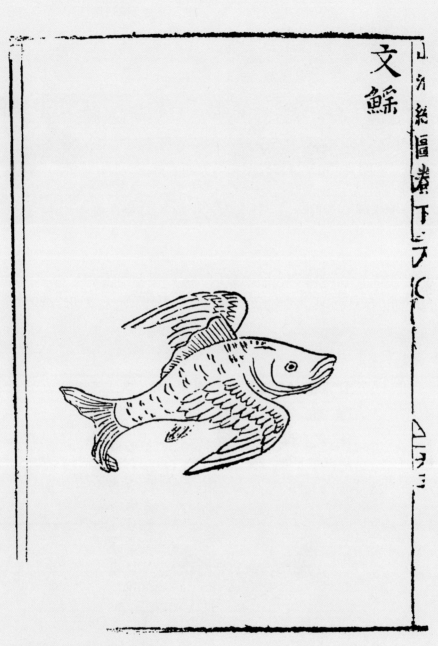

[그림 2] 문요어 명(明)·호문환도본

[그림 3] 문요어 청(淸)·사천(四川)성혹인회도본

文鰩

[그림 4] 문요 청(淸)·왕불도본

文鰩魚
狀如鯉魚鳥翼蒼
玄白首赤珠常從
西海戲游東海
出觀水

見則邑穰
厥名曰鰩
經營二海
矯翼閑霄
唯味之奇
見嘆伊庖

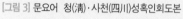

[그림 5] 문요어 상해금장도본

|권2-43| 영소(英招)

【경문(經文)】

「서차삼경(西次三經)」: 괴강산(槐江山)이라는 곳은, ……바로 천제(天帝)의 평포(平圃)로, 신(神)인 영소(英招)가 관장한다. 이 신은 말의 몸에 사람의 얼굴을 하고 있고, 호랑이 무늬에 새의 날개가 달려 있으며, 사해(四海)를 주유(周遊)하고, 그 소리는 마치 유(榴)와 같다. …….

[又西三百二十里, 曰槐江之山, 丘時之水出焉, 而北流注於泑水. 其中多蠃母, 其上多青雄黃, 多藏琅玕·黃金·玉, 其陽多丹粟, 其陰多采黃金銀. 實惟帝之平圃, 神英招司之[34], 其狀馬身而人面, 虎文而鳥翼, 徇於四海[35], 其音如榴. 南望昆侖, 其光熊熊, 其氣魂魂. 西望大澤, 后稷所潛也, 其中多玉, 其陰多榣木之有若. 北望諸毗, 槐鬼離侖居之, 鷹鸇之所宅也. 東望恆山四成, 有窮鬼居之, 各在一搏. 爰有淫水, 其淸洛洛. 有天神焉, 其狀如牛, 而八足二首馬尾, 其音如勃皇, 見則其邑有兵.]

【해설(解說)】

영소(英招)는 괴강산(槐江山)의 산신으로, 사람·말·호랑이·새의 모습을 한 몸에 가지고 있는 천신(天神)이다. 또 천제(天帝)가 관할하는 평포(平圃)라는 천연목장의 관리자이기도 하다. 이 목장은 곤륜산 천제의 도읍에서 4백 리 떨어진 괴강산에 있는데, 현포(懸圃)라고 부르며, 현포(玄圃)·평포(平圃)·원포(元圃)라고도 한다. 영소는 사람의 얼굴에 말의 몸을 하고 있으며, 한 쌍의 새 날개와 호랑이의 얼룩무늬가 있고, 힘차게 날갯짓하며 높이 날아 사해(四海)를 순유(巡遊)한다.

곽박(郭璞)의 『산해경도찬(山海經圖讚)』: "괴강산은 영소가 관장한다네. 사해(四海)를 두루 노닐고, 날갯짓하며 구름 속에서 춤추네. 이는 실로 천제(天帝)의 정원인데, 현포(玄圃)라고 한다네.[槐江之山, 英招是主. 巡遊四海, 撫翼雲儛, 實惟帝圃, 有謂玄圃.]"

[그림 1-장응호회도본(蔣應鎬繪圖本)]·[그림 2-『신이전(神異典)』]·[그림 3-오임신강희도본(吳任臣康熙圖本)]·[그림 4-오임신근문당도본(吳任臣近文堂圖本)]·[그림 5-성혹인회도본(成或因繪圖本)]·[그림 6-왕불도본(汪紱圖本)]

---

34) 곽박은 주석하기를, "司, 主也. 招音韶.['司'는 '主(관장함)'이다. '招'는 '韶'라고 발음한다.]"라고 했다.

35) 곽박은 주석하기를, "徇謂周行也.['徇'은 '周行(두루 다니다)'을 말한다.]"라고 했다.

[그림 1] 영소 명(明)·장응호회도본

英招神圖

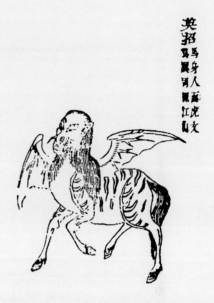

英招馬身人面虎文寫翼訶觀江山

[그림 2] 영소신(英招神) 청(淸)·『신이전』

[그림 3] 영소 청(淸)·오임신강희도본

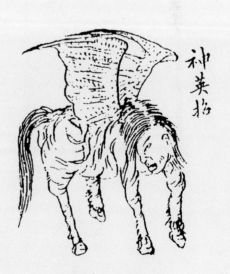

神英招

[그림 5] 영소 청(淸)·사천(四川)성혹인회도본

[그림 6] 영소 청(淸)·왕불도본

y

z

w

v

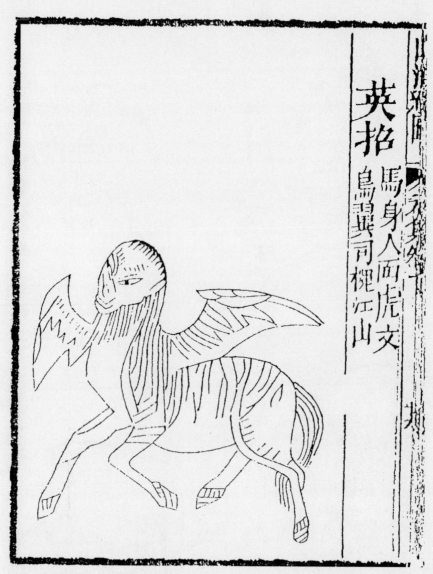

[그림 4] 영소 청(淸)·오임신근문당도본

|권2-44| 천신(天神)

【경문(經文)】

「서차삼경(西次三經)」: 괴강산(槐江山)이라는 곳에, ……요수(淫水)가 있는데, 그 물이 맑게 흐른다. 거기에 천신(天神)이 사는데, 그 생김새는 소와 비슷하며, 여덟 개의 다리에 두 개의 대가리가 있고, 말의 꼬리가 달려 있다. 그 소리는 마치 발황(勃皇) 같고, 그것이 나타나면 그 고을에 병란(兵亂)이 있게 된다.

[又西三百二十里, 曰槐江之山, 丘時之水出焉, 而北流注於泑水. 其中多蠃母, 其上多青雄黃, 多藏琅玕·黃金·玉, 其陽多丹粟, 其陰多采黃金銀. 實惟帝之平圃, 神英招司之, 其狀馬身而人面, 虎文而鳥翼, 徇於四海, 其音如榴. 南望昆侖, 其光熊熊, 其氣魂魂. 西望大澤, 后稷所潛也, 其中多玉, 其陰多榣木之有若. 北望諸毗, 槐鬼離侖居之, 鷹鸇之所宅也. 東望恆山四成, 有窮鬼居之, 各在一搏. 爰有淫水, 其清洛洛[36]. 有天神焉, 其狀如牛, 而八足二首馬尾, 其音如勃皇, 見則其邑有兵.]

【해설(解說)】

천신(天神)은 괴강산(槐江山)의 산신이자 또한 요수(淫水)의 신이며, 전쟁이 일어날 징조이다. 괴강산의 현포(懸圃) 아래쪽에는, 맑고 뼛속까지 시원한 샘물이 있는데, 요수라고 부른다. 도잠(陶潛)은 「독산해경(讀山海經)」이라는 시에서, "아스라이 높디높은 괴강산의 봉우리들, ……끊임없이 맑은 요수 흐르네.[迢迢槐江嶺, ……落落清瑤流]"라고 읊었는데, 여기서 말하고 있는 것이 바로 괴강산의 현포(玄圃) 아래에 있는 요수의 신인 천신이 관할하는 지역이다. 천신의 생김새는 매우 기이하여, 대가리가 둘 달린 괴상한 짐승인데, 생김새는 소와 비슷하고, 두 개의 소 대가리가 있으며, 여덟 개의 소 다리에 말의 꼬리가 달려 있다. 그것의 소리는 날개를 흔드는 소리와 같고, 그것이 나타난 곳에서는 병란이 있게 된다.

[그림 1-장응호회도본(蔣應鎬繪圖本)]·[그림 2-『신이전(神異典)』]·[그림 3-성혹인회도

---

36) 경문(經文)의 "爰有淫水, 其清洛洛"에 대해, 곽박은 주석하기를, "물이 고여 있는 모습이다. '淫(음)'의 발음은 '遙(요)'이다.[水留下之貌也. 淫音遙也.]"라고 했다. 학의행(郝懿行)은 말하기를, "도잠은 「독산해경(讀山海經)」이라는 시에서, '끊임없이 맑은 요수 흐르네.[落落清瑤流.]'라고 했다. 여기에서 '洛洛'은 '落落'이라 쓰고, '淫'은 본래 '瑤'라고 쓴다. 모두 소리를 가차(假借)하여 쓴 글자들이다.[[陶潛「讀山海經」詩云, '落落清瑤流.' 是洛洛本作落落, 淫本作瑤, 皆假借聲類之字.]"라고 했다.

古本 山海經 圖說 (上)

[그림 1] 천신 명(明) · 장응호회도본

[그림 2] 천신 청(淸) · 『신이전』

[그림 3] 천신 청(淸) · 사천(四川)성혹인회도본

[그림 4] 천신 청(淸) · 왕불도본

|권2-45| 육오(陸吾)

【경문(經文)】

「서차삼경(西次三經)」 : 곤륜구(昆侖丘)라는 곳은, 바로 하계(下界)에 있는 천제(天帝)의 도읍으로, 신(神)인 육오(陸吾)가 관리한다. 그 신은 호랑이의 몸에 아홉 개의 꼬리가 달려 있고, 사람의 얼굴에 호랑이의 발톱을 지니고 있는데, 하늘의 아홉 구역과 천제의 정원의 절기를 관장한다. …….

[西南四百里, 曰昆侖之丘, 是實惟帝之下都, 神陸吾司之. 其神狀虎身而九尾, 人面而虎爪, 是神也, 司天之九部及帝之囿時. 有獸焉, 其狀如羊而四角, 名曰土螻, 是食人. 有鳥焉, 其狀如蠭, 大如鴛鴦, 名曰欽原, 蠚鳥獸則死, 蠚木則枯. 有鳥焉, 其名曰鶉鳥, 是司帝之百服. 有木焉, 其狀如棠, 黃華赤實, 其味如李而無核, 名曰沙棠, 可以禦水, 食之使人不溺. 有草焉, 名曰蓍草, 其狀如葵, 其味如蔥, 食之已勞. 河水出焉, 而南流東注於無達. 赤水出焉, 而東南流注於氾天之水. 洋水出焉, 而西南流注於醜塗之水. 黑水出焉, 而西流於大杅. 是多怪鳥獸.]

【해설(解說)】

곤륜구(昆侖丘)는 즉 곤륜산(昆侖山)이다. 『산해경』에는 서쪽에도 곤륜산이 있고 남동쪽에도 곤륜산이 있다. 그러므로 신화에 나오는 곤륜산은 그 중 어느 하나만을 전적으로 가리키는 것이 아니다. 필원(畢沅)은, 높은 산은 모두 곤륜이라는 이름을 가진다고 했다. 곤륜은 신산(神山)으로, 천제(天帝)가 드나드는 통로이며, 인간 세상에 있는 천제의 도읍이다. 육오(陸吾)는 곤륜산의 신이자, 또 천제가 머무는 도읍의 파수꾼이기도 하며, 또한 하늘의 아홉 구역의 경계와 천제의 원포(苑圃 : 동산과 농장—역자)의 절기를 관장하기 때문에, 천제의 신이라고도 일컫는다. 육오 즉 견오(肩吾)·견오(堅吾)는, 사람과 호랑이의 모습을 한 몸에 가지고 있는 괴상한 신으로, 사람의 얼굴에 호랑이의 몸과 발톱을 지니고 있으며, 아홉 개의 꼬리가 달려 있다. 육오는 「해내서경(海內西經)」에 나오는 곤륜의 개명수(開明獸)와 같은 신으로, 모두 곤륜의 산신이자 천제의 도읍지를 지키는 신들이다. 호문환도설(胡文煥圖說)에 이르기를, "곤륜구에 천제의 신이 있는데, 육오라 하며, 일명 견오(堅吾)라고도 한다. 그 생김새는 호랑이의 몸에 사람의 얼굴을 하고 있고, 아홉 개의 대가리가 달려 있으며, 하늘의 아홉 구역의 일을 관장한다.[昆

侖之丘有天帝之神, 曰陸吾, 一名堅吾, 其狀虎身人面九首, 司九域之事.]"라고 했다.

육오의 그림에는 두 가지 형상이 있다.

첫째, 사람의 얼굴에 호랑이의 몸을 하고서, 아홉 개의 꼬리가 달려 있는 것으로, [그림 1-장응호회도본(蔣應鎬繪圖本)]·[그림 2-『신이전(神異典)』]·[그림 3-성혹인회도본(成或因繪圖本)]·[그림 4-왕불도본(汪紱圖本)]과 같은 것들이다.

둘째, 아홉 개의 대가리가 있고, 사람의 얼굴에 호랑이의 몸을 하고 있는 것으로, [그림 5-호문환도본(胡文煥圖本), 신육(神陸)이라 함]·[그림 6-일본도본(日本圖本), 신육이라 함]·[그림 7-필원도본(畢沅圖本)]과 같은 것들이다.

곽박(郭璞)의 『산해경도찬(山海經圖讚)』: "견오(肩吾)가 도를 얻어, 곤륜에 산다네. 개명수가 그 짝이 되어, 천제의 문을 지킨다네. 영기를 토해내고 들이마시니, 그 기운 성대하구나.[肩吾得一[37], 以處昆侖. 開明是對, 司帝之門. 吐納靈氣, 熊熊魂魂.]"

[그림 1] 육오 명(明)·장응호회도본

---

37) 여기서 '得一'은 말 그대로 '하나를 얻다'라는 뜻으로, 즉 득도(得道)를 말한다. 도(道)로부터 탄생된 최초의 물질을 '일(一)'이라 하는데, 만물은 이 일(一)을 얻음으로써 생겨난다고 한다.

[그림 2] 육오신 청(淸)·『신이전』

[그림 3] 육오 청(淸)·사천(四川)성혹인회도본

陸吾虎身九尾人面虎
爪尾是崑崙之丘

肩吾得一以處
崑崙開明是
對司帝之門吐
納靈氣熊熊
魂魂

[그림 4] 육오 청(淸)·왕불도본

[그림 7] 육오 청(淸)·필원도본

[그림 5] 육오(신육) 명(明)·호문환도본

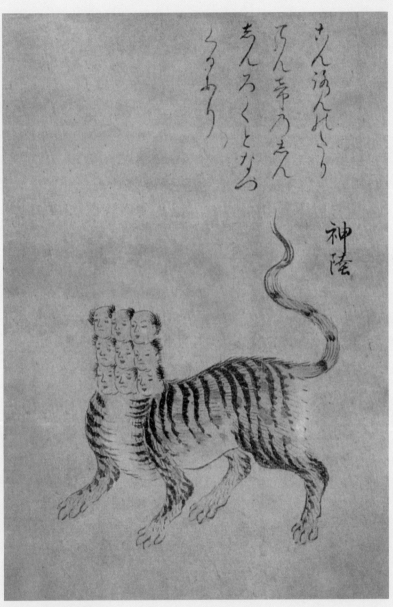

[그림 6] 육오(신육) 일본도본

|권2-46| 토루(土螻)

【경문(經文)】

「서차삼경(西次三經)」: 곤륜구(昆侖丘)라는 곳에, ……어떤 짐승이 사는데, 그 생김새는 양과 비슷하지만 네 개의 뿔이 있고, 이름은 토루(土螻)라 하며, 사람을 잡아먹는다. …….

[西南四百里, 曰昆侖之丘, 是實惟帝之下都, 神陸吾司之. 其神狀虎身而九尾, 人面而虎爪, 是神也, 司天之九部及帝之囿時. 有獸焉, 其狀如羊而四角, 名曰土螻, 是食人. 有鳥焉, 其狀如蠭, 大如鴛鴦, 名曰欽原, 蠚鳥獸則死, 蠚木則枯. 有鳥焉, 其名曰鶉鳥, 是司帝之百服. 有木焉, 其狀如棠, 黃華赤實, 其味如李而無核, 名曰沙棠, 可以禦水, 食之使人不溺. 有草焉, 名曰薲草, 其狀如葵, 其味如蔥, 食之已勞. 河水出焉, 而南流東注於無達. 赤水出焉, 而東南流注於汜天之水. 洋水出焉, 而西南流注於醜塗之水. 黑水出焉, 而西流於大杅. 是多怪鳥獸.]

【해설(解說)】

토루(土螻) 즉 토루(土𤡔)는, 네 개의 뿔이 달린 양처럼 생겼고, 사람을 잡아먹는 괴수(怪獸)이다. 호문환도설(胡文煥圖說)에 이르기를, "곤륜구(昆侖丘)에 어떤 짐승이 사는데, 이름은 토루라 한다. 그 생김새는 양처럼 생겼고, 네 개의 뿔이 달려 있는데, 그것은 너무 날카로워 당해낼 수 없으니, 닿았다 하면 곧 죽고, 사람을 잡아먹는다.[昆侖之丘, 有獸, 名曰土螻. 狀如羊, 四角, 其銳難當, 觸物則斃, 食人.]"라고 했다. 학의행(郝懿行)은 주석하기를, 토루(土螻)는 『광운(廣韻)』에는 토루(土𤡔)라고 되어 있으며, 양처럼 생겼지만 네 개의 뿔이 달려 있는데, 그것은 너무 날카로워 당해낼 수 없으니, 닿았다 하면 곧 죽는다. 이것은 사람을 잡아먹으며, 『산해경』에 나온다고 했다.

곽박(郭璞)의 『산해경도찬(山海經圖讚)』: "토루는 사람을 잡아먹는데, 네 개의 뿔이 달려 있고, 양처럼 생겼다네.[土螻食人, 四角似羊.]"

[그림 1-장응호회도본(蔣應鎬繪圖本)]·[그림 2-호문환도본(胡文煥圖本)]·[그림 3-오임신근문당도본(吳任臣近文堂圖本)]·[그림 4-왕불도본(汪紱圖本)]·[그림 5-『금충전(禽蟲典)』]

[그림 1] 토루 명(明)·장응호회도본

[그림 2] 토루 명(明)·호문환도본

[그림 3] 토루 청(淸)·오임신근문당도본

[그림 4] 토루 청(淸)·왕불도본

[그림 5] 토루 청(淸)·『금충전』

| 권2-47 | 흠원(欽原)

【경문(經文)】

「서차삼경(西次三經)」: 곤륜구(崑崙丘)라는 곳에, ……어떤 새가 사는데, 그 생김새는 벌[蠭]과 비슷하고, 크기는 원앙새만하다. 이름은 흠원(欽原)이라고 하는데, 다른 새나 짐승을 쏘면[蠚] 곧 죽고, 나무를 쏘면 곧 말라죽는다. …….

[西南四百里, 曰崑崙之丘, 是實惟帝之下都, 神陸吾司之. 其神狀虎身而九尾, 人面而虎爪, 是神也, 司天之九部及帝之囿時. 有獸焉, 其狀如羊而四角, 名曰土螻, 是食人. 有鳥焉, 其狀如蠭(송나라 판본에는 '蜂'자로 되어 있음), 大如鴛鴦, 名曰欽原, 蠚('弱'이라 읽으며, '쏘다'라는 뜻임)鳥獸則死, 蠚木則枯. 有鳥焉, 其名曰鶉鳥, 是司帝之百服. 有木焉, 其狀如棠, 黃華赤實, 其味如李而無核, 名曰沙棠, 可以禦水, 食之使人不溺. 有草焉, 名曰䔄草, 其狀如葵, 其味如蔥, 食之已勞. 河水出焉, 而南流東注於無達. 赤水出焉, 而東南流注於氾天之水. 洋水出焉, 而西南流注於醜塗之水. 黑水出焉, 而西流於大杅. 是多怪鳥獸.]

【해설(解說)】

　흠원(欽原)은 독이 있는 새로, 생김새는 벌 같지만 크기는 원앙새만하다. 이 새가 다른 새나 짐승을 쏘면 곧 죽고, 풀이나 나무를 쏘면 곧 말라죽는다. 『병아(騈雅)』에서는, 흠원은 독을 가진 새라고 했다.

　곽박(郭璞)의 『산해경도찬(山海經圖讚)』: "흠원은 벌처럼 생겼지만, 크기는 원앙새만하다네. 닿았다 하면 곧 죽으니, 그 날카로움은 당해낼 수 없도다.[欽原類蜂, 大如鴛鴦. 觸物則斃, 其銳難當.]"

　[그림 1-장응호회도본(蔣應鎬繪圖本)] · [그림 2-성혹인회도본(成或因繪圖本)] · [그림 3-왕불도본(汪紱圖本)] · [그림 4-『금충전(禽蟲典)』]

[그림 1] 흠원 명(明) · 장응호회도본

[그림 2] 흠원 청(淸)·사천(四川)성혹인회도본

[그림 3] 흠원 청(淸)·왕불도본

[그림 4] 흠원 청(淸)·『금충전』

【경문(經文)】

「서차삼경(西次三經)」: 낙유산(樂游山)이라는 곳이 있는데, 거기에서 도수(桃水)가 시작되어, 서쪽으로 흘러 직택(稷澤)으로 들어가며, 백옥(白玉)이 많다. 그 속에 활어(鰡魚)가 많이 사는데, 그 생김새가 뱀과 비슷하지만 네 개의 발이 있고, 물고기를 잡아먹는다.

[又西三百七十里, 曰樂游之山, 桃水出焉, 西流注於稷澤, 是多白玉. 其中多鰡魚, 其狀如蛇而四足, 是食魚.]

【해설(解說)】

활어(鰡魚)는 위어(鮪魚)라고도 하는데, 네 개의 발이 있고 뱀처럼 생겼으며, 물고기를 잡아먹는 괴상한 물고기이다. 「동차사경(東次四經)」의 자동산(子桐山)에도 활어가 있는데, "그 생김새는 물고기 같지만 새의 날개가 달려 있고, 물속을 드나들 때 빛이 나며, 소리는 원앙새와 비슷하다. 이 물고기가 나타나면 천하에 큰 가뭄이 든다.[其狀如魚而鳥翼, 出入有光, 其音如鴛鴦, 見則天下大旱.]"라고 했다. 이 둘은 생김새와 효능이 모두 다르다. 전설에 따르면 용반산(龍蟠山)의 연못에서 물고기가 나며, 네 개의 발이 있고, 뿔이 달렸다고 하는데, 활어의 일종이 아닌가 싶다. 왕불(汪紱)의 주석에 나오는 위어(鮪魚)는 『산해경』 경문에 기록된 것과 또한 다른 부분이 있다. 즉 "위어는 고(鮕)처럼 생겼는데, 배 아래쪽이 붉고, 앞발은 사람의 발과 비슷하며, 뒷발은 자라의 발처럼 생겼다. 서쪽으로 흐르는 물(즉 도수-역자)에서 많이 산다.[鮪魚似鮕, 腹下赤, 前足如人足, 後足如鱉足, 多産於西流之水.]"

지금까지 보이는, 도수(桃水)에 산다는 활어의 그림에는 세 가지 형상이 있다.

첫째, 뱀의 대가리와 뱀의 꼬리를 하고 있으며, 물고기의 몸에 네 개의 발이 달려 있는 것으로, [그림 1-장응호회도본(蔣應鎬繪圖本)]·[그림 2-성혹인회도본(成或因繪圖本)]과 같은 것들이다.

둘째, 물고기의 대가리와 물고기의 몸에 뱀의 꼬리를 하고 있고, 날개와 네 개의 발이 있으며, 앞발은 사람의 발처럼 생긴 것으로, [그림 3-왕불도본(汪紱圖本)의 위어(鮪魚)]와 같은 것이다.

셋째, 뱀의 대가리에 뿔이 나 있고, 뱀의 몸에 네 개의 발이 있으며, 앞발은 사람의 발처럼 생긴 것으로, [그림 4-『금충전(禽蟲典)』]·[그림 5-상해금장도본(上海錦章圖本)]과 같은 것들이다.

[그림 1] 활어(鰗魚) 명(明)·장응호회도본

[그림 2] 활어 청(淸)·사천(四川)성혹인회도본

古本 山海經 圖說 (上)

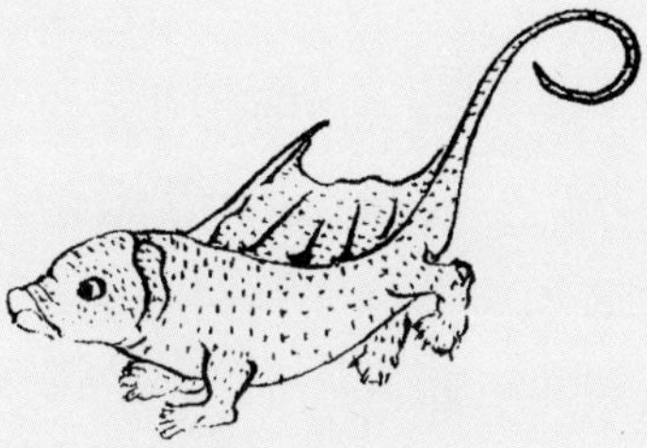

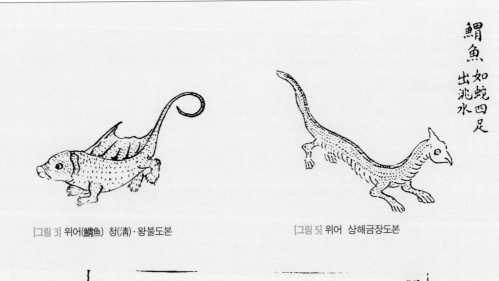

[그림 3] 위어(䱻魚) 청(淸)·왕불도본

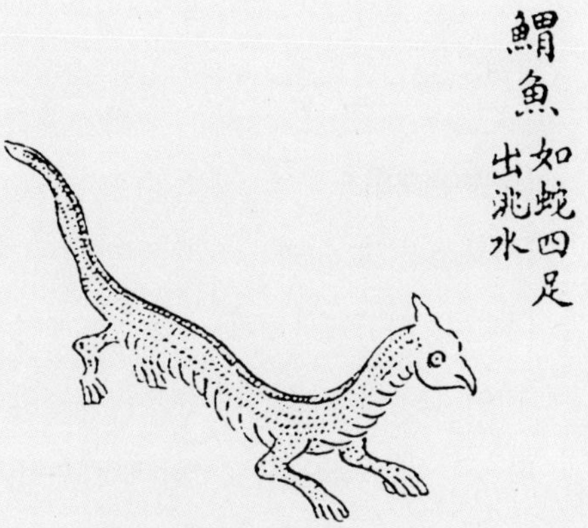

[그림 5] 위어 상해금장도본

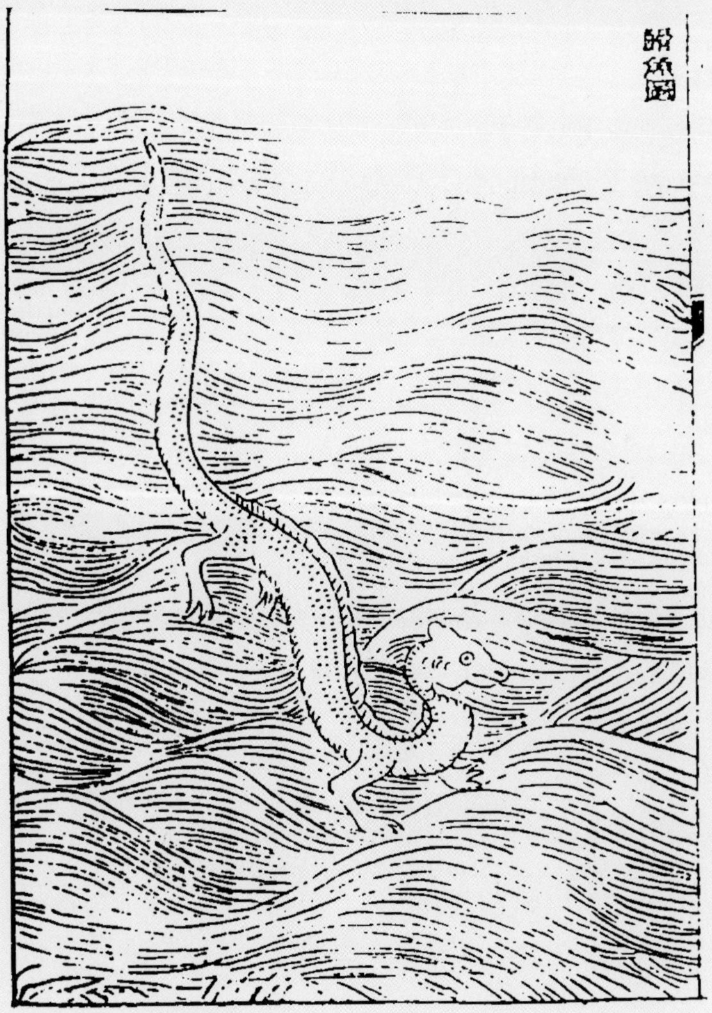

[그림 4] 활어 청(淸)·『금충전』

|권2-49| 장승(長乘)

【경문(經文)】

「서차삼경(西次三經)」 : 서쪽으로 물길을 따라 4백 리를 가면, 유사(流沙)라는 곳이 나오며, 거기에서 2백 리를 더 가면 나모산(蠃母山)에 이르는데, 신(神)인 장승(長乘)이 그곳을 다스리며, 이는 하늘의 구덕(九德 : 아홉 가지 덕-역자)의 화신(化身)이다. 그 신의 생김새는 사람과 비슷하지만 표범의 꼬리가 달려 있다. ……

[西水行四百里, 曰流沙, 二百里至於蠃母之山, 神長乘司之, 是天之九德也[38]. 其神狀如人而豹尾. 其上多玉, 其下多靑石而無水.]

【해설(解說)】

장승(長乘)은 유사(流沙) 부근에 있는 나모산(蠃母山)의 산신(山神)이다. 이 산신은 사람처럼 생겼지만 표범의 꼬리가 달려 있다. 전설에 따르면 그는 하늘의 구덕(九德)의 기운이 낳았다고 한다. 혹자는 우(禹)임금이 도수(桃水)를 치수(治水)할 때, 어떤 키가 큰 사람[長人]이 천제(天帝)를 대신하여 흑옥(黑玉)으로 만든 책을 우임금한테 주었는데, 그 키가 큰 사람이 바로 장승이라고 했다.

곽박(郭璞)의 『산해경도찬(山海經圖讚)』 : "아홉 가지 덕[九德]의 기운에서, 장승이 생겨났다네. 사람의 모습에 표범의 꼬리가 있으니, 그 신령한 기운이 모여 있는 것이리. 신묘한 사물은 절로 숨어버리니, 세상에서 이름 부를 방법이 없도다.[九德之氣, 是生長乘. 人狀豹尾, 其神則凝. 妙物自潛, 世無得稱.]"

[그림 1-장응호회도본(蔣應鎬繪圖本)] · [그림 2-『신이전(神異典)』] · [그림 3-성혹인회도본(成或因繪圖本)] · [그림 4-왕불도본(汪紱圖本)]

---

38) 곽박은 주석하기를, "구덕의 기운이 낳은 것이다.[九德之氣所生.]"라고 했다.

[그림 1] 장승 명(明)·장응호회도본

[그림 2] 장승 청(淸)·『신이전』

[그림 3] 장승 청(淸)·사천(四川)성혹인회도본

神長乘

[그림 4] 장승 청(淸)·왕불도본

|권2-50| 서왕모(西王母)

【경문(經文)】

「서차삼경(西次三經)」 : 옥산(玉山)이라는 곳은, 서왕모(西王母)가 사는 곳이다. 서왕모는 사람과 비슷하게 생겼는데, 표범의 꼬리에 호랑이의 이빨이 있고, 휘파람 소리를 잘 내며, 산발한 머리에 머리장식을 하고 있고, 하늘의 질병과 오잔(五殘)을 관장한다. ……

[又西三百五十里, 曰玉山, 是西王母所居也. 西王母其狀如人, 豹尾虎齒而善嘯, 蓬髮戴勝, 是司天之厲及五殘[39]. 有獸焉, 其狀如犬而豹文, 其角如牛, 其名曰狡, 其音如吠犬, 見則其國大穰. 有鳥焉, 其狀如翟而赤, 名曰胜遇, 是食魚, 其音如錄, 見則其國大水.]

【해설(解說)】

『산해경』에는 서왕모(西王母)와 관련된 기록이 세 군데에 있다. 첫째는 「서차삼경(西次三經)」으로, 옥산(玉山)에 살고 있는 서왕모의 모습은 사람과 비슷하며, 산발한 머리에 옥으로 만든 머리장식을 착용하고 있으며, 표범의 꼬리에 호랑이의 이빨을 가졌다. 또한 야수처럼 휘파람소리를 잘 내며, 하늘의 악귀와 오잔성(五殘星)을 관장하는 천신(天神)이라고 했다. 짐승 모습의 특징을 지닌 이 천신은, 서왕모의 최초의 형태라고 할 수 있다. 둘째는 「대황서경(大荒西經)」으로, 곤륜구 위에 사는 서왕모는 "사람의 얼굴·호랑이의 몸·무늬가 있는 꼬리……머리장식의 착용·호랑이의 이빨·표범의 꼬리가 있으며, 동굴 속에 산다.[人面·虎身·文尾……戴勝·虎齒·豹尾·穴處.]"라고 하여, 여기에 기록되어 있는 서왕모도 여전히 짐승 형태의 특징들을 모두 보유하고 있기는 하지만, '동굴에 산다[穴處]'라는 말은 그가 동굴 속에 사는 만인(蠻人)의 우두머리 신분임을 말해준다. 셋째는 「해내북경(海內北經)」의 기록으로, "서왕모가 탁자에 기대어 있고, 머리장

---

39) 여기에서 오잔(五殘)은 별 이름이다. 고대에는 이 별이 재해가 일어날 것을 예고해주는 흉성(凶星)이라고 여겼기에, 이것이 나타나면 불길하게 여겼다. 고대 점술서에서 자주 언급되고 있는데, 주로 이 별이 나타나면 왕이 급사하거나 큰 전쟁이 일어난다고 했다. 『사기(史記)·천관서(天官書)』에는, "오잔성은 정동(正東)쪽의 들에서 뜬다. 그 별의 모양은 진성(辰星 : 수성)과 비슷하다. 땅으로부터 6장(丈) 정도 떨어져 떠 있다.[五殘星, 出正東東方之野. 其星狀類辰星. 去地可六丈.]"라고 기록되어 있다. 곽박은 이 구절에 대해, "재앙·악귀·오형(五刑)으로 잔인하게 죽이는 기(氣)를 주재한다.[主知災厲五刑殘殺之氣也.]"라고 해석했다.

식을 착용한 채 지팡이를 짚고 있으며, 그녀의 남쪽에는 삼청조(三靑鳥 : 세 마리의 파랑
새-역자)가 있어, 서왕모에게 음식을 날라준다. 곤륜허(昆侖虛)[40]의 북쪽에 있다.[西王母
梯几而戴勝杖, 其南有三靑鳥, 爲西王母取食. 在昆侖虛北.]"라고 했다. 여기에서의 서왕모는
엄연히 왕의 풍모를 지니고 있다. 이처럼 서왕모는 반인반수(半人半獸)의 모습에서 사
람으로, 다시 왕의 모습으로 변모했다. 『산해경』에서의 서왕모의 변모를 통해, 이 책이
사실상 한 시대에 한 사람에 의해 지어진 것이 아님을 알 수 있다.

　　곽박(郭璞)의 『산해경도찬(山海經圖讚)』 : "천제(天帝)의 딸로, 산발한 머리에 호랑이
의 얼굴을 하고 있네. 목왕(穆王)이 예물을 바쳐 경의를 표하고, 시(詩)를 지어 주고받
으며 즐거움을 나누었다네. 운외(韻外)의 일들은 말로 하기가 어렵다네.[天帝之女, 蓬頭
虎顔. 穆王執贄, 賦詩交歡. 韻外之事, 難以俱言.]"

　　지금 보이는 산해경도(山海經圖)들은 서왕모가 산신(山神)으로서, 호랑이의 얼굴에
표범의 꼬리를 한 원래의 형상을 지니고 있다.

　　[그림 1-장응호회도본(蔣應鎬繪圖本)]·[그림 2-왕불도본(汪紱圖本)]

[그림 1] 서왕모 명(明)·장응호회도본

---

40) 『설문해자(說文解字)』에서는, "'虛'는 큰 언덕이다. '昆侖丘'는 '昆侖虛'라고 한다.[虛, 大丘也. 昆侖丘謂之
昆侖虛.]"라고 했다. '虛'자에 '土'자를 더하면 '墟[큰 언덕]'가 되는데, '丘'와 '墟'는 옛날에 통용되었다.

西王母

[그림 2] 서왕모 청(淸)·왕불도본

【경문(經文)】

「서차삼경(西次三經)」: 옥산(玉山)이라는 곳은 서왕모(西王母)가 사는 곳이다. ……
거기에 어떤 짐승이 사는데, 그 생김새가 개와 비슷하지만 표범의 무늬가 있고, 뿔
은 소의 뿔처럼 생겼으며, 그 이름은 교(狡)라 한다. 그 소리는 마치 개가 짖는 소
리 같으며, 이것이 나타나면 그 나라에 큰 풍년이 든다. …….

[又西三百五十里, 曰玉山, 是西王母所居也. 西王母其狀如人, 豹尾虎齒而善嘯, 蓬
髮戴勝, 是司天之厲及五殘. 有獸焉, 其狀如犬而豹文, 其角如牛, 其名曰狡, 其音如
吠犬, 見則其國大穰. 有鳥焉, 其狀如翟而赤, 名曰胜遇, 是食魚, 其音如錄, 見則其
國大水.]

【해설(解說)】

교(狡)는 상서로운 짐승으로, 풍년이 들 징조이다. 교의 생김새는 개와 비슷하지만,
몸은 표범의 무늬로 덮여 있고, 소의 뿔(일설에는 양의 뿔이라고 함)이 나 있으며, 개가
짖는 듯이 소리를 낸다. 전하는 바에 따르면, 흉노(匈奴)의 교견(狡犬)은 몸집이 크고
발이 네 개라고 한다.

[그림 1-장응호회도본(蔣應鎬繪圖本)]·[그림 2-호문환도본(胡文煥圖本)]·[그림 3-왕
불도본(汪紱圖本)]·[그림 4-『금충전(禽蟲典)』]

[그림 3] 교 청(淸)·왕불도본

[그림 1] 교 명(明)·장응호회도본

[그림 4] 교 청(淸)·『금충전』

[그림 2] 교 명(明)·호문환도본

|권2-52| 성우(胜遇)

【경문(經文)】

「서차삼경(西次三經)」: 옥산(玉山)이라는 곳은 서왕모(西王母)가 사는 곳이다. ……
여기에 어떤 새가 사는데, 그 생김새는 꿩과 비슷하지만 붉은색이고, 그 이름은
성우(胜遇)라 한다. 물고기를 잡아먹으며, 그 소리는 사슴과 비슷하고, 그것이 나
타나면 그 나라에 큰 홍수가 난다.

[又西三百五十里, 曰玉山, 是西王母所居也. 西王母其狀如人, 豹尾虎齒而善嘯, 蓬
髮戴勝, 是司天之厲及五殘. 有獸焉, 其狀如犬而豹文, 其角如牛, 其名曰狡, 其音如
吠犬, 見則其國大穰. 有鳥焉, 其狀如翟而赤, 名曰胜遇, 是食魚, 其音如錄[41], 見則
其國大水.]

【해설(解說)】

성우[胜('姓'으로 발음)遇]는 물고기를 잡아먹는 물새로, 큰 홍수가 날 징조이다. 생김
새는 꿩과 비슷한데, 붉은색이며, 사슴이 우는 소리와 매우 흡사한 소리를 낸다. 이 물
새의 이름에 관해, 학의행은 주석에서 말하기를, 『옥편(玉篇)』에 '鵿'이라는 글자가 있
는데, '生(생)'으로 발음한다. 새를 뜻하는데, 아마도 이 '鵿'이라는 새가 바로 '성(胜)'인
것 같다고 했다. 또 이 물새와 그 울음소리에 관해 오임신은 설명하기를, 『사물감주(事
物紺珠)』에서, 성우는 꿩처럼 생겼지만 붉은색이며, 물고기를 잡아먹는다고 했다. 『병아
(騈雅)』에서는 만만(蠻蠻)과 성우가 모두 물새라고 했다.

[그림 1-장응호회도본(蔣應鎬繪圖本)]·[그림 2-성혹인회도본(成或因繪圖本)]·[그림
3-왕불도본(汪紱圖本)]·[그림 4-『금충전(禽蟲典)』]

---

41) '錄'은 '鹿[사슴 록]'의 가차자(假借字)인 것으로 보인다. 곽박(郭璞)은 "발음은 '록(錄)'이다. 뜻은 분명
치 않다.[音錄. 義未詳.]"라고 했다. 오임신(吳任臣)은 "아마도 '鹿'의 가차자일 것이다.[疑爲鹿之借字.]"라
고 했고, 학의행(郝懿行)은 "경문에 '錄'이라 했는데, 곽박은 또 발음을 '錄'이라고 했다. 틀림없이 오류이
다.[經文作錄, 郭復音錄, 必有誤.]"라고 했다.

[그림 1] 성우 명(明)·장응호회도본

[그림 2] 성우 청(淸)·사천(四川)성혹인회도본

[그림 3] 성우 청(淸)·왕불도본

[그림 4] 성우 청(淸)·『금충전』

|권2-53| 신외씨[神魏氏 : 소호(少昊)]

【경문(經文)】

「서차삼경(西次三經)」: 장류산(長留山)이라는 곳이 있는데, 그 신(神)인 백제(白帝)[42] 소호(少昊)가 거기에 산다. 그곳의 짐승들은 모두 꼬리에 무늬가 있고, 새들은 모두 대가리에 무늬가 있다. 그 산에는 무늬가 있는 옥돌이 많다. 그곳은 바로 원신외씨(員神魏氏)의 궁궐로, 이 신은 노을을 주관한다.

[又西二百里, 曰長留之山, 其神白帝少昊居之. 其獸皆文尾, 其鳥皆文首. 是多文玉石. 實惟員神魏氏之宮. 是神也, 主司反景.]

【해설(解說)】

원신외씨(員神魏氏)는 즉 서방의 천제(天帝)인 소호(少昊)이다. 소호는 금천(金天)씨이고, 이름이 지(摯)이다. 「대황동경(大荒東經)」에서는, 그는 일찍이 동해 밖에 있는 큰 골짜기[大壑]에 살았으며, 다섯 신산(神山)들 중 하나인 귀허(歸墟)에 나라를 세웠는데, 이름을 소호국(少昊國)이라 했다고 한다. 또 『좌전(左傳)』에는, 소호국은 새의 왕국으로, 그 나라의 백관(百官)은 모두 새들이 맡았는데, 소호 지(摯)가 바로 새들의 왕이라고 기록되어 있다. 후에 그는 서방으로 돌아와, 그의 아들인 금신(金神) 욕수(蓐收)와 서방의 천제가 되어, 서방의 1만 2천 리에 해당하는 지역을 관리했다[『회남자(淮南子)·시칙편(時則篇)』].

소호는 장류산(長留山)에 살았는데, 그의 신직(神職)은 서쪽으로 지는 태양을 자세히 관찰하여, 햇빛이 동쪽을 비추는 상태가 정상인지 아닌지를 살피는 것이었다. 그래서 곽박(郭璞)은, 해가 서쪽으로 지면 곧 햇빛이 반대로 동쪽을 향해 비추는데, 그것을 살피는 일을 주관한다고 했다. 태양이 서산으로 지면 붉은 노을이 하늘 가득하고, 그 모습이 천태만상이므로, 소호를 또 원신(員神)이라고도 부르고, 욕수(蓐收 : 이 책 〈권2-63〉 참조-역자)를 홍광(紅光)이라고도 부른다고 했다.

곽박의 「백제소호찬(白帝少昊贊)」: "천제 소호를 금천(金天)이라 부르네. 외씨(魏氏)

---

42) 천상(天上)에는 동·서·남·북·중앙의 오방(五方)을 주재(主宰)하는 신(神)들인 오제(五帝)가 있는데, 각 방위를 주관하는 청제[靑帝 : 복희(伏犧)]·백제[白帝 : 소호(少昊)]·적제(赤帝) 또는 염제[炎帝 : 신농(神農)]·흑제[黑帝 : 전욱(顓頊)]·황제[黃帝 : 헌원(軒轅)]를 일컫는다. 백제는 서방을 주관하는 신이다.

의 궁전도 역시 이 산(즉 장류산-역자)에 있다네. 소호는 태양이 지는 것을 관장하는
데, 그 빛이 둥글구나.[少昊之帝, 號曰金天. 魂氏之宮, 亦在此山. 是司日入, 其景惟圓.]"

　　[그림-왕불도본(汪紱圖本)]

[그림] 신외씨 청(淸)·왕불도본

| 권2-54 | 쟁(猙)

【경문(經文)】

「서차삼경(西次三經)」： 장아산(章莪山)이라는 곳에는, 초목이 자라지 않고, 요벽(瑤碧： 옥의 일종-역자)이 많다. 그 생김새가 매우 괴상하다. 그 산에 어떤 짐승이 사는데, 그 생김새가 붉은 표범과 비슷하며, 다섯 개의 꼬리와 하나의 뿔이 달려 있고, 그 소리는 마치 돌을 두드리는 소리 같다. 그 이름은 쟁(猙)이라고 한다. …….

[又西二百八十里, 曰章莪之山, 無草木, 多瑤碧. 所爲甚怪. 有獸焉, 其狀如赤豹, 五尾一角, 其音如擊石, 其名如猙[43]. 有鳥焉, 其狀如鶴, 一足, 赤文靑質而白喙, 名曰畢方, 其鳴自叫也, 見則其邑有譌火.]

【해설(解說)】

쟁(猙)은 뿔이 하나인 괴상한 짐승으로, 붉은 표범처럼 생겼지만, 다섯 개의 꼬리가 달려 있으며, 돌을 두드리는 듯한 소리를 낸다. 『광운(廣韻)』에서는, 쟁은 여우처럼 생겼는데, 날개가 있다고 했다. 황씨(黃氏)의 『속이소경(續離騷經)』에서는, 쟁은 표범처럼 생겼고, 하나의 뿔과 다섯 개의 꼬리가 있다고 했다.

곽박(郭璞)의 『산해경도찬(山海經圖讚)』： "장아산(章莪山)은 괴상하고 기이한 것들이 사는 곳이라네. 표범을 닮은 짐승이 있는데, 그 빛깔이 붉다네. 다섯 개의 꼬리와 하나의 뿔이 달려 있고, 바위를 두드리는 것 같은 소리를 낸다네.[章莪之山, 奇怪所宅. 有獸似豹, 厥色惟赤. 五尾一角, 鳴如擊石.]"

[그림 1-장응호회도본(蔣應鎬繪圖本)]·[그림 2-호문환도본(胡文煥圖本)]·[그림 3-일본도본(日本圖本)]·[그림 4-오임신근문당도본(吳任臣近文堂圖本)]·[그림 5-성혹인회도본(成或因繪圖本)]·[그림 6-왕불도본(汪紱圖本)]·[그림 7-『금충전(禽蟲典)』]·[그림 8-상해금장도본(上海錦章圖本)]

---

43) 원가(袁珂)는 주석하기를, "경문의 '如猙'은 송(宋)나라 판본과 오관초본(吳寬抄本)에서 모두 '曰猙'이라고 썼다. 왕염손·손성연·학의행의 교주(校註)도 같은데, 옳다.[經文如猙, 宋本·吳寬抄本並作曰猙, 王念孫·孫星衍·郝懿行校同, 是也.]"라고 했다.

[그림 1] 쟁 명(明)·장응호회도본

狰

[그림 2] 쟁 명(明)·호문환도본

[그림 4] 쟁 청(淸)·오임신근문당도본

古本 山海經 圖說 (上)

310

[그림 3] 쟁 일본도본

狰

[그림 5] 쟁 청(淸)·사천(四川)성혹인회도본

[그림 6] 쟁 청(淸)·왕불도본

狰
狀如
赤豹
五尾一
角音如
擊石出
章莪山

章莪之山
奇怪所宅
有獸似豹
顧色惟赤
五尾一
角鳴如
擊石

[그림 7] 쟁 청(淸)·『금충전』

[그림 8] 쟁 상해금장도본

|권2-55| 필방(畢方)

【경문(經文)】

「서차삼경(西次三經)」: 장아산(章莪山)이라는 곳에, ……어떤 새가 사는데, 그 생김새가 학과 비슷하며, 다리가 하나이다. 푸른 바탕에 붉은 무늬와 흰색 부리가 있으며, 이름은 필방(畢方)이라 한다. 그 울음소리가 마치 자신을 부르는 것 같으며, 이것이 나타나면 그 고을에 괴이한 불[譎火]이 난다.

[又西二百八十里, 曰章莪之山, 無草木, 多瑤碧. 所爲甚怪. 有獸焉, 其狀如赤豹, 五尾一角, 其音如擊石, 其名如猙. 有鳥焉, 其狀如鶴, 一足, 赤文靑質而白喙, 名曰畢方, 其鳴自叫也, 見則其邑有譎火[44].]

【해설(解說)】

필방(畢方)은 다리가 하나인 기이한 새로, 화재가 날 징조이다. 그것은 생김새가 학과 비슷하고, 하얀 부리가 있으며, 검은 깃털에 붉은색 얼룩무늬가 있고, 푸른색이며, 다리가 하나이다. 곡식을 먹지 않으며, 하루 종일 자신의 이름을 부르는 것처럼 운다. 필방은 노부신(老父神)·노귀(老鬼)라고 불리는데, 또한 나무의 정령·불의 정령이기도 하다. 『회남자(淮南子)·사론편(氾論篇)』에서는 "나무가 필방을 낳았다.[木生畢方.]"라고 했고, 『백택도(白澤圖)·화지정(火之精)』에서는 "필방은 새처럼 생겼고, 다리가 하나인데, 그 이름을 부르면 곧 가버린다.[畢方, 狀如鳥, 一足, 以其名呼之則去.]"라고 했다. 또 『회원(匯苑)』에서는, "필방은 노귀(老鬼)이다. 일설에는 남방에 사는 다리가 하나인 새이며, 학처럼 생겼다고 한다.[畢方, 老鬼也, 一曰南方獨脚鳥, 形如鶴.]"라고 했다. 이러한 기록들을 통해 필방은 다리가 하나인 신조(神鳥)라는 것을 알 수 있다.

「해외남경(海外南經)」에 나오는 필방조(畢方鳥)는 다른 점이 있는데, 그것은 사람의 얼굴에 다리가 하나인 새로, "필방조는 그 동쪽, 청수(靑水)의 서쪽에 사는데, 그것은 사람의 얼굴을 하고 있으며, 다리가 하나인 새이다.[畢方鳥在其東, 靑水西, 其爲鳥人面一脚.]"라고 했다. 일부 『산해경』 전문가들은 경문 속의 '人面'이라는 두 글자가 불필요한 것이기에 빼야 한다고 주장하기도 한다. 그러나 『금충전(禽蟲典)』에는 「해외남경」의 필

---

44) 곽박은 주석에서, "'譎'는 또 '괴이하고 잘못되다'라는 글자이다.[譎亦妖訛字.]"라고 했다. 원가(袁珂)는 교주에서, "'譎火'는 즉 괴이하게 일어나는 불이다.[譎火, 卽怪火也.]"라고 했다.

313

방 그림에서 "사람의 얼굴에 다리가 하나[人面一脚]"라는 경문을 인용한 뒤에, 다음과 같은 오임신(吳任臣)의 주석이 있다. 즉 『포박자(抱朴子)』에서 이르기를, 고권(枯灌)은 모습을 바꿀 수 있고, 산기(山夔)는 뒤꿈치가 보이지 않으며, 석수(石修)는 아홉 개의 대가리가 달려 있고, 필방은 사람의 얼굴을 하고 있다고 했는데, 바로 이 새'라고 했다. 특히 주목해야 할 것은, 이 책(『금충전』-역자) 제53권 이조부(異鳥部)의 「서차삼경(西次三經)」 아래쪽에는, 사람의 얼굴이 아니면서 발이 하나의 새인 필방 그림이 있고, 「해외남경」에는 또 사람의 얼굴에 발이 하나인 필방조의 그림이 있다는 것이다. 이를 통해 필방은 두 종류가 있었다는 것을 알 수 있다. 이는 여타 각종 책들에서는 보이지 않는다.

고대 신화 속에서 필방은 천제(天帝)를 호위하는 신조(神鳥)의 역할을 담당했다. 전설에 따르면 황제(黃帝)가 서태산(西泰山) 위에서 귀신을 만났는데, 여섯 마리의 교룡들이 황제의 상거(象車)를 끌었고, 필방은 수레를 수행했으며, 치우(蚩尤)는 앞에서 길을 열었다. 풍백(風伯)은 앞서 나아가 길을 쓸고, 우사(雨師)는 길에 물을 뿌렸으며, 호랑이와 늑대는 앞에 있고, 귀신은 뒤에 있었으며, 등사(騰蛇)는 땅을 기고, 봉황은 함께 날았다고 했으니, 이 얼마나 위풍당당하고 얼마나 장관이었겠는가. 고서(古書)에 기록된, 동방삭(東方朔)이 『산해경』을 근거로 하여 다리가 하나의 기이한 새인 필방을 식별해냈다는 이야기는, 일찍이 한대(漢代)에 이미 『산해경』이 사방에 널리 알려져 있었다는 것을 말해준다.

필방은 화재가 날 징조로, 항상 불을 물고 다니면서 인가(人家)에 괴이한 화재를 일으킨다. 전하는 바에 따르면, 진(陳)나라 후주(後主) 때, 발이 하나 달린 새들이 궁전으로 모여들어 부리로 땅에 뭔가를 그렸다고 하며, 또 어떤 시에서는, "외발로 높은 대에 오르니, 무성한 초목이 재로 변했다네.[獨足上高臺, 盛草變成灰.]"라고 했다. 옛 사람들은 필방을 화재의 징조로 여겼기 때문에, 글을 지을 때도 그 특징을 반영했는데, 유종원(柳宗元)은 일찍이 「축필방문(逐畢方文)」을 지었다. 『흥화부지(興化府志)』의 기록에 따르면, 가정(嘉靖) 18년(1538년-역자) 9월에 포전현(莆田縣)에 화재가 났고, 이날 밤에 어떤 새가 불 속에 내려왔다고 하는데, 전해지는 바로는 이 새가 바로 필방이었다고 한다.

필방은 화재가 날 징조이지만, 수명을 관장한다는 설도 있다. 호문환도설(胡文煥圖說)에서는 "필방을 보면 장수한다.[畢方, 見則有壽.]"라고 했으며, 『사물감주(事物紺珠)』에서는 "필방, 그것을 보는 자는 오래 산다.[畢方, 見者主壽.]"라고 했다. 이 설은 필방의 생김새가 학과 비슷한 것과 관련이 있다. 학은 장수하는 짐승으로, 『초학기(初學記)』에서는, 학이 장수하는 까닭은, 그 속에 사기(死氣)가 없기 때문이다. 또 목구멍을 크게 하여 오래된 것을 토해내고, 목을 가다듬어 새로운 것을 들이 마시기 때문에, 헤아릴 수 없을 정도로 수명이 길다고 했다.

이 책에 수록되어 있는 필방의 그림에는 두 가지 형상이 있다.

첫째, 발이 하나인 새로, [그림 1-장응호회도본(蔣應鎬繪圖本)]·[그림 2-호문환도본(胡文煥圖本)]·[그림 3-일본도본(日本圖本)]·[그림 4-성혹인회도본(成或因繪圖本)]·[그림 5-왕불도본(汪紱圖本)]과 같은 것들이다.

둘째, 사람의 얼굴에 발이 하나인 새로, [그림 6-『금충전』]과 같은 것이다.

곽박(郭璞)의 『산해경도찬(山海經圖讚)』: "필방은 붉은 무늬가 있는데, 불씨를 떨어뜨리면 이것이 불붙게 하네. 가뭄이 들면 높이 날아올라, 태양을 향해 높이 날갯짓한다네. 이 새들이 모여들면 화재가 나는데, 불이 나도 그 속에서 타지 않는다네.[畢方赤文, 離精是炳. 旱則高翔, 鼓翼陽景. 集乃流災, 火不炎正.]"

畢方

[그림 1] 필방 명(明)·장응호회도본

[그림 2] 필방 명(明)·호문환도본

[그림 4] 필방 청(淸)·사천(四川)성혹인회도본

[그림 3] 필방조(畢方鳥) 일본도본

[그림 5] 필방 청(淸)·왕불도본

[그림 6] 인면필방(人面畢方) 청(淸)·『금충전』의 「해외남경(海外南經)」도.

【경문(經文)】

「서차삼경(西次三經)」: 음산(陰山)이라는 곳에, ……어떤 짐승이 사는데, 그 생김새는 살쾡이와 비슷하지만 대가리가 희며, 이름은 천구(天狗)라 하다. 그 울음소리는 마치 유유(榴榴)[45]라고 하는 것 같으며, 이 짐승을 데리고 있으면 흉한 일을 막을 수 있다.

[又西三百里, 曰陰山, 濁浴之水出焉, 而南流注於蕃澤, 其中多文貝. 有獸焉, 其狀如狸而白首, 名曰天狗, 其音如榴榴, 可以禦凶.]

【해설(解說)】

천구(天狗)는 흉하고 사악한 일을 막아주고, 재해를 물리치는 짐승이다. 생김새는 살쾡이 같기도 하고 혹은 표범 같기도 하며, 대가리가 희고, 소리는 고양이 울음소리 같으며, 뱀을 잡아먹는다. 『태평어람(太平御覽)』권905에서 인용한 『진씨삼진기(秦氏三秦記)』에 기록되어 있는 백록원(白鹿原 : '原'은 들판을 뜻함-역자)의 천구 이야기는 매우 유명하다. 즉 전해오는 이야기에 따르면, 주(周)나라 평왕(平王) 때 흰 사슴이 이 들판에 나타났다. 이 들판에는 구가보(狗枷堡)가 있었는데, 진(秦)나라 양공(襄公) 시기의 어느 날 천구가 그 아래에 왔다. 그리하여 도적이 나타나면 짖어서 보루를 보호하니, 전혀 화가 미치지 않았다고 한다. 『사물감주(事物紺珠)』에는, 천구는 살쾡이와 비슷하며, 대가리가 희고, 고양이 우는 소리를 내며, 뱀을 잡아먹는다고 기록되어 있다. 호문환도설(胡文煥圖說)에는 다음과 같이 기록되어 있다. "양산(陽山)에 어떤 짐승이 사는데, 생김새는 살쾡이와 비슷하고, 대가리는 희며, 이름은 천구라 하고, 뱀을 잡아먹는다. 그 소리가 고양이와 비슷하며, 이 짐승을 데리고 있으면 흉한 일을 막을 수 있다.[陰山有獸, 狀如貍, 白首, 名曰天狗, 食蛇. 其音如猫, 佩之可以御凶.]" 지금 보이는 호문환도본의 천구 그림에는 주둥이로 뱀을 물고 있는데, 바로 이에 근거하여 그려진 것이다.

곽박(郭璞)의 『산해경도찬(山海經圖讚)』: "건마(乾麻)는 길지 않고, 천구는 크지 않다네. 그 몸은 비록 작지만, 재해를 물리치고 없애준다네. 기가 상생(相生)하니, 먹고

지니는 데 달려 있다네.[乾麻不長, 天狗不大. 厥質雖小, 攘災除害. 氣之相生('旺'자로 된 것도 있음), 在乎食帶.]"

[그림 1–장응호회도본(蔣應鎬繪圖本)]·[그림 2–호문환도본(胡文煥圖本)]·[그림 3–일본도본(日本圖本)]·[그림 4–오임신근문당도본(吳任臣近文堂圖本)]·[그림 5–성혹인회도본(成或因繪圖本)]·[그림 6–왕불도본(汪紱圖本)]·[그림 7–상해금장도본(上海錦章圖本)]

[그림 1] 천구 명(明)·장응호회도본

[그림 2] 천구 명(明)·호문환도본

古本 山海經 圖說 (上)

[그림 3] 천구 일본도본

天狗狀如狸而白首出陰山

[그림 4] 천구 청(淸)·오임신근문당도본

[그림 5] 천구 청(淸)·사천(四川)성혹인회도본

天狗

[그림 6] 천구 청(淸)·왕불도본

王在乎食帶
除害氣之相
雖小攘災
不大厥質
長天狗
乾麻不

天狗
而白首
出陰山
狀如狸

[그림 7] 천구 상해금장도본

322

|권2-57| 강의(江疑)

【경문(經文)】

「서차삼경(西次三經)」：부양산(符惕山)이라는 곳이 있는데, 그 위쪽에는 종려나무와 녹나무가 많고, 밑에는 금과 옥이 많으며, 신(神)인 강의(江疑)가 거기에 산다. 이 산에는 괴상한 비가 많이 내리는데, 바람과 구름이 나오는 곳이다.

[又西二百里, 曰符惕之山[46], 其上多棳枏, 下多金玉, 神江疑居之. 是山也, 多怪雨, 風雲之所出也.]

【해설(解說)】

부양산(符惕山)의 산신(山神)인 강의(江疑)는 풍운(風雲)과 괴상한 비를 주관한다. 학의행(郝懿行)은 말하기를, 산림·강과 계곡·구릉에 구름을 생기게 하여, 비바람을 일으키는데, 괴이한 것이 보이면 모두들 이 신이라고 했다.

곽박의 『산해경도찬(山海經圖讚)』：
"강의가 사는 곳에는, 바람과 구름이 숨는다네.[江疑所居, 風雲是潛.]"

[그림-왕불도본(汪紱圖本)]

[그림] 강의 청(淸)·왕불도본

---

46) 곽박(郭璞)은, '惕'은 "발음이 '陽'이다.[音陽.]"라고 했다. 학의행(郝懿行)은 『예문유취(藝文類聚)』 제2권·『태평어람(太平御覽)』 제9권과 제10권에서 이 경문을 인용하여 모두 '부양지산(符陽之山)'이라고 썼는데, 오늘날의 판본들과 다르다.[『藝文類聚』二卷·『太平御覽』九卷及十卷竝引此經作符陽之山, 與今本異.]"라고 했다.

|권2-58| 삼청조(三靑鳥)

【경문(經文)】

「서차삼경(西次三經)」: 삼위산(三危山)이라는 곳은 삼청조(三靑鳥)가 사는 곳이다. 이 산은 사방 둘레가 백 리이다. …….

[又西二百二十里, 曰三危之山, 三靑鳥居之. 是山也, 廣員百里. 其上有獸焉, 其狀如牛, 白身四角, 其豪如披蓑, 其名曰敖䄁, 是食人. 有鳥焉, 一首而三身, 其狀如鶚, 其名曰鴟.]

【해설(解說)】

삼청조(三靑鳥 : 세 마리의 파랑새–역자)는 서왕모(西王母)에게 먹을 것을 날라주는 신조(神鳥)이다. 둘레가 백 리에 달하는 삼위산(三危山)은 삼청조가 서식하는 신산(神山)이다. 『죽서기년(竹書紀年)』에는, 주(周)나라 목왕(穆王) 13년에 서역(西域) 원정을 가다가, 청조(靑鳥)가 쉬는 곳에 이르렀는데, 바로 그곳이 삼위산이었다고 기록되어 있다. 왕불은 이 기록과 삼청조가 서왕모를 위해 일했다는 두 가지 자료에 근거하여, "이 산은 곤륜의 군옥산(群玉山)과 떨어져 있으며, 그 거리는 당연히 멀지 않은데, 바로 돈황(敦煌)의 삼위산이다.[此山去昆侖群玉之山, 道里應不遠, 是敦煌三危也.]"라고 여겼다.

삼청조의 모습과 신직(神職)에 관해, 「대황서경(大荒西經)」에서 기록하기를, 서왕모의 산에 삼청조가 사는데, 붉은 대가리와 검은 눈을 가졌고, 일명 대려(大鵹)·소려(少鵹)·청조(靑鳥)라고도 한다고 했다. 또 「해내북경(海內北經)」의 기록에는, 서왕모가 탁자에 기대어 머리장식을 착용한 채 지팡이를 짚고 있으며, 그녀의 남쪽에는 삼청조가 있는데, 서왕모에게 음식을 제공한다. 곤륜허(昆侖虛)의 북쪽에 있다고 했다.

도잠(陶潛)의 「독산해경(讀山海經)」 제5편은 다음과 같이 읊고 있다. "훨훨 나는 삼청조, 깃털 색이 기이하고 어여쁘구나. 아침에는 서왕모를 위해 심부름하다, 저녁에는 삼위산으로 돌아가네. 나는 이 새를 빌어, 서왕모에게 자세히 말하고 싶네. 세상에 있는 동안 필요한 것은 없으나, 오직 술과 장수만은 바라노라고.[翩翩三靑鳥, 毛色奇可憐. 朝爲王母使, 暮歸三危山. 我欲因此鳥, 具向王母言. 在世無所須, 惟酒與長年.]"

곽박(郭璞)의 『산해경도찬(山海經圖讚)』: "산 이름은 삼위인데, 청조가 쉬는 곳이라네. 곤륜을 오가고, 서왕모가 부린다네. 목왕이 서역으로 원정에 나섰다가, 여기에서 수레를 되돌렸다 하네.[山名三危, 靑鳥所解. 往來昆侖, 王母是隸. 穆王西征, 旋軫斯地.]"

[그림 1−장응호회도본(蔣應鎬繪圖本)]·[그림 2−왕불도본(汪紱圖本)]

[그림 1] 삼청조 명(明)·장응호회도본

[그림 2] 삼청조 청(淸)·왕불도본

|권2-59| 오열(獓㺄)

【경문(經文)】

「서차삼경(西次三經)」: 삼위산(三危山)이라는 곳에는, ……그 위에 어떤 짐승이 사는데, 그 모습은 소처럼 생겼고, 흰 몸에 네 개의 뿔이 있으며, 그 털은 마치 사람이 도롱이를 걸친 것 같다. 그 이름은 오열(獓㺄)이라 하며, 사람을 잡아먹는다. …….

[又西二百二十里, 曰三危之山, 三靑鳥居之. 是山也, 廣員百里. 其上有獸焉, 其狀如牛, 白身四角, 其豪如披蓑, 其名曰獓㺄, 是食人. 有鳥焉, 一首而三身, 其狀如鸚, 其名曰鴟.]

【해설(解說)】

오열(獓㺄: '敖耶'로 발음함)은 사람을 잡아먹는 괴수(怪獸)로, 생김새는 소를 닮았고, 흰색이며, 네 개의 뿔이 나 있는데, 그 털은 매우 길어서 마치 몸에 비를 막는 도롱이를 걸친 것처럼 보인다. 『병아(騈雅)』에서는, 소[牛]인데 네 개의 뿔이 있고 흰색인 것을 오열라 부른다고 했다. 『옥편(玉篇)』에서는 이것을 인용하여 오열(獓㺄)이라고 썼다.

곽박(郭璞)의 『산해경도찬(山海經圖讚)』: "오열이라는 짐승이 있는데, 털은 마치 도롱이를 걸친 듯하다네.[獸有獓㺄, 毛如被蓑('苦'자로 된 것도 있음).]"

[그림 1-장응호회도본(蔣應鎬繪圖本)]·[그림 2-오임신강희도본(吳任臣康熙圖本)]·[그림 3-성혹인회도본(成或因繪圖本)]·[그림 4-왕불도본(汪紱圖本)]·[그림 5-『금충전(禽蟲典)』]·[그림 6-상해금장도본(上海錦章圖本)]

[그림 1] 오열 명(明)·장응호회도본

徼狰披叢是食人出三危山

狰狚
狀如牛白身四角其毫如

十

[그림 2] 오열　청(淸)·오임신강희도본

[그림 3] 오열 청(淸)·사천(四川)성혹인회도본

[그림 4] 오열 청(淸)·왕불도본

[그림 5] 오열 청(淸)·『금충전』

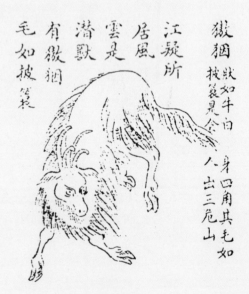

[그림 6] 오열 상해금장도본

獄狚狀如牛白身四角其毛如毛如披簑有獄狚潛默雲是居風江疑所

|권2-60| 치(鴟)

【경문(經文)】

「서차삼경(西次三經)」: 삼위산(三危山)이라는 곳에, ……어떤 새가 사는데, 대가리가 하나에 몸통이 셋이며, 그 생김새는 붉은 목 수리와 비슷하고, 이름은 치(鴟)라 한다.

[又西二百二十里, 曰三危之山, 三靑鳥居之. 是山也, 廣員百里. 其上有獸焉, 其狀如牛, 白身四角, 其豪如披蓑, 其名曰獄狽, 是食人. 有鳥焉, 一首而三身, 其狀如鵠, 其名曰鴟.]

【해설(解說)】

　치(鴟)는 고대에 치효(鴟鴞)라고 불렸으며, 야행성 날짐승[夜禽]으로, 올빼미류[梟類]이며, 일반적으로 묘두응(猫頭鷹 : 고양이 대가리 매-역자)라고 부른다. 치는 생김새가 낙(鵠 : 붉은 목 수리-역자)과 비슷한데, 하나의 대가리에 몸통이 세 개이다. 곽박(郭璞)은 말하기를, 낙은 독수리와 비슷한데, 검은 무늬가 있고 목이 붉다고 했다. 학의행의 주석에는, 지금 동제(東齊) 사람들은 치를 노조(老雕 : 독수리-역자)라고 부르는데, 아마도 본래 낙조(鵠鳥)였지만, 발음이 비슷하여 노조로 바뀐 것 같다고 했다. 치효는 맹금류에 속하는 큰 새로, 그 모습과 울음소리가 흉측하여, 지금까지 불길함을 상징하는 새로 여겨지고 있다. 그러나 고고학자들은, 치의 형상이 대량으로 출현하는 상(商)·주(周) 시대의 예기(禮器)[47]들에서, 이 새가 용맹함과 필승의 상징으로서, 신성한 성격을 띠고 있다는 사실을 발견했다. 한대(漢代)에 이르자, 치효는 영혼 세계의 인도자와 수호자로 여겨졌으며, 또한 장례와 관련된 회화나 화상석(畵像石)·백화(帛畵)[48]들에서 항상 보인다.

　곽박의 『산해경도찬(山海經圖讚)』: "낙(鵠)은 대가리는 하나인데, 그 몸통은 둘이라네.[鵠鳥一頭, 厥身則兼.]" 또 "낙이 바로 치(鴟)라는 새인데, 하나의 대가리에 몸통이 세 개라네.[鵠則鴟鳥, 一首三身.]"

　[그림 1-장응호회도본(蔣應鎬繪圖本)]·[그림 2-호문환도본(胡文煥圖本), 이름을 낙(鵠)

47) 고대의 제사 의식에 사용되던 각종 기물들을 가리키는데, 주로 청동기에 치효문(鴟鴞紋)이 새겨져 있다.
48) 비단 위에 그린 고대의 그림을 말한다.

이라 함]·[그림 3-일본도본(日本圖本), 이름을 낙이라 함]·[그림 4-성혹인회도본(成或因繪圖本)]·[그림 5-필원도본(畢沅圖本)]·[그림 6-왕불도본(汪紱圖本)]·[그림 7-『금충전(禽蟲典)』]

[그림 1] 치 명(明)·장응호회도본

鴟鳥
一首三身其狀
如鴟出三危山

鵹則鴟鳥
一首三身

[그림 4] 치 청(淸)·사천(四川)성혹인회도본

[그림 5] 치 청(淸)·필원도본

古本 山海經 圖說 (上)

[그림 2] 치[낙(鵺)] 명(明)·호문환도본

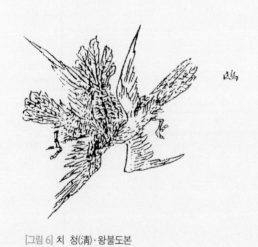

[그림 3] 치(鴟) 일본도본

[그림 6] 치 청(淸)·왕불도본

[그림 7] 치조(鴟鳥) 청(淸)·『금충전』

|권2-61| 기동(耆童)

【경문(經文)】

「서차삼경(西次三經)」: 괴산(騩山)이라는 곳이 있는데, 그 산 위에 옥은 많고 돌은 없다. 신(神)인 기동(耆童)이 거기에 사는데, 그 소리는 항상 종이나 경쇠 소리 같다. 그 아래에는 뱀들이 많이 쌓여 있다.

[又西一百九十里, 曰騩山, 其上多玉而無石. 神耆童居之, 其音常如鐘磬. 其下多積蛇.]

【해설(解說)】

기동(耆童) 즉 노동(老童)은 전욱(顓頊)[49]의 아들이다. 전설에 따르면 기동이 내는 소리는 종(鐘)이나 경쇠[磬] 소리 같아 음악을 연주할 수 있으며, 음악의 창시자라고 한다. 노동의 계보에 관해 「대황서경(大荒西經)」에 기록하기를, 전욱은 노동을 낳았고, 노동은 축융(祝融)을 낳았으며, 축융은 또 태자장금(太子長琴)을 낳았는데, 이들은 요산(榣山)에 살며, 처음으로 풍악을 만들었다고 했다. 또 전욱은 노동을 낳았고, 노동은 중(重)과 여(黎)를 낳았는데, 천제(天帝)가 중에게는 하늘을 섬기는 일을 맡기고, 여에게는 땅을 다스리도록 하였다고 했다. 전설에 따르면 기동은 뱀을 불러 모으는 자[蛇媒]인데, 왕불도본에서 노동 그림의 아래쪽에는 많은 뱀들이 땅바닥에 쌓여 있다. 학의행은 이 경문의 '신 기동(神耆童)' 항목에 나오는 "其下多積蛇[그 아래에는 뱀들이 많이 쌓여 있다]"라는 구절 아래에 주석하기를, "오늘날 뱀을 불러 모으는 자들이 곳곳에 있다. 거기에는 뱀들이 모여 있는데, 이것들이 어디서 오고 어디로 가는지 알지 못한다. 그들을 일컬어 사매(蛇媒)라 한다.[今蛇媒, 所在有之. 其蛇委積, 不知所來, 不知所去, 謂之蛇媒也.]"라고 했다.

곽박(郭璞)의 『산해경도찬(山海經圖讚)』: "전욱의 아들이 화정(火正)[50]을 후사로 낳았다네. 높고 큰 그 울음소리는 마치 종이나 경쇠 소리 같다네. 괴산에 사는데, 신령함

---

49) 천상(天上)에는 동·서·남·북·중앙의 오방(五方)을 주재(主宰)하는 신(神)들인 오제(五帝)가 있는데, 각 방위를 주재하는 청제[青帝 : 복희(伏犧)]·백제[白帝 : 소호(少昊)]·적제(赤帝) 또는 염제[炎帝 : 신농(神農)]·흑제[黑帝 : 전욱(顓頊)]·황제[黃帝 : 헌원(軒轅)]를 일컫는다. 전욱은 북방을 주재하는 신이다.

50) 즉 축융(祝融)을 가리킨다. 불을 관장하는 신으로, '화재'의 뜻으로 쓰이기도 한다.

이 왕성하다네.[顓頊之子, 嗣作火正. 鏗鏘[51]其鳴, 聲如鐘磬. 處於駓山, 惟靈之盛.]"

   [그림−왕불도본(汪紱圖本)]

神耆童

[그림] 신(神) 기동 청(淸)·왕불도본

---

51) 갱창(鏗鏘)은, 음악에서 종·북 및 기타 금속 악기의 소리가 높고 큰 것을 형용하는 말이다.

|권2-62| 제강(帝江)

【경문(經文)】

「서차삼경(西次三經)」 : 천산(天山)이라는 곳에, ……어떤 신이 사는데, 그 생김새는
누런 자루를 닮았고, 불꽃처럼 붉으며, 다리가 여섯 개에 날개가 네 개이다. 한 덩
어리로 되어 있어 얼굴과 눈이 없으며, 가무(歌舞)를 아는데, 실은 그가 바로 제강
(帝江)이다.

[又西三百五十里, 曰天山, 多金玉, 有靑雄黃. 英水出焉, 而西南流注於湯谷. 有神
焉, 其狀如黃囊, 赤如丹火, 六足四翼, 渾敦無面目, 是識歌舞, 實爲帝江也.]

【해설(解說)】

　　제강(帝江)은 즉 혼돈(混沌)의 신이다. 호문환도설(胡文煥圖說)에서 말하기를, "천산
(天山)에 어떤 신이 있는데, 형상은 가죽 자루처럼 생겼으며, 등 위쪽은 불그스레한 것
이 불꽃 같고, 여섯 개의 다리와 네 개의 날개가 있으며, 한 덩어리로 되어 있어 얼굴
과 눈이 없다. 본디부터 가무(歌舞)를 안다. 이름은 제강이라 한다.[天山有神, 形狀如皮
囊, 背上赤黃如火, 六足四翼, 渾沌無面目. 自識歌舞. 名曰帝江.]"라고 했다. 『장자(莊子)·응제
왕(應帝王)』에는 다음과 같은 고사(故事)가 실려 있다. 즉 남해(南海)의 임금[帝]을 숙(儵
: '書'로 읽음)이라 하고, 북해(北海)의 임금을 홀(忽)이라 하며, 중앙의 임금을 혼돈(渾沌)
이라 한다. 숙과 홀이 자주 혼돈의 땅에서 만났는데, 혼돈이 매우 융숭하게 그들을 대
접했다. 숙과 홀은 혼돈의 깊은 호의에 보답하려고 상의했다. 그들은 생각하기를, 사
람은 누구나 눈·귀·코·입의 일곱 구멍이 있어서, 그것으로 보고 듣고 먹고 숨을 쉬는
데, 오직 이 혼돈에게만 없으니 시험 삼아 구멍을 뚫어주기로 했다. 그래서 날마다 구
멍 하나씩을 뚫어주었는데, 7일째에 구멍을 뚫자 혼돈은 죽고 말았다는 것이다. 이것
은 오래된 우언(寓言)으로, 분명 오래된 신화를 근거로 했을 터인데, 제강은 바로 오래
된 혼돈신의 원형이다. 혼돈신 제강은 대가리도 없고 얼굴도 없어 마치 누런 자루처럼
생겼으며, 색깔은 불꽃처럼 붉고, 여섯 개의 다리와 네 개의 날개가 달려 있다. 『신이경
(神異經)』에 기록되어 있는 혼돈은 제강과 약간 다르다. 즉 전해지기로는 곤륜의 서쪽
에 한 짐승이 사는데, 눈이 있으나 보지는 못하고, 두 개의 귀가 있으나 듣지는 못하
며, 배는 있으나 오장이 없고, 장이 있으나 곧고 짧아 음식물이 그냥 지나가버리며, 이

름은 혼돈이라 한다고 했다. 전설에 따르면 제강은 또한 가무에 정통하여, 원시인들의 가무의 신이었다고 한다.

곽박(郭璞)의 『산해경도찬(山海經圖讚)』: "몸은 구분 없이 한 덩어리이나, 신령함은 신통방통하다네. 절로 영험하게 훤히 아는 것이지, 귀가 밝아 잘 들어서는 아니라네. 억지로 이름 붙여, 제강이라 불렀다네.[質則混沌, 神則旁通. 自然靈照, 聽不以聰. 強爲之名, 號曰('曰惟'·'曰在'라고 된 것도 있음)帝江.]"

제강의 그림에는 세 가지 형상이 있다.

첫째, 여섯 개의 다리에 네 개의 날개가 있는 것으로, [그림 1-장응호회도본(蔣應鎬繪圖本)]·[그림 2-호문환도본(胡文煥圖本)]·[그림 3-일본도본(日本圖本)]·[그림 4-왕불도본(汪紱圖本)]·[그림 5-『신이전(神異典)』]과 같은 것들이다.

둘째, 여섯 개의 다리와 네 개의 날개가 있고, 짐승의 꼬리가 달려 있는 것으로, [그림 6-성혹인회도본(成或因繪圖本)]과 같은 것이다.

셋째, 네 개의 다리에 네 개의 날개가 있고, 꼬리가 달려 있으며, 앞가슴에 작은 얼굴 같은 게 있어, 매우 괴이한 것으로, [그림 7-상해금장도본(上海錦章圖本)]과 같은 것이다.

[그림 1] 제강 명(明)·장응호회도본

[그림 2] 제강 명(明)·호문환도본

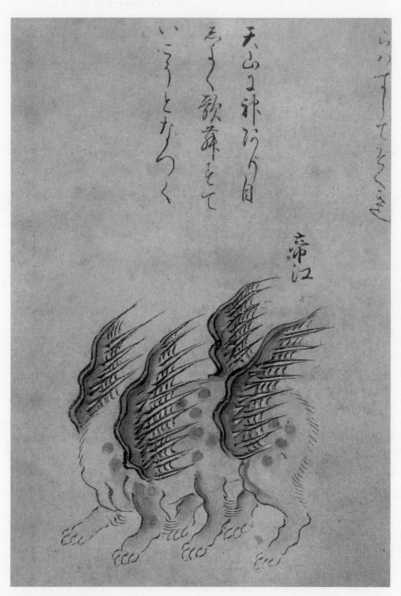

[그림 3] 제강 일본도본

古本 山海經 圖說 (上)

338

[그림 4] 제강 청(淸)·왕불도본

[그림 5] 제강 청(淸)·『신이전』

[그림 6] 제강 청(淸)·사천(四川)성혹인회도본

帝江状如黄囊赤如丹大六足
四翼渾敦無面目居天山
質剝渾沌
神則旁通
自然靈
照聰不
以聰強
為之名
曰在帝江

[그림 7] 제강 상해금장도본

|권2-63| 욕수[蓐收 : 홍광(紅光)]

【경문(經文)】

「서차삼경(西次三經)」: 유산(泑山)이라는 곳이 있는데, 신(神)인 욕수(蓐收)가 거기에 산다. ……그 산은 서쪽으로 해가 들어가는 곳이 보이는데, 그 기운이 둥글게 물드는 것을 신(神)인 홍광(紅光)이 관장한다.

[又西二百九十里, 曰泑山, 神蓐收居之. 其上多嬰短之玉, 其陽多瑾瑜之玉, 其陰多靑雄黃. 是山也, 西望日之所入, 其氣員, 神紅光之所司也.]

【해설(解說)】

욕수[蓐('丈'으로 발음)收]는 유산(泑山)의 산신이다. 서방의 천제(天帝)인 소호[少昊 : 즉 신외씨(神魂氏)]의 아들이자 서방의 형벌신[刑神]·금신(金神)이다. 욕수는 『산해경』에 두 번 나온다. 「서차삼경(西次三經)」의 욕수는 유산의 산신으로, 해가 지는 것을 관장하는 신으로서의 성격[神格]이 두드러지기 때문에, 이름도 신홍광(神紅光)·원신(員神)이라 한다. 장응호회도본(蔣應鎬繪圖本)의 욕수[그림 1]는 사람의 얼굴에 호랑이의 발톱이 나 있고, 하얀 꼬리가 있으며, 도끼를 들고 있는데, 몸 뒤에 있는 상서로운 구름은 그가 해가 지는 것을 관장하는 신이라는 신격을 상징하는 것이다. 성혹인회도본(成或因繪圖本)의 욕수[그림 2]는 사람의 얼굴에 호랑이의 발톱이 나 있고, 도끼를 들고 있는데, 역시 머리의 뒤쪽에 원광(圓光 : 둥근 빛-역자)이 있다. 『왕불도본(汪紱圖本)』의 욕수[그림 3]는 이름이 신홍광이라 하는데, 서방의 형벌신·금신으로서의 신격이 두드러지며, 그 특징은 뱀으로 귀걸이를 하고서 도끼를 들고 있으며, 용을 타고 천지(天地) 사이를 주유(周遊)한다는 것이다[상세한 것은 「해외서경(海外西經)」을 보라].

[그림 1] 욕수 명(明)·장응호회도본

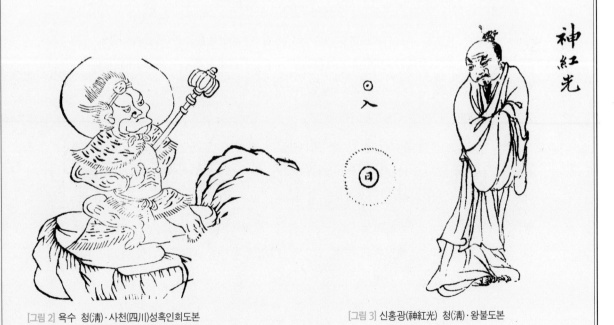

神紅光

[그림 2] 욕수 청(淸)·사천(四川)성혹인회도본　　　[그림 3] 신홍광(神紅光) 청(淸)·왕불도본

|권2-64| 환(讙)

【경문(經文)】

「서차삼경(西次三經)」: 익망산(翼望山)에 이르는데, ……그곳에 사는 어떤 짐승은, 그 생김새가 살쾡이와 비슷하며, 눈이 하나에 꼬리가 셋이고, 이름은 환(讙)이라 한다. 그 소리는 온갖 소리들을 훔친 듯이 다 낼 수 있고, 그 짐승은 흉한 일을 막아줄 수 있으며, 그것을 먹으면 황달이 낫는다. …….

[西水行百里, 至於翼望之山, 無草木, 多金玉. 有獸焉, 其狀如貍, 一目而三尾, 名曰讙, 其音如奪百聲[52], 是可以禦凶, 服之已癉. 有鳥焉, 其狀如烏, 三首六尾而善笑, 名曰鵸鵌, 服之使人不厭, 又可以禦凶.]

【해설(解說)】

환(讙 : '歡'으로 발음)은 또 원(貆 : '原'으로 발음)이라고도 하는데, 흉한 일을 막아주고 사악한 것을 물리쳐주는 기이한 짐승으로, 생김새는 살쾡이처럼 생겼고, 눈이 하나에 꼬리가 셋이다. 환은 온갖 동물들의 울음소리를 낼 수 있으며, 그 고기를 먹으면 황달을 치료할 수 있다고 한다.

환(讙)·원(貆)의 그림은 세 가지 형상이 있다.

첫째, 눈이 하나에 꼬리가 세 개인 것으로, [그림 1-장응호회도본(蔣應鎬繪圖本)]·[그림 2-오임신강희도본(吳任臣康熙圖本)]·[그림 3-성혹인회도본(成或因繪圖本)]·[그림 4-왕불도본(汪紱圖本)]·[그림 5-『금충전(禽蟲典)』]·[그림 6-상해금장도본(上海錦章圖本)]과 같은 것들이다.

둘째, 눈이 두 개에 꼬리가 다섯 개이며, 이름이 원(貆)이라 하는 것으로, [그림 7-호문환도본(胡文煥圖本), 이름을 원(貆)이라고 함]과 같은 것이다. 호문환도설(胡文煥圖說)에서는 다음과 같이 설명하고 있다. "익망산(翼望山)에 어떤 짐승이 사는데, 생김새는 살쾡이처럼 생겼고, 꼬리가 다섯 개이며, 이름은 원(貆)이라 하고, 오소리류에 속한다. 그 소리는 온갖 소리를 빼앗은 듯하며, 그것을 먹으면 황달을 치료할 수 있다.[翼望山有獸, 狀如貍, 五尾, 名曰貆, 又狢類. 其音奪衆聲, 食之可以治癉.]"

---

52) 곽박은 주석하기를, "그것이 온갖 사물의 소리를 낼 수 있는 것을 말한다.[言其能作百種物聲也.]"라고 했다.

셋째, 두 개의 눈에 일곱 개의 꼬리가 달려 있는 것으로, [그림 8-일본도본(日本圖本), 이름을 원(貆)이라고 함]과 같은 것이다.

곽박(郭璞)의 『산해경도찬(山海經圖讚)』: "기여(鵸鵌)는 세 개의 대가리가 달려 있고, 환수(讙獸)는 세 개의 꼬리가 달려 있다네. 모두 불길한 것을 막아주며, 흉한 것을 없애주고, 가위눌리지 않게 해준다네. 군자가 그것을 먹으면 좋지 않은 일을 당하지 않는다네.[鵸鵌三頭, 讙('貆' 혹은 '原'으로 된 것도 있음)獸三尾. 俱御不祥, 消凶辟眯. 君子服之, 不逢不躓.]"

[그림 1] 환 명(明)·장응호회도본

[그림 2] 환 청(淸)·오임신강희도본

[그림 3] 환 청(淸)·사천(四川)성혹인회도본

[그림 4] 환 청(淸)·왕불도본

[그림 5] 환 청(淸)·『금충전』

[그림 8] 환(원) 일본도본

謹
狀如狸
一目三尾
出翼望山

[그림 6] 환 상해금장도본

[그림 7] 환[원(貆)] 명(明)·호문환도본

| 권2-65 | 기여(鵸鵌)

【경문(經文)】

「서차삼경(西次三經)」: 익망산(翼望山)에 이르는데, ……그곳에 사는 어떤 새는, 그 생김새가 까마귀와 비슷하고, 세 개의 대가리와 여섯 개의 꼬리가 달려 있으며, 잘 웃는다. 이 새의 이름은 기여(鵸鵌)라 하는데, 이것을 먹으면 가위눌리지 않고, 흉한 일을 막을 수도 있다.

[西水行百里, 至於翼望之山, 無草木, 多金玉. 有獸焉, 其狀如貍, 一目而三尾, 名曰讙, 其音如奪百聲, 是可以禦凶, 服之已癉. 有鳥焉, 其狀如烏, 三首六尾而善笑, 名曰鵸鵌, 服之使人不厭, 又可以禦凶.]

【해설(解說)】

기여(鵸鵌: '奇余로 발음)는 흉한 일을 막아주고 사악한 것을 물리쳐주는 기이한 새로, 생김새가 까마귀처럼 생겼지만, 세 개의 대가리와 여섯 개의 꼬리가 있으며, 항상 사람의 웃음소리를 낸다. 「북산경(北山經)」의 대산(帶山)에 사는 어떤 새는, 이름이 기여라 하며, 스스로 암수를 이루는데, 이 새와 이름은 같지만 생김새와 종류는 다르다. 이 「서차삼경(西次三經)의 기여는 흉한 일을 막아줄 수 있는데, 이것을 먹으면 악몽을 꾸지 않는다고 한다. 호문환도본에 있는 기여는 익망산(翼望山)의 기여와 대산의 기여의 특징을 한 몸에 지니고 있는데, 그 도설에서는 다음과 같이 설명한다. "익망산에 어떤 새가 사는데, 까마귀처럼 생겼고, 세 개의 대가리와 여섯 개의 꼬리가 달려 있다. 스스로 암수를 이루고, 잘 웃으며, 이름은 기여라고 한다. 그것을 먹으면 가위눌리지 않고, 그 새를 데리고 있으면 병란을 막을 수 있다.[翼望山有鳥, 狀如烏, 三首六尾, 自爲牝牡, 善笑, 名曰鵸鵌. 服之不眛, 佩之可以御兵.]" 병란을 막아준다는 말은 다른 책들에는 보이지 않는다.

곽박(郭璞)의 『산해경도찬(山海經圖讚)』: "기여는 세 개의 대가리가 달려 있고, 환수는 세 개의 꼬리가 달려 있다네. 모두 불길한 것을 막아주며, 흉한 것을 없애주고, 가위눌리지 않게 해준다네. 군자가 그것을 먹으면 좋지 않은 일을 당하지 않는다네.[鵸鵌三頭, 貜獸三尾. 俱御不祥, 消凶辟眛. 君子服之, 不逢不韙.]"

[그림 1-장응호회도본(蔣應鎬繪圖本)]·[그림 2-호문환도본(胡文煥圖本)]·[그림 3-일

347

본도본(日本圖本)]·[그림 4-오임신근문당도본(吳任臣近文堂圖本)]·[그림 5-성혹인회도본

(成或因繪圖本)]·[그림 6-왕불도본(汪紱圖本)]·[그림 7-상해금장도본(上海錦章圖本)]

[그림 1] 기여 명(明)·장응호회도본

[그림 4] 기여 청(淸)·오임신근문당도본

[그림 5] 기여 청(淸)·사천(四川)성혹인회도본

[그림 2] 기여 명(明)·호문환도본

[그림 6] 기여 청(淸)·왕불도본

[그림 7] 기여 상해금장도본

鵸鵌狀如鳥三首六尾
善笑出翼望山

鵸鵌三
頭獌獸三
尾俱禦不祥
消凶辟昧君子
服之不逢不趨

鵸鵌

[그림 3] 기여 일본도본

古
本
山
海
經
圖
說
(上)

350

|권2-66| 양신인면신(羊身人面神) : 양의 몸에 사람의 얼굴을 한 신

【경문(經文)】

「서차삼경(西次三經)」 : 숭오산(崇吾山)부터 익망산(翼望山)까지 모두 스물세 개의 산이 있으며, 그 거리는 6,744리이다. 그 산의 산신들은 모두 양의 몸에 사람의 얼굴을 하고 있다. ……

[凡「西次三經」之首, 崇吾之山至於翼望之山, 凡二十三山, 六千七百四十四里. 其神狀皆羊身人面. 其祠之禮, 用一吉玉瘞, 糈用稷米.]

【해설(解說)】

숭오산(崇吾山)부터 익망산(翼望山)까지 모두 스물세 개의 산이 있는데, 그 산의 산신들은 모두 사람의 얼굴에 양의 몸을 하고 있다.

[그림 1-장응호회도본(蔣應鎬繪圖本)]·[그림 2-『신이전(神異典)』]·[그림 3-성혹인회도본(成或因繪圖本)]·[그림 4-왕불도본(汪紱圖本), 서산신(西山神)이라고 함]

[그림 1] 양신인면신 명(明)·장응호회도본

崇吾山至翼望山共二十三山之神圖

[그림 2] 양신인면신 청(淸)·『신이전』

西山神

[그림 4] 양신인면신(서산신) 청(淸)·왕불도본

[그림 3] 양신인면신 청(淸)·사천(四川)성혹인회도본

| 권2-67 | 흰 사슴[白鹿]

【경문(經文)】

「서차사경(西次四經)」: 상신산(上申山)이라는 곳이 있는데, ……그곳에 사는 짐승으로는 흰 사슴[白鹿]이 많다. …….

[又北二十里, 曰上申之山, 上無草木, 而多硌石, 下多榛楛, 獸多白鹿. 其鳥多當扈, 其狀如雉, 以其髯飛, 食之不眴目. 湯水出焉, 東流注於河.]

【해설(解說)】

흰 사슴[白鹿]은 상서로운 짐승이다. 『송서(宋書)·부서지(符瑞志)』에는, 흰 사슴은 왕이 현명하고 지혜로우면 내려온다고 기록되어 있다. 『술이기(述異記)』에서는, 사슴이 천 년이 지나면 푸르게 변하고, 또 5백 년이 지나면 하얗게 변한다고 했다. 전설에 따르면, 목왕(穆王)이 견융(犬戎)[53]을 정벌하고, 흰 사슴 네 마리를 얻었다고 한다. 『진씨삼진기(秦氏三秦記)』에 백록원(白鹿原)에 관한 고사(故事)가 기술되어 있는데, 주(周)나라 평왕(平王)이 동쪽으로 도읍을 옮길 때[54] 흰 사슴이 이 들판에서 노닐고 있었기에 백록원이라는 이름을 얻었다고 하며, 대개 큰 운(運)을 상징한다고 했다. 『운급칠첨(雲笈七籤)』에서는 서왕모가 흰 사슴을 탄 이야기를 기록하고 있다. 즉 서왕모는 태양의 정령으로, 천제(天帝)의 딸인데, 황제(黃帝)의 덕을 흠모하여 흰 사슴을 타고 백옥환(白玉環: 고리 모양의 백옥-역자)을 바쳐왔다. 오설종(吳薛綜)은 「백록송(白鹿頌)」을 지어 다음과 같이 읊었다. "희디 흰 백록, 그 성질이 온순하고 선량하다네. 그 모습이 하얗게 빛나니, 기러기 같고 서리 같네.[皎皎白鹿, 體質馴良. 其質皎曜, 如鴻如霜.]"

[그림-왕불도본(汪紱圖本)]

---

53) 고대 중국의 서쪽에 있던 이민족의 하나로, 험윤(玁狁)을 가리키며, 서융(西戎)이라고도 한다. 주로 오늘날의 섬(陝)·감(甘) 일대에서 활동했으며, 오늘날의 감숙성(甘肅省) 정녕현(靜寧縣) 위융(威戎)에 도읍을 정했었다.

54) 주(周)나라가 도읍을 호경(鎬京)에서 동쪽의 낙읍(洛邑)으로 옮겼다. 따라서 전자(前者)를 서주(西周)라 하고, 후자를 동주(東周)라 한다.

白鹿

[그림] 흰 사슴 청(淸)·왕불도본

| 권2-68 | 당호(當扈)

【경문(經文)】

「서차사경(西次四經)」: 상신산(上申山)이라는 곳이 있는데, ……그곳에 사는 새로는 당호(當扈)가 많으며, 그 생김새가 꿩과 비슷하고, 턱 밑의 수염으로 난다. 이것을 먹으면 놀라지 않는다. …….

[又北二十里, 曰上申之山, 上無草木, 而多硌石, 下多榛楛, 獸多白鹿. 其鳥多當扈, 其狀如雉, 以其髯飛, 食之不眴('瞬과 같음)目⁵⁵⁾. 湯水出焉, 東流注於河.]

【해설(解說)】

당호(當扈)는 괴조(怪鳥)의 일종으로, 생김새가 꿩처럼 생겼는데, 그 고기를 먹으면 놀라 두려워하지 않는다고 한다. 일반적으로 새는 날갯짓을 하여 높이 날지만, 당호는 목 밑에 있는 수염을 휘저어 난다.

당호의 그림에는 두 가지 형태가 있다.

첫째, 수염으로 나는 것인데, [그림 1-장응호회도본(蔣應鎬繪圖本)]·[그림 2-성혹인 회도본(成或因繪圖本)]·[그림 3-왕불도본(汪紱圖本)]과 같은 것들이다.

둘째, 꿩과 비슷하게 생긴 것으로, [그림 4-호문환도본(胡文煥圖本)]·[그림 5-『금충전(禽蟲典)』]과 같은 것들이다. 호문환도설에서 다음과 같이 설명하고 있다. "당호는 생김새가 꿩과 비슷한데, 목에 나 있는 파초처럼 생긴 수염으로 날며, 사람이 그 고기를 먹으면 놀라지 않는다.[當扈, 狀如雉, 飛咽毛尾似芭蕉, 人食則目不瞬.]"

곽박(郭璞)의 『산해경도찬(山海經圖讚)』: "새는 날개로 나는데, 당호는 수염으로 난다네. 나은 것을 없애고 부족한 것을 주었는데도, (쓰는 데에-역자) 넉넉하니 여유가 있구나. 바퀴가 바퀴통에서 돌 듯이, 알맞은 쓰임은 없는 데[無]서 나오는 것이라네.[鳥飛以翼, 當扈則須, 廢多任少, 沛然有餘. 輪運於轂, 至用在無.]"

---

55) 원가(袁珂)는 주석하기를, "'眴目'은 즉 '瞬目(눈을 깜빡이다)'이며, 발음은 '舜'이다.[眴目, 卽瞬目, 音舜.]" 라고 했다.

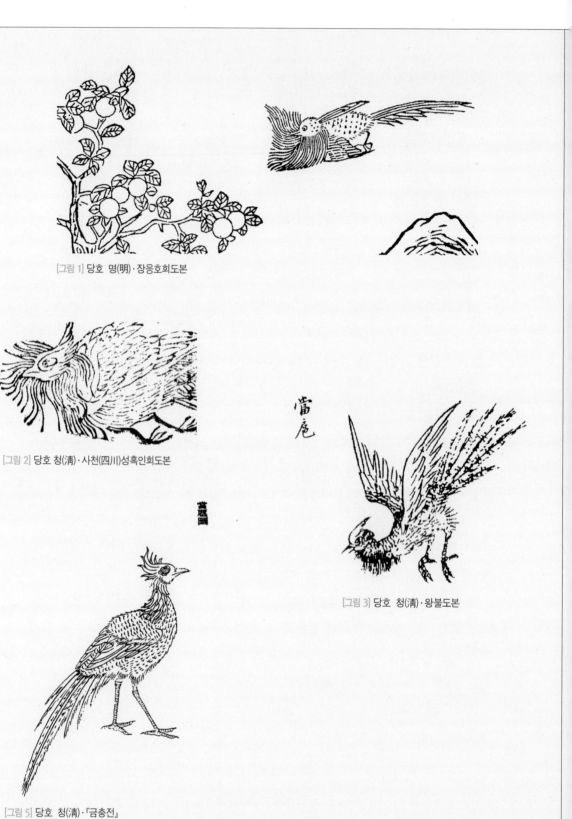

[그림 1] 당호 명(明)·장응호회도본

[그림 2] 당호 청(淸)·사천(四川)성혹인회도본

[그림 3] 당호 청(淸)·왕불도본

[그림 5] 당호 청(淸)·『금충전』

[그림 4] 당호 명(明)·호문환도본

|권2-69| 흰 이리[白狼]

【경문(經文)】

「서차사경(西次四經)」 : 우산(盂山)이라는 곳이 있는데, ……그곳에 사는 짐승으로는 흰 이리[白狼]가 많다. …….

[又北二百二十里, 曰盂山, 其陰多鐵, 其陽多銅, 其獸多白狼白虎, 其鳥多白雉白翟. 生水出焉, 而東流注於河.]

【해설(解說)】

흰 이리[白狼]는 진귀하고 상서로운 짐승[珍獸]이다. 『서응도(瑞應圖)』에서 말하기를, 흰 이리는 왕이 어질고 덕이 있고 명철하면 나타나며, 또 왕이 즉위하고 물러남이 법도에 맞으면 나타난다고 했다. 전설에 따르면, 주(周)나라 목왕(穆王)이 견융(犬戎)을 정벌하고, 흰 이리 네 마리를 얻었다고 한다. 『죽서기년(竹書紀年)』에는 흰 이리에 대한 고사를 기록하고 있는데, 은상(殷商)[56]의 탕왕(湯王) 때 한 신(神)이 입에 올가미를 물고 있는 흰 이리를 끌고 상(商)나라의 조정으로 들어왔다고 한다.

곽박(郭璞)의 『산해경도찬(山海經圖讚)』 : "날래고 용맹한 흰 이리는, 도가 있으면 나타나 노닌다네. 부명(符命)에 응하여 그 몸을 움직이니, 이에 신령한 올가미를 물고 온 것이라네. 오직 덕이 있어야 이것이 이르니, 은(殷)나라 때 나타나고 주나라 때 보였으리.[矯矯白狼, 有道則遊. 應符變質, 乃銜靈鉤. 惟德是適, 出殷見周.]"

[그림-왕불도본(汪紱圖本)]

[그림] 흰 이리 청(淸)·왕불도본

---

56) 은(殷)나라는 중국 역사에서 제2대 왕조로, 하(夏)나라의 제후국인 상(商) 부락의 수령인 상탕(商湯)이 반경(盤庚)을 도읍으로 삼아 건립했는데, 곧 은(殷) 지역으로 천도했기 때문에, 이 상(商) 왕조를 은상(殷商)이라고도 부른다.

| 권2-70 | 백호(白虎)

【경문(經文)】

「서차사경(西次四經)」: 우산(盂山)이라는 곳이 있는데, ……그곳에 사는 짐승으로 는 백호(白虎)가 많다. …….

[又北二百二十里, 曰盂山, 其陰多鐵, 其陽多銅, 其獸多白狼白虎, 其鳥多白雉白翟. 生水出焉, 而東流注於河.]

【해설(解說)】

백호(白虎)는 상서로운 짐승이다. 『서응도(瑞應圖)』에는, 백호는 어질고 선량하여, 왕이 포악하지 않아야 타나난다고 기록되어 있다.

백호는 하늘의 사령(四靈) 중 하나이다. 『삼보황도(三輔黃圖)』에서는, "창룡(蒼龍 : 청룡-역자)·백호·주작·현무는 하늘의 사령으로, 사방을 바르게 한다.[蒼龍·白虎·朱雀·玄武, 天之四靈, 以正四方.]"라고 했다. 백호는 사방신(四方神)의 하나로, 서쪽을 지키는 신이다. 『회남자(淮南子)·천문편(天文篇)』에서는, 서방은 금(金)이고, 그 신은 태백(太白)이며, 그 짐승은 백호라고 했다.

백호는 또한 성좌(星座)의 이름인데, 서방 칠수[七宿 : 규(奎)·누(婁)·위(胃)·묘(昴)·필(畢)·자(觜)·삼(參)]의 총칭으로, 즉 서관(西官)[57]인 백호 성좌이다.

백호는 고대 파(巴) 지역 사람들[늠군(廩君)[58]의 후예]의 조상이며 토템이다. 『후한서(後漢書)·남만서남이열전(南蠻西南夷列傳)』에는, "늠군이 죽고 나서 그 혼백이 세상에서 백호가 되었다.[廩君死, 魂魄世爲白虎.]"라고 기록되어 있다. 지금도 호남성과 호북성 일대의 토족들은 여전히 백호를 숭상하는데, 백호에 대한 그들의 신앙에는 두 가지 모습이 있다. 하나는 백호를 조상신[祖神]·가신(家神)으로 여기는 것인데, 즉 이른바 좌당백호(坐堂白虎)가 그것으로, 그것을 받들고 제사지낸다. 다른 하나는 백호를 흉신(凶神)·사신(邪神)으로 보는 것인데, 즉 이른바 과당백호(過堂白虎)가 그것으로, 그것을 쫓아내고 통제한다.[59] 백호에 대한 신앙의 이중성은 한족 지역에도 반영되어 있다. 백호는 상

---

57) 하늘을 별자리에 따라 구분한 동·서·남·북의 4관(官) 중 서관(西官).

58) 전하는 바에 따르면, 먼 옛날 토가족(土家族 : 중국 소수민족의 하나)의 조상인 파무상(巴務相)이 오성(五姓) 부락의 우두머리에 추거(推擧)되고 나서 늠군으로 불렸다고 한다.

59) 토가족은 백호를 토템으로 숭배했는데, 백호는 '좌당백호[명당(明堂)에 앉아 있는 백호]'와 '과당백호[명

서로운 짐승이자 또 세중[歲中 : 한 해를 담당하는 12지신의 선신(善神)과 흉살(凶殺)−역자]
의 흉신이다. 민간에는 "재물을 쇠하게 하는 백호[退財白虎]" 혹은 "상을 당하게 하는
백호[喪門白虎]"라는 말도 있다.

　　곽박(郭璞)의 『산해경도찬(山海經圖讚)』 : "흰 호랑이는 어질고도 용맹하구나. 그 몸
은 희고, 그 무늬는 단청색이로다. 덕에 감응하여 순종하고, 우리가 경계를 넘나들지
못하게 한다네.[魈魖之虎, 仁而有猛. 其質載皓, 其文載炳. 應德而擾, 止我交境.]"

　　[그림−왕불도본(汪紱圖本)]

당을 넘어 나간 백호]'의 두 종류로 나뉜다. 좌당백호는 가신(家神)으로, 반드시 제를 올려야 한다. 전하
는 바에 따르면, 고대에는 산에서 호랑이를 잡다가 산 채로 제를 지냈지만, 후에는 호랑이의 가죽이
나 나무 호랑이로 대체했다고 한다. 과당백호는 야신(野神)으로, 재앙을 일으키고 화를 부른다고 해서,
주술을 이용해 쫓아냈다. 전설에 따르면, 과당백호는 원래 토왕(土王)의 첩이었는데, 버림받고는 분개하
여 강에 빠져 스스로 목숨을 끊었으며, 죽은 후에 과당백호로 변해 토왕의 자손들을 잔혹하게 해쳤다
고 한다. 이러한 이유로, 아이를 낳으면 남자아이는 3일 이내에, 여자아이는 7일 이내에 제물을 갖추고
무사를 불러다 주술로 과당백호를 쫓아냈는데, 그러지 않으면 아이가 죽거나 해를 입게 되었다고 한다.
토가족들은 만약 아이가 오랫동안 병이 낫지 않으면, '과당백호'살을 범했다고 여겨, 무당을 불러다 백
호를 쫓거나[趕白虎] 백호를 못 박았다[釘白虎]. 무술을 행할 때는, 처마 아래에 나무막대를 박고, 그 위
에 수탉을 묶어놓는다. 그리고는 무사가 복숭아나무 가지를 들고 곳곳을 다니며 난타하면서 몰아내는
주문을 외운다. 오곡을 흩뿌리고 나서 다시 돌아다니며 난타하다가, 수탉이 소리를 크게 한 번 내지르
며 울면, 백호가 도망가거나 못에 박힌 것이라고 간주했다.

【경문(經文)】

「서차사경(西次四經)」: 강산(剛山)이라는 곳에는, ……신치(神魃)[60]가 많이 사는데, 그 모습은 사람의 얼굴에 짐승의 몸을 하고 있고, 발이 하나에 손이 하나이며, 마치 사람이 신음하는 듯이 소리를 낸다.

[又西百二十里, 曰剛山, 多柒木, 多琈珧之玉. 剛水出焉, 北流注於渭. 是多神魃, 其狀人面獸身, 一足一手, 其音如欽(吟).]

【해설(解說)】

신치(神魃)는 강산(剛山)의 산신인데, 즉 이른바 다리가 하나인 산도깨비로, 요괴의 일종이다. 『설문해자(說文解字)』에서 말하기를, 치(魃)는 신수(神獸)이기도 하고, 악귀이기도 하다고 했다. 『사기(史記)·오제본기(五帝本紀)』에 대해 사마정(司馬貞)의 『사기색은(史記索隱)』은 인용하기를, "이매(魑魅 : 도깨비-역자)는 사람의 얼굴에 짐승의 몸을 하고 있고, 네 개의 다리가 있으며, 사람을 잘 홀린다[魑魅, 人面獸身, 四足, 好惑人.]"라고 했다. 이 경문에서 기술하고 있는 신치도 역시 사람의 얼굴에 짐승의 몸을 하고 있고, 다리도 하나이고 손도 하나이며, 사람이 신음하는 듯이 소리를 낸다. 호문환도설(胡文煥圖說)에서 이르기를, "강산에는 신치가 많은데, 역시 이매의 종류이며, 그 생김새는 사람의 얼굴에 짐승의 몸을 하고 있고, 손이 하나에 다리도 하나이며, 그것이 사는 곳에는 비가 오지 않는다.[剛山多神魃, 亦魑魅之類, 其狀人面獸身, 一手一足, 所居處無雨.]" 여기에서 '無雨[비가 내리지 않다]'라는 말은 경문에서는 보이지 않는다.

곽박(郭璞)의 『산해경도찬(山海經圖讚)』: "그 소리는 신음하는 듯하고, 다리가 하나이며 사람의 얼굴을 하고 있다네.[其音如吟, 一脚人面.]"

[그림 1-장응호회도본(蔣應鎬繪圖本)]·[그림 2-『신이전(神異典)』]·[그림 3-호문환도본(胡文煥圖本), '신발(神魃)'이라고 함]·[그림 4-일본도본(日本圖本), '신발'이라고 함]·[그림 5-오임신근문당도본(吳任臣近文堂圖本)]·[그림 6-성혹인회도본(成或因繪圖本)]·[그림 7-왕불도본(汪紱圖本)]·[그림 8-상해금장도본(上海錦章圖本)]

---

60) 곽박(郭璞)은, "치는 도깨비의 일종이고, 발음은 치(恥)와 회(回)의 반절(反切)이다.[魃亦魑魅之類也, 音恥回反.]"라고 했다.

[그림 1] 신치 명(明)·장응호회도본

神聭

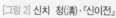

[그림 2] 신치 청(淸)·『신이전』

[그림 3] 신치[신발(神魃)] 명(明)·호문환도본

[그림 4] 신치(신발) 일본도본

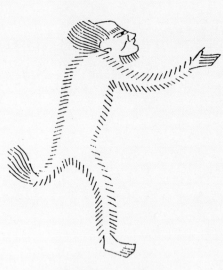

[그림 5] 신치 청(淸)·오임신근문당도본

[그림 6] 신치 청(淸)·사천(四川)성혹인회도본

神魁

[그림 7] 신치 청(淸)·왕불도본

其音如吟一脚人面

神魅
一人
足面
居敧
朝身
山一
手

[그림 8] 신치 상해금장도본

|권2-72| 만만[蠻蠻 : 만만수(蠻蠻獸)]

【경문(經文)】

「서차사경(西次四經)」: 강산(剛山)의 끄트머리에서, 낙수(洛水)가 나와 북쪽으로 흘러 황하(黃河)로 들어간다. 그 속에 만만(蠻蠻)이 많이 사는데, 그 생김새는 쥐의 몸에 자라의 대가리를 하고 있으며, 그 소리는 마치 개가 짖는 것 같다.

[又西二百里, 至剛山之尾, 洛水出焉, 而北流注於河. 其中多蠻蠻, 其狀鼠身而鼈首, 其音如吠犬.]

【해설(解說)】

만만(蠻蠻)은 빈(獱)이라고도 하며, 괴수(怪獸)의 일종으로, 쥐처럼 생겼는데, 자라[鼈]의 대가리가 달려 있으며, 개가 짖는 듯한 소리를 낸다. 『삼창해고(三蒼解詁)』의 기록에는, 빈은 여우처럼 생겼고, 푸른색이며, 물속에 살면서 물고기를 잡아먹는다고 되어 있다. 지금 보이는 몇 가지 도본(圖本)의 만만 그림들은, 그 짐승이 물가에 있는 장면을 그린 것인데, 아마도 이 짐승이 물속에 살고, 물고기를 잡아먹는 습성과 관련이 있을 것이다.

곽박(郭璞)의 『산해경도찬(山海經圖讚)』에는, "쥐의 몸에 자라의 대가리를 하고 있는데, 그것을 만(蠻)이라고 부른다네.[鼠身鼈頭, 厥號曰蠻.]"

[그림 1-장응호회도본(蔣應鎬繪圖本)]·[그림 2-호문환도본(胡文煥圖本)]·[그림 3-오임신근문당도본(吳任臣近文堂圖本)]·[그림 4-성혹인회도본(成或因繪圖本)]·[그림 5-왕불도본(汪紱圖本)]·[그림 6-『금충전(禽蟲典)』]

[그림 1] 만만수 명(明)·장응호회도본

[그림 2] 만만수 명(明)·호문환도본

[그림 3] 만만수 청(淸)·오임신근문당도본

[그림 5] 만만 청(淸)·왕불도본

[그림 4] 만만수 청(淸)·사천(四川)성혹인회도본

[그림 6] 만만 청(淸)·『금충전』

| 권2-73 | 염유어(冉遺魚)

【경문(經文)】

「서차사경(西次四經)」: 영제산(英鞮山)이라는 곳이 있는데, ……완수(浣水)가 시작되어, 북쪽으로 흘러 능양택(陵羊澤)으로 들어간다. 여기에는 염유어(冉遺魚)가 많은데, 물고기의 몸에 뱀의 대가리를 하고 있고, 여섯 개의 발이 달려 있으며, 눈은 말[馬]의 귀처럼 생겼고, 이것을 먹으면 사람이 가위눌리지 않으며, 흉한 일을 막을 수 있다.

[又西三百五十里, 曰英鞮之山, 上多漆木, 下多金玉, 鳥獸盡白. 浣水出焉, 而北流注於陵羊之澤. 是多冉遺之魚, 魚身蛇首六足, 其目如馬耳, 食之使人不眯, 可以禦凶.]

【해설(解說)】

염유어(冉遺魚)는 흉사(凶邪)한 것들을 막아주는 기이한 물고기로, 물고기·뱀·말 등 세 동물의 특징들이 한 몸에 모여 있다. 이 물고기는 뱀의 대가리에 물고기의 몸통을 하고 있고, 여섯 개의 발이 있으며, 말의 귀처럼 생긴 두 눈이 달려 있다. 이것을 먹으면 사람이 악몽을 꾸지 않고, 또한 흉사한 것들을 막아준다고 전해진다. 『태평어람(太平御覽)』에서는 무유어(無遺魚)라 했고, 『사물감주(事物紺珠)』에서는 염유(冉鱬)라 했다. 『원람(元覽)』에서는, 숙어(儵魚)·염유(冉鱬)·합합(鮯鮯)은 모두 발이 여섯 개라고 했다. 호문환도설(胡文煥圖說)에는 다음과 같이 기술되어 있다. "영제산(英鞮山)에서 원수(浣水)가 시작되어, 북쪽으로 흘러 능양택(凌陽澤)으로 들어간다. 그 안에는 염유어가 많이 사는데, 뱀의 대가리에 여섯 개의 발이 있고, 그 눈은 진주처럼 생겼으며, 말의 귀가 달려 있다. 그것을 먹으면 사람이 잠을 자지 않게 되고, 그것을 가지고 다니면 역시 흉한 일을 막을 수 있다.[英鞮('低'로 발음)山浣('駕'으로 발음)水出焉, 北注於凌陽之澤. 中多髻鱬魚, 蛇首六足, 其目如珠, 馬耳. 食之使人不寐, 佩之亦可以御凶.]"

곽박(郭璞)의 『산해경도찬(山海經圖讚)』: "눈은 말의 귀처럼 생겼고, 이것을 먹으면 요사스런 일을 물리칠 수 있다네.[目如馬耳, 食厭妖變.]"

[그림 1-장응호회도본(蔣應鎬繪圖本)]·[그림 2-호문환도본(胡文煥圖本)]·[그림 3-성혹인회도본(成或因繪圖本)]·[그림 4-왕불도본(汪紱圖本)]·[그림 5-『금충전(禽蟲典)』]·[그림 6-상해금장도본(上海錦章圖本)]

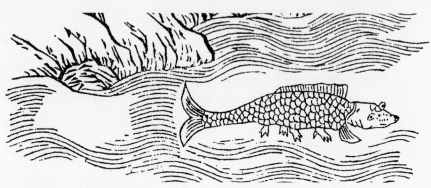

[그림 1] 염유어 명(明)·장응호회도본

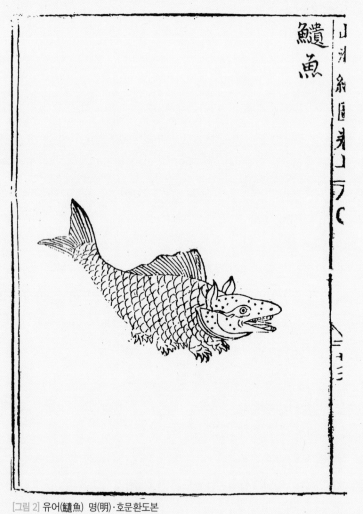

鱬魚

[그림 2] 유어(鱬魚) 명(明)·호문환도본

[그림 3] 염유어 청(淸)·사천(四川)성혹인회도본

冉遺魚

[그림 4] 염유어 청(淸)·왕불도본

目如　馬耳　食厭　妖變

冉遺魚　魚身蛇首六足目如馬耳出沉水

[그림 6] 염유어 상해금장도본

冉鱸魚圖

古人圖書集成

[그림 5] 염유어 청(淸)·『금충전』

| 권2-74 | 박(駮)

【경문(經文)】

「서차사경(西次四經)」: 중곡산(中曲山)이라는 곳에, ……어떤 짐승이 사는데, 그 생 김새가 말과 비슷하지만 흰 몸에 검은 꼬리가 있고, 뿔이 하나이며, 호랑이의 이빨 과 발톱을 가졌다. 그것이 내는 소리는 북소리 같으며, 이름은 박(駮)이라고 한다. 이 짐승은 호랑이와 표범을 잡아먹으며, 이것은 전쟁을 막을 수 있다. …….

[又西三百里, 曰中曲之山, 其陽多玉, 其陰多雄黃·白玉及金. 有獸焉, 其狀如馬而白 身黑尾, 一角, 虎牙爪, 音如鼓, 其名曰駮, 是食虎豹, 可以禦兵. 有木焉, 其狀如棠, 而員葉赤實, 實大如木瓜, 名曰櫰木, 食之多力.]

【해설(解說)】

박(駮 : 발음은 '駁')은 자백(茲白)이라고도 하는데, 전쟁을 막아주며 뿔이 하나인 길 (吉)한 짐승이다. 말처럼 생겼는데, 몸은 희고 꼬리는 검으며, 호랑이의 이빨에 호랑이 의 발톱을 지녔고, 외뿔은 하늘을 향해 치솟아 있으며, 북을 두드리는 듯한 소리를 낸 다. 박은 또 짐승들 가운데 뛰어난 재능을 가졌으며, 위엄 있고 용맹한 짐승으로, 호 랑이와 표범을 잡아먹을 수 있다. 호문환도설(胡文煥圖說)에서는 다음과 같이 설명하고 있다. "말처럼 생겼으며, 흰 몸과 검은 꼬리에, 뿔이 하나이고, 호랑이의 발에 톱날 같 은 이빨을 가지고 있다. 또 북을 치는 것 같은 소리를 내는데, 호랑이와 표범을 잡아먹 을 수 있다. 이름은 박이라 한다. 이 짐승을 데리고 있으면 흉한 일을 막을 수 있다.[狀 如馬, 白身黑尾, 一角, 虎足鋸牙, 音如振鼓, 能食虎豹. 名曰駮. 佩之可以御凶.]" 여기에서 박은 뿔이 하나인 길한 짐승임을 알 수 있다.

박은 또한 뿔이 없다는 설도 있다. 「해외북경(海外北經)」에는 이렇게 기재되어 있다. "북해 안에 어떤 짐승이 사는데, 그 이름은 박이라 하며, 백마처럼 생겼고, 톱날 같은 이빨을 가지고 있어, 호랑이와 표범을 잡아먹는다.[北海內有獸焉, 其名曰駮, 狀如白馬, 鋸 牙, 食虎豹.]" 곽박(郭璞)은 주석하기를, "『이아(爾雅)』에서는, 뿔과 호랑이 발톱이 있다 고 하지 않았다. 박은 또한 외수화(畏獸畵 : 무서운 짐승 그림-역자) 중에 들어 있으며, 그것을 기르면 전쟁을 막을 수 있다.[『爾雅』說, 不道有角及虎爪. 駮亦在畏獸畵中, 養之辟兵 刃也.]"라고 했다. 『이아·석수(釋獸)』에서는, "박은 말처럼 생겼는데, 톱니 같은 이빨이 있고, 호랑이와 표범을 잡아먹는다.[駁如馬, 倨牙, 食虎豹.]"라고 했다. 『주서(周書)·왕회편(王會篇)』에서는 또한 말하기를, "의거(義渠 : 중국의 상나라 후기에 존립했던 고대 국가의 하나-역자)의 자백(玆白)을 가리키는데, 자백은 백마처럼 생겼고, 톱니 같은 이빨이 있어, 호랑이와 표범을 잡아먹는다.[義渠玆白, 玆白若白馬, 鋸牙, 食虎豹.]"라고 했다. 이 기록들은 모두 박에게 하나의 뿔이 있다고 언급하지 않았다.

『이아익(爾雅翼)』에는 육박(六駁)에 관한 다음과 같은 기록이 있다. "육박은 말처럼 생겼으며, 흰 몸에 검은 꼬리가 있고, 뿔이 하나이며, 톱날 같은 이빨과 호랑이의 발톱을 가지고 있는데, 북을 치는 것 같은 소리를 내며, 호랑이와 표범을 즐겨 잡아먹는다. 아마도 털이 있는 짐승들 중 털이 매우 볼 만하고, 또 말처럼 생겼기 때문에, 말의 형태를 한 것들을 박이라고 부른 것 같다.[六駁如馬, 白身黑尾, 一角, 鋸牙, 虎爪, 其音如鼓, 喜食虎豹. 蓋毛物既可觀, 又似馬, 故馬之色相類者, 以駁名之.]" 이백(李白)의 시 「송장수재종군(送張秀才從軍)」에 나오는 육박은 비할 데 없이 용맹하다. 즉 "육박은 사나운 호랑이를 잡아먹으니, 둔한 말무리를 쫓는 것은 부끄럽게 여긴다네. 하루아침에 길게 울며 떠나가는데, 날래고 씩씩하기가 마치 용이 구름을 타고 가는 듯하다네.[六駁食猛武[61], 恥從駑馬群. 一朝長鳴去, 矯若龍行雲.]"

박이 호랑이와 표범을 잡아먹는다는 것에 관해서는 다른 설(說)들이 매우 많다. 『관자(管子)』에는 다음과 같은 기록이 있다. 즉 한번은 제(齊)나라 환공(桓公)이 말을 타고 가는데, 호랑이가 한 마리가 정면으로 왔지만, 돌진해오지 않고 오히려 바라보며 땅바닥에 엎드렸다. 환공은 매우 이상하여 관중(管仲)[62]에게 묻자, 관중이 대답하기를,

---

61) 맹무(猛武)는 곧 맹호(猛虎)이다. 당대(唐代)에는 '虎'자를 피휘했는데, 이는 개국황제 이연(李淵)의 조부인 이호[李虎, ?~551년, 서위(西魏)의 권신]의 이름에 '虎'자가 있기 때문이다. 이 구절에 대해, 『이태백전집(李太白全集)』에 대한 청대(淸代) 왕기(王琦)의 주(注)에서는, 원대(元代) 소사빈(蕭士贇) 보주(補註)를 인용하여, "맹무는 마땅히 맹호라 해야 한다. 당나라 때는 '虎'자를 피휘했기 때문에, '武'로 바꾼 것이다.[猛武, 當作猛虎. 唐國諱虎, 故以'武'易之.]"라고 했다. 또 『이백집교주(李白集校注)』[구태원(瞿蛻園)·주금성(朱金城) 교주(校注)]에서는, "소본(蕭本 : 소사빈이 지은 책-역자)에는 '虎'라 했다. 살펴보건대, 당나라 사람들은 피휘하여 '虎'를 모두 '武'로 썼으며, '虎'라고 한 것은 후인들이 고친 것들이다.[蕭本作虎. 按唐人避諱, 虎皆作'武', 作'虎'者後人所改.]"라고 했다.

62) 관중(管仲, 기원전 723년 혹은 기원전 716년~기원전 645년)은 이름이 이오(夷吾)인데, 역사에서 관자(管子)라고 부른다. 춘추 시대 제(齊)나라의 저명한 정치가·군사가이다. 주(周)나라 목왕(穆王)의 후손으로, 어려서 아버지를 여의자 가세가 곤궁했으므로, 홀어머니를 부양하기 위해 포숙아(鮑叔牙)와 동업하여 장사를 했다. 후에 군대를 따라 제나라에 갔는데, 우여곡절을 겪었으며, 포숙아의 강력한 천거로, 제나라의 상경(上卿 : 승상)이 되었다. '춘추 시대 최고의 재상[春秋第一相]'이라고 불리며, 제나라 환공(桓公)을 보좌하여, 제나라가 춘추 시대 최고의 패주(霸主)가 되게 했다.

임금이 타고 있는 것은 박마(駁馬)인데, 박은 호랑이와 표범을 잡아먹기 때문에 호랑이가 말을 두려워한 것이라고 했다. 또 한번은 진(晉)나라 평공(平公)이 사냥을 하다가 호랑이와 마주쳤는데, 호랑이가 길바닥에 엎드렸다. 이에 진나라 평공이 사광(師曠)[63]에게 이유를 묻자, 사광이 대답하기를, '신(臣)이 듣기로 박마는 호랑이와 표범을 이기는데, 임금께서 타고 계시는 것이 박마랍니다!'라고 했다. 또 『송사(宋史)』에는, 순주산(順州山)에 기이한 짐승이 사는데, 말처럼 생겼지만 호랑이와 표범을 잡아먹는다는 기록이 있다. 즉 북방 사람[北人]이 잘 몰라 유창(劉敞)[64]에게 물었다. 유창은 그것은 박이라는 짐승이라고 대답하고는, 또 박의 생김새를 설명했다. 그러자 어떻게 그것을 알았느냐고 물었는데, 유창은 『산해경』과 관자의 책을 읽고 알게 되었다고 대답했다 한다.

곽박의 『산해경도찬(山海經圖讚)』: "박은 말의 한 종류인데, 실로 짐승들의 우두머리로다. 갈기를 세우고 대가리를 높이 쳐들어, 하늘을 향해 우레와 같이 울부짖는다네. 기상이 침범하지 못하는 것이 없으니, 호랑이를 잡아먹고 전쟁을 막아준다네.[駁惟馬類, 實畜之英. 騰髦驤首, 嘘天雷鳴. 氣無不凌, 吞虎辟兵.]"

박의 그림에는 두 가지가 형상이 있다.

첫째, 뿔이 하나 달린 말처럼 생긴 것으로, [그림 1-장응호회도본(蔣應鎬繪圖本)]·[그림 2-호문환도본(胡文煥圖本)]·[그림 3-일본도본(日本圖本)]·[그림 4-성혹인회도본(成或因繪圖本)]·[그림 5-왕불도본(汪紱圖本)]과 같은 것들이다.

둘째, 뿔이 없는 짐승으로, [그림 6-장응호회도본(蔣應鎬繪圖本)「해외북경(海外北經)」도]와 같은 것이다.

---

63) 사광(師曠, 기원전 572~기원전 532년)은 춘추 시기 진(晉)나라의 저명한 악사(樂師)이자, 정치가·교육가로, 자(字)는 자야(子野)이며, 진나라의 대부(大夫)였기에 진야(晉野)라고도 불렸다. 그는 태어날 때부터 눈이 보이지 않았기 때문에, 스스로를 맹신(盲臣)·명신(瞑臣)이라고 했다. 박학다재했는데, 특히 음악에 뛰어났으며, 금(琴)을 잘 탔고, 음률을 매우 정확하게 구별해냈다. 그래서 '사광의 귀 밝음[師曠之聰]'이란 말로 후세에 유명했다.
64) 유창(劉敞, ?~132년)은 동한(東漢)의 평효왕(平孝王)을 가리킨다.

[그림 1] 박 명(明)·장응호회도본

[그림 4] 박 청(淸)·사천(四川)성혹인회도본

[그림 3] 駮 일본도본

駮

[그림 2] 박 명(明)·호문환도본

駮

[그림 5] 박 청(淸)·왕불도본

[그림 6] 박 명(明)·장응호회도본 「해외북경」도

|권2-75| 궁기(窮奇)

【경문(經文)】

「서차사경(西次四經)」 : 규산(邽山)이라는 곳에는, 그 위에 어떤 짐승이 사는데, 그 생김새가 소와 비슷하고, 고슴도치 털로 덮여 있으며, 이름은 궁기(窮奇)라 한다. 그 소리는 마치 개가 짖는 소리 같으며, 사람을 잡아먹는다. ……

[又西二百六十里, 曰邽('圭'로 발음)山, 其上有獸焉, 其狀如牛, 蝟毛, 名曰窮奇, 音如獆狗, 是食人. 濛水出焉, 南流注於洋水, 其中多黃貝, 蠃魚, 魚身而鳥翼, 音如鴛鴦, 見則其邑大水.]

【해설(解說)】

궁기(窮奇)는 사람을 잡아먹는 무서운 짐승[畏獸]이다. 그것의 생김새에 관해, 일설에는 그것이 소처럼 생겼고, 몸 전체가 고슴도치 털로 덮여 있으며, 개가 짖는 듯한 소리를 낸다고 했고「서차사경(西次四經)」, 다른 일설에는 그것이 호랑이처럼 생겼는데, 날개가 달려 있다고 했다「해내북경(海內北經)」 : "궁기는 생김새가 호랑이와 비슷한데, 날개가 있다.(窮奇狀如虎, 有翼.)"]. 『신이경(新異經)·서북황경(西北荒經)』에는 궁기에 관한 다음과 같은 이야기가 기재되어 있다. 즉 서북 지역에 호랑이처럼 생긴 짐승이 사는데, 날개가 있어 날 수 있으며, 사람을 모조리 잡아먹는다. 또 사람의 말을 알아들을 수 있다. 사람들이 싸우는 소리를 들으면, 곧장 달려가 올곧고 정직한 사람을 잡아먹는다. 또 어떤 사람이 충신이라는 말을 들으면, 바로 그 사람의 코를 먹어버린다. 어떤 사람이 악하고 나쁘다는 소리를 들으면, 곧장 짐승을 잡아다 그 사람한테 준다. 이 짐승의 이름은 궁기라 한다. 또한 갖가지 새나 짐승들을 잡아먹는다. 이 짐승의 행실은 실로 인간들 가운데 주구(走狗 : 못된 사람의 앞잡이─역자)와 다름이 없다.

궁기는 또 대나(大儺)[65]의 12신(神)들 중 고(蠱 : 독충─역자)를 잡아먹는 축역천신(逐疫天神 : 역귀를 쫓는 귀신─역자)으로, 신구(神狗)라고도 한다. 『후한서(後漢書)·예의지(藝

---

65) 중국의 진(秦)·한(漢) 시기에, 납향일[臘享日 : 동짓날로부터 세 번째 술일(戌日)에 여러 신들에게 지내던 제사] 하루 전에, 민간에서는 북을 치면서 역귀(疫鬼)를 쫓았는데, 이를 '축제(逐除)'라 했다. 궁중에서는 바로 어린아이들 백여 명을 모아 창귀(倀鬼)의 아들로 삼고, 중황문(中黃門 : 환관의 관직명)이 방상(方相 : 역병을 쫓고 사악함을 물리치는 신) 및 12수(獸)로 분장하여, 기세 있게 그들을 몰아냈는데, 이 의식을 가리킨다. '축역(逐疫)'이라고도 한다. 우리나라에도 있던 풍습이다.

儀志)』에 기록하기를, 대나 축역(逐疫)의 "흉악한 것을 쫓아내는[追惡凶]" 12신들 중 "궁기와 등근(騰根)은 모두 고를 잡아먹는다.[窮奇騰根共食蠱]"라고 했다. 또 『회남자(淮南子)·지형편(墜形篇)』에는, "궁기는 광막풍(廣莫風)[66]이 낳았다.[窮奇, 廣莫風之所生也.]"라고 기록되어 있다. 고유(高誘)는 주석하기를, "궁기는 천신이다.[窮奇, 天神也.]"라고 했다.

곽박(郭璞)의 『산해경도찬(山海經圖讚)』: "궁기라는 짐승, 그 생김새가 매우 흉하다네. 요사(妖邪)한 것들을 쫓으면, 도망가지 않는 것이 없다네. 또 다른 이름이 있으니, 신구(神狗)라고 한다네.[窮奇之獸, 厥形甚醜. 馳逐妖邪, 莫不奔走. 是以一名, 號曰神狗.]" 또한 "궁기는 소처럼 생겼는데, 겉에 고슴도치 털이 돋아 있다네.[窮奇如牛, 蝟毛自表.]"라고 했다.

[그림 1-장응호회도본(蔣應鎬繪圖本)]·[그림 2-호문환도본(胡文煥圖本)]·[그림 3-일본도본(日本圖本)]·[그림 4-성혹인회도본(成或因繪圖本)]·[그림 5-왕불도본(汪紱圖本)]·[그림 6-『금충전(禽蟲典)』]

[그림 1] 궁기 명(明)·장응호회도본

---

66) 북쪽으로부터 부는 바람, 즉 북풍을 가리킨다. 또는 동지(冬至)가 되면 부는 바람을 광막풍이라고도 한다.

[그림 2] 궁기 명(明)·호문환도본

[그림 3] 궁기 일본도본

[그림 4] 궁기 청(淸)·사천(四川)성혹인회도본

窮奇

[그림 5] 궁기 청(淸)·왕불도본

窮奇圖

[그림 6] 궁기 청(淸)·『금충전』

| 권2-76 | 나어(嬴魚)

【경문(經文)】

「서차사경(西次四經)」: 규산(邽山)이라는 곳이 있는데, ……몽수(濛水)가 시작되어 남쪽으로 흘러 양수(洋水)로 들어간다. 그 속에 ……나어(嬴魚)가 많이 사는데, 물고기의 몸에 새의 날개가 달려 있고, 마치 원앙 같은 소리를 내며, 그것이 나타나면 그 고을에 큰 홍수가 난다.

[又西二百六十里, 曰邽('圭로 발음')山, 其上有獸焉, 其狀如牛, 蝟毛, 名曰窮奇, 音如獆狗, 是食人. 濛水出焉, 南流注於洋水, 其中多黃貝, 嬴魚, 魚身而鳥翼, 音如鴛鴦, 見則其邑大水.]

【해설(解說)】

나어(嬴魚)는 물고기와 새의 모습을 한 몸에 가지고 있는 괴상한 물고기로, 큰 홍수가 날 징조이다. 나어의 생김새는 물고기와 비슷하지만, 새의 날개가 달려 있고, 원앙 같은 소리를 낸다.

곽박(郭璞)의 『산해경도찬(山海經圖讚)』: "큰 홍수가 날 징조인 나어는, 물고기도 아니고 새도 아니라네.[濛('華'로 된 것도 있음)水之嬴, 匪魚伊鳥.]"

[그림 1-오임신강희도본(吳任臣康熙圖本)]·[그림 2-성혹인회도본(成或因繪圖本)]·[그림 3-왕불도본(汪紱圖本)]·[그림 4-『금충전(禽蟲典)』]

[그림 2] 나어 청(淸)·사천(四川)성혹인회도본

[그림 1] 나어 청(淸)·오임신강희도본

第二卷 西山經

[그림 3] 나어 청(淸)·왕불도본

[그림 4] 나어 청(淸)·『금충전』

古本 山海經 圖說 (上)

【경문(經文)】

「서차사경(西次四經)」: 조서동혈산(鳥鼠同穴山: 새와 쥐가 한 구멍에 사는 산–역자)이라는 곳이 있는데, 그 위에 백호(白虎)와 백옥(白玉)이 많다. ……

[又西二百二十里, 曰鳥鼠同穴之山, 其上多白虎·白玉. 渭水出焉, 而東流注於河. 其中多鰠魚, 其狀如鱣魚, 動則其邑有大兵. 濫水出於其西, 西流注於漢水, 多鰠魤之魚, 其狀如覆銚, 鳥首而魚翼魚尾, 音如磐石之聲, 是生珠玉.]

【해설(解說)】

　　조서동혈산(鳥鼠同穴山)은 청작산(靑雀山)·동혈산(同穴山)이라고도 한다. 『이아(爾雅)』에 이르기를, 그 새는 여(鵨: '余'로 발음)이고, 그 쥐는 돌(鼵: '突'로 발음)이다. 그것들은 땅에 3~4척(尺) 정도 깊이의 동굴을 판 뒤, 쥐는 안에 살고, 새는 밖에 사는데, 지금의 농서현(隴西縣)에 있다고 했다. 『공씨서전(孔氏書傳)』에서는, 새와 쥐가 함께 암컷과 수컷이 되어서 한 동굴에 산다고 했다. 곽박(郭璞)은 주석하기를, "지금 농서(隴西) 수양현(首陽縣) 남서쪽에 있다. 이 산에 쥐와 새가 같은 동굴에 살고 있는데, 새의 이름은 여라고 하고, 쥐의 이름은 돌이라 한다. 돌은 집쥐처럼 생겼지만 꼬리가 짧고, 여는 제비와 비슷하지만 노란색이다. 땅을 몇 척 정도 깊이로 파서, 쥐는 그 안쪽에 있고, 새는 그 바깥쪽에 있지만 함께 산다.[今在隴西首陽縣西南, 山有鼠鳥同穴, 鳥名曰鵨, 鼠名曰鼵. 鼵如人家鼠而短尾, 鵨似燕而黃色. 穿地入數尺, 鼠在內, 鳥在外而共處.]"라고 했다.

　　곽박의 『산해경도찬(山海經圖贊)·조서동혈산(鳥鼠同穴山)』: "여와 돌이라는 두 짐승은, 다른 종류이면서 함께 산다네. 모여 살아도 같은 무리라 여기지 않으니, 하나는 달리고 하나는 날아 다니기 때문이라네. 이치에 맞지 않으면서도 맞으니, 그 이치를 헤아리기 어렵구나.[鵨鼵二蟲, 殊類同歸. 聚不以方, 或走或飛. 不然之然, 難以理推.]"

　　[그림 1–장응호회도본(蔣應鎬繪圖本)]·[그림 2–호문환도본(胡文煥圖本)]·[그림 3–오임신근문당도본(吳任臣近文堂圖本)]·[그림 4–성혹인회도본(成或因繪圖本)]

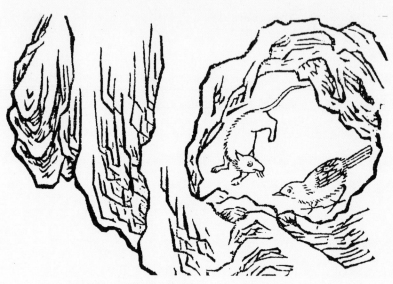

[그림 1] 조서동혈 명(明)·장응호회도본

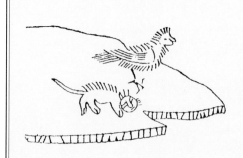

[그림 3] 조서동혈 청(淸)·오임신근문당도본

[그림 4] 조서동혈 청(淸)·사천(四川)성혹인회도본

[그림 2] 조서동혈 명(明)·호문환도본

| 권2-78 | 소어(鰠魚)

【경문(經文)】

「서차사경(西次四經)」 : 조서동혈산(鳥鼠同穴山)이라는 곳이 있는데, ……거기에서 위수(渭水)가 시작되어 동쪽의 황하(黃河)로 흘러간다. 그 속에 소어(鰠魚)가 많이 사는데, 그 모습이 잉어처럼 생겼고, 그것이 나타나면 그 고을에 큰 전쟁이 일어난다. …….

[又西二百二十里, 曰鳥鼠同穴之山, 其上多白虎·白玉. 渭水出焉, 而東流注於河. 其中多鰠魚, 其狀如鱣魚, 動則其邑有大兵. 濫水出於其西, 西流注於漢水, 多䰽魮之魚, 其狀如覆銚, 鳥首而魚翼魚尾, 音如磬石之聲, 是生珠玉.]

【해설(解說)】

소어[鰠魚 : 『금충전(禽蟲典)』에는 '鰠魚'라고 되어 있음]는 괴상한 물고기[怪魚]로, 전쟁이 일어날 징조이다. 그것은 생김새가 잉어와 비슷한데, 몸집이 크고, 입이 턱 밑에 있으며, 몸은 비늘로 덮여 있다.

곽박(郭璞)의 『산해경도찬(山海經圖讚)』 : "소어는 깊은 못 속에 숨어 사는데, 이것이 나타나면 그 고을에 두려운 일이 생긴다네.[鰠魚潛淵, 出則邑悚.]"

[그림 1-장응호회도본(蔣應鎬繪圖本)]·[그림 2-성혹인회도본(成或因繪圖本)]·[그림 3-왕불도본(汪紱圖本)]·[그림 4-『금충전』]

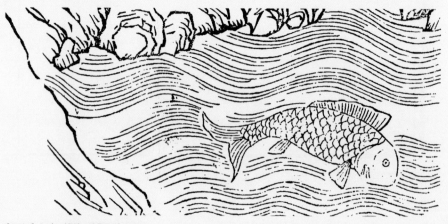

[그림 1] 소어 명(明)·장응호회도본

[그림 2] 소어 청(淸)·사천(四川)성혹인회도본

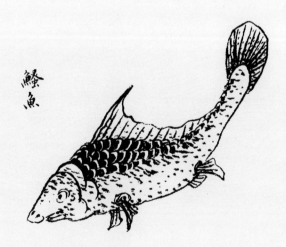

鰠魚

[그림 3] 소어 청(淸)·왕불도본

[그림 4] 소어(鮹) 청(淸)·『금충전』

|권2-79| 여비어(絮魮魚)

【경문(經文)】

「서차사경(西次四經)」: 조서동혈산(鳥鼠同穴山)이라는 곳이 있는데, ……함수(濫水)가 그 서쪽에서 시작되어, 서쪽의 한수(漢水)로 흐른다. 거기에 여비어(絮魮魚)가 많이 사는데, 그 생김새가 마치 냄비를 엎어 놓은 것 같고, 새의 대가리에 물고기의 지느러미와 물고기의 꼬리가 달려 있으며, 그 소리는 마치 경석(磬石)을 두드리는 소리와 비슷하고, 주옥(珠玉)을 낳는다.

[又西二百二十里, 曰鳥鼠同穴之山, 其上多白虎·白玉. 渭水出焉, 而東流注於河. 其中多鰠魚, 其狀如鱣魚, 動則其邑有大兵. 濫水出於其西, 西流注於漢水, 多絮魮之魚, 其狀如覆銚, 鳥首而魚翼魚尾, 音如磬石之聲, 是生珠玉.]

【해설(解說)】

여비어(絮魮魚)는 주모방(珠母蚌 : 진주조개-역자)과 비슷하며, 물고기와 새의 모습을 한 몸에 가지고 있는 괴상한 물고기이다. 이것은 생김새가 매우 특이한데, 냄비를 엎어 놓은 것처럼 생겼고, 새의 대가리에 물고기의 지느러미와 물고기의 꼬리가 달려 있다. 우는 소리는 경석(磬石)을 두드리는 소리와 비슷하다. 여비어는 몸속에서 주옥(珠玉)을 잉태하여 낳을 수 있다. 『남월지(南越志)』의 기록에 따르면, 바다 속에 문비(文魮)가 사는데, 우는 소리가 경석을 두드리는 소리와 비슷하며, 새의 대가리에 물고기의 꼬리를 하고 있고, 옥을 낳는다고 했다.

곽박(郭璞)의 『산해경도찬(山海經圖讚)』: "생김새는 엎어놓은 냄비 같은데, 몸속에 옥과 구슬을 품고 있다네. 이것들이 생기면 몸속에 쌓아두지 않고, 꼬리뼈[尾閭]로 내보낸다네. 암암리에 도(道)와 합치되니, 기이한 물고기라 할 만하구나.[形如覆銚, 苞玉含珠. 有而不積, 泄以尾閭. 闇與道會, 可謂奇魚.]"

[그림 1-장응호회도본(蔣應鎬繪圖本)]·[그림 2-왕불도본(汪紱圖本)]·[그림 3-필원도본(畢沅圖本)]·[그림 4-『금충전(禽蟲典)』]·[그림 5-상해금장도본(上海錦章圖本)]

[그림 1] 여비어 명(明)·장응호회도본

山海經圖　五

熊鮂魚狀如覆銚烏首而魚翼魚尾音
如磬石之聲是生珠玉出濫水

形如覆銚包
玉合珠有而
不積泄以尾
聞聞與道自
可謂奇魚

[그림 3] 여비어 청(淸)·필원도본

[그림 2] 여비어 청(淸)·왕불도본

[그림 4] 여비어 청(淸)·『금충전』

鴛鴬魚 狀如覆銚 烏首而魚 其魚尾 音如磬石之聲是生 珠玉出 濫水

形如 覆銚包 玉含珠有 而不積泄以 尾間閭與道 會可謂奇魚

[그림 5] 여비어 상해금장도본

395

|권2-80| 숙호(孰湖)

【경문(經文)】

「서차사경(西次四經)」: 엄자산(崦嵫山)이라는 곳에, ……어떤 짐승이 사는데, 그 생김새는 말의 몸에 새의 날개가 있고, 사람의 얼굴에 뱀의 꼬리가 달려 있다. 사람을 들어올리기를 좋아하고, 이름은 숙호(孰湖)라 한다. …….

[西南三百六十里, 曰崦嵫之山, 其上多丹木, 其葉如穀, 其實大如瓜, 赤符而黑理, 食之已癉, 可以禦火. 其陽多龜, 其陰多玉. 苕水出焉, 而西流注於海, 其中多砥礪. 有獸焉, 其狀馬身而鳥翼, 人面蛇尾, 是好擧人, 名曰孰湖. 有鳥焉, 其狀如鴞而人面, 蜼身犬尾, 其名自號也, 見則其邑大旱.]

【해설(解說)】

숙호(孰湖)는 엄자산(崦嵫山)에 사는데, 이 산은 해가 지는 산이다. 『이소(離騷)』에는, "엄자산을 바라보며 쫓지 마라.[望崦嵫而勿追.]"라는 시구(詩句)가 있는데, 이는 해가 지는 광경을 읊은 것이다. 숙호는 사람·말·새·뱀의 모습을 한 몸에 지니고 있는 기이한 짐승으로, 사람의 얼굴에 말의 몸을 하고 있고, 새의 날개와 뱀의 꼬리를 가지고 있으며, 사람을 안아 올리기를 좋아한다. 『병아(騈雅)』에는, 말처럼 생겼고, 사람의 얼굴에 새의 날개가 달려 있는데, 숙호라 한다고 했다.

곽박(郭璞)의 『산해경도찬(山海經圖讚)』: "숙호라는 짐승은, 사람을 보면 껴안는다네.[孰湖之獸, 見人則抱.]"

[그림 1-장응호회도본(蔣應鎬繪圖本)]·[그림 2-성혹인회도본(成或因繪圖本)]·[그림 3-왕불도본(汪紱圖本)]·[그림 4-『금충전(禽蟲典)』]

[그림 2] 숙호 청(淸)·사천(四川)성혹인회도본

[그림 1] 숙호 명(明)·장응호회도본

執湖

乹湖區

[그림 3] 숙호 청(淸)·왕불도본

[그림 4] 숙호 청(淸)·『금충전』

第二卷 西山經

397

|권2-81| 인면효(人面鴞)

【경문(經文)】

「서차사경(西次四經)」: 엄자산(崦嵫山)이라는 곳에, ……어떤 새가 있는데, 그 모습이 올빼미 같지만 사람의 얼굴을 하고 있으며, 원숭이의 몸에 개의 꼬리가 달려 있고, 자신의 이름을 부르듯이 운다. 이것이 나타나면 곧 그 고을에 큰 가뭄이 든다. [西南三百六十里, 曰崦嵫之山, 其上多丹木, 其葉如穀, 其實大如瓜, 赤符而黑理, 食之已癉, 可以禦火. 其陽多龜, 其陰多玉. 苕水出焉, 而西流注於海, 其中多砥礪. 有獸焉, 其狀馬身而鳥翼, 入面蛇尾, 是好擧人, 名曰孰湖. 有鳥焉, 其狀如鴞而人面, 蜼身犬尾, 其名自號也, 見則其邑大旱.]

【해설(解說)】

인면효(人面鴞: 사람의 얼굴을 한 부엉이-역자)는 사람·원숭이·개·새의 모습을 한 몸에 지니고 있는 기이한 새이며, 또한 흉조(凶鳥)이다. 일설에는 새가 아니라 짐승[獸]이라고도 하며, 큰 가뭄이 들 징조이다. 그것은 사람의 얼굴에 올빼미의 날개가 달려 있고, 원숭이의 몸에 개의 꼬리를 가지고 있으며, 하루 종일 자신의 이름을 부르듯이 운다. 곽박(郭璞)은 말하기를, 자신의 이름을 부르듯이 우는 것이며, 경문(經文)에 그 이름이 없는 것으로 보아, 아마도 문장 중에 빠진 부분이 있는 것 같다고 했다.

인면효는 새의 모습에 짐승의 몸을 하고 있는데, 경문의 부정확성 때문에 세 가지 다른 형상이 출현했다.

첫째, 사람의 얼굴에 새의 모습을 하고 있고, 짐승의 꼬리가 달려 있으며, 하늘을 날아다니는 것으로, [그림 1-장응호회도본(蔣應鎬繪圖本)]·[그림 2-성혹인회도본(成或因繪圖本)]과 같은 것들이다.

둘째, 사람의 얼굴에 새의 몸을 하고 있는 것으로, [그림 3-왕불도본(汪紱圖本), 이름을 '명자호(名自號)'라 함]과 같은 것이다.

셋째, 사람의 얼굴에 짐승의 몸을 하고 있으며, 날개가 달려 있는 것으로, [그림 4-호문환도본(胡文煥圖本)]·[그림 5-오임신근문당도본(吳任臣近文堂圖本)]·[그림 6-상해금장도본(上海錦章圖本)]과 같은 것들이다. 호문환도설에서는 "엄자산(崦嵫山)에 어떤 짐승이 있는데, 이름은 효(鴞)라 한다. 사람의 얼굴에 곰의 몸을 하고 있고, 개의 꼬리와 날

개가 달려 있다. 자신의 이름을 부르듯이 운다. 이 새가 타나나면 큰 가뭄이 든다.[崦嵫
山有獸, 名曰鴞, 人面熊身, 犬尾有翼, 其名自呼, 見則大旱.]"라고 했다.

[그림 1] 인면효 명(明)·장응호회도본

[그림 2] 인면효 청(淸)·사천(四川)성혹인회도본

名自號

[그림 3] 인면효 청(淸)·왕불도본

[그림 5] 인면효 청(淸)·오임신근문당도본

[그림 4] 인면효 명(明)·호문환도본

人面鴞
其狀如鴞
人面雉身
犬尾見則
大旱出
滄滋山

[그림 6] 인면효 상해금장도본

第三卷

北山經

제3권 북산경

|권3-1| 활어(滑魚)

【경문(經文)】

「북산경(北山經)」: 구여산(求如山)이라는 곳이 있는데, ……활수(滑水)가 시작되어 서쪽으로 흘러 제비수로 들어간다. 그 속에 활어(滑魚)가 많이 사는데, 그 생김새가 드렁허리(민물고기의 일종-역자)와 비슷하고, 등이 붉다. 그 소리는 거문고 소리 같고, 그것을 먹으면 사마귀를 없앨 수 있다. …….

[又北二百五十里, 曰求如之山, 其上多銅, 其下多玉, 無草木. 滑水出焉, 而西流注於 諸毗之水. 其中多滑魚, 其狀如鱓('善'으로 발음), 赤背, 其音如梧, 食之已疣. 其中多 水馬, 其狀如馬, 文臂牛尾, 其音如呼.]

【해설(解說)】

활어(滑魚)는 생김새가 드렁허리 같고 등이 붉다. 그 소리는 금슬(琴瑟: 거문고와 비파-역자) 소리 같다. 그 고기를 먹으면 사마귀를 치료할 수 있다.

[그림 1-장응호회도본(蔣應鎬繪圖本)]·[그림 2-성혹인회도본(成或因繪圖本)]·[그림 3-왕불도본(汪紱圖本)]·[그림 4-『금충전(禽蟲典)』]

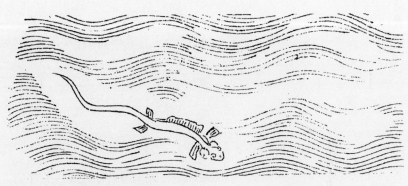

[그림 1] 활어 명(明)·장응호회도본

[그림 2] 활어 청(淸)·사천(四川)성혹인회도본(앞쪽의 것이 활어임)

[그림 3] 활어 청(淸)·왕불도본

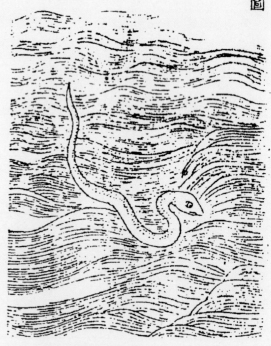

[그림 4] 활어 청(淸)·『금충전』

|권3-2| 수마(水馬)

【경문(經文)】

「북산경(北山經)」: 구여산(求如山)이라는 곳이 있으며, ……그곳에는 수마(水馬)가 많이 사는데, 그 생김새가 말과 비슷하며, 무늬가 있는 앞다리와 소의 꼬리가 달려 있고, 그것은 마치 사람이 소리치는 듯한 소리를 낸다.

[又北二百五十里, 曰求如之山, 其上多銅, 其下多玉, 無草木. 滑水出焉, 而西流注於諸毗之水. 其中多滑魚, 其狀如鱓('善'으로 발음), 赤背, 其音如梧, 食之已疣. 其中多水馬, 其狀如馬, 文臂牛尾, 其音如呼[1].]

【해설(解說)】

수마(水馬)는 신령하고 상서로운 짐승으로, 용의 정령[龍精]·신마(神馬)라고 불린다. 수마는 말처럼 생겼고, 앞다리에 얼룩무늬가 있으며, 소의 꼬리가 달려 있고, 사람이 소리치는 것 같은 소리를 낸다. 『주례(周禮)』에는, 말[馬]의 검은 등마루에, 얼룩무늬가 있는 앞다리가 있다고 기록되어 있다. 한(漢)나라 무제(武帝) 원수(元狩) 4년(기원전 119년-역자)에, 돈황(敦煌)의 악와수(渥洼水)에서 말이 나타나자, 신령하고 상서로운 것이라 여겼다고 하는데, 바로 이 종류이다. 고서에 기록되어 있는, 물에서 얻었다는 기이한 말·신령스런 말들은 모두 수마이다.

곽박(郭璞)의 『산해경도찬(山海經圖讚)』: "말은 실로 용의 정령[龍精]이니, 물에서 나온다네. 악와수에서 나온 준마, 신령하고 상서롭도다. 옛날 하후씨(夏后氏: 禹) 때는, 또 어떤 사마(駟馬: 임금의 수레를 끄는 네 필의 말-역자)가 있었던가.[2][馬實龍精, 爰出水類. 渥洼之駿, 是靈是瑞. 昔在夏后, 亦有何駟.]"

[그림 1-호문환도본(胡文煥圖本)]·[그림 2-왕불도본(汪紱圖本)]

---

1) 곽박은 "사람이 소리치는 듯한 소리이다.[如人呼呼.]"라고 했고, 학의행(郝懿行)은 "'呼'는 말이 울부짖는 소리를 말한다.[呼, 謂呌吒吒也.]"라고 했다. 여기에서는 곽박의 견해에 따랐다.
2) 『예기(禮記)·명당위(明堂位)』에 따르면, 하후씨 때는 검은 갈기를 가진 낙마(駱馬: 검은 갈기가 있는 흰 말)를 사용하고, 은나라 때는 검은 대가리의 백마를 사용했으며, 주나라 때는 갈기가 풍성한 황마를 썼다고 한다.

水馬

[그림 1] 수마 명(明)·호문환도본

水馬

[그림 2] 수마 청(淸)·왕불도본

|권3-3| 환소(驩疏)

【경문(經文)】

「북산경(北山經)」: 대산(帶山)이라는 곳에, ……어떤 짐승이 사는데, 그 생김새가 말과 비슷하고, 뿔이 하나 있으며, 그 표면이 꺼칠꺼칠하다. 이름은 환소(驩疏)라 하며, 화재를 막을 수 있다. …….

[又北三百里, 曰帶山, 其上多玉, 其下多靑碧. 有獸焉, 其狀如馬, 一角有錯[3], 其名 曰驩疏, 可以辟火. 有鳥焉, 其狀如烏, 五采而赤文, 名曰鵸𪃟, 是自爲牝牡, 食之不 疽. 彭水出焉, 而西流注於芘湖之水, 其中多儵魚, 其狀如雞而赤毛, 三尾·六足·四 首, 其音如鵲, 食之可以已憂.]

【해설(解說)】

환소[驩('歡'으로 발음)疏]는 뿔이 하나인 말[馬]로, 화재를 막아주는 기이한 짐승인데, 그 외뿔의 표면에는 딱딱하고 꺼칠꺼칠한 두꺼운 각질이 있다. 호문환도설(胡文煥圖說) 에서는, "대산(帶山)에 어떤 짐승이 사는데, 생김새는 말과 비슷하고, 대가리에 뿔이 달려 있으며, 이 뿔로 돌을 갈 수 있다. 이름은 환소라 한다.[帶山有獸, 狀如馬, 首有角, 可以錯石. 名曰驩疎.]"라고 했다. 『병아(騈雅)』에서는, 환소는 뿔이 하나인 말이라고 했다. 『오후청(五侯鯖)』에서 이르기를, 환소는 상산(常山 : 帶山)에서 나며, 말처럼 생긴 데다 뿔이 하나이고, 그 천성이 교활하다고 했는데, 바로 이 짐승이다.

곽박(郭璞)의 『산해경도찬(山海經圖讚)』: "화재를 막아주는 짐승이 있으니, 그 이름이 환소라 한다네.[厭火之獸, 厥名驩疏.]"

환소의 그림에는 두 가지 형상이 있다.

첫째, 뿔이 하나인 말로, [그림 1-장응호회도본(蔣應鎬繪圖本)]·[그림 2-호문환도본(胡文煥圖本), 이름은 환소(驩疎)라 함]·[그림 3-성혹인회도본(成或因繪圖本)]·[그림 4-필원도본(畢沅圖本)]·[그림 5-왕불도본(汪紱圖本)]·[그림 6-상해금장도본(上海錦章圖本)] 과 같은 것들이다.

둘째, 뿔이 두 개인 말로, [그림 7-일본도본(日本圖本), 이름은 환소(驩疎)라 함]과 같

---

3) 경문(經文)의 '錯'에 대해, 곽박은 "뿔 표면이 메마르고 꺼칠꺼칠한 것을 말한다. '厝(조)'로 쓰기도 한 다.[言角有甲錯也. 或作厝.]"라고 했다.

은 것이다.

[그림 1] 환소(朧疏) 명(明)·장응호회도본

朧
踈

[그림 2] 환소[환소(朧踈)] 명(明)·호문환도본

[그림 3] 환소 청(淸)·사천(四川)성혹인회도본

朧疏

厥名朧疏

㶑火之獸

朧疏可以御火出囂山

朧疏狀如馬一角有錯

[그림 4] 환소 청(淸)·필원도본

[그림 5] 환소 청(淸)·왕불도본

朧疏　狀如馬一角有錯
可以辟火出帶山

厭火
之獸
厥名
朧疏

[그림 6] 환소 상해금장도본

ていさんよう
ありくよんそと
なく

朧疎

[그림 7] 환소[환소(朧疎)] 일본도본

|권3-4| 기여(鶬鸹)

【경문(經文)】

「북산경(北山經)」: 대산(帶山)이라는 곳에, ……어떤 새가 사는데, 그 생김새가 까마귀와 비슷하며, 오색 빛깔에 붉은 무늬가 있고, 이름은 기여(鶬鸹)라고 한다. 암수한몸이고, 그것을 먹으면 등창이 나지 않는다. …….

[又北三百里, 曰帶山, 其上多玉, 其下多青碧. 有獸焉, 其狀如馬, 一角有錯, 其名曰膲疏, 可以辟火. 有鳥焉, 其狀如鳥, 五采而赤文, 名曰鶬鸹, 是自爲牝牡, 食之不疽. 彭水出焉, 而西流注於芘湖之水, 其中多儵魚, 其狀如雞而赤毛, 三尾·六足·四首, 其音如鵲, 食之可以已憂.]

【해설(解說)】

기여(鶬鸹)는 이미 「서차삼경(西次三經)」의 익망산(翼望山: 이 책 〈권2-65〉를 볼 것)에서 보았는데, 여기에 있는 기여와 이름은 같지만 생김새도 다르고 종류도 다르다. 대산(帶山)의 기여는 기이한 새[奇鳥]로, 그 생김새가 봉새[鳳][4]와 비슷하고, 오색 빛깔의 깃털로 덮여 있으며, 그 위에는 붉은 얼룩무늬가 있다. 스스로 암수한몸을 이루고 있어, 혼자서 새끼를 번식시킬 수 있다. 그것의 고기를 먹으면 종기가 나지 않는다고 한다.

곽박(郭璞)의 『산해경도찬(山海經圖讚)』: "스스로 번식할 수 있는 새가 있으니, 기여(鶬鸹)라고 부른다네.[有鳥自化, 號曰鶬鸹.]"

[그림 1-장응호회도본(蔣應鎬繪圖本)]·[그림 2-성혹인회도본(成或因繪圖本)]·[그림 3-왕불도본(汪紱圖本)]·[그림 4-『금충전(禽蟲典)』]

[그림 2] 기여 청(淸)·사천(四川)성혹인회도본

---

4) 경문(經文)에는 '烏[까마귀]'로 되어 있고, 각 해석본들에도 까마귀로 해석하고 있다.

[그림 1] 기여 명(明)·장응호회도본

鶺鴒

[그림 3] 기여 청(淸)·왕불도본

鶺鴒圖

山海經 北山經

帶山有鳥焉其狀如鳥五采而赤文名曰鶺鴒是自爲牝牡食之不疽 郭曰上巳有此鳥疑同名

任臣按學海作鶺鴒唐韻注云有名鶺鴒能自爲牝牡疑卽此鳥也爾雅翼曰山海經類有二種

獸之出靈奧山者如狸而有鬣其名曰龘類帶山之鳥如鳥而五采文其名曰奇類

[그림 4] 기여 청(淸)·『금충전』

414

|권3-5| 숙어(鯈魚)

【경문(經文)】

「북산경(北山經)」: 대산(帶山)이라는 곳이 있는데, ……팽수(彭水)가 시작되어, 서쪽으로 흘러 비호(芘湖)로 들어간다. 그 속에 숙어(鯈魚)가 많이 사는데, 그 생김새가 닭과 비슷하지만 붉은 깃털에 세 개의 꼬리·여섯 개의 발·네 개의 대가리가 있으며, 그 소리는 까치 소리와 비슷하고, 그것을 먹으면 근심을 없앨 수 있다.

[又北三百里, 曰帶山, 其上多玉, 其下多青碧. 有獸焉, 其狀如馬, 一角有錯, 其名曰臚疏, 可以辟火. 有鳥焉, 其狀如烏, 五采而赤文, 名曰鵸鵌, 是自爲牝牡, 食之不疽. 彭水出焉, 而西流注於芘湖之水, 其中多鯈魚, 其狀如雞而赤毛, 三尾·六足·四首[5], 其音如鵲, 食之可以已憂.]

【해설(解說)】

숙어(鯈魚)는 즉 숙어(鯈魚)로, 기이한 물고기의 일종이다. 생김새는 닭과 비슷하며, 털의 색깔이 붉고, 세 개의 꼬리와 여섯 개의 발이 달려 있으며, 네 개의 대가리가 있다. 울음소리는 까치 소리와 비슷하고, 그것의 고기를 먹으면 즐겁고 근심걱정을 잊을 수 있다. 전하는 바에 따르면 숙어는 또한 화재를 막아준다고 한다. 호문환도설(胡文煥圖說)에는 이렇게 기록되어 있다. "대산(帶山)이라는 곳에서, 팽수(彭水)가 시작되어 서쪽으로 흐르는데, 그 속에는 숙어가 많다. 그 생김새가 닭과 비슷하지만 붉은색이고, 세 개의 꼬리와 여섯 개의 발과 네 개의 대가리가 달려 있으며, 그 소리는 까치와 비슷하다. 그것을 먹으면 근심이 없어지고, 화재를 막을 수 있다.[帶山, 彭水出焉而西流, 中多鯈魚, 狀如鷄而赤色, 三尾·六足·四首, 音如鵲, 食之已憂, 可禦火.]"

숙어는 물고기인데, 그 생김새는 닭과 비슷하다. 경문의 부정확성 때문에, 각기 다른 판본의 산해경도(山海經圖)들에서는 물고기의 모습과 닭의 모습·네 개의 대가리와 네 개의 눈이 달린 두 종류의 다른 그림 형태가 출현했고, 또 각기 다른 주해(注解)가 나타났다.

---

5) 원가(袁珂)는 주석하기를, "경문에 있는 '四首[네 개의 대가리]'를, 왕염손·학의행은 모두 '四目[네 개의 눈]'으로 고쳤다.[經文四首, 王念孫·郝懿行竝校作四目.]"라고 했다. 학의행은 "지금의 그림은 바로 네 개의 눈을 그렸다.[今圖正作四目.]"라고 했다. 이 경문에 대해 주소가들의 의견이 분분하고, 각각의 도본들에 그려진 숙어의 형태도 다르기 때문에, 여기에서는 경문에 따라 '네 개의 대가리'로 해석했다.

첫째, 물고기의 모습에 네 개의 대가리가 있는 것으로, 네 개의 물고기 대가리와 세 개의 물고기 몸에 세 개의 물고기 꼬리와 여섯 개의 닭 발이 달려 있는데, [그림 1-장응호회도본(蔣應鎬繪圖本)]·[그림 2-성혹인회도본(成或因繪圖本)]과 같은 것들이다.

둘째, 물고기의 모습에 네 개의 대가리가 있는 것으로, 네 개의 물고기 대가리와 세 개의 물고기 몸에 세 개의 물고기 꼬리가 달려 있고, 여섯 개의 발은 분명치 않은데, [그림 3-호문환도본(胡文煥圖本)]과 같은 것이다.

셋째, 물고기의 모습에 네 개의 대가리가 있는 것으로, 네 개의 닭 대가리와 세 개의 물고기 몸에 세 개의 물고기 꼬리와 여섯 개의 닭 발이 달려 있는데, [그림 4-왕불도본(汪紱圖本)]과 같은 것이다.

넷째, 닭의 모습에 네 개의 눈이 있는 것으로, 하나의 닭 대가리에, 닭의 몸과 네 개의 눈이 있고, 세 개의 꼬리와 여섯 개의 발이 있는데, [그림 5-오임신강희도본(吳任臣康熙圖本)]·[그림 6-오임신근문당도본(吳任臣近文堂圖本)]·[그림 7-『금충전(禽蟲典)』]과 같은 것들이다.

다섯째, 닭의 모습에 하나의 대가리와 두 개의 눈, 세 개의 꼬리와 여섯 개의 발이 있는 것으로, [그림 8-상해금장도본(上海錦章圖本)]과 같은 것이다.

역대의 『산해경』 주소가(注疏家)들은 '네 개의 대가리[四首]'·'네 개의 눈[四目]'에 대해 각자 다른 견해를 제기했고, 이러한 '물고기의 모습과 닭의 모습'·'네 개의 대가리와 네 개의 눈'을 한 형태가 다른 판본의 산해경도들에서 동시에 출현했다. 이로부터 산해경도는 주소가들의 중요한 근거가 되었으며, 여러 주소가와 화공들의 각기 다른 견해는 각기 다른 『산해경』 도본들에 생생하게 반영되어 있다는 것을 알 수 있다.

곽박(郭璞)의 『산해경도찬(山海經圖讚)』: "화목함이 메마르고 평안함은 줄어도, 근심에 슬퍼하지 않으리. 『시경(詩經)』에서는 원추리(萱草)를 읊었지만[6], 대산(帶山)에는 숙어가 있다네. 골짜기 깊은 대여산(岱輿山)으로 떠나, 즐거이 노닐고 싶어라.[渦和損平, 莫慘於憂. 詩詠萱草, 帶山則儵. 壑焉遺岱, 聊以盤遊.]"

---

6) 『시경(詩經)』·위풍(衛風)·백혜(伯兮)』에, "어찌 원추리 얻어다 뒤꼍에다 심어볼 거나. 그대 그리워 내 마음 아프게 하네.[焉得諼草, 言樹之背. 願言思伯, 使我心痗.]"라는 구절이 나온다. 여기 나오는 훤초(諼草)가 바로 훤초(萱草)이다. '훤(諼)'은 잊는다는 뜻이다. 원추리를 달리 망우초(忘憂草)라고 부르는데, 근심을 잊게 해준다고 해서 붙여진 이름이다.

[그림 1] 숙어 명(明)·장응호회도본

[그림 2] 숙어 청(淸)·사천(四川)성혹인회도본

儵魚

[그림 3] 숙어(儵魚) 명(明)·호문환도본

[그림 4] 숙어 청(淸)·왕불도본

[그림 5] 숙어 청(淸)·오임신강희도본

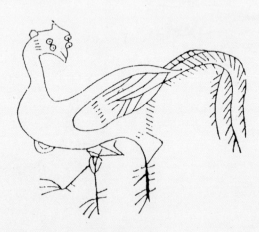

[그림 6] 숙어 청(淸)·오임신근문당도본

儵魚圖

[그림 7] 숙어 청(淸)·『금충전』

儵魚　狀如鷄赤毛三尾六足
四目　食之已憂出蕰水

澗和損平
莫修於
憂詩詠螢
草帶山則
儵輕
馬遺
岱聊以盤遊

[그림 8] 숙어 상해금장도본

| 권3-6| 하라어(何羅魚)

【경문(經文)】

「북산경(北山經)」: 초명산(譙明山)이라는 곳이 있는데, 초수(譙水)가 시작되어 서쪽으로 흘러 황하(黃河)로 들어간다. 그 속에 하라어(何羅魚)가 많이 사는데, 하나의 대가리에 몸통이 열 개이며, 그 소리는 개가 짖는 소리와 비슷하고, 그것을 먹으면 등창이 낫는다. ……

[又北四百里, 曰譙明之山, 譙水出焉, 西流注於河. 其中多何羅之魚, 一首而十身, 其音如吠犬, 食之已癰. 有獸焉, 其狀如貆而赤豪, 其音如榴榴, 名曰孟槐, 可以禦凶. 是山也, 無草木, 多靑雄黃.]

【해설(解說)】

하라어(何羅魚)는 괴상한 물고기의 일종으로, 하나의 대가리에 몸통이 열 개이고, 개가 짖는 것 같은 소리를 내는데, 그것의 고기를 먹으면 등창을 치료할 수 있다고 한다. 일설에는 이 물고기가 화재를 막아준다고 한다. 호문환도설(胡文煥圖說)에서는, 화재를 막아준다고 했다. 양신(楊愼)은 보주(補注)하기를, 하라어는 바로 지금의 팔대어(八帶魚)라고 했다. 어떤 학자는, 열 개의 대가리에 하나의 몸통을 가진 고획조[姑獲鳥 : 귀거(鬼車)]는 하나의 대가리에 열 개의 몸통을 가진 하라어가 변신한 것이라고 여겼다. 「동차사경(東次四經)」의 자어(茈魚)도 역시 하나의 대가리에 열 개의 몸통을 가지고 있다.

곽박(郭璞)의 『산해경도찬(山海經圖讚)』 : "하나의 대가리에 열 개의 몸통을 가진 것이 있으니, 하라어라네.[一頭十身, 何羅之魚.]"

[그림 1-장응호회도본(蔣應鎬繪圖本)]·[그림 2-호문환도본(胡文煥圖本)]·[그림 3-성혹인회도본(成或因繪圖本)]·[그림 4-왕불도본(汪紱圖本)]·[그림 5-학의행도본(郝懿行圖本)]

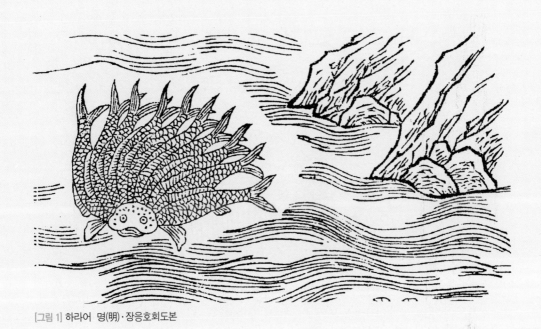

[그림 1] 하라어 명(明)·장응호회도본

阿
羅
魚

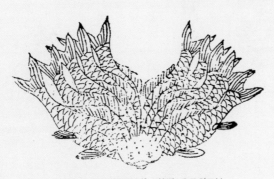

[그림 2] 하라어[아라어(阿羅魚)] 명(明)·호문환도본

[그림 3] 하라어 청(淸)·사천(四川)성혹인회도본

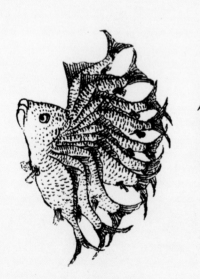

何羅魚

[그림 4] 하라어 청(淸)·왕불도본

何羅魚一首十身食之
已癰出滛水

一頭十身
何羅之魚

[그림 5] 하라어 청(淸)·학의행도본

|권3-7| 맹괴(孟槐)

【경문(經文)】

「북산경(北山經)」: 초명산(譙明山)이라는 곳에, ……어떤 짐승이 사는데, 그 생김새가 오소리와 비슷하지만 붉은 털이 나 있고, 그 울음소리는 마치 '유유(榴榴)'라고 하는 것 같다. 이름은 맹괴(孟槐)라 하고, 흉한 일을 막을 수 있다. …….

[又北四百里, 曰譙明之山, 譙水出焉, 西流注於河. 其中多何羅之魚, 一首而十身, 其音如吠犬, 食之已癰. 有獸焉, 其狀如貆('桓'으로 발음)而赤豪, 其音如榴榴, 名曰孟槐, 可以禦凶. 是山也, 無草木, 多靑雄黃.]

【해설(解說)】

　맹괴(孟槐)는 맹괴(猛槐)라고도 하며, 흉한 일을 막아주고 사악한 것을 물리쳐주는 짐승이다. 생김새는 호저(豪猪)[7]와 비슷한데, 붉은 털이 나 있고, 고양이가 우는 듯한 소리를 낸다. 곽박(郭璞)은 다음과 같이 주석했다. "흉하고 사악한 기운을 물리쳐준다. 또한 외수화(畏獸畵 : 무서운 짐승 그림-역자) 속에 들어 있다.[辟凶邪氣也. 亦在畏獸畵中也.]" 『병아(騈雅)』에서는 다음과 같이 적고 있다. "계변(谿邊)은 개와 비슷하게 생겼고, 맹괴는 훤(狟 : 오소리-역자)과 비슷하게 생겼다. 석곡(石穀)은 학(貉 : 오소리-역자)과 비슷하게 생겼으며, 활욕(活褥)은 쥐와 비슷하게 생겼다.[谿邊如狗, 孟槐如狟, 石穀如貉, 活褥如鼠.]" 호문환도설(胡文煥圖說)에서는 이렇게 기록하고 있다. 즉 "초명산(譙明山)에 어떤 짐승이 사는데, 생김새가 훤과 비슷하고, 붉은 털이 나 있으며, 노저(魯猪)이다. 그 소리는 유서(鼬鼠 : 대나무쥐-역자) 소리와 비슷한데, 이 짐승을 맹괴(猛槐)라고 한다. 그 것의 그림을 가지고 있으면, 흉한 일을 막을 수 있다.[譙明之山, 有獸狀如狟, 赤豪, 魯猪也. 其一聲如鼬鼠, 名猛槐. 圖之, 可以禦凶.]" 이를 통해 옛 사람들이 『산해경』에 나오는 무서운 짐승의 그림들을 걸어놓고 흉한 기운을 막는 풍속이 있었음을 알 수 있다.

　곽박의 『산해경도찬(山海經圖讚)』: "맹괴(孟槐)는 훤처럼 생겼고, 그 털은 붉다네. 외수화(畏獸畵)에 들어 있는데, 흉하고 사악한 기운을 물리쳐준다네. 기(氣)가 상극(相剋)하니 그 흔적은 볼 수 없구나.[孟槐似狟, 其豪則赤. 列象畏獸, 凶邪是辟. 氣之相勝, 莫見其

---

7) 몸에 고슴도치와 같은 거칠고 날카로운 털이 나 있는 설치류 동물이다.

迹.]"

　[그림 1-장응호회도본(蔣應鎬繪圖本)]·[그림 2-호문환도본(胡文煥圖本), 이름을 맹괴
(猛槐)라고 함]·[그림 3-일본도본(日本圖本), 이름을 맹괴(猛槐)라고 함]·[그림 4-성혹인
회도본(成或因繪圖本)]·[그림 5-왕불도본(汪紱圖本)]·[그림 6-『금충전(禽蟲典)』]

[그림 1] 맹괴(孟槐) 명(明)·장응호회도본

[그림 2] 맹괴[맹괴(猛槐)] 명(明)·호문환도본

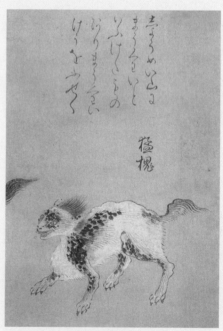

[그림 3] 맹괴[맹괴(猛槐)] 일본도본

[그림 4] 맹괴 청(淸)·사천(四川)성혹인회도본

孟
槐
圖

孟
槐

[그림 5] 맹괴 청(淸)·왕불도본

[그림 6] 맹괴 청(淸)·『금충전』

|권3-8| 습습어(鰼鰼魚)

【경문(經文)】

「북산경(北山經)」: 탁광산(涿光山)이라는 곳에서, 효수(囂水)가 시작되어, 서쪽으로 흘러 황하(黃河)로 들어간다. 그 속에 습습어(鰼鰼魚)가 많이 사는데, 그 생김새는 까치와 비슷하지만 열 개의 날개가 나 있고, 비늘이 모두 날개 끝에 있다. 그 소리는 까치 소리 같고, 화재를 막을 수 있으며, 그것을 먹으면 황달에 걸리지 않는다. ······.

[又北三百五十里, 曰涿光之山, 囂水出焉, 而西流注於河. 其中多鰼鰼之魚, 其狀如鵲而十翼, 鱗皆在羽端, 其音如鵲, 可以禦火, 食之不癉. 其上多松柏, 其下多棕橿, 其獸多麢羊, 其鳥多蕃.]

【해설(解說)】

습습어[鰼('習'으로 발음)鰼魚]는 새와 물고기의 모습을 한 몸에 지니고 있는 괴상한 물고기로, 물고기의 대가리에 물고기의 꼬리를 가졌다. 몸은 까치와 비슷하며, 열 개의 날개가 나 있는데, 날개 끝에는 비늘이 있으며, 우는 소리는 까치와 비슷하다. 이 물고기는 화재를 막아주고, 이것을 먹으면 황달에 걸리지 않는다고 한다. 『신이경(神異經)』에서는, 습습어는 까치처럼 생겼는데, 열 개의 날개가 있고, 화재를 막아준다고 했다. "화재를 막아준다[禦火]"라는 말에 관해, 왕숭경(王崇慶)은 『산해경석의(山海經釋義)』에서 해석하기를, 습어(鰼魚)가 화재를 막아준다고 한 것은, 그것이 물의 기운[水氣]을 얻어 그 기운을 많이 품으니, 불[火]과 서로 상극이기 때문이 아닌가 싶다고 했다.

곽박(郭璞)의 『산해경도찬(山海經圖讚)』: "날갯짓하여 한 번 힘차게 휘둘러, 열 개의 날개로 훨훨 난다네. 그 소리는 마치 까치 소리 같고, 날개 끝에 비늘이 있다네. 이것을 괴상한 물고기라 하는데, 이것을 먹으면 화재를 물리칠 수 있다네.[鼓翮一揮('運'이라고 된 것도 있음), 十翼翩('翻'이라고 된 것도 있음)翻. 厥鳴如鵲, 鱗在羽端. 是謂怪魚, 食之辟('避'라고 된 것도 있음)燔.]"

[그림 1-장응호회도본(蔣應鎬繪圖本)]·[그림 2-호문환도본(胡文煥圖本)]·[그림 3-오임신근문당도본(吳任臣近文堂圖本)]·[그림 4-성혹인회도본(成或因繪圖本)]·[그림 5-왕불도본(汪紱圖本)]·[그림 6-『금충전(禽蟲典)』]

[그림 1] 습습어 명(明)·장응호회도본

[그림 2] 습습어 명(明)·호문환도본

[그림 3] 습습어 청(淸)·오임신근문당도본

427

[그림 4] 습습어 청(淸)·사천(四川)성혹인회도본

[그림 5] 습습어 청(淸)·왕불도본

[그림 6] 습습어 청(淸)·『금충전』

|권3-9| 탁타(橐駝)

【경문(經文)】

「북산경(北山經)」: 곽산(虢山)이라는 곳이 있는데, ……그곳에 사는 짐승으로는 탁타가 많다. ……

[又北三百八十里, 曰虢('郭'으로 발음)山, 其上多漆, 其下多桐椐, 其陽多玉, 其陰多鐵. 伊水出焉, 西流注於河. 其獸多橐駝, 其鳥多寓, 狀如鼠而鳥翼, 其音如羊, 可以禦兵.]

【해설(解說)】

탁타[橐('駝'로 발음)駝]는 즉 지금의 낙타(駱駝)인데, 육안(肉鞍 : 살로 된 안장−역자)이 있고, 사막 지대의 흩날리는 모래 속을 잘 걸어, 하루에 삼백 리를 갈 수 있으며, 등에는 천 근(斤)의 짐을 질 수 있고, 샘이 있는 곳을 안다. 이시진(李時珍)의 『본초강목(本草綱目)』에서는, 낙타가 자루와 주머니[橐囊]를 질 수 있기 때문에, 이름을 탁타(橐駝)라 했는데, 발음이 잘못 변해 낙타가 된 것이라고 했다. 또 말하기를, 낙타는 말처럼 생겼고, 그 대가리는 양처럼 생겼으며, 긴 목에 귀가 늘어져 있고, 다리에는 세 개의 마디가 있다. 등에는 두 개의 육봉(肉峰)이 있는데, 안장처럼 생겼으며, 푸른색·갈색·황색·자색 등 여러 가지 색깔이 있다. 그 소리는 낙타 소리 같고, 먹는 것도 풀을 먹어 되새김질하며, 추위를 잘 견디고 더위를 싫어하는 성질을 가졌다고 했다. 『한서(漢書)·서역전(西域傳)』에는, 대월지(大月氏)[8] 지역에 일봉(一封)의 탁타가 출현했다고 기재되어 있다. '일봉'이란 등 위에 육봉이 하나 있는 것을 가리킨다. 전하는 바에 따르면, 탁타가 있는 곳에는 곧 땅속에 샘물이 흐르는 도랑[泉渠]이 있다고 한다.

곽박(郭璞)의 『산해경도찬(山海經圖讚)』: "탁타는 기이한 짐승인데, 육안(肉鞍)을 지고 있다네. 모래 속을 빠르게 질주하고, 험한 땅에서 공로가 뛰어나다네. 땅속의 샘물을 찾아내니, 그 지혜가 오묘하구나.[駝惟奇畜, 肉鞍是被. 迅騖流沙, 顯功絶地. 潛識泉源, 微乎其智.]"

[그림 1-장응호회도본(蔣應鎬繪圖本)]·[그림 2-왕불도본(汪紱圖本)]

---

8) 전국(戰國) 시대부터 한(漢)나라 때까지 중앙아시아 아무다르야강(江) 유역에서 활약한 이란계(系) 또는 투르크계의 민족을 가리킨다.

[그림 1] 탁타 명(明)·장응호회도본

[그림 2] 탁타 청(淸)·왕불도본

| 권3-10 | 우[寓 : 우조(寓鳥)]

【경문(經文)】

「북산경(北山經)」 : 곽산(虢山)이라는 곳이 있는데, ……그곳에 사는 새로는 우(寓)
가 많으며, 그 생김새는 쥐와 비슷하지만 새의 날개가 달려 있고, 그 소리는 양과
비슷하며, 전쟁을 막을 수 있다.

[又北三百八十里, 曰虢('郭'으로 발음)山, 其上多漆, 其下多桐椐, 其陽多玉, 其陰多
鐵. 伊水出焉, 西流注於河. 其獸多橐駝, 其鳥多寓, 狀如鼠而鳥翼, 其音如羊, 可以
禦兵.]

【해설(解說)】

　우(寓 : 우조)는 우서(鸚鼠)라고도 하며, 박쥐류에 속하는 기이한 새로, 쥐와 비슷하
게 생겼다. 새의 날개가 달려 있는데, 박쥐의 살갗으로 된 날개와는 다르며, 울음소리
는 양과 비슷하다. 이 새는 재앙을 물리치고 전쟁을 막아줄 수 있다고 한다. 『이아(爾
雅)』에 우속(寓屬) 항목이 있고, 또한 우서(寓鼠)도 있는데, 이들을 겸(㒴 : 볼 속의 음식
물을 보관해두는 협낭-역자)이라고 했다.[9]

　곽박(郭璞)의 『산해경도찬(山海經圖讚)』 : "쥐인데 날개가 있고, 그 울음소리는 양과
비슷하다네.[鼠而傅翼, 厥聲如羊.]"

　[그림 1-장응호회도본(蔣應鎬繪圖本)] · [그림 2-오임신강희도본(吳任臣康熙圖本)] · [그
림 3-오임신근문당도본(吳任臣近文堂圖本)] · [그림 4-성혹인회도본(成或因繪圖本)] · [그림
5-왕불도본(汪紱圖本)] · [그림 6-상해금장도본(上海錦章圖本)]

[그림 4] 우조 청(淸) · 사천(四川)성혹인회도본

9) 『이아(爾雅)』 제18편 「석수釋獸」에는, "새[鳥]는 소(㒴 : 모이주머니)라 하고, 우서(寓鼠)는 겸(㒴)이라 한
다.[鳥曰㒴, 寓鼠曰㒴.]"라고 되어 있다.

[그림 1] 우조 명(明)·장응호회도본

翖鳥狀如鼠而鳥翼其音如羊可以禦兵出竹山

[그림 2] 우조 청(淸)·오임신강희도본

寓鳥狀如鼠而鳥翼其音如羊可以禦兵出竹山

[그림 3] 우조 청(淸)·오임신근문당도본

古本 山海經 圖說(上)

432

寓鳥

[그림 5] 우조 청(淸)·왕불도본

寓鳥狀如鼠而鳥翼其音如羊可
以禦兵出㲚㲚山

鼠而
傅翼
厥聲
如羊

[그림 6] 우조 상해금장도본

|권3-11| 이서(耳鼠)

【경문(經文)】

「북산경(北山經)」: 단훈산(丹熏山)이라는 곳에, ……어떤 짐승이 사는데, 쥐처럼 생겼고, 호랑이의 대가리에 순록의 몸을 하고 있다. 그 소리는 개가 짖는 소리와 비슷하고, 꼬리로 날며, 이름은 이서(耳鼠)라고 한다. 그것을 먹으면 배가 커지지 않고, 온갖 독을 막을 수 있다.

[又北二百里, 曰丹熏之山, 其上多樗柏, 其草多韭薤, 多丹雘. 熏水出焉, 而西流注於棠水. 有獸焉, 其狀如鼠, 而菟首麋身[10], 其音如獋犬, 以其尾飛, 名曰耳鼠, 食之不脉[11], 又可以禦百毒.]

【해설(解說)】

이서(耳鼠)는 바로 오서(鼯鼠 : 날다람쥐-역자)로, 누(鸓)·이유(夷由)·비생조(飛生鳥)라고도 부르는데, 들짐승[獸]이면서 또한 날짐승[禽]이기도 하며, 온갖 독을 막을 수 있는 기이한 짐승이다. 쥐·토끼·순록의 모습을 한 몸에 지니고 있는데, 생김새는 쥐와 비슷하고, 토끼의 대가리에 순록의 몸을 하고 있으며, 개가 짖는 듯한 소리를 낸다. 꼬리와 다리 사이에 연결되어 있는 육시(肉翅 : 살갗으로 된 날개-역자)를 이용하여 날기 때문에 비생조라고도 부른다. 호문환도설(胡文煥圖說)에서는, "단훈산(丹熏山)에 어떤 짐승이 사는데, 생김새는 쥐와 비슷하지만 토끼의 대가리에 순록의 귀를 하고 있으며, 개가 짖는 듯한 소리를 낸다. 수염을 이용해서 날기 때문에, 이름을 이서라고 부른다. 그것을 먹으면 눈이 어두워지지 않고, 온갖 독을 막을 수 있다.[丹熏山有獸, 狀如鼠而兎首麋耳, 音如鳴犬, 以其髥飛, 名曰耳鼠. 食之不眛, 可以禦百毒.]"라고 했다. 이서가 "以其髥飛[수염을 이용하여 난다]"라는 말은 경문(經文)과 차이가 있다. 전하는 바에 따르면, 그것의 고기를 먹으면 배가 비대해지는 병을 치료할 수도 있고, 악몽을 꾸지 않는다고 한다. 오임신(吳任臣)은 말하기를, 이서는 바로 날다람쥐[鼯鼠]·비생조로, 생김새는 박쥐와 비

---

10) 원가(袁珂)는 주석하기를, "『초학기(初學記)』권29에서 이 경문을 인용하여 '토끼의 대가리에 순록의 귀[兎頭麋耳]'라 했다.[初學記卷二十九引此經作兎頭麋耳.]"라고 했다. 왕염손(王念孫)은, 『태평어람(太平御覽)』수(獸)부 22에 '麋耳[순록의 귀]'라 했고, 『초학기』도 같다. ……마땅히 '耳'자이다.[御覽獸卄二作麋耳, 初學同, ……當係耳字.]"라고 했다. 여기서는 경문 그대로 '麋身[순록의 몸]'으로 해석했다.

11) 곽박(郭璞)은, "채(脉)는 배가 커지는 것이다.[脉, 大腹也.]"라고 했다.

숫하며, 어두운 밤에 날아다닌다고 했다. 그 모습은 날개가 앞뒤 네 다리와 꼬리까지 연결되어 있어, 박쥐와 같기 때문에, 꼬리로 난다고 한 것이라고 했다. 『이아(爾雅)·석조(釋鳥)』에는 다음과 같이 기록되어 있다. 오서(鼯鼠)·이유(夷由)는 생김새가 작은 여우와 비슷한데, 박쥐처럼 살갗으로 된 날개가 있으며, 날개·꼬리·목덜미·옆구리의 털은 자적색(紫赤色)이고, 등에는 푸른 무늬가 있으며, 복부 아래는 노랗고, 주둥이와 턱에는 흰색 털이 섞여 있다. 다리가 짧고 발톱이 있으며, 꼬리는 3척(尺) 남짓으로 길고, 날면서 젖을 먹이므로, 그것을 비생(飛生)이라고도 부른다. 이것은 사람이 소리치는 듯한 소리를 내며, 연기[火煙]를 먹고, 높은 곳에서 낮은 곳으로는 달릴 수 있지만, 낮은 곳에서 높은 곳으로는 올라갈 수 없다.

지금 보이는 이서의 그림에는 네 가지 형태가 있다.

첫째, 순록의 몸을 한 작은 짐승으로, 긴 꼬리가 달린 것인데, [그림 1-장응호회도본(蔣應鎬繪圖本)]·[그림 2-성혹인회도본(成或因繪圖本)]과 같은 것들이다.

둘째, 토끼의 대가리에 순록의 귀가 있고, 수염으로 날아다니는 것인데, [그림 3-호문환도본(胡文煥圖本)]과 같은 것이다.

셋째, 토끼의 모습에 긴 꼬리가 달린 것으로, [그림 4-왕불도본(汪紱圖本)]과 같은 것이다.

넷째, 토끼의 모습에 긴 꼬리가 달려 있고, 날개가 있는 것으로, [그림 5-『금충전(禽蟲典)』]과 같은 것이다.

곽박의 「이서찬(耳鼠贊)」: "발로는 땅[實]을 밟고, 날개로는 허공[虛]을 밀친다네. 꼬리를 치켜들고 이리저리 날아다니니, 기이하구나 이서여. 그 가죽이 매우 길하여, 온갖 독을 막아준다네.[蹍實以足, 排虛以羽. 翹尾翻飛, 奇哉耳鼠. 厥皮惟良, 百毒是禦.]" 또 「오서찬(鼯鼠贊)」: "오(鼯 : 날다람쥐-역자)는 쥐인데, 연기를 먹으며 숲에 산다네. 날면서 젖을 먹이니, 들짐승이 되었다 날짐승이 되었다 하네. 임신한 부인이 그 가죽을 깔면, 아이가 큰 벼슬을 맡게 된다네.[鼯之爲鼠, 食烟栖林. 載飛載乳, 乍獸乍禽. 皮藉孕婦, 人爲大任.]"

[그림 1] 이서(耳鼠) 명(明)·장응호회도본

[그림 2] 이서 청(淸)·사천(四川)성혹인회도본

耳
鼠

[그림 3] 이서 명(明)·호문환도본

[그림 4] 이서 청(淸)·왕불도본

[그림 5] 오서(鼯鼠) 청(淸)·『금충전』

|권3-12| 맹극(孟極)

【경문(經文)】

「북산경(北山經)」：석자산(石者山)이라는 곳에, ……어떤 짐승이 사는데, 그 생김새가 표범과 비슷하지만, 이마에는 무늬가 있고, 몸은 희다. 이름은 맹극(孟極)이라 하고, 잘 숨으며, 그 소리는 자신의 이름을 부르는 것 같다.

[又北二百八十里, 曰石者之山, 其上無草木, 多瑤碧. 泚水出焉, 西流注於河. 有獸焉, 其狀如豹, 而文題白身, 名曰孟極, 是善伏, 其鳴自呼.]

【해설(解說)】

맹극(孟極)의 모습은 표범처럼 생겼고, 이마에는 얼룩무늬가 있으며, 몸에 난 털은 희다. 그것은 엎드려 숨기를 잘하고, 그 울음소리는 마치 자신의 이름을 부르는 것 같다. 경문(經文)에는 맹극이 "몸이 희다[白身]"고 했는데, 현재 보이는 여러 그림들 속의 맹극은 모두 몸에 표범 무늬나 호랑이 무늬가 보인다.

곽박(郭璞)의 『산해경도찬(山海經圖讚)』："맹극은 표범처럼 생겼는데, 혹 의지해도 좋을 것이 없다네.[孟極似豹, 或倚無良.]"

맹극의 그림에는 두 가지 형태가 있다.

첫째, 표범의 모습을 한 것으로, [그림 1-장응호회도본(蔣應鎬繪圖本)]·[그림 2-왕불도본(汪紱圖本)]과 같은 것들이다.

둘째, 사람의 얼굴을 한 호랑이(?)로, [그림 3-성혹인회도본(成或因繪圖本)]·[그림 4-『금충전(禽蟲典)』]과 같은 것들이다.

[그림 2] 맹극 청(淸)·왕불도본

[그림 1] 맹극 명(明)·장응호회도본

[그림 3] 맹극 청(淸)·사천(四川)성혹인회도본

[그림 4] 맹극 청(淸)·『금충전』

| 권3-13 | 유알(幽頞)

【경문(經文)】

「북산경(北山經)」 : 변춘산(邊春山)이라는 곳에, ……어떤 짐승이 사는데, 그 생김
새가 긴꼬리원숭이 같지만 몸에 무늬가 있고, 잘 웃으며, 사람을 보면 곧 자는 척
한다. 이름은 유알(幽頞)이라 하며, 그 울음소리가 자신의 이름을 부르는 듯하다.
[又北百一十里, 曰邊春之山, 多蔥·葵·韭·桃·李. 杠水出焉, 而西流注於泑澤. 有獸
焉, 其狀如禺而文身, 善笑, 見人則臥[12], 名曰幽頞, 其鳴自呼.]

【해설(解說)】

유알[幽頞('餓'로 발음)]은 유안(幽魏)이라고도 부르며, 일종의 기이한 짐승으로, 생김
새는 원숭이를 닮았고, 온몸에 얼룩무늬가 있으며, 하루 종일 자신의 이름을 부르는
듯이 소리를 지른다. 웃기를 좋아하고, 사람을 보면 잔꾀를 부려, 누워서 자는 척한다.
호문환도설(胡文煥圖說)에서 다음과 같이 설명했다. "고산(古山) 위에는 초목이 없고,
비수(沘水)가 있는데, 서쪽의 황하로 흘러들어간다. 그 산에 어떤 짐승이 사는데, 등에
무늬가 있고, 잘 웃으며, 사람을 보면 누워서 자는 척한다. 그 이름은 유알이라 하는
데, 자신의 이름을 부르는 것처럼 운다.[古山上無草木, 有沘水, 西注於河中. 有獸, 文背善笑,
見人則佯臥. 名曰幽頞, 其鳴自呼.]"

곽박(郭璞)의 『산해경도찬(山海經圖讚)』 : "유알은 원숭이처럼 생겼는데, 어리석으면서
총명한 척한다네. 다른 것들과 마주치면 잘 웃고, 사람을 보면 자는 척한다네. 잔꾀 부
리는 것을 좋아하다가, 결국은 그 때문에 갓끈으로 만든 덫에 걸려든다네.[幽頞似猴('猿'
으로 된 것도 있음), 偎愚作智. 觸物則笑, 見人佯睡. 好用小慧, 終是嬰累('繫'로 된 것도 있음).]"

유알의 그림에는 두 가지 형태가 있다.

첫째, 원숭이 모습을 한 것으로, [그림 1-장응호회도본(蔣應鎬繪圖本)]·[그림 2-성혹
인회도본(成或因繪圖本)]·[그림 3-왕불도본(汪紱圖本)]과 같은 것들이다.

둘째, 사람의 얼굴을 한 짐승으로, [그림 4-호문환도본(胡文煥圖本)]·[그림 5-『금충
전(禽蟲典)』]과 같은 것들이다.

---

12) 곽박은 주석하기를, "자는 척하는 것을 말한다.[言佯眠也]"라고 했다.

[그림 1] 유알 명(明)·장응호회도본

[그림 2] 유알 청(淸)·사천(四川)성혹인회도본

[그림 3] 유알 청(淸)·왕불도본

[그림 4] 유알 명(明)·호문환도본

[그림 5] 유알 청(淸)·『금충전』

|권3-14| 족자(足訾)

【경문(經文)】

「북산경(北山經)」: 만련산(蔓聯山)이라는 곳에는, 산 위에 초목이 자라지 않으며, 어떤 짐승이 사는데, 그 생김새가 긴꼬리원숭이 같지만 갈기가 있고, 소의 꼬리에 무늬가 있는 팔과 말의 발굽이 있으며, 사람을 보면 소리를 지른다. 그 이름은 족자(足訾)라 하며, 그 울음소리가 자신의 이름을 부르는 듯하다. …….

[又北二百里, 曰蔓聯之山, 其上無草木, 有獸焉, 其狀如禺而有鬣, 牛尾·文臂·馬蹄[13], 見人則呼, 名曰足訾, 其鳴自呼. 有鳥焉, 群居而朋飛, 其毛如雌雉, 名曰鶹, 其鳴自呼, 食之已風.]

【해설(解說)】

족자[足訾('紫'로 발음)]는 원숭이·소·말 등 세 짐승의 모습을 한 몸에 지니고 있는 기이한 짐승으로, 생김새는 원숭이와 비슷하지만 몸이 갈기털로 덮여 있으며, 소의 꼬리와 말의 발굽이 있고, 앞다리에는 얼룩무늬가 있다. 그것의 울음소리는 자신의 이름을 부르는 것 같고, 사람을 보면 곧 소리를 지른다.

곽박(郭璞)의 『산해경도찬(山海經圖讚)』: "사람을 보면 소리를 지르는데, 이름은 족자라 한다네.[見人則呼, 號曰足訾.]"

[그림 1-장응호회도본(蔣應鎬繪圖本)]·[그림 2-성혹인회도본(成或因繪圖本)]·[그림 3-왕불도본(汪紱圖本)]·[그림 4-『금충전(禽蟲典)』]

[그림 3] 족자 청(淸)·왕불도본

---

13) '蹄(굽 제)'와 같은 글자이다.

[그림 1] 족자 명(明)·장응호회도본

[그림 2] 족자 청(淸)·사천(四川)성혹인회도본

[그림 4] 족자 청(淸)·『금충전』

【경문(經文)】

「북산경(北山經)」: 만련산(蔓聯山)이라는 곳에, ……어떤 새가 사는데, 무리를 지어 살고 떼를 지어 날아다니며, 그 털은 암꿩과 비슷하고, 이름은 교(鵁)라 한다. 그 울음소리는 마치 자신의 이름을 부르는 듯하고, 그것을 먹으면 중풍이 낫는다.

[又北二百里, 曰蔓聯之山, 其上無草木, 有獸焉, 其狀如禺而有鬣, 牛尾·文臂·馬蹏, 見人則呼, 名曰足訾, 其鳴自呼. 有鳥焉, 群居而朋飛, 其毛如雌雉, 名曰鵁, 其鳴自呼, 食之已風.]

【해설(解說)】

교(鵁 : '交'로 발음)는 교청(鵁鶄)·견(鳽)이라고도 하며, 화재를 막아주는 기이한 새이다. 털빛이 암꿩과 비슷하고, 정수리에는 볏[冠] 모양으로 붉은 털이 나 있으며, 파란 갈기에 붉은 부리를 가지고 있다. 무리를 지어 사는 것을 좋아하고, 무리를 이루고 대오를 갖추어 날아다니기를 좋아하기 때문에, 날아오르면 곧 해를 가리고, 모이면 곧 들을 가득 덮는다는 말이 있다. 그 울음소리는 자신의 이름을 부르는 것 같다. 전해오는 말에 따르면, 그것의 고기를 먹으면 중풍을 치료할 수 있다고 한다. 『이아(爾雅)·석조(釋鳥)』에는, 환(鳽)·교청은 오리[鳬]처럼 생겼으며, 다리가 길고, 털로 된 볏이 나 있는데, 강동(江東) 지역의 인가(人家)에서 그것을 기르며, 화재를 막을 수 있다고 기록되어 있다.

곽박(郭璞)의 『산해경도찬(山海經圖讚)』: "털은 암꿩과 같고, 무리 지어 날아오르며 떼 지어 내려온다네. 날아오르면 곧 해를 가리고, 모이면 곧 들을 가득 덮는다네. 고기는 침석(鍼石)[14]보다 효험이 있어, 힘들이지 않고도 보사(補寫)[15]할 수 있다네.[毛如雌雉, 朋翔群下. 飛則籠日, 集則蔽野. 肉驗鍼石, 不勞補寫.]"

[그림 1-장응호회도본(蔣應鎬繪圖本)]·[그림 2-성혹인회도본(成或因繪圖本)]·[그림

---

14) 옛날에 의료용으로 사용되던 돌을 가리킨다.

15) 보사(補寫)는 또 보사(補瀉)라고도 쓰며, 보익(補益 : 보충하고 더하는 것)과 소사(疏瀉 : 막힌 것을 트이게 하고 쏟아 내게 하는 것)를 함께 일컫는 한의학 용어이다. 이는 한방 치료에서 쓰이는 두 가지의 중요한 원칙으로, 보(補)는 주로 허증(虛症)을 치료하는 데 사용하고, 사(瀉)는 주로 실증(實症)을 치료하는 데 사용한다.

[그림 1] 교조(鵁鳥) 명(明)·장응호회도본

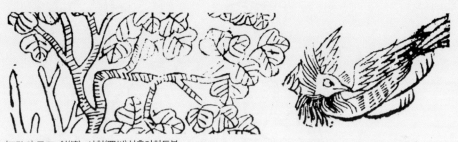

[그림 2] 교조 청(淸)·사천(四川)성혹인회도본

[그림 3] 교조 청(淸)·왕불도본

[그림 4] 교조[견(鵑)] 청(淸)·『금충전』

|권3-16| 제건(諸犍)

【경문(經文)】

「북산경(北山經)」: 단장산(單張山)이라는 곳이 있는데, 그 위에는 초목이 자라지 않는다. 거기에 어떤 짐승이 사는데, 그 생김새는 표범과 비슷하지만 꼬리가 길며, 사람의 머리와 소의 귀를 하고 있고, 눈이 하나이다. 이름은 제건(諸犍)이라 하는데, 크게 소리 지르기를 잘하고, 걸어갈 때는 곧 그 꼬리를 입에 물고 가며, 멈춰 있을 때는 그 꼬리를 둥그렇게 감아 놓는다. ……

[又北百八十里, 曰單張之山, 其上無草木. 有獸焉, 其狀如豹而長尾, 人首而牛耳, 一目, 名曰諸犍, 善咤, 行則銜其尾, 居則蟠其尾. 有鳥焉, 其狀如雉, 而文首·白翼·黃足, 名曰白鵺, 食之已嗌痛, 可以已癡. 櫟水出焉, 而南流注於杠水.]

【해설(解說)】

　제건(諸犍)은 사람의 얼굴에 외눈을 가진 괴이한 짐승으로, 사람·표범·소의 모습이 한 몸에 모여 있으며, 생김새는 표범을 닮았고, 꼬리가 유난히 길어, 걸을 때는 꼬리를 입에 물고, 움직이지 않을 때는 꼬리를 몸 옆에 둘둘 말아 놓는다. 이것은 사람의 머리에 소의 귀가 달려 있고, 외눈이며, 큰 소리로 울부짖기를 잘한다. 호문환도설(胡文煥圖說)에 이르기를, "단장산(單張山)에 사는 어떤 짐승은, 표범처럼 생겼지만 꼬리가 길어 대가리까지 닿으며, 소처럼 생긴 코가 눈까지 곧장 이어지는데, 이름은 제건이라 한다. 큰 소리로 울부짖기를 잘하고, 걸을 때는 꼬리를 입에 물며, 멈추어 있을 때는 꼬리를 말아 놓는다.[單張山有獸, 狀如豹而尾長至首, 牛鼻直目, 名曰諸犍. 善吒, 行則銜其尾, 居則蟠之.]"라고 했다. "꼬리가 길어 대가리까지 닿는다[尾長至首]"·"소처럼 생긴 코가 눈까지 곧장 이어진다[牛鼻直目]" 등의 특징은 모두 경문(經文)과 부합하지 않는다. 『옥편(玉篇)』에서는, 건(犍)이라는 짐승은 표범처럼 생겼고, 사람의 얼굴에 눈이 하나라고 했다.

　경문에 따르면, 제건의 생김새는 다음과 같은 특징을 갖는다. 즉 사람의 머리·표범의 몸·소의 귀·외눈·꼬리를 입에 물고 다니는 것 등이다. 그러나 지금 보이는 고본들의 여러 그림들 중, 단지 장응호회도본(蔣應鎬繪圖本)의 제건 그림[그림 1]만이, 위의 몇 가지 특징들을 모두 갖추고 있다. 그 밖의 그림들은 꼬리를 물고 있기는 하지만, 사람의 얼굴을 하고 있지는 않은데, 예를 들면 [그림 2-호문환도본(胡文煥圖本)]·[그림 3-오

449

임신근문당도본(吳任臣近文堂圖本)]·[그림 4-성혹인회도본(成或因繪圖本)]·[그림 5-왕불
도본(汪紱圖本)]·[그림 6-『금충전(禽蟲典)』]·[그림 7-상해금장도본(上海錦章圖本)] 등과
같은 것들이다.

곽박(郭璞)의 『산해경도찬(山海經圖讚)』: "제건은 큰 소리로 울부짖기를 잘하고, 걸
을 때 꼬리를 입에 문다네.[諸犍善吒, 行則銜尾.]"

[그림 1] 제건 명(明)·장응호회도본

[그림 2] 제건 명(明)·호문환도본

[그림 3] 제건 청(淸)·오임신근문당도본

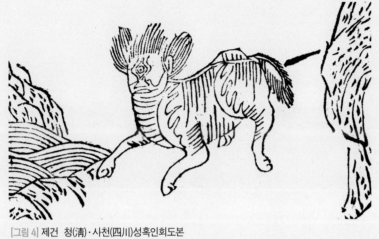

[그림 4] 제건 청(淸)·사천(四川)성혹인회도본

[그림 5] 제건 청(淸)·왕불도본

諸犍圖

[그림 6] 제건 청(淸)·『금충전』

諸犍狀如豹而長尾人身牛耳一目
張山　行則啣其尾居則蟠其尾出草

諸犍
善吒
行則
銜尾

[그림 7] 제건 상해금장도본

|권3-17| 백야(白鵺)

【경문(經文)】

「북산경(北山經)」: 단장산(單張山)이라는 곳에, ……어떤 새가 사는데, 그 생김새가
꿩과 비슷하며, 무늬가 있는 대가리에 흰 날개와 노란 발을 가지고 있다. 이름은
백야(白鵺)라 하며, 그것을 먹으면 목의 통증이 낫고, 치병(癡病)을 치료할 수 있다.
…….

[又北百八十里, 曰單張之山, 其上無草木. 有獸焉, 其狀如豹而長尾, 人首而牛耳, 一
目, 名曰諸犍, 善吒, 行則銜其尾, 居則蟠其尾. 有鳥焉, 其狀如雉, 而文首·白翼·黃
足, 名曰白鵺, 食之已嗌痛, 可以已痸[16]. 櫟水出焉, 而南流注於杠水.]

【해설(解說)】

백야[白鵺('夜'로 발음)]는 생김새가 꿩과 비슷한데, 대가리에 얼룩무늬가 있으며, 날
개는 희고 발은 노랗다. 그것의 고기를 먹으면 목의 통증[咽喉痛]을 치료할 수 있고, 또
한 치병(癡病)도 치료할 수 있다고 한다.

곽박(郭璞)의 『산해경도찬(山海經圖讚)』: "백야와 송사(竦斯)는 그 생김새가 꿩과 비
슷하다네. 사람을 보면 뛰어오르고, 대가리의 무늬는 수를 놓은 듯하다네.[白鵺竦斯,
厥狀如雉. 見人則跳, 頭文如繡.]"

[그림 1-장응호회도본(蔣應鎬繪圖本)]·[그림 2-호문환도본(胡文煥圖本)]·[그림 3-성
혹인회도본(成或因繪圖本)]·[그림 4-왕불도본(汪紱圖本)]·[그림 5-『금충전(禽蟲典)』]

[그림 3] 백야 청(淸)·사천(四川)성혹인회도본

---

16) 곽박은 주석하기를, "체(痸 : 어리석을 체)는 치병(癡病)이다.[痸, 癡病也.]"라고 했다.

[그림 1] 백야 명(明)·장응호회도본

[그림 2] 백야 명(明)·호문환도본

白鵺

[그림 4] 백야 청(淸)·왕불도본

白鵺圖

山海經 北山經

望張之山有鳥焉其狀如雉而文首白翼黃足名曰白鵺食之已嗌痛可以已瘻　郭曰音夜嗌咽

也衆染傳曰嗌不容粒今吳人呼咽爲嗌音隘瘻瘦病也　任臣按篤海云鵺鳥似雉騂雅曰白

鵺象蛇皆雄屬也

[그림 5] 백야 청(淸)·『금충전』

455

|권3-18| 나보(那父)

【경문(經文)】

「북산경(北山經)」: 관제산(灌題山)이라는 곳에, ……어떤 짐승이 사는데, 그 생김새는 소와 비슷하지만 꼬리가 희고, 그 소리는 마치 사람이 소리치는 것 같으며, 이름은 나보(那父)라 한다. …….

[又北三百二十里, 曰灌題之山, 其上多樗柘, 其下多流沙, 多砥. 有獸焉, 其狀如牛而白尾, 其音如訓('叫'와 같음)[17], 名曰那父. 有鳥焉, 其狀如雌雉而人面, 見人則躍, 名曰竦斯, 其鳴自呼也. 匠韓之水出焉, 而西流注於泑澤, 其中多磁石.]

【해설(解說)】

나보(那父)는 기이한 짐승으로, 생김새는 소와 비슷하지만 꼬리는 희며, 그 소리는 마치 사람이 소리치는 것 같다. 『병아(騈雅)』에서는, 소처럼 생겼지만 꼬리가 하얀 짐승이 있는데, 나보라고 한다. 붉은 꼬리가 달려 있는 것을 영월(領月)이라 하고, 말의 꼬리가 달려 있는 것을 정정(精精)이라 한다고 했다.

[그림 1-장응호회도본(蔣應鎬繪圖本)] · [그림 2-성혹인회도본(成或因繪圖本)] · [그림 3-왕불도본(汪紱圖本)] · [그림 4-『금충전(禽蟲典)』]

[그림 1] 나보 명(明) · 장응호회도본

---

17) 곽박은 주석하기를, "마치 사람이 소리쳐 부르는 듯한 것이며, '訓(부르짖을 규)'는 '叫·(규)'로 발음한다.[如人呼喚, 訓音叫.]"라고 했다.

[그림 2] 나보 청(淸)·사천(四川)성혹인회도본

那父

[그림 3] 나보 청(淸)·왕불도본

那父圖

[그림 4] 나보 청(淸)·『금충전』

| 권3-19 | 송사(竦斯)

【경문(經文)】

「북산경(北山經)」: 관제산(灌題山)이라는 곳에, ……어떤 새가 사는데, 그 생김새가
암꿩과 비슷하지만 사람의 얼굴을 하고 있으며, 사람을 보면 뛰어오르고, 이름은
송사(竦斯)라 하며, 그 울음소리는 마치 자신의 이름을 부르는 것 같다. …….
[又北三百二十里, 曰灌題之山, 其上多樗柘, 其下多流沙, 多砥. 有獸焉, 其狀如牛而
白尾, 其音如訓, 名曰那父. 有鳥焉, 其狀如雌雉而人面, 見人則躍, 名曰竦斯, 其鳴
自呼也. 匠韓之水出焉, 而西流注於泑澤, 其中多磁石.]

【해설(解說)】

송사[竦('聳'으로 발음)斯는 사람의 얼굴을 한 새로, 생김새가 암꿩과 비슷한데, 그 울
음소리는 마치 자신의 이름을 부르는 것 같으며, 사람을 보면 팔짝팔짝 뛰어오르는 모
습을 취한다.

송사는 사람의 얼굴을 한 새이다. 지금 보이는 송사의 그림에는 세 가지 형태가 있다.

첫째, 사람의 얼굴을 한 새로, [그림 1-장응호회도본(蔣應鎬繪圖本)]·[그림 2-성혹인
회도본(成或因繪圖本)]과 같은 것들이다.

둘째, 사람의 얼굴에 새의 부리가 있고, 새의 몸에 새의 날개와 새의 발이 달려 있
는 것으로, [그림 3-왕불도본(汪紱圖本)]과 같은 것이다.

셋째, 사람의 얼굴을 하지 않은 새로, [그림 4-호문환도본(胡文煥圖本), 이름이 소사
(竦斯)이다. 호문환도설(胡文煥圖說)에서는 "관제산(灌題山)에 어떤 새가 사는데, 암꿩처
럼 생겼고, 반면(反面)을 하고 있으며, 사람을 보면 뛰어오른다. 이름은 소사라고 하는
데, 마치 자신을 부르는 것 같은 소리를 낸다.(灌題山有鳥, 狀如雌雉反面, 見人乃躍. 名曰竦
斯, 其鳴自呼.)"라고 했다. 도설에서 '反面'은 경문 중의 '人面'을 잘못 적은 것임에 틀림없
다. 그리하여 화공이 이것에 근거하여 사람의 얼굴을 하고 있지 않은 송사를 그린 것
이다. 이렇게 글자의 오기로 인해 새로운 신화 형상이 출현하는 현상을 신화발생학(神
話發生學)에서는 '언어질병설(言語疾病說)'이라고 한다. 이러한 현상은 각종 산해경도(山
海經圖)들에서 자주 나타나는데, 호문환도본이 가장 두드러진다.]·[그림 5-일본도본(日
本圖本), 이름을 소사(竦斯)라고 함]·[그림 6-오임신강희도본(吳任臣康熙圖本), 오임신도

본의 그림 해설에는, "송사는 암꿩처럼 생겼지만 사람의 얼굴을 하고 있으며, 사람을 보면 뛰어오르고, 관제산에서 난다.(𪁌斯狀如雌雉而人面, 見人則躍, 出灌題山.)"라고 했다. 그러나 그 그림에는 오히려 사람의 얼굴을 하지 않은 새로 그려져 있다.]·[그림 7-상해 금장도본(上海錦章圖本)]과 같은 것들이다.

　　곽박(郭璞)의 『산해경도찬(山海經圖讚)』: "백야(白鵺)와 송사는 그 생김새가 꿩과 비슷하다네. 사람을 보면 뛰어오르고, 대가리의 무늬는 수를 놓은 듯하다네.[白鵺𪁌斯, 厥狀如雉. 見人則跳, 頭文如繡.]"

[그림 1] 송사 명(明)·장응호회도본

[그림 2] 송사 청(淸)·사천(四川)성혹인회도본

竦斯

[그림 3] 송사 청(淸)·왕불도본

竦斯

[그림 4] 송사[소사(疎斯)] 명(明)·호문환도본

竦斯
人狀如
則雄雄
鳴然而
出而人
灌人面
題見見
山

[그림 6] 송사 청(淸)·오임신강희도본

白鵁竦
斯厥狀
雉狀如
跳見人
頭人則
文則
如
繡

竦斯
人狀
則如
躍雌
出雄
灌而
題人
山面
見

[그림 7] 송사 상해금장도본

[그림 5] 송사(소사) 일본도본

古本 山海經 圖說 (上)

462

|권3-20| 장사(長蛇)

【경문(經文)】

「북산경(北山經)」：대함산(大咸山)이라는 곳이 있는데, 초목이 자라지 않고, 산 밑에는 옥이 많다. 이 산은 사면이 모가 나 있어, 올라갈 수 없다. 여기에 장사(長蛇)라는 뱀이 사는데, 털은 마치 돼지털 같고, 그 소리는 마치 딱따기를 두드리는 소리 같다.

[北二百八十里, 曰大咸之山, 無草木, 其下多玉. 是山也, 四方, 不可以上. 有蛇名曰長蛇, 其毛如彘豪, 其音如鼓柝.]

【해설(解說)】

장사(長蛇)는 초목이 자라지 않고 사람이나 짐승이 오르지 못하는 대함산(大咸山)에 사는데, 길이가 백 심(尋)[18]이나 되고, 그 털은 멧돼지털 같으며, 울음소리는 마치 밤에 사람이 나무딱따기[19]를 두드리는 소리 같다. 호문환도설(胡文煥圖說)에는, "대함산에 어떤 뱀이 사는데, 이름이 장사이다. 바늘 같은 털이 나 있고, 몸의 길이가 백 심이나 되며, 그것이 내는 소리가 북을 두드리는 소리 같다.[大咸山, 有蛇, 名曰長蛇. 錐毛, 身長百尋, 其聲如振鼓.]"라고 했다. 곽박은 주석하기를, 길이가 백 심이나 되며, 지금의 살무사로, 애수문(艾綬紋)[20]과 비슷한 무늬가 있고, 무늬 사이에는 돼지털 같은 털이 나 있는데, 이것이 바로 그 장사 종류라고 했다. 예장(豫章)[21]에 길이가 천여 장(丈)이나 되는 뱀이 있었다고 전해지는데, 역시 장사 종류이다.

곽박(郭璞)의 『산해경도찬(山海經圖讚)』："장사는 길이가 백 심이나 되고, 그 털은 마치 돼지털 같다네. 날짐승이나 길짐승 중에, 씹어 삼키지 못하는 것이 없다네. 온갖 사물 중에서 더없이 악하고, 모든 독 중에서 더없이 강하다네.[長蛇百尋, 厥鬣如彘. 飛群走類, 靡不呑噬. 極物之惡, 盡毒之厲.]"

[그림 1-장응호회도본(蔣應鎬繪圖本)]·[그림 2-호문환도본(胡文煥圖本)]·[그림 3-오임

---

18) 고대의 길이 단위로, 8척(尺)이 1심(尋)이다. 지금의 길이로 환산하면 1심은 대략 250센티미터 정도이다.

19) 옛날에 야경꾼들이 순찰을 돌 때 두드리던 나무 조각을 말한다.

20) 애수(艾綬)란 쑥색의 인수(印綬 : 옛날에 도장을 묶는 끈)를 말한다. 애수문이란 즉 녹색의 도장 끈 같은 문양이다.

21) 옛 군명(郡名)으로, 지금의 강서성(江西省) 남창(南昌)에 해당한다.

신근문당도본(吳任臣近文堂圖本)]·[그림 4-성혹인회도본(成或因繪圖本)]·[그림 5-왕불도

본(汪紱圖本)]·[그림 6-『금충전(禽蟲典)』]·[그림 7-상해금장도본(上海錦章圖本)]

長蛇

[그림 1] 장사 명(明)·장응호회도본

[그림 2] 장사 명(明)·호문환도본

[그림 3] 장사 청(淸)·오임신근문당도본

[그림 4] 장사 청(淸)·사천(四川)성혹인회도본

長蛇

長蛇圖

[그림 5] 장사 청(淸)·왕불도본

[그림 6] 장사 청(淸)·『금충전』

[그림 7] 장사 상해금장도본

長蛇　長百尋毛如彘豪音
如鼓柝出天髭山

長蛇百尋
厥鼠如彘
飛群走類
靡不吞噬
極物之惡
盡毒之屬

第三卷 北山經

465

| 권3-21 | 적규(赤鮭)

【경문(經文)】

「북산경(北山經)」: 돈홍산(敦薨山)이라는 곳이 있는데, ……돈홍수(敦薨水)가 시작되어 서쪽으로 흘러 유택(泑澤)으로 들어간다. ……그 속에 적규(赤鮭)가 많이 산다. …….

[又北三百二十里, 曰敦薨之山, 其上多棕柟, 其下多茈草. 敦薨之水出焉, 而西流注於泑澤. 出於昆侖之東北隅, 實惟河原. 其中多赤鮭, 其獸多兕·旄牛, 其鳥多鳲鳩.]

【해설(解說)】

적규(赤鮭 : 붉은 복어-역자)의 '규(鮭)'는 태(鮐)·후태(鯸鮐)라고도 하는데, 즉 하돈(河豚 : 복어-역자)으로, 독이 있는 물고기의 일종이다. 그 간에 독이 있어, 그것을 먹으면 사람이 죽을 수 있다. 유규(劉逵)는 「오도부(吳都賦)」에 대한 주석에서, 후태는 생김새가 올챙이 같고, 크기는 한 척(尺) 남짓이며, 배 밑은 흰색이고, 등은 검푸르며, 노란색 무늬가 있고, 본래 독을 가지고 있다. 비록 크기는 작지만, 수달이나 큰 물고기가 감히 잡아먹지 못하고, 쪄서 먹으면 매우 맛이 좋다고 했다. 이시진(李時珍)은 설명하기를, 지금 오월(吳越) 지역에 가장 많이 사는데, 생김새가 올챙이 같고, 큰 것은 한 척 남짓이며, 등은 푸르스름하고, 노란색 줄무늬가 있다. 또한 비늘과 아가미와 쓸개가 없고, 배 밑은 흰색이지만 광택이 없다고 했다.

왕충(王充)은 『논형(論衡)·언독(言毒)』에서 말하기를, "천하의 만물 중에 태양의 화기(火氣)를 머금고 생겨난 것들은 모두 독을 가지고 있다. 독이 독한 것들로, 동물 중에는 살무사·벌·전갈이 있고, 풀 중에는 파두(巴豆)[22]·단장초가 있으며, 물고기 중에는 규(鮭 : 복어-역자)·다랑어가 있다. 그래서 사람들이 복어의 간을 먹으면 죽고, 다랑어한테 쏘이면 독이 오른다.[天下萬物, 含太陽火氣而生者, 皆有毒螫. 毒螫渥者, 在蟲則爲蝮蛇蜂蠆, 在草則爲巴豆冶葛, 在魚則爲鮭與鮐鮁, 故人食鮭肝而死, 爲鮐鮁螫有毒.]"라고 했다.

[그림 1-왕불도본(汪紱圖本)]·[그림 2-『금충전(禽蟲典)』]

---

22) 대극과(大戟科)의 상록 활엽 관목으로, 씨에 독성이 있으며, 한약재로 쓰인다.

[그림 1] 적규 청(淸)·왕불도본

[그림 2] 하돈어(河豚魚) 청(淸)·『금충전』

【경문(經文)】

「북산경(北山經)」: 소함산(少咸山)이라는 곳에는, 초목이 자라지 않고, 푸른 옥이 많다. 거기에 어떤 짐승이 사는데, 그 생김새는 소와 비슷하지만, 붉은 몸에 사람의 얼굴과 말의 다리를 하고 있으며, 이름은 알유(窫窳)라 한다. 그 소리는 갓난아이의 울음소리 같으며, 사람을 잡아먹는다.

[又北二百里, 曰少咸之山, 無草木, 多靑碧. 有獸焉, 其狀如牛而赤身·人面·馬足, 名曰窫窳, 其音如嬰兒, 是食人. 敦水出焉, 東流注於雁門之水, 其中鮮鮮之魚, 食之殺人.]

【해설(解說)】

알유(窫窳 : '亞愈'라고 읽음)는 알유[猰('亞'로 발음)㺄]라고도 하며, 사람을 잡아먹는 무서운 짐승으로, 사람·용·호랑이·추(貙)[23]·뱀·소·말 등 여러 짐승들의 모습을 한 몸에 지니고 있으며, 『산해경』과 기타 고서들에 여러 차례 나오는데, 그 모습에는 약간씩 차이가 있다.

첫째, 알유는 원래 옛 천신(天神)으로, 사람의 얼굴에 뱀의 몸을 하고 있다[「해내서경(海內西經)」을 보라].

둘째, 알유는 이부신(貳負神 : 이 책 하권 〈권11-1〉 참조-역자)한테 죽임을 당한 후, 사람의 얼굴에 소의 몸과 말의 다리가 있고, 갓난아이가 우는 듯이 소리를 내며, 사람을 잡아먹는 무서운 짐승으로 변했다. [그림 1-장응호회도본(蔣應鎬繪圖本)]·[그림 2-성혹인회도본(成或因繪圖本)]·[그림 3-왕불도본(汪紱圖本)]·[그림 4-『금충전(禽蟲典)』]과 같은 것들이다.

셋째, 또 다른 전설에 따르면, 알유가 큰 잘못을 하지 않았는데도 이부신한테 죽임을 당하자, 천제(天帝)가 개명(開明) 동쪽의 여러 무당들한테 불사약을 만들어 알유를 살려내게 했다. 다시 살아난 알유는 용의 대가리를 한 모습으로 나타나, 사람을 잡아먹고 살았다고 한다[「해내남경(海內南經)」을 보라]. 산해경도는 도상(圖像)의 형식을 통해

---

23) 추(貙)는 맹수의 일종으로, 범과 비슷하게 생겼고, 크기는 개[犬]만하며, 매우 용맹하여 전쟁에서 사용했다고 한다.

알유의 변모 과정 전체를 생생하게 재현해냈다.

『회남자(淮南子)』에서는, 예(羿)[24]가 위로는 아홉 개의 해를 활로 쏘아 떨어뜨리고, 아래로는 알유(猰貐)를 죽인 이야기를 기록하고 있다. 호북성(湖北省) 수현(隨縣)의 전국(戰國) 시대 증후을(曾侯乙)[25]의 무덤에서 출토된 옷상자[衣箱]에 그려진 칠화(漆畵) [그림 5]에는, 뽕나무 아래에 서 있는 사수(射手) 예와 화살에 맞아 떨어진 양조(陽鳥)와 나무 위에 서 있는, 사람의 얼굴을 한 알유(猰貐)가 그려져 있어, 먼 옛날의 그 감동적인 이야기를 반영하고 있다.

곽박(郭璞)의 『산해경도찬(山海經圖讚)』: "알유(窫窳)와 제회(諸懷)가 있으니, 이것들은 사람을 해친다네.[窫窳諸懷, 是則害人.]"

[그림 1] 알유 명(明)·장응호회도본

---

24) 순(舜)임금 때의 명사수로, 그는 일찍이 활로 아홉 개의 태양을 쏘았다고 한다.
25) 전국(戰國) 시대에 남방 제후국의 군주였다.

[그림 2] 알유 청(淸)·사천(四川)성혹인회도본

窫窳

[그림 3] 알유 청(淸)·왕불도본

窫窳圖

[그림 4] 사람의 얼굴에 소의 몸을 한 알유. 청(淸)·『금충전』

[그림 5] 예(羿)가 양조(陽鳥)를 쏘고, 알유(猰貐)를 죽이는 장면. 호북성(湖北省) 수현(隨縣)에 있는 전국(戰國) 시대 증후을(曾侯乙)의 무덤에서 출토된 옷상자[衣箱]에 그려진 칠화(漆畵).

【경문(經文)】

「북산경(北山經)」 : 옥법산(獄法山)이라는 곳이 있는데, 거기에서 회택수(濊澤水)가 시작되어 북동쪽으로 흘러 진택(秦澤)으로 들어간다. 그 속에 초어(鰠魚)가 많이 사는데, 그 생김새는 잉어와 비슷하지만 닭의 발이 달려 있으며, 그것을 먹으면 사마귀를 치료할 수 있다. ……

[又北二百里, 曰獄法之山. 濊澤之水出焉, 而東北流注於泰澤. 其中多鰠魚, 其狀如鯉而雞足, 食之已疣. 有獸焉, 其狀如犬而人面, 善投, 見人則笑, 其名山獋, 其行如風, 見則天下大風.]

【해설(解說)】

초어[鰠('藻'로 발음)魚]는, 반(半)은 물고기이고 반은 새인 괴상한 물고기로, 생김새는 잉어와 비슷하지만 닭의 발이 달려 있다. 이것을 먹으면 혹을 치료할 수 있다.

곽박(郭璞)의 『산해경도찬(山海經圖讚)』 : "초어의 생김새는, 반은 새이고 반은 물고기라네. 닭[雞]과 잉어[鯉]의 모습을 겸비했는데, 그것을 먹으면 사마귀가 낫는다네.[鰠之爲狀, 半鳥半鱗. 形如雞鯉, 食之已疣.]" 또한 "초어의 생김새는, 양(羊)과 물고기의 모습에 검은 무늬가 있다네.[鰠之爲狀, 羊鱗黑文.]"라고 했다.

[그림 1-장응호회도본(蔣應鎬繪圖本)]·[그림 2-오임신강희도본(吳任臣康熙圖本)]·[그림 3-오임신근문당도본(吳任臣近文堂圖本)]·[그림 4-성혹인회도본(成或因繪圖本)]·[그림 5-왕불도본(汪紱圖本)]·[그림 6-상해금장도본(上海錦章圖本)]

[그림 1] 초어 명(明)·장응호회도본

[그림 2] 초어 청(淸)·오임신강희도본

[그림 3] 초어 청(淸)·오임신근문당도본

[그림 4] 초어 청(淸)·사천(四川)성혹인회도본

鰈魚

[그림 5] 초어 청(淸)·왕불도본

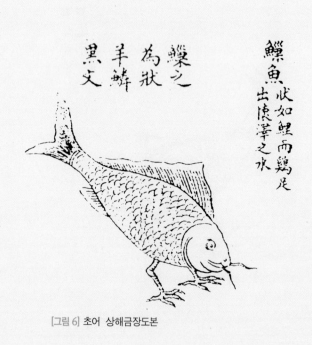

鰈之
爲狀
羊鱗
黑文

鰈魚 狀如鯉而鷄足
出陳葦之水

[그림 6] 초어 상해금장도본

古本 山海經 圖說(上)

474

【경문(經文)】

「북산경(北山經)」: 옥법산(獄法山)이라는 곳에, ……어떤 짐승이 사는데, 그 생김새는 개처럼 생겼지만 사람의 얼굴을 하고 있으며, 집어던지기를 잘하고, 사람을 보면 웃는다. 이름은 산휘(山渾)라 하는데, 움직임이 바람처럼 빠르며, 이 짐승이 나타나면 천하에 큰 바람이 인다.

[又北二百里, 曰獄法之山. 瀤澤之水出焉, 而東北流注於泰澤. 其中多鱲魚, 其狀如鯉而雞足, 食之已疣. 有獸焉, 其狀如犬而人面, 善投, 見人則笑, 其名山渾, 其行如風, 見則天下大風.]

【해설(解說)】

　　바람의 짐승인 산휘[山渾('暉'로 발음)]는 휘휘(揮揮)·효양(梟羊)이라고도 하며, 속칭 산도(山都)·산장(山丈)이라고도 하는데, 북방에서는 토루(土螻)라고 부른다. 산휘는 원숭이류에 속하며, 사람의 얼굴을 하고 있는 괴수(怪獸)로, 개의 몸에 사람의 얼굴을 하고 있고, 집어던지기를 잘하며, 사람을 보면 좋아서 장난을 친다. 마치 광풍(狂風)처럼 매우 빠르게 달리며, 이 짐승이 나타나면 큰 바람이 인다.

　　곽박(郭璞)의 『산해경도찬(山海經圖讚)』: "산휘라는 짐승은 사람을 보면 좋아서 장난을 친다네. 그 천성이 던지는 것을 좋아하고, 움직임이 화살처럼 빠르다네. 이것은 기(氣)의 정령이니, 나타나면 곧 바람이 인다네.[山渾之獸, 見人歡謔. 厥性善投, 行如矢激. 是惟氣精, 出則風作.]"

　　[그림 1-장응호회도본(蔣應鎬繪圖本)]·[그림 2-호문환도본(胡文煥圖本)]·[그림 3-성혹인회도본(成或因繪圖本)]·[그림 4-왕불도본(汪紱圖本)]·[그림 5-필원도본(畢沅圖本)]·[그림 6-상해금장도본(上海錦章圖本)]

[그림 1] 산휘 명(明)·장응호회도본

山渾

[그림 2] 산휘 명(明)·호문환도본

[그림 3] 산휘 청(淸)·사천(四川)성혹인회도본

山狟狀如犬而人面善投見人則笑
其行如風見則大風出獄法山

山狟之獸見
人歡譃厭性
善投行如矢
激是惟氣
精出則風作

[그림 4] 산휘 청(淸)·왕불도본

[그림 5] 산휘 청(淸)·필원도본

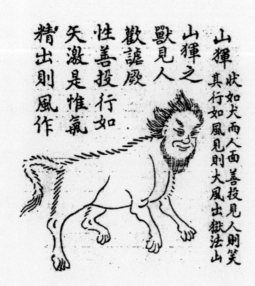

山狟之
獸見人
歡譃厭
性善投行如
矢激是惟氣
精出則風作

山狟其狀如犬而人面善投見人則笑
行如風見則大風出獄法山

[그림 6] 산휘 상해금장도본

第三卷 北山經

477

|권3-25| 제회(諸懷)

【경문(經文)】

「북산경(北山經)」 : 북악산(北嶽山)이라는 곳에, ……어떤 짐승이 사는데, 그 생김새
는 소와 비슷하고, 네 개의 뿔과 사람의 눈과 돼지의 귀를 하고 있으며, 그 이름은
제회(諸懷)라 한다. 그 소리가 마치 기러기 울음소리 같으며, 사람을 잡아먹는다.
…….

[又北二百里, 曰北嶽之山, 多枳棘剛木. 有獸焉, 其狀如牛, 而四角·人目·彘耳, 其
名曰諸懷, 其音如鳴雁, 是食人. 諸懷之水出焉, 而西流注於囂水, 其中多鮨魚, 魚身
而犬首, 其音如嬰兒, 食之已狂.]

【해설(解說)】

제회(諸懷)는 뿔이 네 개 달린 소[四角牛]로, 사람을 잡아먹는 무서운 짐승이다. 사
람·소·돼지·기러기 모습의 특징들을 한 몸에 지니고 있다. 이것은 생김새가 소와 비
슷하지만, 네 개의 뿔과 사람의 눈과 돼지의 귀가 달려 있으며, 울음소리는 기러기 울
음소리와 비슷하다.

곽박(郭璞)의 『산해경도찬(山海經圖讚)』: "알유(窫窳)와 제회(諸懷)가 있으니, 이것들
은 사람을 해친다네.[窫窳諸懷, 是則害人.]"

제회의 그림에는 두 가지 형태가 있다.

첫째, 네 개의 뿔이 달린 소로, [그림 1-장응호회도본(蔣應鎬繪圖本)]·[그림 2-왕
불도본(汪紱圖本)]·[그림 3-오임신근문당도본(吳任臣近文堂圖本)]·[그림 4-『금충전(禽蟲
典)』]과 같은 것들이다.

둘째, 두 개의 뿔이 달린 소로, [그림 5-성혹인회도본(成或因繪圖本)]과 같은 것이다.

[그림 1] 제회 명(明)·장응호회도본

諸懷

[그림 2] 제회 청(淸)·왕불도본

諸懷牛形四角人目彘耳是食人出北嶽山

[그림 3] 제회 청(淸)·오임신근문당도본

[그림 4] 제회 청(淸)·『금충전』

[그림 5] 제회 청(淸)·사천(四川)성혹인회도본

| 권3-26 | 지어(鮨魚)

【경문(經文)】

「북산경(北山經)」 : 북악산(北嶽山)이라는 곳이 있는데, ……제회수(諸懷水)가 시작되어 서쪽으로 흘러 효수(囂水)로 들어간다. 그 속에 지어(鮨魚)가 많이 사는데, 물고기의 몸에 개의 대가리를 하고 있으며, 그 소리는 갓난아이의 울음소리와 비슷하고, 그것을 먹으면 미친병이 낫는다.

[又北二百里, 曰北嶽之山, 多枳棘剛木. 有獸焉, 其狀如牛, 而四角·人目·彘耳, 其名曰諸懷, 其音如鳴雁, 是食人. 諸懷之水出焉, 而西流注於囂水, 其中多鮨魚, 魚身而犬首[26], 其音如嬰兒, 食之已狂.]

【해설(解說)】

　　지어[鮨('義'로 발음)魚]는 즉 해구(海狗)로, 개도 아니고 물고기도 아닌 괴상한 물고기이다. 이것은 물고기의 몸에 물고기의 꼬리가 달려 있고, 개의 대가리를 하고 있으며, 우는 소리가 갓난아이의 울음소리와 비슷하고, 이것을 먹으면 미친병을 치료할 수 있다고 전해진다. 곽박(郭璞)은 주석하기를, 지금 바다 속에 호록어(虎鹿魚)와 해희(海狶 : 바다돼지-역자)가 사는데, 몸통은 모두 물고기처럼 생겼지만 대가리는 호랑이·사슴·돼지와 비슷하며, 이것이 그 종류라고 했다. 학의행은 말하기를, 등주(登州)의 바다 속에 해구가 살고 있는데, 그 생김새가 개도 아니고 물고기도 아니며, 본초가(本草家)[27]들은 이것을 골눌수[骨肭獸 : 올눌수(膃肭獸)]라 부른다고 했다. 본초학에서는, 올눌수가 정신질환을 치료해준다고 하는데, 이 경문과 일치한다. 올눌은 즉 해구이다.

　　[그림 1-장응호회도본(蔣應鎬繪圖本)]·[그림 2-오임신근문당도본(吳任臣近文堂圖本)]·[그림 3-성혹인회도본(成或因繪圖本)]·[그림 4-왕불도본(汪紱圖本)]·[그림 5-『금충전(禽蟲典)』]·[그림 6-상해금장도본(上海錦章圖本)]

---

26) 학의행(郝懿行)은 주석하기를, "……이 경문(經文)에 나오는 지어(鮨魚)가 물고기의 몸에 물고기의 꼬리를 하고 있지만, 개의 대가리를 하고 있는 것으로 보아, 지금의 해구(海狗)와 매우 비슷한데, 본초가들은 이것을 물개의 종류라고 한다.[……此經鮨魚蓋魚身魚尾而狗頭, 極似今海狗, 本草家謂之骨(膃)肭獸是也.]"라고 했다.

27) 약재(藥材)를 연구(研究)하거나 그에 조예(造詣)가 깊은 사람을 일컫는 말이다.

[그림 1] 지어 명(明)·장응호회도본

[그림 2] 지어 청(淸)·오임신근문당도본

鮨

鮨魚魚身大首首如咥嘆兒
食之巳狂出諸懷水

[그림 4] 지어 청(淸)·왕불도본

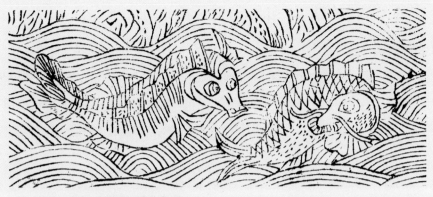

[그림 3] 지어 청(淸)·사천(四川)성혹인회도본

鮨魚屬

[그림 5] 지어 청(淸)·『금충전』

鮨魚
魚身犬首
音如嬰兒
食之已狂
出諸懷水

[그림 6] 지어 상해금장도본

【경문(經文)】

「북산경(北山經)」: 혼석산(渾夕山)이라는 곳에는, 초목이 자라지 않고, 구리와 옥이 많다. 거기에서 효수(囂水)가 시작되어 북서쪽으로 흘러 바다로 들어간다. 대가리가 하나에 몸통이 둘인 뱀이 있는데, 이름은 비유(肥遺)라 하며, 이것이 나타나면 그 나라에 큰 가뭄이 든다. …….

[又北百八十里, 曰渾夕之山, 無草木, 多銅玉. 囂水出焉, 而西北流注於海. 有蛇一首兩身, 名曰肥遺, 見則其國大旱. 又北五十里, 曰北單之山, 無草木, 多蔥韭.]

【해설(解說)】

『산해경』에 보이는 비유(肥遺)에는 두 가지가 있다. 하나는 「서산경(西山經)」에 나오는 태화산(太華山)의 비유(肥蟲)로, 여섯 개의 다리와 네 개의 날개가 있고, 그것이 나타나면 천하에 큰 가뭄이 든다. 다른 하나는 여기 「북산경(北山經)」에 나오는 혼석산(渾夕山)의 비유로, 대가리가 하나에 몸이 둘이며, 이것이 나타나면 그 나라에 큰 가뭄이 든다.

여기에 나오는 혼석산의 비유는, 대가리가 하나이고 몸이 둘인 뱀이다. 『관자(管子)』에서 말하기를, 학수(涸水)의 정령은 이름이 위(蝟)라 하는데, 대가리가 하나이고 몸은 둘이며, 뱀처럼 생겼고, 길이가 8척이며, 울음소리를 따서 이름을 붙였다. 또 물고기와 거북을 잡게 할 수 있는데, 역시 이 종류라고 했다. 또 『수신기(搜神記)』에서 말하기를, 학소수(涸小水)의 정령이 지(蚳)를 낳았는데, 지는 대가리가 하나에 몸은 둘이고, 그 생김새가 뱀처럼 생겼다고 했다. 바로 『관자』에 기록되어 있는 것이다. 상(商)·주(周) 시대의 청동기에 새겨져 있는, 대가리가 하나에 몸통이 둘인 뱀의 문양 장식을 비유문(肥遺紋)이라고 했는데[그림 1], 바로 『산해경』에서 유래한 것이다. 장사(長沙) 자탄고(子彈庫)에서 출토된 전국(戰國) 시대 초(楚)나라 백서(帛書)[28]인 십이월신도(十二月神圖) 중

---

28) 백서는 증서(繪書)라고도 하는데, 이 백서는 현존하는 최초의 백서이다. 1942년에 호남성 장사(長沙)의 전국 시대 무덤에서 출토되었다. 현재 미국 뉴욕시립박물관에 소장되어 있다. 그 내용은 모두 세 부분으로 나뉜다. 즉 천상(天象)·재변(災變)·사시(四時) 운행 및 월령(月令)과 금기(禁忌)가 그것들로, 그 내용이 풍부하고 방대하여, 초(楚)나라 지역에 전해오는 신화·전설 및 풍속뿐만 아니라, 음양오행(陰陽五行)·천인감응(天人感應) 방면 등의 사상도 포함하고 있다. 백서는 원래 비단으로, 짙은 갈색을 띠고 있

古本 山海經 圖說(上)

에 사월(四月)을 상징하는 신인 비유가 바로 대가리가 하나에 몸이 둘인 뱀이다[그림 2].

대가리가 하나에 몸이 둘인 비유의 그림에는 네 가지 형태가 있다.

첫째, 대가리가 하나에 몸이 둘인 뱀으로, [그림 3-장응호회도본(蔣應鎬繪圖本)]·[그림 4-오임신강희도본(吳任臣康熙圖本)]·[그림 5-오임신근문당도본(吳任臣近文堂圖本)]·[그림 6-왕불도본(汪紱圖本)]·[그림 7-상해금장도본(上海錦章圖本)]·[그림 8-『금충전(禽蟲典)』]과 같은 것들이다. 『금충전』에는 태화산(太華山)의 비유(肥蟥)와 혼석산의 비유(肥遺) 그림이 각각 한 폭씩 그려져 있는데, 둘의 모습이 다르기는 하지만 모두 몸이 두 개인 뱀이다.

둘째, 새의 대가리에 꼬리가 두 개인 뱀으로, [그림 9-성혹인회도본(成或因繪圖本)]과 같은 것이다.

셋째, 뱀의 대가리에 두 개의 뱀 꼬리가 달려 있고, 용의 몸에 용의 발이 달린 것으로, [그림 10-호문환도본(胡文煥圖本)]과 같은 것이다. 이 도본은 태화산의 비유와 혼석산의 비유의 모습을 한데 합쳐놓았으며, 이름이 복유(礨蟥)라 했다. 호문환도설(胡文煥圖說)에서는 다음과 같이 말했다. "양산(陽山)에 신령한 뱀이 사는데, 이름은 복유라 하며, 하나의 대가리에 두 개의 몸을 가지고 있고, 여섯 개의 발과 네 개의 날개가 있다. 이것이 나타나면 그 나라에 큰 가뭄이 든다. 탕왕(湯王) 때 나타났었다.[陽山, 有神蛇, 名曰礨蟥, 一首兩身, 六足四翼, 見則其國大旱, 湯時見出.]"

넷째, 새의 대가리에 뱀의 몸을 하고 있고, 두 개의 꼬리와 네 개의 발, 네 개의 날개가 달려 있는 것으로, [그림 11-일본도본(日本圖本)]과 같은 것이다. 이 도본은 호문환도본에 있는 두 가지 비유사(肥遺蛇)의 모습과 「서산경」에 있는 영산(英山)의 비유조(肥遺鳥) 등 세 가지 모습을 한데 합쳐 놓았으며, 이름은 복유라 했다. 이러한 새로운 형상은 『산해경』 및 다른 각종 산해경 도본들에서는 보이지 않는다.

곽박(郭璞)의 『산해경도찬(山海經圖讚)』: "비유라는 뱀은, 하나의 대가리에 몸이 두 개라네.[肥蟥之蛇, 一頭兩身.]"

으며, 크기가 가로 41×세로 33센티미터이다. 중간에는 두 조(組)의 문자가 있는데, 한 조는 13행, 다른 한 조는 8행이다. 둘레의 네 변에는 모두 문자와 그림이 있는데, 각 변마다 3단씩 모두 12단을 두어, 각각 4계절과 12달을 대표하도록 되어 있다. 백서는 당시 무사(巫師)의 기도문 혹은 점서(占書)류의 문서로 여겨지지만, 아직까지 정론은 없다.

[그림 1] 상(商) · 주(周) 시대의 청동기에 새겨져 있는 일수쌍신용사문
(一首雙身龍蛇紋).

[그림 2] 장사(長沙) 자탄고(子彈庫)에서 출토된 초(楚)나라 백서(帛
書)인 십이월신도(十二月神圖).

[그림 3] 비유(肥遺) 명(明)·장응호회도본

[그림 4] 비유(肥遺) 청(淸)·오임신강희도본

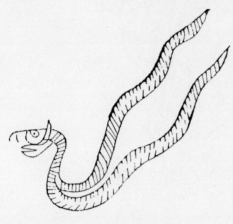

[그림 5] 비유(肥遺) 청(淸)·오임신근문당도본

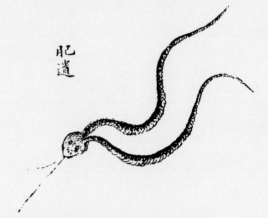

肥遺

[그림 6] 비유(肥遺) 청(淸)·왕불도본

潛逝
林旣禱俟忽
以表亢厲桑
契鼓翼陽山
物與災合
肥遺為

肥遺
一首兩身見則
大旱出渾夕山

[그림 7] 비유(肥遺) 상해금장도본

[그림 8] 비유(肥蟥)와 비유(肥遺) 청(淸)·『금충전』

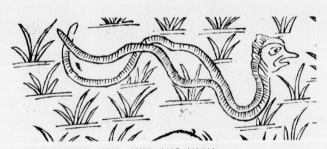

[그림 9] 비유(肥遺) 청(淸)·사천(四川)성혹인회도본

[그림 10] 복유(蝮蟥) 명(明)·호문환회도본

[그림 11] 복유(蝮蜼) 일본도본

|권3-28| 요(猺)

【경문(經文)】

「북산경(北山經)」 : 제산(隄山)이라는 곳에, ……어떤 짐승이 사는데, 그 생김새가
표범과 비슷하고, 대가리에 무늬가 있으며, 이름은 요(猺)라고 한다. …….

[又北百七十里, 曰隄山, 多馬. 有獸焉, 其狀如豹而文首, 名曰猺. 隄水出焉, 而東流
注於泰澤, 其中多龍龜.]

【해설(解說)】

요(猺 : '腰'로 발음)의 생김새는 표범과 비슷하며, 대가리에는 얼룩무늬가 있다. 『옥편
(玉篇)』에서는 그 이름이 요수(猺獸)라 했다. 『사물감주(事物紺珠)』에 기록하기를, 요는
표범과 비슷하게 생겼는데, 대가리에 무늬가 있다고 했다.

곽박(郭璞)의 『산해경도찬(山海經圖讚)』 : "표범처럼 생긴 짐승이 있는데, 그 무늬가
화려하구나.[有獸如豹, 厥文惟縟.]"

[그림 1-장응호회도본(蔣應鎬繪圖本)]·[그림 2-성혹인회도본(成或因繪圖本)]·[그림
3-왕불도본(汪紱圖本)]·[그림 4-『금충전(禽蟲典)』]

[그림 1] 요 명(明)·장응호회도본

[그림 2] 요 청(淸)·사천(四川)성혹인회도본

獝

[그림 3] 요 청(淸)·왕불도본

[그림 4] 요 청(淸)·『금충전』

【경문(經文)】

「북산경(北山經)」: 제산(隄山)이라는 곳이 있는데, ……거기에서 제수(隄水)가 시작되어, 동쪽으로 흘러 태택(泰澤)으로 들어가는데, 그 속에 용구(龍龜)가 많이 산다.

[又北百七十里, 曰隄山, 多馬. 有獸焉, 其狀如豹而文首, 名曰㺄. 隄水出焉, 而東流注於泰澤, 其中多龍龜.]

【해설(解說)】

용구(龍龜)는 즉 길조(吉弔)이다. 바다 사람들은 용이 세 개의 알을 낳았는데, 그 중 하나가 길조가 되었기 때문에, 용구라 부른다고 했다. 길조는 영남(嶺南)에서 나는데, 뱀의 대가리에 거북의 몸을 하고 있으며, 물에서 자고 나무에서 서식한다.

[그림 1-장응호회도본(蔣應鎬繪圖本)]·[그림 2-성혹인회도본(成或因繪圖本)]·[그림 3-왕불도본(汪紱圖本)]

[그림 1] 용구 명(明)·장응호회도본

[그림 2] 용구 청(淸)·사천(四川)성혹인회도본

[그림 3] 용구 청(淸)·왕불도본

|권3-30| **인면사신신**(人面蛇身神) : 사람의 얼굴에 뱀의 몸을 한 신

【경문(經文)】

「북산경(北山經)」 : 단호산(單狐山)부터 제산(隄山)까지는 모두 스물다섯 개의 산이 있으며, 그 거리는 5,490리에 달한다. 그 산의 산신들은 모두 사람의 얼굴에 뱀의 몸을 한 신이다. ……그 산의 북쪽에 사는 사람들은 모두 날것을 불로 익히지 않고 먹는다.

[凡北山經之首, 自單狐之山至於隄山, 凡二十五山, 五千四百九十里, 其神皆人面蛇身. 其祠之, 毛用一雄雞彘瘞, 吉玉用一珪, 瘞而不糈. 其山北人, 皆生食不火之物.]

【해설(解說)】

단호산(單狐山)부터 제산(隄山)까지는 모두 스물다섯 개의 산이 있는데, 이 산의 산신들은 모두 사람의 얼굴에 뱀의 몸을 한 신이다. 왕불(汪紱)의 주석에 따르면, 그 산 봉우리들은 대개 영하(寧夏) 이북에 있는 산들로, 단호산부터 돈홍산(敦薨山)까지 열일곱 개의 산은 서쪽으로 나란히 있는 서쪽의 산이고, 소함산(少咸山)부터 제산까지 여덟 개의 산들은 북쪽으로 나란히 있는 동쪽의 산들이다. 그 산의 북쪽 일대에 거주하는 사람들은 여전히 불을 사용할 줄 모르고, 불로 음식을 익혀먹을 줄 모르며, 사회 발전이 비교적 낮은 단계에 머물러 있다.

[그림 1-장응호회도본(蔣應鎬繪圖本)]·[그림 2-『신이전(神異典)』]·[그림 3-성혹인회도본(成或因繪圖本)]·[그림 4-왕불도본(汪紱圖本), 이름은 북산신(北山神)]

[그림 1] 인면사신신 명(明)·장응호회도본

[그림 2] 인면사신신 청(淸)·『신이전』

[그림 3] 인면사신신 청(淸)·사천(四川)성혹인회도본

[그림 4] 인면사신신(북산신) 청(淸)·왕불도본

【경문(經文)】

「북차이경(北次二經)」: 현옹산(縣雍山)이라는 곳이 있는데, ……그곳에 사는 짐승들로는 여(閭)와 순록[麋]이 많다. …….

[又北五十里, 曰縣雍之山, 其上多玉, 其下多銅, 其獸多閭·麋, 其鳥多白翟白䳏. 晉水出焉, 而東南流注於汾水. 其中多紫魚, 其狀如儵而赤麟, 其音如叱, 食之不驕.]

【해설(解說)】

여(閭)는 유(羭)·산려(山驢)·여양(驢羊)이라고도 하며, 당나귀처럼 생겼고, 발굽과 말의 꼬리가 있으며, 뿔은 영양의 뿔과 비슷하다. 민간에서는 그것의 뿔을 영양의 뿔 대신 사용했다. 이시진(李時珍)의 『본초강목(本草綱目)』에서는, 산려는 당나귀의 몸에 영양의 뿔이 달려 있지만, 약간 더 크다고 했다. 『남사(南史)』에는, 활국(滑國)에 야려(野驢)가 나타났는데, 뿔이 있었다고 기록되어 있다.

곽박(郭璞)의 『산해경도찬(山海經圖讚)』: "여는 험준한 곳을 잘 뛰어다닌다네.[閭善躍嶮]"

[그림-왕불도본(汪紱圖本)]

[그림] 여 청(淸)·왕불도본

|권3-32| 발마(駁馬)

【경문(經文)】

「북차이경(北次二經)」 : 돈두산(敦頭山)이라는 곳이 있는데, 그 위에는 금과 옥이 많고, 초목이 자라지 않는다. 모수(㴲水)가 그 산에서 시작되어, 동쪽으로 흘러 인택(印澤)으로 들어간다. 그 속에는 발마(駁馬)가 많이 사는데, 소의 꼬리가 달려 있고, 몸이 희며, 뿔이 하나이고, 그 소리는 마치 사람이 소리치는 것 같다.

[又北三百五十里, 曰敦頭之山, 其上多金·玉, 無草木. 㴲水出焉, 而東流注於印澤. 其中多駁馬, 牛尾而白身, 一角, 其音如呼.]

【해설(解說)】

발마[駁 : '伯'으로 발음)馬]는 휴(驨)라고도 하는데, 소도 아니고 말도 아닌, 뿔이 하나 달린 신령한 짐승으로, 말의 몸에 소의 꼬리가 달려 있고, 몸이 희다. 『병아(駢雅)』에는, 희고 뿔이 하나인데, 그것을 발마라 한다고 기록되어 있다. 『이아(爾雅)·석수(釋獸)』에서는, 발마는 말처럼 생겼고, 뿔이 하나이며, 뿔이 없는 것은 기(騏)라 한다. 원강(元康)[29] 8년(298년-역자)에 구진군(九眞郡)[30] 군주가 사냥을 하다가 짐승 한 마리를 잡았는데, 크기는 말만하고, 뿔은 녹용처럼 생겼는데, 이것이 바로 발(駁)이다. 지금도 깊은 산중에 사는 사람들은 간혹 이 짐승을 발견한다. 또한 뿔이 없는 것도 있다고 했다. 『초학기(初學記)』 8권에서는 『남월지(南越志)』를 인용하여 말하기를, 평정현(平定縣) 동쪽의 큰 바다에 발마가 사는데, 말처럼 생겼고, 소의 꼬리가 달려 있으며, 뿔이 하나라고 했다. 또 29권에서는 장준(張駿)의 『산해경도화찬(山海經圖畵讚)』을 인용하여 말하기를, 돈산(敦山)에 사는 어떤 짐승은, 그 이름이 발[駁 : 중화서국(中華書局) 1962년 표점본 704쪽에서는 '穀(곡)'이라고 했음]이며, 기린(麟)처럼 생겼지만 뿔이 하나라고 했는데, 바로 이것이다.

---

29) 진(晉)나라 때의 연호(年號)로, 291년부터 299년에 해당한다.

30) 베트남 북부 탕호아에 설치되었던 군(郡)으로, 기원전 111년에 한(漢)나라 무제(武帝)가 남월국(南越國)을 정복하고 설치했던 아홉 개의 군들 중 하나이다. 남조(南朝)의 양(梁)나라 때 애주(愛州)라고 개칭했으나, 수(隋)나라 때에는 구진군이라는 옛 이름을 다시 사용했고, 당(唐)나라 때에는 다시 애주라고 불렀다. 천 년 이상이나 계속된 중국의 통치를 벗어나 독립한 안남(安南)에서도 구진 또는 애주라는 명칭이 사용되었다. 그러나 11세기부터 청화부(淸化府)라고 개칭하여 현재에 이르고 있다.

곽박(郭璞)의 『산해경도찬(山海經圖讚)』: "발마는 뿔이 하나라네.[騍馬一角.]"

[그림 1-장응호회도본(蔣應鎬繪圖本)]·[그림 2-오임신강희도본(吳任臣康熙圖本)]·[그림 3-성혹인회도본(成或因繪圖本)]·[그림 4-왕불도본(汪紱圖本)]·[그림 5-『금충전(禽蟲典)』]

[그림 1] 발마 명(明)·장응호회도본

騍馬牛尾而白身一角出花水中

[그림 2] 발마 청(淸)·오임신강희도본

[그림 3] 발마 청(淸)·사천(四川)성혹인회도본

[그림 4] 발마 청(淸)·왕불도본

[그림 5] 발마 청(淸)·『금충전』

古本 山海經 圖說 (上)

| 권3-33 | 포효(狍鴞)

【경문(經文)】

「북차이경(北次二經)」: 구오산(鉤吾山)이라는 곳에, ……어떤 짐승이 사는데, 그 생 김새는 양의 몸에 사람의 얼굴을 하고 있고, 눈이 겨드랑이 밑에 달려 있으며, 호 랑이의 이빨과 사람의 손톱이 나 있다. 그 소리는 갓난아이의 울음소리와 비슷하 며, 이름은 포효(狍鴞)라고 하는데, 사람을 잡아먹는다.

[又北三百五十里, 曰鉤吾之山, 其上多玉, 其下多銅. 有獸焉, 其狀如羊身人面, 其目 在腋下, 虎齒人爪, 其音如嬰兒, 名曰狍鴞, 是食人.]

【해설(解說)】

포효(狍鴞)는 즉 도철(饕餮 : '濤貼'으로 발음)이다. 이것은 사람을 잡아먹는 무서운 짐 승으로, 사람·호랑이·양 등 세 짐승의 특징들을 한 몸에 지니고 있다. 이 짐승의 생김 새는 사람의 얼굴에 양의 몸을 하고 있고, 호랑이의 이빨에 사람의 손톱을 가졌으며, 눈이 겨드랑이 밑에 달려 있고, 갓난아이가 우는 듯한 소리를 낸다. 『병아(骿雅)』에는, 양의 몸에 사람의 얼굴을 하고 있고, 겨드랑이 밑에 눈이 달려 있는데, 포효라 한다고 기록되어 있다. 『이아익(爾雅翼)』에는, 사람을 잡아먹는 이 무서운 짐승의 모습과 고사 (故事)를 기재하고 있는데, 도철은 양의 몸에 사람의 얼굴을 하고 있고, 겨드랑이 밑에 눈이 달려 있으며, 호랑이의 이빨에 사람의 손톱을 가졌고, 갓난아이 같은 소리를 내 며, 사람을 잡아먹는다. 구오산(鉤吾山)에 이 짐승이 사는데, 『산해경』에서는 포효라 한 다고 했다. 곽박은 이 짐승이 매우 탐욕스러워 사람을 잡아먹고도 만족스럽지 못하면 자신의 몸을 해치며, 그 형상이 하후정(夏后鼎)에 새겨져 있다고 했다. 금석학자들은 상(商)·주(周) 시대의 청동기들에 있는 괴이한 형상의 짐승 얼굴을 도철문(饕餮紋)이라 고 하는데, 사악한 기운을 쫓고 재앙을 막아주는 상징과 기능을 지니고 있다.

곽박(郭璞)의 『산해경도찬(山海經圖讚)』: "탐욕스러운 포효, 그 눈이 겨드랑이 밑에 달려 있구나. 사람을 잡아먹고도 모자라, 자신의 몸까지도 물어뜯는다네. 아름다운 솥 [妙鼎]에 그 모습 그려져 있는데, 이를 두고 상서롭지 못한 동물이라 하였네.[狍鴞貪惏, 其目在腋. 食人未盡, 還自齦割. 圖形妙鼎, 是謂不若[31].]"

---

31) '不若'이란 불길함 혹은 불길한 사물을 일컫는다. 전설 속에 나오는 도깨비나 요괴 등과 같이 사람을 해

503

[그림 1] 포효 명(明)·장응호회도본

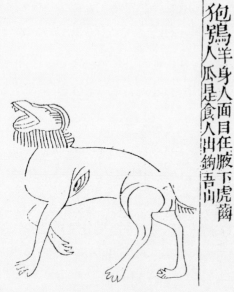

[그림 2] 포효 청(淸)·오임신근문당도본

[그림 4] 포효 청(淸)·학의행도본

치는 것들을 가리킨다.

古本 山海經 圖說(上)

[그림 3] 포효 청(淸)·사천(四川)성흑인회도본

犯鴇

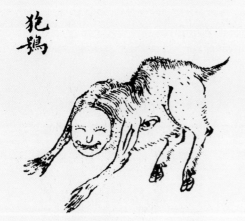

[그림 5] 포효 청(淸)·왕불도본

[그림 6] 포효 청(淸)·『금충전』

|권3-34| 독곡(獨浴)

【경문(經文)】

「북차이경(北次二經)」: 북효산(北囂山)이라는 곳에는, 돌이 없는데, 그 남쪽 기슭에 는 푸른 옥이 많고, 북쪽 기슭에는 옥이 많다. 거기에 어떤 짐승이 사는데, 호랑이 처럼 생겼고, 흰 몸에 개의 대가리를 하고 있으며, 말의 꼬리를 가졌고, 돼지털이 나 있다. 이름은 독곡(獨浴)이라 한다. ……

[又北三百里, 曰北囂之山, 無石, 其陽多碧, 其陰多玉. 有獸焉, 其狀如虎, 而白身 犬首, 馬尾彘鬣, 名曰獨浴. 有鳥焉, 其狀如烏, 人面, 名曰鶯鶋, 宵飛而晝伏, 食之已 暍. 涔水出焉, 而東流注於邛澤.]

【해설(解說)】

독곡(獨浴 : '谷'으로 발음)은 호랑이·개·말·돼지 등 네 짐승의 모습을 한 몸에 지니고 있는 괴수(怪獸)이다. 생김새는 호랑이와 비슷하고, 흰색이며, 개의 대가리와 말의 꼬리를 하고 있고, 돼지털로 덮여 있다. 『설문해자(說文解字)』에서는, 북효산(北囂山)에 독곡이라는 짐승이 사는데, 호랑이처럼 생겼고, 흰 몸에 돼지털이 나 있으며, 꼬리는 말과 비슷하다고 했다. 『병아(騈雅)』에는, 독곡은 호랑이와 비슷하지만 말의 꼬리가 있고, 활회(猾裦)는 사람처럼 생겼지만 돼지털이 나 있다고 기록되어 있다.

곽박(郭璞)의 『산해경도찬(山海經圖讚)』: "호랑이의 모습에 말의 꼬리가 달려 있는데, 독곡이라고 한다네.[虎狀馬尾, 號曰獨浴.]"

[그림 1-장응호회도본(蔣應鎬繪圖本)]·[그림 2-성혹인회도본(成或因繪圖本)]·[그림 3-왕불도본(汪紱圖本)]·[그림 4-『금충전(禽蟲典)』]

[그림 1] 독곡 명(明)·장응호회도본

[그림 2] 독곡 청(淸)·사천(四川)성혹인회도본

獨狢

[그림 3] 독곡 청(淸)·왕불도본

[그림 4] 독곡 청(淸)·『금충전』

| 권3-35 | 반모(鷾鴨)

【경문(經文)】

「북차이경(北次二經)」: 북효산(北囂山)이라는 곳에, ……어떤 새가 사는데, 그 모습이 까마귀처럼 생겼고, 사람의 얼굴을 하고 있으며, 이름은 반모(鷾鴨)라 한다. 밤에는 날아다니고 낮에는 숨어 지내는데, 그것을 먹으면 더위 먹은 것이 낫는다. …….

[又北三百里, 曰北囂之山, 無石, 其陽多碧, 其陰多玉. 有獸焉, 其狀如虎, 而白身犬首, 馬尾彘鬣, 名曰獨㹇. 有鳥焉, 其狀如烏, 人面, 名曰鷾鴨[32], 宵飛而晝伏, 食之已暍[33]. 涔水出焉, 而東流注於邛澤.]

【해설(解說)】

반모(鷾鴨 : '般冒'로 발음)는 사람의 얼굴을 한 새로, 낮에는 쉬고 밤에 날아다니는데, 그 고기를 먹으면 열병(熱病)과 두풍(頭風)[34]을 치료할 수 있다고 한다. 반모는 올빼미류에 속하며, 대가리가 비교적 큰데, 지금 사람들은 그것을 훈호(訓狐 : 올빼미-역자)라고 부르며, 또 척호(隻胡)라고도 한다. 반모의 눈은 밤에 모기와 등에를 찾아낼 수 있을 정도로 밝지만, 낮에는 오히려 언덕과 산도 보지 못한다고 한다. 그래서 밤에는 날아다니고 낮에는 숨는다고 한다.

반모의 그림에는 세 가지 형상이 있다.

첫째, 사람의 얼굴을 한 새로, [그림 1-장응호회도본(蔣應鎬繪圖本)]·[그림 2-성혹인회도본(成或因繪圖本)]과 같은 것들이다.

둘째, 사람의 얼굴에 새의 부리가 있고, 새의 몸에 새의 발이 있는 것으로, [그림 3-오임신강희도본(吳任臣康熙圖本)]·[그림 4-오임신근문당도본(吳任臣近文堂圖本)]·[그림 5-상해금장도본(上海錦章圖本)]과 같은 것들이다.

셋째, 사람의 얼굴을 하고 있지 않은 새로, [그림 6-왕불도본(汪紱圖本)]과 같은 것이다.

---

32) 곽박(郭璞)은 "부엉이 종류이다.[鴟鵂之屬.]"라고 했다.

33) 경문(經文)의 '暍'에 대해, 곽박은 "중열(中熱 : 여름에 뙤약볕에서 일하거나 땀을 과다하게 흘려 더위를 먹은 것)이며, 발음은 '謁'이다.[中熱也, 音謁.]"라고 했다.

34) 두통의 하나로, 통증이 낫지 않고 오래 계속되면서, 아팠다 멎었다 하는 질병을 가리킨다.

곽박의 『산해경도찬(山海經圖讚)』: "더위 먹는 것을 막아주는 새, 그 이름이 반모라네. 어둡고 밝음이 서로 어긋나니, 낮에는 숨고 밤에 나타난다네. 사물이 귀하면 쓰이기 마련이니, 어찌 난새나 고니에게만 변고가 있겠는가.[御暍之鳥, 厥名鴱鵑. 昏明是互, 晝隱夜覿. 物貴應用, 安事[35]鸞鵠.]"

[그림 1] 반모 명(明)·장응호회도본

---

35) 여기에서 '事'자는 '변고(變故)'·'사단(事端)'이라는 의미이다. 즉 반모의 고기는 질병을 치료하는 효능이 있으니, 사람한테 해코지를 당하게 된다는 뜻이다.

[그림 2] 반모 청(淸)·사천(四川)성혹인회도본

[그림 3] 반모 청(淸)·오임신강희도본

511

[그림 4] 반모 청(淸)·오임신근문당도본

鶯鶹狀如鳥人面 西膂
　　　　　　　栠而畫伏出北
禦賜之鳥　　　摭山
厥名鶯鶹
昏明是互
畫隱夜覿
物貴應用
安事鶯
鶹

[그림 5] 반모 상해금장도본

鶯鶹

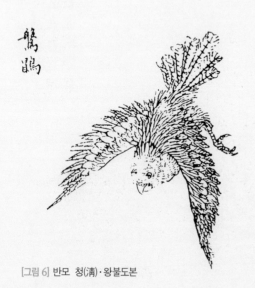

[그림 6] 반모 청(淸)·왕불도본

|권3-36| 거기(居暨)

【경문(經文)】

「북차이경(北次二經)」: 양거산(梁渠山)이라는 곳이 있는데, ……그곳에 사는 짐승으로는 거기(居暨)가 많다. 그 생김새가 고슴도치와 비슷하지만 털이 붉고, 그 소리는 돼지와 비슷하다. …….

[又北三百五十里, 曰梁渠之山, 無草木, 多金玉. 脩水出焉, 而東流注於鴈門, 其獸多居暨, 其狀如彙而赤毛, 其音如㹠. 有鳥焉, 其狀如夸父, 四翼·一目·犬尾, 名曰囂, 其音如鵲, 食之已腹痛, 可以止衕.]

【해설(解說)】

거기(居暨)는 휘(彙 : '會'로 발음)라고도 하며, 쥐처럼 생긴 작은 짐승으로, 그 털은 고슴도치와 비슷한데 붉은색이며, 그 소리는 돼지와 비슷하다. 왕불(汪紱)은 주석하기를, 휘는 쥐처럼 생겼는데, 주둥이와 발이 짧고, 그 털은 가시처럼 생겼으며, 몸을 말아서 엎드리면 마치 밤송이 같다고 했다.

곽박(郭璞)의 『산해경도찬(山海經圖讚)』: "거기는 돼지 소리를 내고, 휘(彙)처럼 생겼는데 붉은 털이 나 있다네.[居暨㹠鳴, 如彙赤毛.]"

[그림 1-장응호회도본(蔣應鎬繪圖本)]·[그림 2-성혹인회도본(成或因繪圖本)]·[그림 3-왕불도본(汪紱圖本)]·[그림 4-『금충전(禽蟲典)』]

[그림 2] 거기 청(淸)·왕불도본

[그림 1] 거기 명(明)·장응호회도본

[그림 3] 거기 청(淸)·사천(四川)성혹인회도본

[그림 4] 거기 청(淸)·『금충전』

【경문(經文)】

「북차이경(北次二經)」: 양거산(梁渠山)이라는 곳에, ……어떤 새가 사는데, 그 생김새는 과보(夸父)와 비슷하고, 네 개의 날개·하나의 눈·개의 꼬리가 달려 있다. 이름은 효(䳌)라 하는데, 그 울음소리는 까치와 비슷하며, 그것을 먹으면 복통이 낫고, 설사를 멎게 할 수 있다.

[又北三百五十里, 曰梁渠之山, 無草木, 多金玉. 脩水出焉, 而東流注於鴈門, 其獸多居暨, 其狀如彙而赤毛, 其音如豚. 有鳥焉, 其狀如夸父, 四翼·一目·犬尾, 名曰䳌, 其音如鵲, 食之已腹痛, 可以止衕.]

【해설(解說)】

『산해경』에 나오는 효(䳌)는 두 가지가 있다. 하나는 효수(䳌獸)로, 「서산경(西山經)」의 유차산(羭次山)에 나온다. 다른 하나는 여기에 있는 효조(䳌鳥)이다. 효조는 짐승도 아니고 새도 아닌 외눈의 기이한 새로, 새·원숭이·개 등 세 짐승의 모습이 한 몸에 모여 있다. 그것의 생김새는 원숭이와 비슷하지만, 두 쌍의 날개와 개의 꼬리가 달려 있고, 얼굴 중앙에 눈이 하나 있다. 울음소리가 까치와 비슷한데, 그 고기를 먹으면 복통과 설사를 낫게 할 수 있다고 한다.

곽박(郭璞)의 『산해경도찬(山海經圖讚)』: "네 개의 날개와 눈이 하나인데, 그 이름은 효라 한다네.[四翼一目, 其名曰䳌.]"

효조는 새[鳥]지만 원숭이처럼 생겼고, 개의 꼬리가 달려 있는데, 그것의 그림에는 세 가지 형태가 있다.

첫째, 새의 모습에 하나의 눈, 네 개의 날개와 개의 꼬리가 달려 있는 것으로, [그림 1-장응호회도본(蔣應鎬繪圖本)]·[그림 2-성혹인회도본(成或因繪圖本)]과 같은 것들이다.

둘째, 원숭이의 모습에 하나의 눈, 새의 몸에 네 개의 날개가 달려 있는 것으로, [그림 3-오임신강희도본(吳任臣康熙圖本)]·[그림 4-오임신근문당도본(吳任臣近文堂圖本)]·[그림 5-상해금장도본(上海錦章圖本)]과 같은 것들이다.

셋째, 원숭이의 모습에 네 개의 날개가 달려 있는 것으로, [그림 6-왕불도본(汪紱圖本)]과 같은 것이다.

[그림 1] 효조 명(明)·장응호회도본

[그림 2] 효조 청(淸)·사천(四川)성혹인회도본

[그림 3] 효조 청(淸)·오임신강희도본

[그림 4] 효조 청(淸)·오임신근문당도본

[그림 5] 효조 상해금장도본

[그림 6] 효조 청(淸)·왕불도본

古本 山海經 圖說 (上)

518

|권3-38| 사신인면신(蛇身人面神) : 뱀의 몸에 사람의 얼굴을 한 신

【경문(經文)】

「북차이경(北次二經)」 : 관잠산(管涔山)부터 돈제산(敦題山)까지는 모두 열일곱 개의 산이 있으며, 그 거리는 5,690리에 달한다. 이 산의 산신들은 모두 뱀의 몸에 사람의 얼굴을 한 신이다. …….

[凡「北次二經」之首, 自管涔之山至於敦題之山, 凡十七山, 五千六百九十里. 其神皆蛇身人面. 其祠, 毛用一雄雞彘瘞, 用一璧一珪, 投而不糈.]

【해설(解說)】

관잠산(管涔山)부터 돈제산(敦題山)까지는 모두 열일곱 개의 산[학의행(郝懿行)은 주석하기를, 지금은 단지 열여섯 개라고 함]들이 있는데, 이 산의 산신들은 모두 뱀의 몸에 사람의 얼굴을 한 신[蛇身人面神]이다.

[그림-왕불도본(汪紱圖本), 북산신(北山神)이라고 함]

[그림] 사신인면신(북산신) 청(淸)·왕불도본

| 권3-39 | 혼(䍏)

【경문(經文)】

「북차삼경(北次三經)」: 귀산(歸山)이라는 곳에, ……어떤 짐승이 사는데, 그 생김새는 영양과 비슷하지만 네 개의 뿔이 있으며, 말의 꼬리를 하고 있고, 발에는 며느리발톱[36]이 있다. 이름은 혼(䍏)이라 하며, 빙빙 도는 것을 좋아하고, 자신의 이름을 부르는 것처럼 운다. …….

[「北次三經」之首曰太行之山. 其首曰歸山, 其上有金玉, 其下有碧. 有獸焉, <u>其狀如麢羊而四角, 馬尾而有距, 其名曰䍏, 善還[37], 其名自訓[38]</u>. 有鳥焉, 其狀如鵲, 白身·赤尾·六足, 其名曰䴅, 是善驚, 其鳴自詨.]

【해설(解說)】

혼(䍏)은 산려(山驢 : 산나귀-역자)류에 속하며, 네 개의 뿔을 가진 괴상한 짐승이다. 영양처럼 생겼지만, 네 개의 뿔이 나 있고, 말의 꼬리가 달려 있으며, 발에 며느리발톱이 있다. 빙빙 돌면서 춤추는 것을 좋아하며, 그 울음소리는 마치 자신의 이름을 부르는 것 같다. 이시진(李時珍)의 『본초강목(本草綱目)』에는 이렇게 기록되어 있다. "「북산경(北山經)」에 이르기를, 태행산(太行山)에 혼이라는 짐승이 사는데, 영양(麢羊)처럼 생겼지만 뿔이 네 개이고, 말의 꼬리에 며느리발톱이 있다. 빙빙 도는 것을 좋아하며, 자신의 이름을 부르는 듯이 운다. 이것 역시 산려의 한 종류이다.[「北山經」云, 太行之山有獸名䍏, 狀如麢羊而四角, 馬尾·有距·善旋, 其名自叫, 此亦山驢之類也.]"

지금 보이는 옛 도본(圖本)들을 보면, 혼에는 세 가지 형태가 있다.

첫째, 영양과 비슷하게 생겼지만, 뿔이 네 개이고, 말의 꼬리가 달려 있는 것으로, [그림 1-장응호회도본(蔣應鎬繪圖本)]·[그림 2-왕불도본(汪紱圖本)]과 같은 것들이다.

둘째, 영양과 비슷하게 생겼지만 뿔이 네 개이고, 눈이 하나이며, 말의 꼬리가 달려 있는 것으로, [그림 3-성혹인회도본(成或因繪圖本)]과 같은 것이다.

---

36) 닭의 뒤쪽 발톱과 같은 것을 가리키기도 하고, 말이나 소 같은 짐승들의 뒷발에 달린 발톱을 가리키기도 한다.

37) 원가(袁珂)는 주석하기를, "'還'은 '旋'으로 발음하며, 빙빙 돌면서 춤추는 것이다.[還音旋, 盤旋而舞也.]"라고 했다.

38) 저자주 : '叫'와 같은 글자로, 오임신본(吳任臣本)에는 '叫'로 되어 있다.

셋째, 네 개의 뿔이 달린 말로, 말의 꼬리와 말의 굽이 있으며, 양의 눈과 양의 귀가 달려 있고, 주둥이가 매처럼 생긴 것인데, [그림 4-호문환도본(胡文煥圖本)]·[그림 5-학의행도본(郝懿行圖本)]과 같은 것들이다. 호문환도설(胡文煥圖說)에서는, "귀산(歸山)에 어떤 짐승이 사는데, 매[鷹]처럼 생겼지만 뿔이 네 개이다.[歸山有獸, 狀如鷹('麥'으로 발음)而四角.]"라고 했다. 대북판(臺北版) 『중문대사전(中文大辭典)』에서 『자휘보(字彙補)』[39]를 인용한 것에 따르면, "'鷹'은 호문환(胡文煥)의 산해경도(山海經圖)에 보인다.[鷹見胡文煥山海經圖.]"라고 했으며, 또 『강희자전(康熙字典)』을 인용하여 "'鷹'은 경문에서 '麀'으로 썼는데, 필사하면서 잘못 쓴 것 같다.[鷹, 經作麀, 疑傳寫之僞.]"라고 했다. 이는 글자가 틀리게 되면서, 화공이 '글자'만 보고 대충 뜻을 짐작하여, 혼(驒)을 그릴 때 매의 부리가 달린 말로 그렸고, 그리하여 경문 및 기타 산해경도들과는 다른 새로운 신화 형상이 출현하게 되어, 신화의 다양한 해석이 가능하게 된 일례이다. 이처럼 매[鷹]의 부리에 짐승의 몸을 한 형상, 즉 새와 짐승의 모습이 혼합된 형상은, 북방 초원 지대의 옛 문화의 특징을 뚜렷이 띠고 있다.

곽박(郭璞)의 『산해경도찬(山海經圖讚)』: "혼이라는 짐승은 네 개의 뿔이 달려 있고, 말의 꼬리와 며느리발톱이 있다네. 귀산(歸山)을 이리저리 돌아다니며, 험준하고 가파른 곳도 오르내린다네. 그 모습 기이하여, 빙빙 돌면서 춤을 추는 것 같다네.[驒獸四角, 馬尾有距. 涉歷歸山, 騰險躍阻('岨'로 된 것도 있음). 厥貌惟奇, 如是旋舞.]"

[그림 3] 혼 청(淸)·사천(四川)성혹인회도본

---

39) 『자휘(字彙)』는 명(明)나라의 매응조(梅膺祚)가 지었으며, 이것을 청(淸)나라의 저명한 학자이자 장서가(藏書家)인 오임신(吳任臣)이 증보하여, 많은 속자(俗字)를 수록했는데, 그것이 『자휘보(字彙補)』이다.

[그림 1] 혼 명(明)·장응호회도본

[그림 2] 혼 청(淸)·왕불도본

驒馬

[그림 4] 혼마(驒馬) 명(明)·호문환도본

[그림 5] 혼 청(淸)·학의행도본

【경문(經文)】

「북차삼경(北次三經)」: 귀산(歸山)이라는 곳에, ……어떤 새가 사는데, 그 생김새는 까치와 비슷하며, 흰 몸에 붉은 꼬리와 여섯 개의 다리가 달려 있고, 이름은 분(鷩)이라 한다. 이 새는 잘 놀라고, 그 울음소리는 마치 자신의 이름을 부르는 것 같다.

[「北次三經」之首曰太行之山. 其首曰歸山, 其上有金玉, 其下有碧. 有獸焉, 其狀如麢羊而四角, 馬尾而有距, 其名曰䮝, 善還, 其名自訓. 有鳥焉, 其狀如鵲, 白身·赤尾·六足, 其名曰鷩, 是善驚, 其鳴自詨.]

【해설(解說)】

분(鷩 : '奔'으로 발음)은 여섯 개의 다리가 달린 기이한 새로, 까치처럼 생겼는데, 몸이 희고 꼬리는 붉으며, 여섯 개의 다리가 있다. 이 새는 잘 놀라며, 그 울음소리는 마치 자신의 이름을 부르는 것 같다.

곽박(郭璞)의 『산해경도찬(山海經圖讚)』: "잘 놀라는 새가 있는데, 이름을 분분(鷩鷩)이라 한다네.[有鳥善驚, 名曰鷩鷩.]"

분조(鷩鳥)의 그림에는 두 가지 형태가 있다.

첫째, 다리가 여섯 개인 새로, [그림 1-장응호회도본(蔣應鎬繪圖本)]·[그림 2-오임신강희도본(吳任臣康熙圖本)]·[그림 3-오임신근문당도본(吳任臣近文堂圖本)]·[그림 4-상해금장도본(上海錦章圖本)]과 같은 것들이다.

둘째, 꼬리가 여섯 개에 다리가 두 개인 새로, [그림 5-성혹인회도본(成或因繪圖本)]과 같은 것이다.

[그림 1] 분 명(明)·장응호회도본

[그림 2] 분조(鵌鳥) 청(淸)·오임신강희도본

[그림 3] 분조 청(淸)·오임신근문당도본

鵸鵌狀如鵲白身赤尾
六足出太行山

有鳥
善驚
名曰
鵸鵌

[그림 4] 분 상해금장도본

[그림 5] 분 청(淸)·사천(四川)성혹인회도본

【경문(經文)】

「북차삼경(北次三經)」：마성산(馬成山)이라는 곳에, ……어떤 짐승이 사는데, 그 생김새는 흰 개와 비슷하지만 대가리가 검고, 사람을 보면 바로 날아오른다. 이름은 천마(天馬)라 하고, 그 울음소리는 자신의 이름을 부르는 것 같다. …….

[又東北二百里, 曰馬成之山, 其上多文石, 其陰多金玉. 有獸焉, 其狀如白犬而黑頭, 見人則飛, 其名曰天馬, 其鳴自訓. 有鳥焉, 其狀如烏, 首白而身青·足黃, 是名曰鷗鶋. 其鳴自詨, 食之不飢, 可以已寓.]

【해설(解說)】

천마(天馬)는 날 수 있는 신령한 짐승이자 길상(吉祥)의 짐승으로, 풍년의 상징이다. 그 생김새는 개와 비슷한데, 몸은 희고 대가리는 검으며, 등에 살로 된 날개[肉翼]가 달려 있다. 사람을 보면 바로 날아오르며, 그 울음소리는 마치 자신의 이름을 부르는 것 같다. 호문환도설(胡文煥圖說)에서는, "이 짐승이 나타나면 풍년이 든다.[見則豐穰]"라고 했다. 『운보(韻寶)』에서는, 천마를 비이(飛虒)라 하는데, 천상(天上)의 신령한 짐승으로, 사슴이 대가리에 용의 몸을 하고 있으며, 하늘에 있을 때는 구진(句陳)이고, 땅에 있을 때는 천마라 한다고 했다. 중국의 문인(文人)들은 '천마행공(天馬行空)'[40]이라는 말을 자주 사용하는데, 이것이 바로 이 신령한 짐승을 가리키는 것이다. 천마는 또 준마(駿馬)의 이름이기도 하다. 『사기(史記)·대완열전(大宛列傳)』에는 다음과 같이 기록되어 있다. "[한(漢)나라 무제(武帝)가-저자] 오손(烏孫)[41]의 말을 얻고 좋아하여, 이름을 '천마'라고 했다. 또 대완(大宛)[42]의 한혈마(汗血馬)[43]를 얻었는데, 더욱 건장했다. 그리하여 오

---

40) "천마가 하늘에서 빠르게 달리다"라는 뜻으로, 시문(詩文)의 기세가 호방함을 비유하는 말로 쓰인다.

41) 한(漢)나라의 역사서에 보이는 투르크계 민족이다. 한나라 때 천산북로(天山北路) 주변에 살던 유목민족으로, 기원전 120년경에 한나라가 흉노의 세력을 꺾기 위해 황제의 말을 시집보내고 맺은 동맹으로 유명하다. 2세기 이후에 선비족 등에게 탄압을 받다가 5세기에 멸망했다.

42) 한나라 때 중앙아시아의 페르가나에 있던 오아시스 국가 및 페르가나 지방에 대해 한인(漢人)들이 부르던 명칭이다. 남북조(南北朝) 이후의 사서(史書)들에는 파락나(波洛那)·발한(鏺汗)·포한(怖悍) 등으로 기록되어 있으며, 명마(名馬)가 많이 나기로 유명했다.

43) 중국 서역(西域)의 대완국(大宛國 : 페르가나)에서 산출되던 명마(名馬)이다. 돌을 밟으면 자국이 나고, 상박부(上膊部)에서 피와 같은 땀을 흘리며, 하루에 천 리를 달린다고 하여 붙여진 이름이다. 중국 전한(前漢)의 무제 때 장건(張騫)의 서역 원정에 의해 그 존재가 알려졌다. 뒤에 페르가나에 그 명마가 있

손마(烏孫馬)의 이름을 바꿔 '서극(西極)'이라 하고, 대완마를 '천마'라 했다.[得烏孫馬好,
名曰'天馬'. 及得大宛汗血馬, 益壯, 更名烏孫馬曰'西極', 名大宛馬曰'天馬'.]"

곽박(郭璞)의 『산해경도찬(山海經圖讚)』: "용은 구름을 따라 노닐고, 등사(騰蛇)는
안개를 빌려 날아오르네. 개처럼 생긴 천마는 스스로 더 높이 날아오른다네. 쓰이는
데 달린 것이 이치이거늘, 천기(天機)를 몰래 막아준다네.[龍凭('馮'으로 된 것도 있음)雲
遊, 騰蛇假('似'로 된 것도 있음)霧. 犬('末'로 된 것도 있음)若天馬, 自然凌竃. 有理懸運, 天機潛
禦.]"

[그림 1-장응호회도본(蔣應鎬繪圖本)]·[그림 2-호문환도본(胡文煥圖本)]·[그림 3-일
본도본(日本圖本)]·[그림 4-오임신근문당도본(吳任臣近文堂圖本)]·[그림 5-성혹인회도본
(成或因繪圖本)]·[그림 6-왕불도본(汪紱圖本)]

[그림 1] 천마 명(明)·장응호회도본

다는 사실이 알려졌으나, 페르가나는 이것을 한나라에 헌상하기를 거부했으므로, 기원전 104년에 이사
장군(貳師將軍) 이광리(李廣利)가 페르가나에 원정하여 양마(良馬) 수십 마리·중마(中馬) 3천여 마리를
얻어 개선했다. 무제는 '서극천마(西極天馬)'라 하여 노래를 지어 칭송했다.

天馬

[그림 2] 천마 명(明)·호문환도본

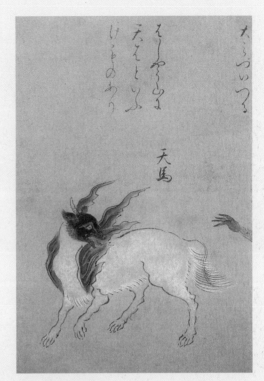

[그림 3] 천마 일본도본

[그림 4] 천마 청(淸)·오임신근문당도본

[그림 5] 천마 청(淸)·사천(四川)성혹인회도본

[그림 6] 천마 청(淸)·왕불도본

| 권3-42 | 굴거(鶌鶋)

【경문(經文)】

「북차삼경(北次三經)」: 마성산(馬成山)이라는 곳에, ……어떤 새가 사는데, 그 생김새가 까마귀와 비슷하며, 대가리는 희고 몸은 푸르며, 발은 노랗고, 이름은 굴거(鶌鶋)라 한다. 자신의 이름을 부르는 것처럼 우는데, 그것을 먹으면 배고픔을 느끼지 않고, 혹을 없앨 수 있다.

[又東北二百里, 曰馬成之山, 其上多文石, 其陰多金玉. 有獸焉, 其狀如白犬而黑頭, 見人則飛, 其名曰天馬, 其鳴自訆. 有鳥焉, 其狀如烏, 首白而身靑·足黃, 是名曰鶌鶋. 其鳴自詨, 食之不飢, 可以已寓[44].]

【해설(解說)】

굴거(鶌鶋 : '屈居'로 발음)는 즉 굴구(鶌鳩)이며, 곡식을 먹지 않는 기이한 새로, 대가리는 희며 발은 누렇고, 몸은 검푸른 깃털로 덮여 있으며, 그 울음소리는 마치 자신의 이름을 부르는 것 같다. 그것의 고기를 먹으면 배고픔을 느끼지 않고, 또한 혹병[疣病]을 치료할 수 있다고 한다.

곽박(郭璞)의 『산해경도찬(山海經圖讚)』: "굴거는 새처럼 생겼는데, 몸은 푸르고 발은 누렇다네. 그것을 먹으면 배고픔을 느끼지 않아, 곡식을 먹지 않아도 된다 하네. 그 고기는 진귀하니, 저 단목(丹木)[45]과 짝할 만하구나.[鶌鶋如鳥, 靑身黃足. 食之不飢, 可以辟穀[46]. 厥肉惟珍, 配彼丹木.]"

[그림 1-장응호회도본(蔣應鎬繪圖本)]·[그림 2-왕불도본(汪紱圖本)]·[그림 3-『금충전

---

44) 곽박(郭璞)은 주석하기를, "분명치 않은데, 혹자는 '寓'가 '誤'인 것 같다고 했다.[未詳, 或曰, 寓猶誤也.]" 라고 했다. 학의행(郝懿行)은 다음과 같이 주석했다. 즉 "'寓'와 '誤'가 소리가 비슷하여 뜻을 빌려 쓴 것으로, 정신이 흐릿한 병인 듯하다. 왕인지(王引之)는 말하기를, '살펴보건대, 寓는 마땅히 癘자의 가차자(假借字)로, 『옥편』과 『광운』에서 모두 발음을 牛와 其의 반절(反切)이라고 했으며, 혹병을 말하는 것이다.[寓·誤蓋以聲近爲義, 疑昏忘之病也. 王引之曰, 案寓當是癘字之假借, 玉篇·廣韻並音牛具切, 疣病也.]' 라고 했다." 여기서는 우병(疣病), 즉 혹병으로 해석했다.

45) 『산해경』에는 단목(丹木)이 두 번 나온다. 여기 「서차삼경(西次三經)」에서는 "이것을 먹으면 배고픔을 느끼지 않는다.[食之不飢.]"라고 했고, 「서차사경(西次四經)」에서는 "이것을 먹으면 황달을 낫게 할 수 있고, 화재를 막을 수 있다.[食之已癉, 可以禦火.]"라고 했다.

46) 벽곡(辟穀)이란, 곡식을 먹지 않고 솔잎 따위만 조금씩 먹고 사는 것을 가리킨다. 혹은 곡식을 먹는 대신 기(氣)를 먹고 자연의 에너지를 흡수하여 사는 것이라고도 한다.

(禽蟲典)』]

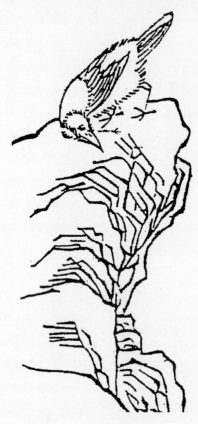

古本 山海經 圖說 (上)

[그림 1] 굴거 명(明)·장응호회도본

[그림 2] 굴거 청(淸)·왕불도본

[그림 3] 굴거 청(淸)·『금충전』

532

|권3-43| 비서(飛鼠)

【경문(經文)】

「북차삼경(北次三經)」: 천지산(天池山)이라는 곳이 있는데, 그 위에는 초목이 자라지 않고, 무늬가 있는 돌이 많다. 거기에 어떤 짐승이 사는데, 그 생김새는 마치 토끼 같지만 쥐의 대가리를 하고 있으며, 등으로 날고, 이름은 비서(飛鼠)라 한다. …….

[又東北二百里, 曰天池之山, 其上無草木, 多文石. 有獸焉, 其狀如兔而鼠首, 以其背飛[47], 其名曰飛鼠. 澠水出焉, 潛於其下, 其中多黃堊.]

【해설(解說)】

『산해경』에 나오는 날 수 있는 쥐는 두 종류가 있다. 하나는 꼬리나 수염으로 나는 이서(耳鼠)이고[「북산경(北山經)」], 다른 하나는 등에 난 털로 나는 비서(飛鼠)이다[바로 이 「북차삼경」]. 비서는 토끼처럼 생겼지만 쥐의 대가리를 하고 있으며, 그 등으로 난다. 곽박(郭璞)이 주석에서 이른바 등으로 난다고 한 것은, 그것의 등에 나 있는 털로 나는 것이고, 날 때는 곧 그 털을 치켜세우고 나는 것을 말한 것이다. 『담회(談薈)』에서 말하기를, 날짐승은 날개로 나는데, 천지산(天池山)의 비서는 등으로 난다고 했다. 『방언(方言)』의 기록에 따르면, 천계(天啓) 3년(1622년-역자) 10월에 봉현(鳳縣)에 큰 쥐가 나타났는데, 날개가 달려 있고, 발이 없으며, 털은 흑황색이고, 꼬리가 두툼한 게 담비를 닮았으며, 대가리는 토끼처럼 생겼고, 날아다니면서 곡식을 먹는다고 했는데, 아마도 이 비서류인 것 같다. 양신(楊愼)은 『산해경보주(山海經補注)』에서 말하기를, 이것이 바로 『문선(文選)』에서 말한 비뇌(飛蠝)로, 운남(雲南) 요안현(姚安縣) 몽화(蒙化)에서 나는데, 자신이 직접 보았고, 그 고기는 먹을 수 있으며, 그 가죽은 난산(難産)을 치료할 수 있다고 했다.

곽박의 『산해경도찬(山海經圖讚)』: "어떤 것은 꼬리로 날고, 어떤 것은 수염으로 높이 난다네. 비서는 날개를 치며, 훨훨 자유로이 등으로 날아오른다네. 범상치 않은 곳을 사용하니, 이를 신령하다고 하는 것이라네.[或以尾翔, 或以髯凌. 飛鼠鼓翰, 倏然背('皆'로 된 것도 있음)騰. 用無常所, 惟神是馮.]"

---

47) 곽박은 주석하기를, "그 등에 나 있는 털을 이용해 난다.[用其背上毛飛.]"라고 했다.

비서의 그림에는 두 가지 형태가 있다.

첫째, 토끼처럼 생겼고, 등으로 나는 짐승인데, [그림 1-장응호회도본(蔣應鎬繪圖本)]·[그림 2-성혹인회도본(成或因繪圖本)]·[그림 3-왕불도본(汪紱圖本)]과 같은 것들이다.

둘째, 쥐처럼 생긴 짐승으로, [그림 4-호문환도본(胡文煥圖本)]·[그림 5-일본도본(日本圖本)]·[그림 6-오임신근문당도본(吳任臣近文堂圖本)]·[그림 7-상해금장도본(上海錦章圖本)]과 같은 것들이다. 호문환도설(胡文煥圖說)에서는, "그 등에 나 있는 털로 나는데, 날 때는 곧 털을 펼친다.[以其背毛飛, 飛則伸]"라고 했다.

[그림 1] 비서 명(明)·장응호회도본

[그림 2] 비서 청(淸)·사천(四川)성혹인회도본

[그림 3] 비서 청(淸)·왕불도본

[그림 4] 비서 명(明)·호문환도본

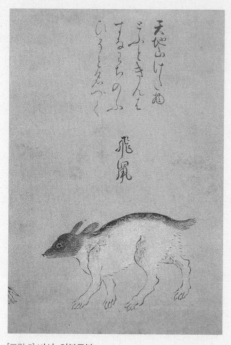

[그림 5] 비서 일본도본

[그림 6] 비서 청(淸)·오임신근문당도본

飛鼠狀如兔而鼠首以
其背飛出天池山
或以尾翔
或以髯凌
飛鼠鼓翰
儵然背騰
用無常所
惟神是
馮

[그림 7] 비서 상해금장도본

古
本
山
海
經
圖
說
(上)

|권3-44| 영호(領胡)

【경문(經文)】

「북차삼경(北次三經)」: 양산(陽山)이라는 곳에, ……어떤 짐승이 사는데, 그 생김새는 소와 비슷하지만 꼬리가 붉고, 목에는 말[斗]⁴⁸⁾ 모양의 혹이 나 있으며, 그 이름은 영호(領胡)이다. 그 울음소리는 자신의 이름을 부르는 것 같으며, 그것을 먹으면 미친병이 낫는다. …….

[又東三百里, 曰陽山, 其上多玉, 其下多金銅. 有獸焉, 其狀如牛而赤尾, 其頸䐡('腎'으로 발음), 其狀如句瞿⁴⁹⁾, 其名曰領胡, 其鳴自詨, 食之已狂. 有鳥焉, 其狀如雌雉, 而五采以文, 是自爲牝牡, 名曰象蛇, 其鳴自詨. 留水出焉, 而南流注於河. 其中有鮹父之魚, 其狀如鮒魚, 魚首而彘身, 食之已嘔.]

【해설(解說)】

영호(領胡)는 박우(犦牛)라고도 하며, 기이한 짐승으로, 모습은 소처럼 생겼고, 꼬리는 붉은색이며, 목에는 말[斗]처럼 생긴 근육이 둥글고 높게 솟아 있다. 그 울음소리는 자신의 이름을 부르는 것 같으며, 이 짐승의 고기를 먹으면 미친병을 치료할 수 있다고 한다. 『설문해자(說文解字)』에는, '領'은 목(목덜미)이고, '胡'는 소의 턱이 늘어져 있는 것이다. 이 소는 목살이 말처럼 달려 있기 때문에, 이름이 '영호(領胡)'가 된 것이라고 했다. 『원화군현지(元和郡縣志)』의 기록에 따르면, 해강현(海康縣)에 소가 많은데, 목 위에 뼈가 솟아 있고, 이 뼈가 큰 것은 말[斗]을 엎어 놓은 것 같으며, 하루에 삼백 리를 간다. 이것이 바로 『이아(爾雅)』에서 말한 박우(犦牛)라고 했다.

　　[그림 1-장응호회도본(蔣應鎬繪圖本)]·[그림 2-왕불도본(汪紱圖本)]·[그림 3-『금충전(禽蟲典)』]

48) 말[斗]이란, 옛날의 양(量)을 측정하는 기구로, 둥근 원통처럼 생겼으며, 10되[升]가 1말이다.
49) 경문(經文)의 "其頸䐡, 其狀如句瞿"에 대해, 곽박은 주석하기를, "목에 혹살이 있는 것이다. 구구(句瞿)는 말[斗]이며, '劬'로 발음한다.[言頸上有肉䐡. 句瞿, 斗也, 音劬.]"라고 했다.

[그림 1] 영호 명(明)·장응호회도본

[그림 2] 영호 청(淸)·왕불도본

[그림 3] 영호 청(淸)·『금충전』

【경문(經文)】

「북차삼경(北次三經)」: 양산(陽山)이라는 곳에, ……어떤 새가 사는데, 그 생김새는
암꿩과 비슷하며, 오색의 무늬가 있고, 스스로 암수한몸을 이룬다. 이름은 상사
(象蛇)이고, 그 울음소리는 마치 자신의 이름을 부르는 것 같다. …….

[又東三百里, 曰陽山, 其上多玉, 其下多金銅. 有獸焉, 其狀如牛而赤尾, 其頸腎, 其
狀如句瞿, 其名曰領胡, 其鳴自詨, 食之已狂. 有鳥焉, 其狀如雌雉, 而五采以文, 是
自爲牝牡, 名曰象蛇, 其鳴自詨. 留水出焉, 而南流注於河. 其中有鮯父之魚, 其狀如
鮒魚, 魚首而彘身, 食之已嘔.]

【해설(解說)】

　상사(象蛇)는 뱀이 아니며, 스스로 암수한몸을 이루고 있는 기이한 새로, 생김새는
암꿩과 비슷한데, 몸이 오색 깃털로 덮여 있고, 또한 얼룩무늬가 있으며, 그 울음소리
는 자신의 이름을 부르는 것 같다.

　곽박(郭璞)의 『산해경도찬山(海經圖讚)』: "상사는 꿩처럼 생겼는데, 스스로 새끼를
낳을 수 있다네.[象蛇似雉, 自生子孫.]"

　[그림　1-장응호회도본(蔣應鎬繪圖
本)]·[그림　2-성혹인회도본(成或因繪圖
本)]·[그림　3-왕불도본(汪紱圖本)]·[그림
4-『금충전(禽蟲典)』]

象
蛇

[그림 3] 상사 청(淸)·왕불도본

[그림 1] 상사 명(明)·장응호회도본

[그림 2] 상사 청(淸)·사천(四川)성혹인회도본

象蛇圖

第三卷　北山經

[그림 4] 상사 청(淸)·『금충전』

|권3-46| 함보어(鮎父魚)

【경문(經文)】

「북차삼경(北次三經)」: 양산(陽山)이라는 곳에서, ……유수(留水)가 시작되어, 남쪽으로 흘러 황하로 들어간다. 그 속에 함보어(鮎父魚)가 많이 사는데, 그 생김새는 붕어와 비슷하고, 물고기의 대가리에 돼지의 몸을 하고 있으며, 그것을 먹으면 구토가 낫는다.

[又東三百里, 曰陽山, 其上多玉, 其下多金銅. 有獸焉, 其狀如牛而赤尾, 其頸𩕳, 其狀如句瞿, 其名曰領胡, 其鳴自詨, 食之已狂. 有鳥焉, 其狀如雌雉, 而五采以文, 是自爲牝牡, 名曰象蛇, 其鳴自詨. 留水出焉, 而南流注於河. 其中有鮎父之魚, 其狀如鮒魚, 魚首而彘身, 食之已嘔.]

【해설(解說)】

함보어[鮎('陷'으로 발음)父魚]는 물고기도 아니고 돼지도 아닌 기이한 물고기로, 생김새는 붕어와 비슷하고, 물고기의 대가리에 돼지의 몸을 하고 있으며, 그것의 고기를 먹으면 구토를 치료할 수 있다고 한다.

그것을 그린 옛 그림들을 살펴보면, 함보어의 형상에는 두 가지가 있다.

첫째, 물고기의 대가리에 돼지의 몸을 한 것으로, [그림 1-장응호회도본(蔣應鎬繪圖本)]·[그림 2-성혹인회도본(成或因繪圖本)]과 같은 것들이다.

둘째, 물고기의 대가리에 물고기의 몸과 돼지의 꼬리를 하고 있는 것으로, [그림 3-왕불도본(汪紱圖本)]·[그림 4-『금충전(禽蟲典)』]과 같은 것들이다.

곽박(郭璞)의 『산해경도찬(山海經圖讚)』: "함보는 물고기의 대가리를 가졌는데, 그 몸은 돼지처럼 생겼다네.[鮎父魚首, 厥體如豚.]"

[그림 1] 함보어 명(明)·장응호회도본

[그림 2] 함보어 청(淸)·사천(四川)성혹인회도본

[그림 3] 함보어 청(淸)·왕불도본

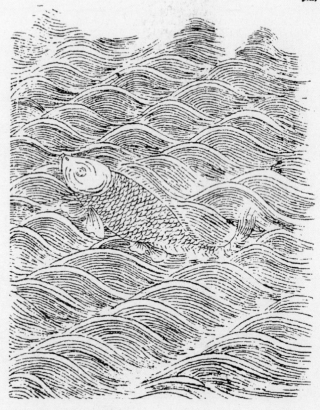

[그림 4] 함보어 청(淸)·『금충전』

| 권3-47 | 산여(酸與)

【경문(經文)】

「북차삼경(北次三經)」: 경산(景山)이라는 곳에, ……어떤 새가 사는데, 그 생김새는 뱀과 비슷하며, 네 개의 날개·여섯 개의 눈·세 개의 발이 있고, 이름은 산여(酸與)라 한다. 그 울음소리는 마치 자신의 이름을 부르는 것 같은데, 이것이 나타나면 그 고을에 두려운 일이 생긴다.

[又南三百里, 曰景山, 南望鹽販之澤, 北望少澤. 其上多草·藷藇, 其草多秦椒, 其陰多赭, 其陽多玉. 有鳥焉, 其狀如蛇, 而四翼·六目·三足, 名曰酸與, 其鳴自詨, 見則其邑有恐.]

【해설(解說)】

산여(酸與)는 새도 아니고 뱀도 아니며, 발이 세 개인 기이한 새로, 흉조(凶鳥)이다. 이 새는 뱀처럼 생겼지만 두 쌍의 날개가 달려 있고, 여섯 개의 눈이 있다. 그것이 나타나는 지방에서는 사람들이 무섭고 두려운 일을 당하며, 그것의 고기를 먹으면 사람이 취하지 않을 수 있다고 한다. 『사물감주(事物紺珠)』에서 말하기를, 산여는 뱀처럼 생겼고, 네 개의 날개와 여섯 개의 눈과 세 개의 발이 있다고 했다.

산여 그림의 형상에는 세 가지가 있다.

첫째, 네 개의 날개와 여섯 개의 눈과 두 개의 발이 달린 새로, [그림 1-장응호회도본(蔣應鎬繪圖本)]과 같은 것이다.

둘째, 네 개의 날개와 여섯 개의 눈과 세 개의 발이 있고, 새의 몸에 뱀의 꼬리가 달려 있는 것으로, [그림 2-오임신강희도본(吳任臣康熙圖本)]·[그림 3-오임신근문당도본(吳任臣近文堂圖本)]·[그림 4-왕불도본(汪紱圖本)]과 같은 것들이다.

셋째, 네 개의 날개와 여섯 개의 눈과 네 개의 발을 가진 새로, [그림 5-성혹인회도본(成或因繪圖本)]과 같은 것이다.

곽박(郭璞)의 『산해경도찬(山海經圖讚)』: "경산(景山)에 어떤 새가 사는데, 타고난 모습이 특이한 종류라네. 그 생김새는 뱀과 비슷한데, 다리가 셋이고 날개는 넷이라네. 이 새가 나타나면 그 고을에 무서운 일이 생기고, 이것을 먹으면 취하지 않는다네.[景山有鳥, 稟形殊類. 厥狀如蛇, 脚三翼四. 見則邑恐, 食之不醉.]"

[그림 1] 산여 명(明)·장응호회도본

酸與武如蛇而四翼六目三足
見則其邑有恐出景山

[그림 2] 산여 청(淸)·오임신강희도본

酸與狀如蛇而四翼六目三足
見則其邑有恐出景山

[그림 3] 산여 청(淸)·오임신근문당도본

[그림 4] 산여 청(淸)·왕불도본

[그림 5] 산여 청(淸)·사천(四川)성혹인회도본

|권3-48| 고습(鴣鸐)

【경문(經文)】

「북차삼경(北次三經)」: 소후산(小侯山)이라는 곳에, ……어떤 새가 사는데, 그 생김새는 까마귀와 비슷하지만 흰 무늬가 있고, 이름은 고습(鴣鸐)이라 하며, 이것을 먹으면 눈이 침침해지지 않는다.

[又東百八十里, 曰小侯之山. 明漳之水出焉, 南流注於黃澤. 有鳥焉, 其狀如烏而白文, 名曰鴣鸐, 食之不瀆50).]

【해설(解說)】

고습(鴣鸐)은 까마귀류에 속하는데, 생김새는 까마귀와 비슷하고, 흰색 얼룩무늬가 있으며, 그 고기를 먹으면 눈병에 걸리지 않는다고 한다.

곽박(郭璞)의 『산해경도찬(山海經圖讚)』: "고습이라는 새가 있는데, 이것을 먹으면 눈이 침침해지지 않는다네.[鴣鸐之鳥, 食之不瞧('醮'로 된 것도 있음).]"

[그림-『금충전(禽蟲典)』]

[그림] 고습 청(淸)·『금충전』

---

50) 곽박은 주석하기를, "눈이 침침해지지 않는 것이다. 瞧으로 된 것도 있다. '醮'로 발음한다.[不瞧目也. 或作瞧. 音醮.]"라고 했다.

| 권3-49 | 황조(黃鳥)

【경문(經文)】

「북차삼경(北次三經)」: 헌원산(軒轅山)이라는 곳에, ……어떤 새가 사는데, 그 생김
새는 올빼미와 비슷하지만 대가리가 희고, 이름은 황조(黃鳥)라 하며, 그 울음소리
는 자신의 이름을 부르는 것 같다. 그것을 먹으면 질투를 하지 않는다.

[又東北二百里, 曰軒轅之山, 其上多銅, 其下多竹. 有鳥焉, 其狀如梟而白首, 其名曰
黃鳥, 其鳴自詨, 食之不妒.]

【해설(解說)】

황조(黃鳥)는 『산해경』에 여러 차례 나오는데, 그 모습과 품성은 각기 다르다. 이것
들을 종합해보면 다음의 세 종류로 나눌 수 있다.

첫째, 여기 「북차삼경(北次三經)」에 나오는 헌원산(軒轅山)의 황조는 질투를 하지 않
게 해준다는 새로, 생김새는 올빼미를 닮았는데, 대가리가 희며, 그 울음소리는 자신
의 이름을 부르는 것 같다. 이것의 고기를 먹으면 질투를 하지 않는다고 한다. 왕불(汪
紱)은 주석에서 말하기를, 경문에 나오는 황조는 꾀꼬리이며, 일명 창경(倉庚)이라고 하
는데, 지금은 꾀꼬리[黃鸎]라 한다고 했다. 병을 고치는 자들은, 이 새를 먹으면 질투를
치료할 수 있다고 했다. 그러나 이 새는 올빼미처럼 생기지도 않았고, 또한 대가리도
흰색이 아니며, 울음소리가 또한 자신을 부르는 것 같지도 않다. 학의행(郝懿行)은 주
석에서 말하기를, 세상 사람들은 모두 꾀꼬리가 질투를 치료해줄 수 있다고 하며, 양
(梁)나라 무제(武帝)는 창경을 치씨(郗氏)에게 먹여 질투를 없앴는데, 또한 이 경문에 근
거한 것이라고 했다.

둘째, 「대황서경(大荒西經)」에 나오는 무산(巫山)의 황조는 천제(天帝)를 위해 신약(神
藥)을 지키는 신조(神鳥)로, "황조는 무산에서 이 현사(玄蛇)를 관할한다.[黃鳥於巫山, 司
此玄蛇.]"라고 했다. 무산은 천제의 신약을 보관하는 곳이다. 무산의 황조는 바로 황조
(皇鳥)로, 봉황에 속하는 새이다.

셋째, 「해외서경(海外西經)」과 「대황서경」에 나오는 황조는 재앙을 부르는 새로, 망
국(亡國)의 징조이다. 「해외서경」에서는, "차조(鵸鳥)·담조(鸐鳥)는 그 빛깔이 청황색이
며, 이것이 나타나면 나라가 망한다. 여제(女祭)의 북쪽에 있다. 차조는 사람의 얼굴을

하고 있고 산 위에 산다. 일명 유조(維鳥)라고도 하며, 청조(靑鳥)·황조(黃鳥)가 모이는 곳이다.[鴟鳥·鸚鳥, 其色靑黃, 所經國亡. 在女祭北. 鴟鳥人面, 居山上. 一曰維鳥, 靑鳥·黃鳥所集.]"라고 했다. 차조·담조는 "화를 부르는 새로, 즉 지금의 올빼미·부엉이류에 속한다.[此應禍之鳥, 卽今梟·鵂鶹之類.]"라고 했다(곽박의 주석). 여기에서의 청조·황조는 바로 "그 빛깔이 청황색인[其色靑黃]" 재앙을 부르는 새·사람의 얼굴을 한 새인 차조와 담조이며, 이 새는 망국의 징조이다. 「대황서경」에는 다음과 같이 묘사되어 있다. "현단산(玄丹山)이라는 곳이 있다. 거기에 오색 빛깔을 가진 새가 사는데, 사람의 얼굴을 하고 있으며, 머리털이 나 있다. 여기에 청문(靑鴌)·황오(黃鷔), 청조(靑鳥)·황조(黃鳥)가 있는데, 이 새들이 모이는 곳은 그 나라가 망한다.[有玄丹之山. 有五色之鳥, 人面有髮. 爰有靑鴌·黃鷔, 靑鳥·黃鳥, 其所集者其國亡.]"

곽박(郭璞)의 『산해경도찬(山海經圖讚)』: "여기 황조가 있는데, 그 울음소리는 자신의 이름을 부르는 것 같다네. 부인이 이 새를 먹으면, 질투를 쉽게 조절할 수 있다네.[爰有黃鳥, 其鳴自叫. 婦人是服, 矯情易操.]"

[그림─왕불도본(汪紱圖本)]

[그림] 황조 청(淸)·왕불도본

550

【경문(經文)】

「북차삼경(北次三經)」: 신균산(神囷山)이라는 곳이 있는데, 그 위에는 무늬가 있는 돌이 있고, 산 밑에는 백사(白蛇)가 많다. ……

[又北三百里, 曰神囷之山, 其上有文石, 其下有白蛇, 有飛蟲. 黃水出焉, 而東流注於洹. 滏水出焉, 而東流注於歐水.]

【해설(解說)】

　백사(白蛇)는 「중차십이경(中次十二經)」에도 보이는데, 다음과 같이 기록되어 있다. "자상산(紫桑山)이라는 곳이 있는데, 그 위에는 은이 많고, 그 아래에는 푸른 옥이 많다. 거기에 사는 짐승으로는 순록과 사슴이 많고, 백사·비사(飛蛇)가 많다.[紫桑之山, 其上多銀, 其下多碧. 其獸多麋·鹿, 多白蛇·飛蛇.]"

　[그림－왕불도본(汪紱圖本)]

[그림] 백사 청(淸)·왕불도본

|권3-51| 정위(精衛)

【경문(經文)】

「북차삼경(北次三經)」: 발구산(發鳩山)이라는 곳이 있는데, 그 위에 산뽕나무가 많다. 거기에 어떤 새가 사는데, 그 생김새는 까마귀와 비슷하고, 무늬가 있는 대가리에 흰 부리와 붉은 발을 가지고 있다. 이름은 정위(精衛)라 하고, 그 울음소리는 마치 자신의 이름을 부르는 것 같다. 이것은 염제(炎帝)[51]의 딸로, 이름은 여와(女娃)라 했는데, 여와는 동해에서 노닐다가 빠져죽어 돌아오지 못했다. 그리하여 정위로 변해 항상 서산(西山)의 나뭇가지와 돌을 물어다가 동해를 메운다. ······.

[又北二百里, 曰發鳩之山, 其上多柘木. 有鳥焉, 其狀如烏, 文首·白喙·赤足, 名曰精衛, 其鳴自詨. 是炎帝之少女, 名曰女娃, 女娃遊於東海, 溺而不返, 故爲精衛. 常銜西山之木石, 以堙於東海. 漳水出焉, 東流注於河.]

【해설(解說)】

정위(精衛)는 염제의 딸이 변한 새이다. 전하는 바에 따르면, 염제의 딸 여와가 동해에서 노닐다가 빠져죽었는데, 그녀의 영혼이 한 마리의 새로 변했다고 한다. 이 새의 이름은 정위라고 하는데, 까마귀처럼 생겼고, 흰 부리에 붉은 발톱이 있으며, 무늬가 있는 대가리를 가지고 있고, 하루 종일 자신의 이름을 부르며 운다고 한다. 여와는 자신이 젊어서 바다 속에 빠져죽은 것을 슬퍼하여, 항상 서산의 나뭇가지와 돌을 물어다가 동해에 던져 대해(大海)를 평평하게 메우려 한다고 전해진다. 『술이기(述異記)』에는 민간에 전래되어 오는 정위에 관한 이야기가 기록되어 있는데, 다음과 같다. 옛날에 염제의 딸이 동해에 빠져죽어 정위로 변했는데, 항상 서산의 나무와 돌을 물어다가 동해를 메우려고 했다. 바다제비를 만나 잉태하여 새끼를 낳았는데, 암컷은 정위를 닮았고, 수컷은 바다제비를 닮았다고 한다. 전하는 바에 따르면, 지금도 동해의 정위가 빠져 죽은 곳에서, 정위는 경계하여 그 물을 마시지 않는다고 한다. 이런 까닭에 정위를 일명

---

51) 전설 속의 인물로, 황제(黃帝)와 더불어 중국의 시조 중 한 사람이며, 중국 상고 시대에 한 부락의 우두머리였다. 적제(赤帝)·열산씨(烈山氏)라고도 부르며, 지금으로부터 6000~5500년 전에 강수(姜水) 연안에서 태어났다고 한다. 염제는 쟁기를 만들었고, 오곡(五穀)을 심었다. 시전(市廛)을 세워 처음으로 시장을 열었다. 마(麻)로 천을 짜서 백성들이 옷을 입게 했다. 또 오현금(五弦琴)을 만들어 백성들을 즐겁게 해주었다. 나무를 깎아 활을 만들어 천하를 호령했으며, 도기(陶器)를 만들어 생활을 개선했다.

서조(誓鳥)·원금(寃禽)이라고도 하고, 또 지조(志鳥)라고도 하며, 세간에서는 제녀작(帝女雀)이라고 부르는데, 의지와 기개가 있는 날짐승이다. 때문에 『오후청(五侯鯖)』[52]에서 말하기를, 정위는 수컷이 없어 바다제비를 짝으로 삼아 새끼를 낳았다고 했다. 왕숭경(王崇慶)은 『산해경석의(山海經釋義)』에서 말하기를, 염제의 딸이 정위로 변했듯이, 촉제(蜀帝)는 두견(杜鵑)으로 변했다고 한다.

정위가 바다를 메우고자 했던 이 비장한 이야기는 일찍이 역대 시인들에게 끊임없는 자극을 주었다. 진(晉)나라의 도잠(陶潛)은 「독산해경(讀山海經)」이라는 시에서 다음과 같이 읊었다. "정위는 작은 돌멩이를 물어다가, 창해를 메우려 했다네. 형천(刑天)[53]은 방패와 도끼를 휘두르니, 용맹한 기개 굳건히 오래도록 남아 있다네. 같은 사물도 이미 꾀할 수 없다면, 변하여 가버린 것을 더는 후회하지 말아야 하느니. 부질없이 마음을 옛일에 둔다면, 좋은 날이 오기를 어찌 기다릴 수 있으랴.[精衛銜微石, 將以塡滄海. 刑天舞干戚, 猛志固長在. 同物旣無慮, 化去不復悔. 徒設在昔心, 良辰詎可待.]" 명(明)나라의 노소(盧昭)는 「정위사(精衛詞)」에서 다음과 같이 읊었다. "바다를 메우려고 뜻한 새가 있으니, 돌을 물고 바다로 돌아오네. 돌은 움직이나 마음은 변하지 않고, 부질없이 그 부리만 닳아 짧아졌지만, 낮에 돌아와 저녁에 다시 바다로 가네. 먼 곳의 돌 모두 가져 와야 바다 가득 채울 수 있으니, 정위의 한(恨)은 언제쯤 멈출 수 있으랴.[有鳥志堙海, 銜石到海返. 石轉心不移, 但礪爾喙短, 日復夕海復. 遠石可竭海可滿, 精衛之恨何時斷.]" 이 밖에도 또 당대(唐代) 잠삼(岑參)의 「정위(精衛)」·한유(韓愈)의 「정위함석전해(精衛銜石塡海)」·왕건(王建)의 「정위사(精衛詞)」 등이 있는데, 모두 널리 전해지는 시편들이다.

곽박(郭璞)의 『산해경도찬(山海經圖讚)』: "염제의 딸이 정위로 변했네. 몸은 깊이 동해에 가라앉고, 영혼은 서쪽으로 멀리 가버렸네. 이에 나무와 돌을 물어다가, 자신을 해친 곳을 메우려 했다네.[炎帝之女, 化爲精衛. 沈形東海, 靈爽西邁. 乃銜木石, 以塡攸('波'로 된 것도 있음)害.]"

[그림 1-장응호회도본(蔣應鎬繪圖本)]·[그림 2-호문환도본(胡文煥圖本)]·[그림 3-일본도본(日本圖本)]·[그림 4-성혹인회도본(成或因繪圖本)]·[그림 5-왕불도본(汪紱圖本)]

52) 명(明)나라 때 팽엄(彭儼)이 편찬한 책으로, 모두 14문(門)으로 이루어져 있다.

53) 중국의 고대 신화 속에 나오는 전설 속의 신으로, '形天'이라고도 한다. 이 책 하권(下卷) 〈권7-5〉를 참조하라.

[그림 1] 정위 명(明)·장응호회도본

精衛

山海經圖本

[그림 2] 정위 명(明)·호문환도본

そつさうふる
あけせるい
なつくらう
こえそくれ
神のうのせちよ
宅いのむし

精
衛

[그림 3] 정위 일본도본

[그림 4] 정위 청(淸)·사천(四川)성혹인회도본

精
衛

[그림 5] 정위 청(淸)·왕불도본

【경문(經文)】

「북차삼경(北次三經)」: 수산(繡山)이라는 곳이 있는데, ……유수(洧水)가 시작되어 동쪽으로 흘러 황하로 들어간다. 그 속에 화(鱯)와 맹꽁이[黽]가 많이 산다.

[又北百里, 曰繡山, 其上有玉·靑碧, 其木多枸, 其草多芍藥·芎藭. 洧水出焉, 而東流注於河. 其中有鱯·黽.]

【해설(解說)】

화(鱯: '護'로 발음)는 메기[鮎]처럼 생겼지만 더 크고, 흰색이다. 『초학기(初學記)』권30에는 다음과 같이 기록되어 있다. "화는 메기처럼 생겼지만 크고, 색이 희다. 메기 중에 큰 것을 화라고도 한다.[鱯似鮎而大, 色白. 或鯷之大者曰鱯.]"

[그림─왕불도본(汪紱圖本)]

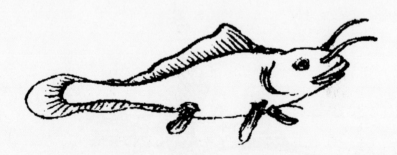

[그림] 화 청(淸)·왕불도본

|권3-53| 맹꽁이[黽]

【경문(經文)】

「북차삼경(北次三經)」 : 수산(繡山)이라는 곳이 있는데, ……유수(洧水)가 시작되어 동쪽으로 흘러 황하로 들어간다. 그 속에 화(䲔)와 맹꽁이[黽]가 많이 산다.

[又北百里, 曰繡山, 其上有玉·靑碧, 其木多枸, 其草多芍藥·芎藭. 洧水出焉, 而東流注於河. 其中有䲔·黽.]

【해설(解說)】

맹꽁이[黽 : '猛'으로 발음]는 개구리의 일종이다. 곽박(郭璞)은 주석하기를, 추맹(鼃黽)은 두꺼비와 비슷하게 생겼는데, 작으면서 파랗다고 했다. 또한 말하기를, 경맹(耿黽)은 청개구리와 비슷한데, 배가 뚱뚱하고, 일명 토압(土鴨)이라 한다고도 했다. 『이아(爾雅)·석어(釋魚)』에서는, 물에 사는 것이 맹꽁이라고 했다.

[그림-왕불도본(汪紱圖本)]

[그림] 맹꽁이 청(淸)·왕불도본

| 권3-54 | 동동(辣辣)

【경문(經文)】

「북차삼경(北次三經)」: 태희산(泰戱山)이라는 곳에는, 초목이 자라지 않고, 금과 옥이 많다. 거기에 어떤 짐승이 사는데, 그 생김새는 양과 비슷하고, 뿔과 눈이 하나씩이며, 눈은 귀의 뒤에 달려 있다. 이름은 동동(辣辣)이라 하며, 그 울음소리는 자신의 이름을 부르는 듯하다. ······.

[又北三百里, 曰泰戱之山, 無草木, 多金·玉. 有獸焉, 其狀如羊, 一角一目, 目在耳後, 其名曰辣辣, 其鳴自訓. 虖沱之水出焉, 而東流注於漊水. 液女之水出於其陽, 南流注於沁水.]

【해설(解說)】

　동동(辣辣: '棟'으로 발음)은 외뿔에 외눈을 가진 기이한 짐승이며, 또한 풍년이 들 징조인 상서로운 짐승이다. 이 짐승의 생김새는 양과 비슷하며, 뿔과 눈이 하나씩 있는데, 눈은 귀의 뒤에 달려 있고, 그 울음소리는 자신의 이름을 부르는 것 같다. 『산해경』에 나오는 기이한 모습의 짐승들 중, 동동은 눈이 하나이고, 종종(從從)은 다리가 여섯 개인데, 뿔이 하나인 짐승들로는 쟁(猙)·박(駮)·환소(朧疏)·동동이 있다. 양신(楊愼)은 『기자운(奇字韻)』에 기록하기를, 동동은 지금 대주(代州) 안문(雁門)의 골짜기에서 나는데, 흔히들 강자(犟子)라고 하며, 이것이 나타나면 풍년이 든다고 했다. 『진지(晉志)』에는, 조학전(曹學佺)[54]이 『명승지(名勝志)』에서 이르기를, 대주의 골짜기에서 항상 어떤

---

54) 조학전(曹學佺, 1574~1646년)은 명대(明代)의 관리·학자·장서가로, 자(字)는 능시(能始), 또는 존생(尊生)이고, 호는 안택(雁澤)·석창거사(石倉居士)·서봉거사(西峰居士)이다. 복건(福建) 복주부(福州府) 후관현(侯官縣) 사람인데, 명대 말기의 민중십자(閩中十子) 중 최고로 꼽혔다. 명나라 숭정(崇禎) 17년(1644년)에 이자성(李自成)의 반란군이 북경에 입성하자, 사종(思宗)은 자결했는데, 이 소식을 들은 조학전도 역시 연못에 투신했으나 집안사람이 구해냈다. 그 이듬해에 당왕(唐王) 주율건(朱聿鍵)이 복주(福州)에서 제위에 올라, 연호를 융무(隆武)로 바꿨다. 이때 조학전은 태상시경(太常寺卿)을 제수하고 『숭정실록(崇禎實錄)』을 찬수했으며, 관직이 예부상서(禮部尙書)에까지 올랐다. 융무 2년(1646년)에 청나라 군대가 복건을 함락하자, 융무제(隆武帝)는 잡혀 단식하여 죽었으며, 조학전도 목을 매 자결했다. 청나라 건륭(乾隆) 11년(1746년)에, 조정에서는 그에게 '충절(忠節)'이라는 추호(追號)를 내렸다. 조학전은 문학·시사·지리·천문·음률·제자백가 등에 두루 정통했는데, 특히 시사(詩詞)에 뛰어났다. 저서는 모두 30여 종이 있는데, 『석창십이대시선(石倉十二代詩選)』에 모아놓았다. 또한 개인 장서가 만 권 이상에 달했는데, '한죽재(汗竹齋)'에 보관했으며, 서목(書目)인 『유한죽재장서서목(有汗竹齋藏書書目)』이 있다.

짐승이 나는데, 그 이름은 동(辣)이라고 한다. 양처럼 생겼는데, 눈과 뿔이 하나씩이고, 눈이 귀의 뒤에 달려 있으며, 울음소리는 자신을 부르는 것 같다고 했다. 경문에서 말하기를, 동동은 길한 짐승이라고 했지만, 불길한 징조라는 설도 있다. 호문환도설(胡文煥圖說)에서는, "이 짐승이 나타나면, 나라 안에 재앙이 생기고, 궁중이 크게 불길하다.[此獸現時, 主國內禍起, 宮中大不祥也.]"라고 했다.

　곽박(郭璞)의 『산해경도찬(山海經圖讚)』: "동동은 양과 비슷한데, 눈이 귀의 뒤에 달려 있다네.[辣辣似羊, 眼在耳後.]"

　[그림 1-장응호회도본(蔣應鎬繪圖本)]·[그림 2-호문환도본(胡文煥圖本)]·[그림 3-일본도본(日本圖本)]·[그림 4-성혹인회도본(成或因繪圖本)]·[그림 5-왕불도본(汪紱圖本)]·[그림 6-필원도본(畢沅圖本)]

[그림 1] 동동 명(明)·장응호회도본

[그림 2] 동동 명(明)·호문환도본

[그림 3] 동동 일본도본

[그림 4] 동동 청(淸)·사천(四川)성혹인회도본

辣
辣

[그림 5] 동동 청(淸)·왕불도본

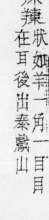

辣辣
狀如羊
一角一目目
在耳後
出秦戲山

辣辣似羊
目在耳後

[그림 6] 동동 청(淸)·필원도본

|권3-55| 원(羱)

【경문(經文)】

「북차삼경(北次三經)」: 건산(乾山)이라는 곳에, ……어떤 짐승이 사는데, 그 생김새는 소와 비슷하지만 세 개의 다리가 있고, 이름은 원(羱)이라 하며, 그 울음소리는 마치 자신의 이름을 부르는 듯하다.

[又北四百里, 曰乾山, 無草木, 其陽有金·玉, 其陰有鐵而無水. 有獸焉, 其狀如牛而三足, 其名曰羱, 其鳴自詨.]

【해설(解說)】

　건산(乾山)의 원(羱 : '原'으로 발음)은 다리가 세 개 달린 괴이한 짐승이며, 생김새는 소와 비슷하고, 그 울음소리는 마치 자신의 이름을 부르는 듯하다. 다리가 세 개인 것이 이 짐승의 주요 특징이다. 「서차삼경(西次三經)」의 익망산(翼望山)에도 환[讙 : 원(羱)이라고도 부름]이라는 괴이한 짐승이 있는데, 그 생김새는 너구리와 비슷하고, 외눈에 꼬리가 세 개이며, 흉한 일을 막아줄 수 있다. 꼬리가 세 개인 것이 이 짐승의 주요 특징이다. 원이라는 이 두 짐승들은 외형·특징부터 기능까지 모든 것이 완전히 다르다.

　[그림 1-장응호회도본(蔣應鎬繪圖本)]·[그림 2-성혹인회도본(成或因繪圖本)]·[그림 3-왕불도본(汪紱圖本)]·[그림 4-『금충전(禽蟲典)』]

[그림 1] 원 명(明)·장응호회도본

562

猨

[그림 2] 원 청(淸)·사천(四川)성혹인회도본

[그림 3] 원 청(淸)·왕불도본

猨圖

[그림 4] 원 청(淸)·『금충전』

第三卷 北山經

563

| 권3-56 | 비[羆 : 비구(羆九)]

【경문(經文)】

「북차삼경(北次三經)」: 윤산(倫山)이라는 곳에, ……어떤 짐승이 사는데, 그 생김새
는 순록과 비슷하고, 그 항문이 꼬리 위에 있으며, 그 이름은 비(羆)라고 한다.
[又北五百里, 曰倫山. 倫水出焉, 而東流注於河. 有獸焉, 其狀如麋, 其川在尾上[55],
其名曰羆.]

【해설(解說)】

비(羆)는 비구(羆九)라고도 하며, 생김새는 순록과 비슷한데, 항문이 꼬리의 위에 있
으며, 우리가 일반적으로 말하는 웅비(熊羆)의 비(羆 : 말곰-역자)와는 다르다. 『이아(爾
雅)·석수(釋獸)』에 기록하기를, 비는 곰처럼 생겼으며, 황백색의 무늬가 있다. 곰과 비
슷하지만 대가리와 다리가 길며, 사납고 힘이 세어, 나무를 뽑을 수 있다. 관서(關西)
지방에서는 가웅(猳熊)이라 부른다고 했다. 따라서 『담회(談薈)』에서는, 비는 순록처럼
생긴 것과 곰처럼 생긴 것의 두 종류가 있는데, 이 둘은 차이가 있다고 했다.

곽박(郭璞)의 『산해경도찬(山海經圖讚)』: "항문이 꼬리 위에 나 있으며, 비구(羆九)라
고 부른다네.[竅生尾上, 號曰羆九.]"

[그림 1-장응호회도본(蔣應鎬繪圖本)]·[그림 2-학의행도본(郝懿行圖本)]·[그림 3-왕
불도본(汪紱圖本)]·[그림 4-『금충전(禽蟲典)』]

---

55) 곽박은 "'川'은 '竅'이다.[川, 竅也.]"라고 했다. 필원(畢沅)은, 『이아』에서 말하기를, '흰 주(州)가 연(驢 :
꽁무니 흰 말 연)이다.[白州, 驢.]'라고 했으며, 곽박은 말하기를, '川은 竅이다.'라고 했다. 즉 '川'은 마땅
히 '州'이어야 한다.[『爾雅』云, '白州驢.' 郭云, '州, 竅.' 則川當爲州.]"라고 했다. 또 원가(袁珂)의 주석에
서는, "경문의 '川'을, 왕염손·손성연은 모두 '州'로 고쳐 썼다.[經文川, 王念孫·孫星衍並校作州.]"라고
했다. 즉 '川'은 '州'의 오기인 듯하며, '州'는 항문을 일컫는다.

[그림 1] 비구(羆九) 명(明)·장응호회도본

罷狀如麂其目在
尾上出俞曰

彘生尾上
號曰羆九

[그림 2] 비(羆) 청(淸)·학의행도본

羆獸

[그림 3] 비수(羆獸) 청(淸)·왕불도본

[그림 4] 비(羆) 청(淸)·『금충전』

|권3-57| 큰 뱀[大蛇]

【경문(經文)】

「북차삼경(北次三經)」 : 순우무봉산(錞于毋逢山)이라는 곳이 있는데, ……서쪽으로 는 유도산(幽都山)이 바라다보이며, 욕수(浴水)가 시작된다. 거기에 큰 뱀[大蛇]이 사 는데, 대가리는 붉고 몸은 희며, 그 소리는 소와 비슷하고, 그것이 나타나면 곧 그 고을에 큰 가뭄이 든다.

[又北五百里, 曰錞于毋逢之山, 北望雞號之山, 其風如飈. 西望幽都之山, 浴水出焉. 是有大蛇, 赤首白身, 其音如牛, 見則其邑大旱.]

【해설(解說)】

유도산(幽都山) 위에, 붉은 대가리에 흰 몸을 가진 큰 뱀이 사는데, 소가 우는 것과 비슷하게 '우우'하는 소리를 낸다. 이 큰 뱀은 큰 가뭄이 들 징조이다. 큰 뱀은 또 「남 차삼경(南次三經)」의 우고산(禺橐山), 「동차이경(東次二經)」의 경산(耿山)·벽산(碧山), 「동 차삼경(東次三經)」의 기종산(跂踵山)에도 나온다.

곽박(郭璞)의 『산해경도찬(山海經圖讚)』 : "유도산에 있는 큰 뱀은 소 울음소리를 낸 다네.[幽都之山, 大蛇牛响.]"

[그림 1-장응호회도본(蔣應鎬繪圖本)]·[그림 2-성혹인회도본(成或因繪圖本)]·[그림 3-왕불도본(汪紱圖本)]

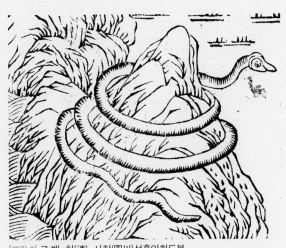

[그림 2] 큰 뱀 청(淸)·사천(四川)성혹인회도본

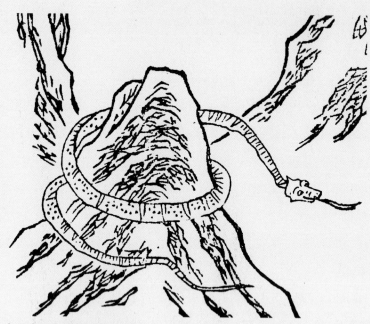

[그림 1] 큰 뱀 명(明)·장응호회도본

[그림 3] 큰 뱀 청(淸)·왕불도본

| 권3-58 | **마신인면이십신**[馬身人面卄神] : 말의 몸에 사람의 얼굴을 한 이십신

【경문(經文)】

「북차삼경(北次三經)」 : 태행산(太行山)부터 무봉산(無逢山)까지는, 모두 마흔여섯 개의 산이 있으며, 그 거리는 1만 2,350리에 달한다. 그 신들의 모습은 모두 말의 몸에 사람의 얼굴을 하고 있으며, 이십신(二十神)이다. …….

[凡「北次三經」之首, 自太行之山以至於無逢之山, 凡四十六山, 萬二千三百五十里. 其神狀皆馬身而人面者卄神. 其祠之, 皆用一藻茝瘞之. 其十四神狀皆彘身而載玉. 其祠之, 皆玉, 不瘞. 其十神狀皆彘身而八足蛇尾. 其祠之, 皆用一璧瘞之. 大凡四十四神, 皆用稌糈米祠之. 此皆不火食.]

【해설(解說)】

태행산(太行山)부터 무봉산[無(즉 毋)逢山]까지 모두 마흔여섯 개의 산이 있는데, 세 종류의 서로 다른 모습들을 한 산신들이 따로 관할한다. 이 산신들의 이름은 그들이 책임지고 있는 산의 수(數)를 가지고 정했다. 그 이름은, 이십신(二十神 : 말의 몸에 사람의 얼굴을 한 신)·십사신(十四神)·십신(十神 : 돼지의 몸에 발이 여덟 개인 신)이다. 마흔여섯 개의 산에 단지 마흔네 명의 신만 있다. 이는 어째서인가? 이에 대해 학의행(郝懿行)은 해석하기를, "마흔여섯 개의 산에 그 신이 단지 마흔네 명인 것은, 아마도 산을 겸하고 있는 신이 있기 때문일 것이다.[四十六山, 其神止(只)四十四, 蓋有攝山者.]"라고 했다. 왕불(汪紱)은 『산해경존(山海經存)』에서, 민족학적 관점을 가지고 다음과 같이 해석했다. 즉 태행산부터 무봉산까지 마흔여섯 개 산의 산신들 중, 마흔네 명의 산신들은 화식(火食)을 하지 않는다. 즉 생식을 하여 불에 익힌 음식을 먹지 않는다. 단지 태행산 계열의 항산(恒山)·고시산(高是山) 등 두 산의 산신들만이 화식을 한다. 즉 음식을 열에 익혀 먹는다. 음식을 열에 익혀 먹기를 좋아하는 이 두 산신들의 형상은 알 수 없다.

첫째 부류의 산신은 이십신(二十神)으로, 왕불의 주석에 따르면, 이십신은 "태행산부터 소산(少山)까지의 스물두 개 산의 주인이며[太行以下至少山二十二山主]"[태행산에서 소산까지는 정확히 스물두 개의 산들이 있기에, 그것의 신명(神名)인 이십(二十)과는 부합하지 않음], 이 신들은 말의 몸에 사람의 얼굴을 하고 있다.

[그림 1-장응호회도본(蔣應鎬繪圖本)]·[그림 2-성혹인회도본(成或因繪圖本)]·[그림

3-왕불도본(汪紱圖本), 북산이십신(北山卄神)이라 함]

[그림 1] 마신인면이십신 명(明)·장응호회도본

[그림 2] 마신인면이십신 청(淸)·사천(四川)성혹인회도본

北山卄神

[그림 3] 마신인면이십신(북산이십신) 청(淸)·왕불도본

古 本 山 海 經 圖 說 (上)

570

|권3-59| 십사신(十四神)

【경문(經文)】

「북차삼경(北次三經)」: 태행산(太行山)부터 무봉산(無逢山)까지는, 모두 마흔여섯 개의 산이 있으며, 그 거리는 1만 2,350리에 달한다. ……그 십사신(十四神)의 모습은 모두 돼지의 몸을 하고 있으며, 옥을 착용하고 있다. …….

[凡「北次三經」之首, 自太行之山以至於無逢之山, 凡四十六山, 萬二千三百五十里. 其神狀皆馬身而人面者十神. 其祠之, 皆用一藻茞瘞之. 其十四神狀皆彘身而載('戴'와 같음)玉. 其祠之, 皆玉, 不瘞. 其十神狀皆彘身而八足蛇尾. 其祠之, 皆用一璧瘞之. 大凡四十四神, 皆用稌糈米祠之. 此皆不火食.]

【해설(解說)】

십사신(十四神)은 석산(錫山)부터 고시산(高是山)까지 열네 개 산의 산주(山主)로, 그 형상은 돼지의 몸을 하고 있으며, 옥을 착용하고 있다.

[그림 1-장응호회도본(蔣應鎬繪圖本)]·[그림 2-왕불도본(汪紱圖本), 북산십사신(北山十四神)이라고 함]

[그림 2] 십사신(북산십사신) 청(淸)·왕불도본

[그림 1] 십사신 명(明)·장응호회도본

|권3-60| 체신팔족신(彘身八足神) : 돼지의 몸에 여덟 개의 발을 가진 신

【경문(經文)】

「북차삼경(北次三經)」 : 태행산(太行山)부터 무봉산(無逢山)까지는, 모두 마흔여섯 개의 산이 있으며, 그 거리는 1만 2,350리에 달한다. ……그 십신(十神)의 모습은 모두 돼지의 몸에, 다리가 여덟 개이고, 뱀의 꼬리가 달려 있다. …….

[凡「北次三經」之首, 自太行之山以至於無逢之山, 凡四十六山, 萬二千三百五十里. 其神狀皆馬身而人面者十神. 其祠之, 皆用一藻茝瘞之. 其十四神狀皆彘身而載玉. 其祠之, 皆玉, 不瘞. 其十神狀皆彘身而八足蛇尾. 其祠之, 皆用一璧瘞之. 大凡四十四神, 皆用稌糈米祠之. 此皆不火食.]

【해설(解說)】

십신(十神)은 돼지의 몸에 다리가 여덟 개인 신이며, 육산(陸山)부터 무봉산(毋逢山)까지 열 개 산의 산주(山主)로, 그 신들의 모습은 돼지의 몸에, 다리가 여덟 개이고, 뱀의 꼬리가 달려 있다.

[그림 1-장응호회도본(蔣應鎬繪圖本)]·[그림 2-왕불도본(汪紱圖本), 북산십신(北山十神)이라고 함]

[그림 2] 체신팔족신(북산십신) 청(淸)·왕불도본

[그림 1] 체신팔족신 명(明)·장응호회도본

第四卷 東山經

제4권 동산경

〈권4-1〉 용용어(鱅鱅魚)

【경문(經文)】

「동산경(東山經)」: 속주산(楸蠡山)이라는 곳이 있는데, ……식수(食水)가 시작되어 북동쪽으로 흘러 바다로 들어간다. 그 속에 용용어(鱅鱅魚)가 많이 사는데, 생김새는 이우(犁牛)[1]와 비슷하며, 그 소리는 돼지 울음소리와 비슷하다.

[「東山經」之首, 曰楸蠡('速株'로 발음)之山, 北臨乾昧. 食水出焉, 而東北流注於海. 其中多鱅鱅之魚, 其狀如犁牛, 其音如彘鳴.]

【해설(解說)】

용용(鱅鱅)은 물고기도 아니고 소도 아닌 괴상한 물고기로, 소의 대가리에 물고기의 몸을 하고 있으며, 대가리는 이우(犁牛)처럼 생겼고, 몸에는 노란 바탕에 검은 무늬가 있으며, 호랑이의 무늬와 매우 비슷한 털을 가지고 있다. 따라서 우어(牛魚)라고도 부르며, 돼지가 울부짖는 소리와 비슷한 소리를 낸다. 전해지기로는, 우어의 가죽은 조수(潮水)의 밀물과 썰물을 추측하여 알 수 있다고 한다. 『박물지(博物志)』의 기록에 따르면, 동해에 우어가 사는데, 그 생김새는 소와 비슷하며, 그 가죽을 벗겨 걸어놓으면, 밀물 때 털이 서고, 썰물 때 털이 눕는다고 기록되어 있다. 『초학기(初學記)』 권30에는, 우어는 눈이 소와 비슷하고, 송아지처럼 생겼다고 기재되어 있다. 『태평어람(太平御覽)』 권939에서는 『임해이물지(臨海異物志)』를 인용하여 말하기를, 우어는 송아지처럼 생겼고, 털은 청황색이며, 누워서 자기를 좋아하는데, 사람이 가까이 가서 올라타면 깨어나고, 울음소리는 큰 소와 비슷하며, 1리 밖에서도 들을 수 있다고 했다.

곽박(郭璞)의 『산해경도찬(山海經圖讚)』: "용용(鱅鱅)이라는 물고기는, 소처럼 생겼고 호랑이의 얼룩무늬가 있다네.[魚號鱅鱅, 如牛虎駁.]"

[그림 1-장응호회도본(蔣應鎬繪圖本)]·[그림 2-성혹인회도본(成或因繪圖本)]·[그림 3-왕불도본(汪紱圖本)]·[그림 4-『금충전(禽蟲典)』]

---

1) 곽박은 주석하기를, "소인데 호랑이와 비슷한 무늬가 있는 것이다.[牛似虎文者.]"라고 했다.

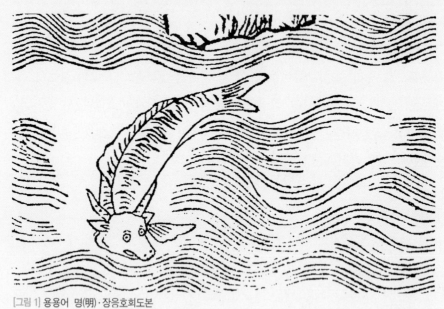

[그림 1] 용용어 명(明)·장응호회도본

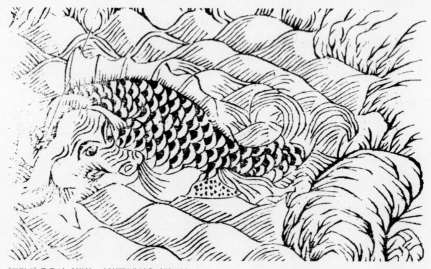

[그림 2] 용용어 청(淸)·사천(四川)성혹인회도본

鮨鮨

[그림 3] 용용 청(淸)·왕불도본

[그림 4] 용용어 청(淸)·『금충전』

〈권4-2〉 종종(從從)

【경문(經文)】

「동산경(東山經)」: 순상산(枸狀山)이라는 곳에, ……어떤 짐승이 사는데, 그 생김새는 개와 비슷하고, 여섯 개의 발이 있으며, 이름은 종종(從從)이라 한다. 그 울음소리는 마치 자신의 이름을 부르는 듯하다. …….

[又南三百里, 曰枸狀之山, 其上多金·玉, 其下多青碧石. 有獸焉, 其狀如犬, 六足, 其名曰從從, 其鳴自詨. 有鳥焉, 其狀如雞而鼠毛, 其名曰蚩鼠, 見則其邑大旱. 汜水出焉, 而北流注於湖水. 其中多箴魚, 其狀如儵, 其喙如箴, 食之無疫疾.]

【해설(解說)】

종종(從從)은 발이 여섯 개 달린 상서로운 짐승으로, 생김새는 개와 비슷하고, 그 울음소리는 자신의 이름을 부르는 것 같다. 그래서 『송서(宋書)』에는, 발이 여섯 개인 짐승은, 왕이 많은 사람들과 정사(政事)를 도모하면 곧 세상에 나타난다고 기록되어 있다. 『사물감주(事物紺珠)』에서는 말하기를, 종종은 개처럼 생겼고, 여섯 개의 발이 있으며, 꼬리의 길이가 한 장(丈)이 넘는다고 했다. '긴 꼬리[長尾]'를 가졌다는 말은 경문에는 보이지 않는다. 지금 보이는 여러 그림들에서 종종은 대부분 꼬리가 길게 그려져 있는데, 아마도 화공이 『사물감주』의 기록을 참고한 것으로 여겨진다.

곽박(郭璞)의 『산해경도찬(山海經圖讚)』: "종종(猣猣, 즉 從從)의 생김새는, 개처럼 생겼고, 여섯 개의 다리가 있다네.[猣猣之狀, 似狗六脚.]"

[그림 1-장응호회도본(蔣應鎬繪圖本)]·[그림 2-오임신강희도본(吳任臣康熙圖本)]·[그림 3-성혹인회도본(成或因繪圖本)]·[그림 4-왕불도본(汪紱圖本)]·[그림 5-『금충전(禽蟲典)』]·[그림 6-상해금장도본(上海錦章圖本)]

[그림 1] 종종 명(明)·장응호회도본

狀
如
犬
而
六

從
從

足
出
狗
狀
山

[그림 2] 종종 청(淸)·오임신강희도본

[그림 3] 종종 청(淸)·사천(四川)성혹인회도본

從從

[그림 4] 종종 청(淸)·왕불도본

從從圖

[그림 5] 종종 청(淸)·『금충전』

猔猔狀如犬而六
足出狗狀山
猔猔之
狀如狗
六足

[그림 6] 종종 상해금장도본

〈권4-3〉 자서(鮆鼠)

【경문(經文)】

「동산경(東山經)」: 순상산(栒狀山)이라는 곳에, ……어떤 새가 사는데, 그 생김새는 닭과 비슷하지만 쥐의 털이 나 있으며, 이름은 자서(鮆鼠)라 한다. 그것이 나타나면 그 고을에 큰 가뭄이 든다. …….

[又南三百里, 曰栒狀之山, 其上多金・玉, 其下多青碧石. 有獸焉, 其狀如犬, 六足, 其名曰從從, 其鳴自詨. 有鳥焉, 其狀如雞而鼠毛, 其名曰鮆鼠, 見則其邑大旱. 汜水出焉, 而北流注於湖水. 其中多箴魚, 其狀如儵, 其喙如箴, 食之無疫疾.]

【해설(解說)】

자서[鮆('쵸'로 발음)鼠]는 쥐가 아닌 기이한 새이며, 또한 큰 가뭄이 들 징조이다. 그것의 생김새는 닭과 비슷하지만, 몸에는 쥐의 털이 나 있으며, 일설에는 쥐의 꼬리가 달려 있다고 한다[『설문해자(說文解字)』]. 원가(袁珂)는 주석하기를, 지금의 그림에는 바로 쥐의 꼬리가 그려져 있다고 했다.

곽박(郭璞)의 『산해경도찬(山海經圖讚)』: "자서는 닭처럼 생겼는데, 이것이 나타나면 가뭄이 든다네.[鮆鼠如雞, 見則旱洰.]"

[그림 1-장응호회도본(蔣應鎬繪圖本)]・[그림 2-호문환도본(胡文煥圖本)]・[그림 3-일본도본(日本圖本)]・[그림 4-오임신근문당도본(吳任臣近文堂圖本)]・[그림 5-필원도본(畢沅圖本)]・[그림 6-왕불도본(汪紱圖本)]

[그림 2] 자서 명(明)・호문환도본

[그림 1] 자서 명(明)·장응호회도본

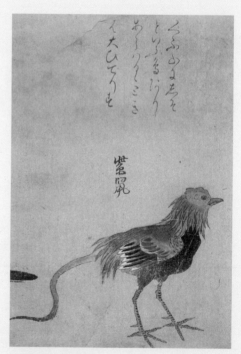

[그림 3] 자서 일본도본

蜚鼠狀如雞而鼠毛見
則大旱出枸狀山

蜚鼠如雞
見則旱洞

[그림 4] 자서 청(淸)·오임신근문당도본

蜚鼠狀如雞而鼠毛見
則大旱出枸狀山

[그림 5] 자서 청(淸)·필원도본

蜚鼠

[그림 6] 자서 청(淸)·왕불도본

⟨권4-4⟩ 잠어(箴魚)

【경문(經文)】

「동산경(東山經)」: 순상산(枸狀山)이라는 곳이 있는데, ……지수(汦水)가 시작되어 북쪽으로 흘러 호수(湖水)로 들어간다. 그 속에 잠어(箴魚)가 많이 사는데, 그 생김새는 피라미와 비슷하고, 주둥이는 바늘처럼 생겼으며, 그것을 먹으면 돌림병에 걸리지 않는다.

[又南三百里, 曰枸狀之山, 其上多金·玉, 其下多靑碧石. 有獸焉, 其狀如犬, 六足, 其名曰從從, 其鳴自詨. 有鳥焉, 其狀如雞而鼠毛, 其名曰蚩鼠, 見則其邑大旱. 汦水出焉, 而北流注於湖水. 其中多箴魚, 其狀如儵[2], 其喙如箴, 食之無疫疾.]

【해설(解說)】

　잠어(箴魚)는 피라미처럼 생겼는데, 주둥이에는 침처럼 생긴 날카롭고 검은 뼈가 달려 있으며, 이것의 고기를 먹으면 돌림병에 걸리지 않는다고 한다. 이시진(李時珍)은 『본초강목(本草綱目)』에서 말하기를, 이 물고기는 주둥이에 침이 달려 있기 때문에, 침어(鍼魚)·강공어(姜公魚)·동설어(銅吮魚) 등의 여러 가지 이름들이 있다고 했다. 왕불(汪紱)은 주석하기를, 지금 강동(江東)의 빈해(濱海)에 이 물고기가 사는데, 이름이 침공어(針工魚)라고 했다. 또 학의행은 주석하기를, 지금 등래(登萊)의 바다에 잠량어(箴梁魚)가 사는데, 푸른색이고 몸이 길쭉하며, 그 뼈도 푸르고, 그 주둥이는 바늘처럼 생겼기 때문에, 이러한 이름이 붙여졌다고 했다. 『아속계언(雅俗稽言)』에는 다음과 같이 기록되어 있다. 즉 침구어(鍼口魚)는 주둥이가 침처럼 생겼고, 대가리에는 붉은 점이 있으며, 양 옆으로 대가리부터 꼬리까지 은색 같은 하얀 줄이 있다. 몸은 가늘면서 꼬리가 갈라져 있으며, 길이는 3~4치[寸] 정도이고, 2월 중에 바다에 나타난다고 했다.

　[그림-『금충전(禽蟲典)』]

---

2) 학의행(郝懿行)은 주석하기를, "'儵'은 즉 '鯈[파라미 조]'자이다.[儵卽鯈字.]"라고 했다.

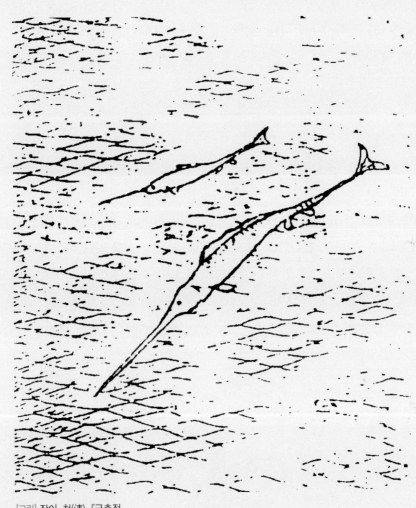

[그림] 잠어 청(淸)·『금충전』

⟨권4-5⟩ 감어(鱤魚)

【경문(經文)】

「동산경(東山經)」: 번조산(番條山)이라는 곳에는, 초목이 자라지 않고, 모래가 많다. 거기에서 감수(減水)가 시작되어, 북쪽으로 흘러 바다로 들어가는데, 그 속에 감어(鱤魚)가 많이 산다.

[又南三百里, 曰番條之山, 無草木, 多沙. 減水出焉, 北流注於海, 其中多鱤魚.]

【해설(解說)】

　감어[鱤('感'으로 발음)魚]는 일명 황협(黃頰)이라고 한다. 『설문해자(說文解字)』에는, 감(鱤)은 입이 큰 물고기라고 기록되어 있다. 황협어(黃頰魚)는 제비처럼 생긴 대가리에 물고기의 몸을 하고 있으며, 몸통이 두툼하면서도 길쭉하고, 협골(頰骨 : 볼의 뼈-역자)이 크다. 황석어(黃石魚) 중에 크고 힘이 있어 날 수 있는 것이 바로 황협어인데, 서주(徐州) 사람들은 이것을 양황협(楊黃頰)이라고 부른다. 지금 강동(江東)에서는 황상어(黃鱨魚)라고 부르고, 또한 황협어라고도 부르는데, 꼬리는 옅은 노란색이고, 크기는 길이가 7~8척 남짓 된다.

　[그림-왕불도본(汪紱圖本)]

[그림] 감어 청(淸)·왕불도본

〈권4-6〉 조용(鯈鱅)

【경문(經文)】

「동산경(東山經)」: 독산(獨山)이라는 곳이 있는데, ……말도수(末塗水)가 시작되어 남동쪽으로 흘러 면수(沔水)로 들어가고, 그 속에 조용(鯈鱅)이 많이 사는데, 그 생김새는 누런 뱀 같고, 물고기의 지느러미가 달려 있다. 물속을 드나들 때 빛이 나고, 그것이 나타나면 그 고을에 큰 가뭄이 든다.

[又南三百里, 曰獨山, 其上多金·玉, 其下多美石. 末塗之水出焉, 而東南流注於沔, 其中多鯈鱅, 其狀如黃蛇, 魚翼, 出入有光, 見則其邑大旱.]

【해설(解說)】

조용(鯈鱅 : '條庸'으로 발음)은 물고기도 아니고 뱀도 아닌 흉측한 뱀으로, 생김새는 누런 뱀처럼 생겼지만, 물고기의 지느러미가 달려 있다. 『병아(騈雅)』에서는, 이것을 독충(毒蟲)이라고 했는데, 전하는 바에 따르면 조용은 물속을 드나들 때 빛이 나며, 큰 가뭄이 들고 화재가 일어날 징조라고 했다.

곽박(郭璞)의 『산해경도찬(山海經圖讚)』: "뱀의 모습을 한 조용은, 지느러미를 움직이면 빛을 발한다네. 파도를 타고 날아올라, 장강(長江)과 상강(湘江)을 드나든다네. 이것이 나타나면 가뭄이 들고, 화재가 날 징조라네.[鯈鱅蛇狀, 振翼灑光. 凭波騰逝('游'로 된 것도 있음), 出入江湘. 見則歲旱, 是維火祥.]"

[그림 1-장응호회도본(蔣應鎬繪圖本)]·[그림 2-성혹인회도본(成或因繪圖本)]·[그림 3-학의행도본(郝懿行圖本)]·[그림 4-왕불도본(汪紱圖本)]·[그림 5-『금충전(禽蟲典)』]

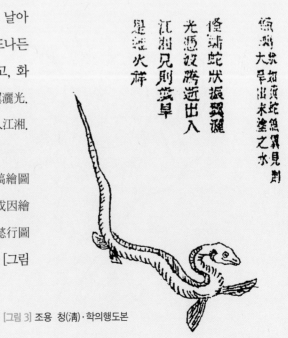

[그림 3] 조용 청(淸)·학의행도본

[그림 1] 조용 명(明)·장응호회도본

[그림 2] 조용 청(淸)·사천(四川)성혹인회도본

[그림 4] 조용 청(淸)·왕불도본

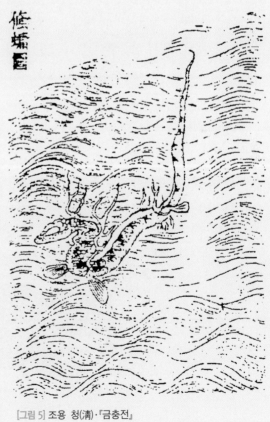

[그림 5] 조용 청(淸)·『금충전』

〈권4-7〉 동동(狪狪)

【경문(經文)】

「동산경(東山經)」: 태산(泰山)이라는 곳이 있는데, 그 위에는 옥이 많고, 그 밑에는 금이 많다. 그곳에 어떤 짐승이 사는데, 그 생김새는 돼지와 비슷하지만 구슬을 지니고 있고, 이름은 동동(狪狪)이라 한다. 그 울음소리는 자신의 이름을 부르는 듯하다. ……….

[又南三百里, 曰泰山, 其上多玉, 其下多金. 有獸焉, 其狀如豚而有珠, 名曰狪狪, 其鳴自訓. 環水出焉, 東流注於江, 其中多水玉.]

【해설(解說)】

동동(狪狪)은 주돈(珠豚)이라고도 부르며, 기이한 짐승으로, 생김새가 돼지와 비슷하지만, 짐승이면서도 몸속에 진주를 품고 있으며, 그 울음소리는 마치 자신의 이름을 부르는 듯하다. 일반적으로 대합조개류만 진주를 품을 수 있는 것으로 알고 있는데, 동동은 짐승이면서 진주를 품을 수 있다는 것이 특이한 점이다.

곽박(郭璞)의 『산해경도찬(山海經圖讚)』: "조개는 진주를 품고 있거늘, 짐승인들 어찌 불가하겠는가. 동동은 돼지처럼 생겼는데, 털을 걸치고 있으면서도 화(禍)를 품고 있다네. 환난(患難)은 연유가 없으며, 이를 부르는 것은 자기 자신이라네.(짐승이면서도 몸속에 진주를 품고 있어, 이로 인해 사람들한테 해코지를 당한다는 의미−역자)[蚌則含珠, 獸何('胡'로 된 것도 있음)不可. 狪狪如豚, 被褐懷禍. 患難無由, 招之自我.]"

[그림 1−장응호회도본(蔣應鎬繪圖本)]·[그림 2−왕불도본(汪紱圖本)]·[그림 3−『금충전(禽蟲典)』]

[그림 2] 동동 청(淸)·왕불도본

[그림 1] 동동 명(明)·장응호회도본

[그림 3] 동동 청(淸)·『금충전』

〈권4-8〉 인신용수신(人身龍首神) : 사람의 몸에 용의 대가리를 한 신

【경문(經文)】

「동산경(東山經)」 : 속주산(㯮蟸山)부터 죽산(竹山)까지, 모두 열두 개의 산이 있으며, 그 거리는 3,600리에 달한다. 그곳의 신들은 모두 사람의 몸에 용의 대가리를 하고 있다. ……．

[凡「東山經」之首, 自㯮蟸之山以至於竹山, 凡十二山, 三千六百里. 其神狀皆人身龍首. 祠, 毛用一犬祈, 聊用魚.]

【해설(解說)】

속주산(㯮蟸山)부터 죽산(竹山)까지 모두 열두 개 산의 산신들은, 모두 사람의 몸에 용의 대가리를 한 신[人身龍首神]들이다.

[그림 1-장응호회도본(蔣應鎬繪圖本)]·[그림 2-신이전(神異典)]·[그림 3-성혹인회도본(成或因繪圖本)]·[그림 4-왕불도본(汪紱圖本), 동산신(東山神)이라고 함]

[그림 1] 인신용수신 명(明)·장응호회도본

[그림 2] 용수인신신(龍首人身神) 청(淸)·『신이전』

[그림 4] 인신용수신(동산신) 청(淸)·왕불도본

[그림 3] 인신용수신 청(淸)·사천(四川)성혹인회도본

〈권4-9〉 영령(䝲䝲)

【경문(經文)】

「동차이경(東次二經)」: 공상산(空桑山)이라는 곳에, ……어떤 짐승이 사는데, 그 생 김새는 소와 비슷하지만 호랑이의 무늬가 있으며, 그 소리는 마치 신음소리 같고, 그 이름은 영령(䝲䝲)이라 한다. 그 울음소리는 자신을 부르는 것 같고, 그것이 나 타나면 곧 천하에 큰 홍수가 난다.

[「東次二經」之首, 曰空桑之山, 北臨食水, 東望沮吳, 南望沙陵, 西望湣澤. 有獸焉, 其狀如牛而虎文, 其音如欽[3], 其名曰䝲䝲, 其鳴自叫, 見則天下大水.]

【해설(解說)】

영령[䝲('靈'으로 발음)䝲은 소도 아니고 호랑이도 아닌 물짐승[水獸]으로, 수재(水災) 가 날 징조이다. 그것의 모습은 소처럼 생겼지만, 몸이 호랑이의 무늬로 덮여 있으며, 사람이 신음하는 듯한 소리를 내고, 또한 자신의 이름을 부르는 듯이 울부짖는다. 오 임신(吳任臣)은 다음과 같이 주석했다. "『병아(駢雅)』에 이르기를, 소인데 호랑이의 무 늬가 있는 짐승을 영령이라 한다고 했다. 『담회(談薈)』에서는, 물짐승이며, 홍수가 날 징조이다. 영령이라는 짐승이 나타나면 곧 천하에 큰물이 진다고 했다.[『駢雅』曰, 牛而虎 文曰䝲䝲. 『談薈』云, 水獸, 兆水. 䝲䝲之獸, 見則天下大水也.]"

곽박의 『산해경도찬(山海經圖讚)』: "감여(堪予)와 영령은 기(氣)는 다르지만 나타나 는 징험은 같다네. 이것들이 나타나면 홍수가 나니, 천하가 어둠에 빠진다네. 어찌 이 것들이 제멋대로 내려왔겠는가, 또한 도참에 감응한 것이라네.[堪予䝲䝲, 殊氣同占. 見則 洪水, 天下昏墊. 豈伊妄降, 亦應圖('牒'으로 된 것도 있음)讖.]"

[그림 1-장응호회도본(蔣應鎬繪圖本)]·[그림 2-성혹인회도본(成或因繪圖本)]·[그림 3-왕불도본(汪紱圖本)]

---

3) 저자주 : 경문의 '其音如欽'에서 '欽'에 대해 곽박(郭璞)은 주석하기를, "어떤 것은 '吟'으로 되어 있다.[或 作吟.]"라고 했다.

[그림 1] 영령 명(明)·장응호회도본

[그림 2] 영령 청(淸)·사천(四川)성혹인회도본

[그림 3] 영령 청(淸)·왕불도본

〈권4-10〉 주별어(珠鼈魚)

【경문(經文)】

「동차이경(東次二經)」: 갈산(葛山)의 들머리에는 초목이 자라지 않는다. 그곳에서 예수(澧水)가 시작되어, 동쪽으로 흘러 여택(余澤)으로 들어간다. 그 속에 주별어(珠鼈魚)가 많이 사는데, 그 생김새는 허파와 비슷하지만 눈이 있으며, 발이 여섯 개이고, 구슬을 지니고 있다. 그것의 맛은 새콤달콤하고, 그것을 먹으면 염병에 걸리지 않는다.

[又南三百八十里, 曰葛山之首, 無草木. 澧水出焉, 東流注於余澤, 其中多珠鼈魚, 其狀如肺⁴⁾而有目, 六足有珠, 其味酸甘, 食之無癘.]

【해설(解說)】

주별어[珠鼈('憋'로 발음)魚]는 주별(珠鷩)·주별(珠鼊)이라고도 하며, 일종의 기이한 물고기로, 떠다니는 허파처럼 생겼는데, 눈이 있고 발이 여섯 개이며, 구슬을 토해낼 수 있고, 그 맛이 새콤달콤하다. 그것의 고기를 먹으면 전염병 걸리지 않는다고 한다. 『여씨춘추(呂氏春秋)』에서 말하기를, 예수(澧水)에 사는 어떤 물고기는, 이름이 주별(朱鼈)인데, 발이 여섯 개이고, 구슬을 지니고 있으며, 고기의 맛이 좋다고 했다

주별어의 눈[目]에 관해서는 전적(典籍)들마다 각기 다르게 기재되어 있는데, 역대의 주석가들도 다른 주장을 했다. 흥미로운 것은, 각기 다른 판본의 주별어 그림들도 역시 각기 다른 형태를 취하고 있다는 점인데, 눈이 두 개인 것, 네 개인 것, 여섯 개인 것 등 세 종류가 있다.

눈이 두 개라는 설[二目說]: 경문에 기재되어 있기를, "그 생김새는 허파와 비슷하지만 눈이 달려 있다.[其狀如肺而有目]"라고 했는데, 일반적으로 사람과 동물은 모두 눈이 두 개이므로 여기서 말한 "눈이 있다[有目]"라는 것은 응당 두 개의 눈을 가리킨다. 『초학기(初學記)』 권30에서는 다음과 같이 말했다. "주별은 허파와 비슷하게 생겼는데, 눈이 있고, 다리가 여섯 개이다.[珠鼈, 如肺而有目, 六足.]" 지금 보이는 [그림 1-장응호회도본(蔣應鎬繪圖本)]·[그림 2-성혹인회도본(成或因繪圖本)]·[그림 3-왕불도본(汪紱圖本)]에

---

4) 원가(袁珂)는 주석하기를, "경문의 '肺'자를 송나라본·왕불본·오임신본·필원교본은 모두 '肺'로 썼다. '肺'로 쓰는 것이 맞다.[經文肺, 宋本·汪紱本·吳任臣本·畢沅校本並作肺, 作肺是也.]"라고 했다.

그려진 것들이 바로 눈이 두 개이다.

눈이 네 개라는 설[四目說] : 학의행(郝懿行)은 주석에서 말하기를, 이 동물의 그림은 눈을 네 개로 그렸다고 했다. 『초학기』권8에서는 『남월지(南越志)』를 인용하여 기록하기를, 바다 속에 주별이 많이 사는데, 허파처럼 생겼고, 네 개의 눈과 여섯 개의 발이 있으며, 구슬을 토해내는 것이, 그림과 정확히 부합하니, 아마도 이 경문에서 "有目[눈이 있다]"은 마땅히 "四目[네 개의 눈]"이라고 써야 하며, 글자가 틀린 것이 아닌가 생각된다고 했다. 원가(袁珂)는 『중국신화대사전(中國神話大詞典)』의 주별어 조항에서, 역시 왕염손(王念孫)·학의행의 교정을 따라 "有目"을 "四目"으로 고쳐 썼다. 지금 보이는 [그림 4-오임신강희도본(吳任臣康熙圖本)]·[그림 5-학의행도본(郝懿行圖本)]·[그림 6-상해금장도본(上海錦章圖本)]에 그려진 것들이 바로 눈이 네 개인데, 그 이름을 풀이하면서 또한 눈이 네 개라고 했다.

눈이 여섯 개라는 설[六目說] : 『금충전(禽蟲典)』에서 경문을 인용하여 말하기를, "그 생김새는 허파와 비슷하지만, 눈이 여섯 개이고 발이 여섯 개이며, 구슬을 품고 있다.[其狀如肺, 而六目六足有珠.]"라고 했다. 호문환도설(胡文煥圖說)에서는 말하기를, "눈이 여섯 개이고 발이 여섯 개이며, 뱃속에는 구슬이 있다. 그 맛은 새콤달콤한데, 그것을 먹으면 전염병에 걸리지 않는다.[六目六足, 腹內有珠. 其味甘酸, 食之可辟時氣病.]"라고 했다. 그 그림은 바로 눈이 여섯 개로 그려져 있는데, [그림 7-호문환도본(胡文煥圖本)]·[그림 8-『금충전(禽蟲典)』의 두 그림]이 그것들이다. 위에서 서술한 흥미로운 현상은 바로 신화 형상의 변이성(變異性)과 풍부성을 잘 설명해준다.

곽박(郭璞)의 『산해경도찬(山海經圖讚)』: "예수에 사는 물고기는, 마치 허파처럼 생겼다네. 몸이 세 가지 재주를 겸비하고 있으니, 재화로서의 가치 때문에 화를 부르는구나. 그 쓰임이 본디 이렇게 많으니, 어찌 스스로를 지킬 수 있겠는가.[澧水之鮮('鱗'으로 된 것도 있음), 形('狀'으로 된 것도 있음)如浮肺. 體兼三才, 以貨賈害. 厥用旣多, 何以自衛.]"

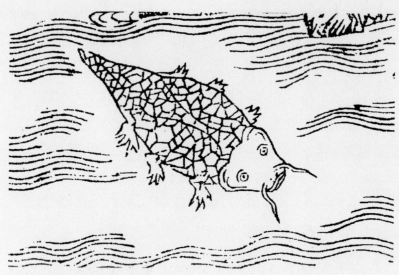

[그림 1] 주별어 명(明)·장응호회도본

[그림 2] 주별어 청(淸)·사천(四川)성혹인회도본

珠蟞魚
其狀如肺六足四
目有珠出澧水

[그림 3] 주별어 청(淸)·왕불도본

[그림 4] 주별어 청(淸)·오임신강희도본

自衞
厥用既多何以
以貨賈害
肺體兼三才
澧水之鮮形如浮

珠蟞魚其狀如肺六足四
目有珠出澧水

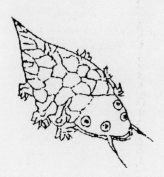

蛛蟞魚 其狀如螯 六足四
目有珠出澧水

澧水之鮮
形如浮肺
體兼三才
以貨賈害
厥用既多
何以自衞

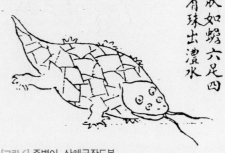

[그림 5] 주별어 청(淸)·학의행도본

[그림 6] 주별어 상해금장도본

珠鱉

[그림 7] 주별어 명(明)·호문환도본

[그림 8] 주별어 청(淸)·『금충전』

古本 山海經 圖說 (上)

〈권4-11〉 구여(狓狳)

【경문(經文)】

「동차이경(東次二經)」: 여아산(餘峨山)이라는 곳에, ……어떤 짐승이 사는데, 그 생김새가 토끼와 비슷하지만 새의 부리가 있고, 올빼미의 눈과 뱀의 꼬리가 달려 있다. 그 짐승은 사람을 보면 죽은 척하며, 이름은 구여(狓狳)라고 한다. 그 울음소리가 자신의 이름을 부르는 것 같으며, 그것이 나타나면 메뚜기 떼가 논밭을 황폐하게 만든다.

[又南三百八十里, 曰餘峨之山, 其上多梓枏, 其下多荆芑. 雜余之水出焉, 東流注於黃水. 有獸焉, 其狀如菟而鳥喙, 鴟目蛇尾, 見人則眠[5], 名曰狓狳, 其鳴自訓, 見則螽蝗爲敗[6].]

【해설(解說)】

구여(狓狳: '求余'로 발음)는 기여[幾('幾'로 발음)狳]라고도 하며, 불길함을 상징하는 재앙의 짐승으로, 토끼·부엉이·뱀 등 세 짐승의 특징들이 한 몸에 모여 있다. 생김새는 토끼와 비슷하지만, 새의 부리가 달려 있고, 부엉이의 두 눈과 뱀의 꼬리가 달려 있다. 그 울음소리는 마치 자신의 이름을 부르는 것 같으며, 사람을 보면 곧 죽은 척한다. 그것이 나타난 곳에서는 메뚜기가 들판을 가득 뒤덮어, 논밭을 황폐하게 만든다.

곽박(郭璞)의 『산해경도찬(山海經圖讚)』: "구여라는 짐승은, 사람을 보면 자는 척한다네. 재앙과 더불어 기가 화합하니, 이 짐승이 나타나면 흉년이 든다네. 이것이 어찌 할 수 있는 것이겠는가, 그것을 하늘에게 돌린다네.[狓狳之獸, 見人佯眠. 與災協氣, 出則無年. 此豈能爲, 歸之於天.]"

[그림 1-장응호회도본(蔣應鎬繪圖本)]·[그림 2-성혹인회도본(成或因繪圖本)]·[그림 3-왕불도본(汪紱圖本)]·[그림 4-『금충전(禽蟲典)』]

---

5) 곽박은 주석하기를, "죽은 체하는 것을 일컫는다.[言佯死也.]"라고 했다.
6) '爲敗'에 대해, 곽박은 주석하기를, "밭의 곡식을 망쳐놓는 것을 말한다.[言傷敗田苗.]"라고 했다.

[그림 1] 구여 명(明)·장응호회도본

[그림 2] 구여 청(淸)·사천(四川)성혹인회도본

[그림 3] 구여 청(淸)·왕불도본

[그림 4] 구여 청(淸)·『금충전』

〈권4-12〉 주누(朱獳)

【경문(經文)】

「동차이경(東次二經)」: 경산(耿山)이라는 곳에는, 초목이 자라지 않고, 수벽(水碧)[7]
이 많으며, 큰 뱀이 많이 산다. 거기에 어떤 짐승이 사는데, 그 생김새는 여우와
비슷하지만 물고기의 지느러미가 달려 있으며, 이름은 주누(朱獳)라 하고, 그 울
음소리는 마치 자신의 이름을 부르는 것 같다. 그것이 나타나면 그 나라에 두려운
일이 생긴다.

[又南三百里, 曰耿山, 無草木, 多水碧, 多大蛇. 有獸焉, 其狀如狐而魚翼, 其名曰
朱獳, 其鳴自訓, 見則其國有恐.]

【해설(解說)】

주누(朱獳)[8]는 여우도 아니고 물고기도 아닌 기이한 짐승이며, 또한 불길함을 상징
하는 짐승이다. 생김새는 여우와 비슷하지만, 물고기의 지느러미가 있고, 그 울음소리
는 마치 자신의 이름을 부르는 것 같다. 그것이 나타난 곳에서는, 사람들이 무섭고 혼
란스러운 일을 당하게 된다. 호문환도설(胡文煥圖說)에서는 이렇게 말한다. "경산(耿山)
에 어떤 짐승이 사는데, 여우와 비슷하게 생겼지만 물고기의 지느러미가 있으며, 주누
라고 한다. 그 울음소리는 자신을 부르는 것 같다. 이것이 나타나면 나라에 크게 두려
운 일이 생긴다.[耿山, 有獸, 如狐而魚鬣, 名曰朱獳. 其鳴自呼. 見則國有大恐.]"

곽박(郭璞)의 『산해경도찬(山海經圖讚)』: "주누에게는 기이한 게 없지만, 이것이 나
타나면 온 고을이 놀란다네. 통감(通感)하는 데는 정성이 없고, 오로지 술수만이 있다
네. 임무를 띠고서 하는 것이지, 결코 아무 목적 없이 노니는 것은 아니라네.[朱獳無奇,
見則邑駭. 通感靡誠, 維數所在. 因事而作, 未始無待.]"

주누의 그림에는 두 가지 형태가 있다.

첫째, 여우처럼 생긴 짐승으로, [그림 1-장응호회도본(蔣應鎬繪圖本)]·[그림 2-호문
환도본(胡文煥圖本)]·[그림 3-오임신근문당도본(吳任臣近文堂圖本)]·[그림 4-성혹인회도

---

7) 곽박은 주석하기를, "또한 물에서 나는 옥의 종류이다.[亦水玉類.]"라고 했다.

8) '獳'자의 경우, 원래 독음(讀音)이 '누'인데, 송대(宋代)에 편찬된 『광운(廣韻)』·『집운(集韻)』에서는 『산해
경』 경문의 이 부분을 인용하면서, '朱獳'는 '朱儒'로 발음한다고 했다. 여기에서는 이 책의 번역 표기 원
칙에 따라 '주누'로 표기했다(이 책의 앞부분에 있는 「번역 관련 일러두기」 참조).

본(成或因繪圖本)]·[그림 5-왕불도본(汪紱圖本)]과 같은 것들이다.

둘째, 호랑이처럼 생김 짐승으로, [그림 6-일본도본(日本圖本)]과 같은 것이다.

[그림 1] 주누 명(明)·장응호회도본

朱獳

[그림 2] 주누 명(明)·호문환도본

[그림 3] 주누 청(淸)·오임신근문당도본

[그림 4] 주누 청(淸)·사천(四川)성혹인회도본

[그림 5] 주누 청(淸)·왕불도본

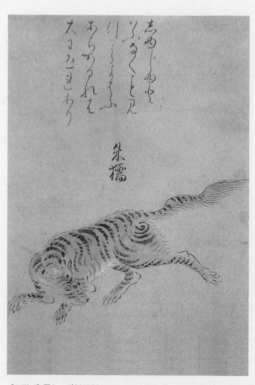

[그림 6] 주누 일본도본

〈권4-13〉 여호(鴛鵰)

【경문(經文)】

「동차이경(東次二經)」: 노기산(盧其山)이라는 곳에는, 초목이 자라지 않고, 모래와 돌이 많다. 거기에서 사수(沙水)가 시작되어 남쪽으로 흘러 잠수(涔水)로 들어가며, 그 속에 여호(鴛鵰)가 많이 사는데, 그 생김새는 원앙과 비슷하지만 사람의 발이 달려 있다. 그 울음소리는 마치 자신의 이름을 부르는 것 같고, 그것이 나타나면 그 나라에 토목공사가 많아진다.

[又南三百里, 曰盧其之山, 無草木, 多沙石. 沙水出焉, 南流注於涔水, 其中多鴛鵰, 其狀如鴛鴦而人足, 其鳴自訆, 見則其國多土功.]

【해설(解說)】

여호[鴛('黎'로 발음)鵰]는 제호(鵜鵰)라고도 부르며, 모습은 원앙과 비슷하지만, 한 쌍의 사람 발이 달려 있고, 그 울음소리는 마치 자신의 이름을 부르는 듯하다. 이것이 나타나는 곳에는 토목공사가 많아진다고 한다. 왕불(汪紱)은 주석하기를, 제호의 발은 사람의 발과 매우 비슷하며, 그 생김새는 기러기 같고 원앙새 같지는 않다고 했다.

곽박(郭璞)의 『산해경도찬(山海經圖讚)』: "이력(狸力)과 여호, 하나는 날아다니고 하나는 기어 다닌다네. 이것들은 땅[土]의 길조이니, 나타나면 토목공사가 왕성해진다네. 긴 성[長城]을 쌓는 일, 모두 진(秦)나라에 집중되었구나.[狸力鴛鵰, 或飛或伏. 是惟土祥, 出興功築. 長城之役, 同集秦域.]."

[그림 1-장응호회도본(蔣應鎬繪圖本)]·[그림 2-성혹인회도본(成或因繪圖本)]·[그림 3-왕불도본(汪紱圖本)]·[그림 4-『금충전(禽蟲典)』]

[그림 2] 여호 청(淸)·사천(四川)성혹인회도본

[그림 1] 여호 명(明)·장응호회도본

[그림 3] 여호 청(淸)·왕불도본

[그림 4] 여호 청(淸)·『금충전』

〈권4-14〉 폐폐(獙獙)

【경문(經文)】

「동차이경(東次二經)」: 고봉산(姑逢山)이라는 곳에는, 초목이 자라지 않고, 금과 옥이 많다. 거기에 어떤 짐승이 사는데, 그 생김새는 여우와 비슷하지만 날개가 있으며, 그 울음소리는 기러기와 비슷하고, 이름은 폐폐(獙獙)라 한다. 그것이 나타나면 천하에 큰 가뭄이 든다.

[又南三百里, 曰姑逢之山, 無草木, 多金·玉. 有獸焉, 其狀如狐而有翼, 其音如鴻鴈, 其名曰獙獙, 見則天下大旱.]

【해설(解說)】

폐폐[獙('斃'로 발음)獙]는 폐(獘)라고도 부르는데, 짐승도 아니고 새도 아닌 괴상한 짐승이며, 또한 가뭄이 들 징조를 나타내주는 불길한 짐승이다. 그 생김새는 여우와 비슷하고, 등에 한 쌍의 날개가 달려 있지만 날지는 못하며, 그 울음소리는 기러기와 비슷하다.

곽박(郭璞)의 『산해경도찬(山海經圖讚)』: "폐폐는 여우처럼 생겼고, 날개가 있지만 날지는 못한다네.[獙獙如狐, 有翼不飛.]"

[그림 1-장응호회도본(蔣應鎬繪圖本)]·[그림 2-호문환도본(胡文煥圖本), 폐(獘)라고 함]·[그림 3-오임신근문당도본(吳任臣近文堂圖本)]·[그림 4-성혹인회도본(成或因繪圖本)]·[그림 5-왕불도본(汪紱圖本)]·[그림 6-『금충전(禽蟲典)』]

[그림 1] 폐폐 명(明)·장응호회도본

[그림 2] 폐폐[폐(獘)] 명(明)·호문환도본

[그림 3] 폐폐 청(淸)·오임신근문당도본

[그림 4] 폐폐 청(淸)·사천(四川)성혹인회도본

[그림 5] 폐폐 청(淸)·왕불도본

[그림 6] 폐폐 청(淸)·『금충전(禽蟲典)』

〈권4-15〉 농질(蠪蛭)

【경문(經文)】

「동차이경(東次二經)」: 부려산(鳧麗山)이라는 곳에, ……어떤 짐승이 사는데, 그 모습은 여우처럼 생겼고, 아홉 개의 꼬리와 아홉 개의 대가리와 호랑이의 발톱이 나 있으며, 이름은 농질(蠪蛭)이라 한다. 그 소리는 갓난아이의 울음소리와 비슷하며, 사람을 잡아먹는다.

[又南五百里, 曰鳧麗之山, 其上多金·玉, 其下多箴石. 有獸焉, 其狀如狐, 而九尾·九首·虎爪, 名曰蠪侄, 其音如嬰兒, 是食人.]

【해설(解說)】

농질[蠪('龍'으로 발음)蛭]은 여우도 아니고 호랑이도 아닌, 사람을 잡아먹는 무서운 짐승으로, 생김새는 여우와 비슷한데, 아홉 개의 대가리와 아홉 개의 꼬리가 달려 있고, 호랑이의 발톱이 있으며, 그 울음소리는 갓난아이의 울음소리와 비슷하다. 『당운(唐韻)』에 기록하기를, 농질은 여우처럼 생겼는데, 아홉 개의 꼬리와 호랑이의 발톱이 나 있으며, 어린아이처럼 울고, 사람을 잡아먹으며, 일명 기질(蜻蛭)이라 한다고 했다. 『광박물지(廣博物志)』에서는, 또 농질수(蠪蛭獸)라고도 하며, 대가리가 아홉 개인 것 중에 다른 것으로 개명수(開明獸)가 있다고 했다.

곽박(郭璞)의 『산해경도찬(山海經圖讚)』: "아홉 개의 꼬리와 호랑이의 발톱을 가졌는데, 이것을 농질이라고 부른다네.[九尾虎爪, 號曰蠪蛭.]"

[그림 1-장응호회도본(蔣應鎬繪圖本)]·[그림 2-호문환도본(胡文煥圖本)]·[그림 3-일본도본(日本圖本)]·[그림 4-오임신근문당도본(吳任臣近文堂圖本)]·[그림 5-성혹인회도본(成或因繪圖本)]·[그림 6-왕불도본(汪紱圖本)]·[그림 7-『금충전(禽蟲典)』]

[그림 1] 농질 명(明)·장응호회도본

[그림 2] 농질 명(明)·호문환도본

[그림 3] 농질 일본도본

[그림 4] 농질 청(淸)·오임신근문당도본

[그림 5] 농질 청(淸)·사천(四川)성혹인회도본

[그림 6] 농질 청(淸)·왕불도본

[그림 7] 농질 청(淸)·『금충전』

〈권4-16〉 유유(峳峳)

【경문(經文)】

「동차이경(東次二經)」: 인산(碅山)이라는 곳에, ……어떤 짐승이 사는데, 그 생김새는 말과 비슷하지만, 양의 눈에 네 개의 뿔과 소의 꼬리가 달려 있으며, 그 소리는 개가 짖는 소리 같고, 이름은 유유(峳峳)라 한다. 그것이 나타나면 그 나라에 교활한 객들이 많이 모여든다. …….

[又南五百里, 曰碅山, 南臨碅水, 東望湖澤. 有獸焉, 其狀如馬而羊目·四角·牛尾, 其音如獆狗, 其名曰峳峳, 見則其國多狡客. 有鳥焉, 其狀如鳧而鼠尾, 善登木, 其名曰絜鉤, 見則其國多疫.]

【해설(解說)】

유유(峳峳 : '攸攸'로 발음)는 뿔이 네 개인 괴이한 짐승으로, 말·양·소·개 등 네 가지 짐승의 특징들이 한 몸에 모여 있다. 생김새는 말과 비슷하지만, 양의 눈[학의행(郝懿行)은 주석하기를, 『장경(藏經)』본에서는 '目'을 '首'로 썼는데, 지금 보이는 여러 판본의 각 그림들은 양의 대가리와 비슷하게 그려져 있다고 했다.]과 소의 꼬리가 달려 있고, 그 울음소리는 개가 짖는 소리와 비슷하며, 그것이 나타나는 곳에는 교활한 사람들이 많이 모여들어, 편안하지 못하다.

곽박(郭璞)의 『산해경도찬(山海經圖讚)』: "다스림은 현자를 얻는 데 있고, 패망은 인재를 잃은 것에서 비롯된다네. 유유가 오면, 곧 교활한 손님이 온다네. 그것은 명응(冥應)[9]에 달렸으니, 누가 그 비결을 알 수 있으랴.[治在('則'으로 된 것도 있음)得賢, 亡由失人. 峳峳之來, 乃至狡賓. 歸之冥應, 誰見其津.]"

[그림 1-장응호회도본(蔣應鎬繪圖本)]·[그림 2-성혹인회도본(成或因繪圖本)]·[그림 3-필원도본(畢沅圖本)]·[그림 4-왕불도본(汪紱圖本)]·[그림 5-『금충전(禽蟲典)』]·[그림 6-상해금장도본(上海錦章圖本)]

9) 눈에는 보이지 않지만 신이 감응(感應)하여 이익을 주는 일, 혹은 신의 보우(保佑)를 가리킨다.

[그림 1] 유유 명(明)·장응호회도본

[그림 2] 유유 청(淸)·사천(四川)성혹인회도본

狰狰狀如馬而羊目四角見則國多狡客出碑山

治在得賢亡由
夫人狰狰之來
乃致狡賓
歸之冥應
誰見其津

狰狰

[그림 3] 유유 청(淸)·필원도본   [그림 4] 유유 청(淸)·왕불도본

狰狰圖

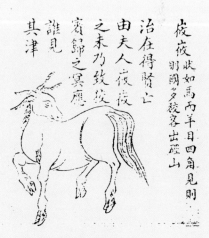

狰狰狀如馬而羊目四角見則國多狡客出碑山

治在得賢亡由
夫人狰狰之來
乃致狡賓
歸之冥應
誰見其津

[그림 5] 유유 청(淸)·『금충전』   [그림 6] 유유 상해금장도본

〈권4-17〉 결구(絜鉤)

【경문(經文)】

「동차이경(東次二經)」: 인산(磹山)이라는 곳에, ……어떤 새가 사는데, 그 생김새는 물오리와 비슷하지만 쥐의 꼬리가 달려 있으며, 나무를 잘 타고, 이름은 결구(絜鉤)라 한다. 그것이 나타나면 그 나라에 전염병이 많이 돈다.

[又南五百里, 曰磹山, 南臨磹水, 東望湖澤. 有獸焉, 其狀如馬而羊目·四角·牛尾, 其音如獋狗, 其名曰硤硤, 見則其國多狡客. 有鳥焉, 其狀如鳧而鼠尾, 善登木, 其名曰絜鉤, 見則其國多疫.]

【해설(解說)】

결구[絜('携'로 발음)鉤]는 전염병을 퍼뜨리는 새로, 생김새는 물오리 같지만, 쥐의 꼬리가 달려 있고, 나무를 잘 탄다. 그것이 나타나는 곳에는 전염병이 끊이지 않아, 백성들이 고통스러워하고 상심하게 된다.

곽박(郭璞)의 『산해경도찬(山海經圖讚)』: "결구는 물오리처럼 생겼는데, 이 새가 나타나면 백성들이 슬퍼한다네.[絜鉤似鳧, 見則民悲.]"

[그림 1-장응호회도본(蔣應鎬繪圖本)]·[그림 2-호문환도본胡文煥圖本]·[그림 3-일본도본(日本圖本)]·[그림 4-성혹인회도본(成或因繪圖本)]·[그림 5-왕불도본(汪紱圖本)]·[그림 6-『금충전(禽蟲典)』]

[그림 2] 결구 명(明)·호문환도본

[그림 1] 결구 명(明)·장응호회도본

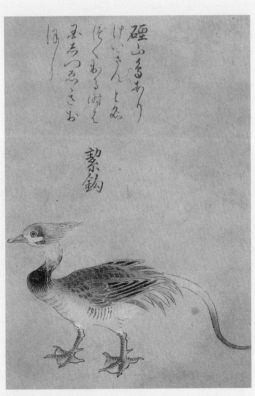

[그림 3] 결구 일본도본

[그림 4] 결구 청(淸)·사천(四川)성혹인회도본

[그림 5] 결구 청(淸)·왕불도본

[그림 6] 결구 청(淸)·『금충전』

〈권4-18〉 수신인면신(獸身人面神) : 짐승의 몸에 사람의 얼굴을 한 신

【경문(經文)】

「동차이경(東次二經)」 : 공상산(空桑山)부터 인산(磓山)까지, 모두 열일곱 개의 산이 있으며, 그 거리는 6,640리에 달한다. 그곳의 신들은 모두 짐승의 몸에 사람의 얼굴을 하고 있으며, 머리에는 뿔이 나 있다. ······.

[凡「東次二經」之首, 自空桑之山至於磓山, 凡十七山, 六千六百四十里. 其神狀皆獸身人面載觡[10]. 其祠, 毛用一雞祈, 嬰用一璧瘞.]

【해설(解說)】

공상산(空桑山)부터 인산(磓山)까지는 모두 열일곱 개의 산들이 있는데, 그 산신들은 모두 사람의 얼굴에 짐승의 몸을 한 신[人面獸身神]이며, 머리에 큰 사슴의 뿔이 달려 있다.

[그림 1-장응호회도본(蔣應鎬繪圖本)]·[그림 2-신이전(神異典)]·[그림 3-성혹인회도본(成或因繪圖本)]·[그림 4-왕불도본(汪紱圖本), 동산신(東山神)이라고 함]

[그림 1] 수신인면신 명(明)·장응호회도본

---

10) 곽박은 주석하기를, "사슴류의 뿔을 '觡'(가지가 있는 뿔-역자)이라 하고, '格'으로 발음한다.[麋鹿(屬)角爲觡, 音格.]"라고 했다.

空桑山至䃌山共
十七山之神圖

[그림 2] 수신인면신 청(淸)·『신이전』

東山神

[그림 4] 수신인면신(동산신) 청(淸)·왕불도본

[그림 3] 수신인면신 청(淸)·사천(四川)성혹인회도본

〈권4-19〉 원호(猨胡)

【경문(經文)】

「동차삼경(東次三經)」: 시호산(尸胡山)이라는 곳에, ……어떤 짐승이 사는데, 그 생김새는 순록과 비슷하지만 물고기의 눈을 하고 있다. 이름은 원호(猨胡)라 하고, 그 울음소리는 마치 자신의 이름을 부르는 것 같다.

[又「東次三經」之首, 曰尸胡之山, 北望䍧山, 其上多金·玉, 其下多棘. 有獸焉, 其狀如麋而魚目, 名曰猨胡, 其鳴自詨.]

【해설(解說)】

원호(猨胡)는 물고기도 아니고 짐승도 아닌 일종의 괴수(怪獸)로, 생김새는 순록과 비슷하지만, 물고기의 눈이 달려 있고, 울음소리는 마치 자신의 이름을 부르는 것 같다. 학의행(郝懿行)은 자신이 직접 겪은 다음과 같은 이야기를 기술하고 있는데, 매우 흥미롭다. 즉 가경(嘉慶) 5년(1799년-역자)에 왕명으로 사신을 봉하여 유구(琉球)[11]에 보냈다가, 돌아오는 길에 배를 마치산(馬齒山)에 정박했을 때, 아랫사람들이 사슴 두 마리를 바쳤는데, 털이 짧았으며, 마치 물고기의 눈처럼 생긴 작은 눈이 달려 있었다. 사신은 책에 기록하기를 바닷물고기가 변한 것이라고 했는데, 내가 경문(『산해경』-역자)을 가지고 그것을 고증해보고는, 그것이 원호라는 것을 알았다. 사어(沙魚)가 순록으로 변하여, 바닷사람들은 그것을 자주 보게 되는데, 이것은 그것이 아니다.

곽박(郭璞)의 『산해경도찬(山海經圖讚)』: "원호의 생김새는, 순록과 비슷하고, 물고기의 눈이 달려 있다네.[猨胡之狀, 似麋魚眼.]"

[그림 1-장응호회도본(蔣應鎬繪圖本)]·[그림 2-성혹인회도본(成或因繪圖本)]·[그림 3-왕불도본(汪紱圖本)]·[그림 4-『금충전(禽蟲典)』]

---

11) 지금의 대만(臺灣)과 일본 사이의 태평양 상에 있는 군도(群島)로, 오키나와현(沖繩縣)에 해당한다.

[그림 1] 원호 명(明)·장응호회도본

[그림 2] 원호 청(淸)·사천(四川)성혹인회도본

[그림 3] 원호 청(淸)·왕불도본

[그림 4] 원호 청(淸)·『금충전』

〈권4-20〉 전(鱣)

【경문(經文)】

「동차삼경(東次三經)」 : 맹자산(孟子山)이라는 곳이 있는데, ……그 위에서 한 줄기 물이 시작된다. 이름은 벽양수(碧陽水)라 하고, 그 속에는 전(鱣)이 많이 산다.

[又南水行七百里, 曰孟子之山, 其木多梓桐, 多桃李, 其草多菌蒲, 其獸多麋鹿. 是山也, 廣員百里. 其上有水出焉, 名曰碧陽, 其中多鱣·鮪.]

【해설(解說)】

잉어 중에 큰 것을 전(鱣 : '占'으로 발음)이라고 한다. 『이아(爾雅)·석어(釋魚)』에는 다음과 같이 기록되어 있다. 전은 큰 물고기인데, 철갑상어[鱘]처럼 생겼지만 코가 짧고, 입이 턱 아래에 붙어 있으며, 몸에는 비스듬히 줄이 나 있다. 단단한 껍데기로 이루어져 있어 비늘이 없으며, 고기는 노랗고, 큰 것은 길이가 2~3장(丈)이나 되며, 강동(江東)에서는 황어(黃魚)라고 부른다. 이시진(李時珍)은 『본초강목(本草綱目)』에서 다음과 같이 기록하고 있다. 즉 전은 강회(江淮)·황하(黃河)·요해(遼海)의 수심이 깊은 곳에서 나며, 비늘이 없는 큰 물고기이다. 그 생김새는 철갑상어와 비슷하며, 회백색이고, 등에 세 줄기의 골갑(骨甲 : 뼈처럼 딱딱한 껍데기-역자)이 있으며, 코가 길고 수염이 있으며, 입은 턱 밑 가까이에 있고, 꼬리는 갈라져 있다. 그것이 나오면 또한 3월에 물을 거슬러 올라가고, 사는 곳은 물가에 튀어나온 돌의 급류 사이이다. 그것이 먹이를 먹을 때는 입을 크게 벌리고서 먹이를 기다리다가, 먹이가 스스로 입 속에 들어오는 소리를 들으면, 먹이만 먹고 물은 마시지 않는데, 게와 물고기가 잘못해서 그 입 속으로 많이 들어간다.

[그림 1-왕불도본(汪紱圖本)]·[그림 2-『금충전(禽蟲典)』]

鱣

[그림 1] 전 청(淸)·왕불도본

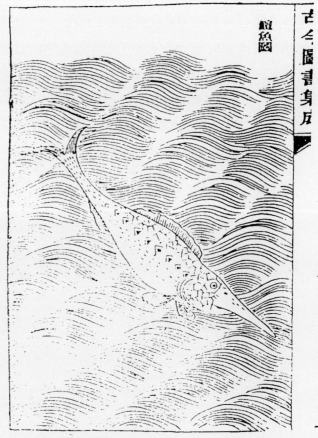

[그림 2] 전 청(淸)·『금충전』

第四卷 東山經

631

〈권4-21〉 유(鮪)

【경문(經文)】

「동차삼경(東次三經)」: 맹자산(孟子山)이라는 곳이 있는데, ……그 위에서 한 줄기 물이 시작된다. 이름은 벽양수(碧陽水)라 하고, 그 속에는 유(鮪)가 많이 산다.

[又南水行七百里, 曰孟子之山, 其木多梓桐, 多桃李, 其草多菌蒲, 其獸多麋鹿. 是山也, 廣員百里. 其上有水出焉, 名曰碧陽, 其中多鱣·鮪.]

【해설(解說)】

곽박(郭璞)은 주석하기를, 유(鮪:'委'로 발음)는 바로 철갑상어[鱏:'尋'으로 발음]로, 전(鱣)과 비슷하게 생겼지만 코가 길고, 몸에는 비늘처럼 생긴 딱딱한 껍데기가 없으며, 일명 황어[鱑]라 한다고 했다. 『이아(爾雅)·석어(釋魚)』에서는 주석하기를, "유(鮪)는 전(鱣)에 속하며, 큰 것을 왕유(王鮪)라고 부른다.[鮪, 鱣屬也, 大者名王鮪.]"라고 했다. 옛 사람들은 유를 제사지낼 때 제수로 올렸는데, 『하소정(夏小正)』[12]에서는, 유라는 물고기는 물고기들 가운데 먼저 올리는 것이라고 했다. 유어(鮪魚)가 3월에 강을 거슬러 올라가, 용문(龍門)[13]의 물결을 건널 수 있으면, 곧 용이 된다고 전해진다.

[그림 1-왕불도본(汪紱圖本)]·[그림 2-『금충전(禽蟲典)』]

---

12) 중국에 현존하는 최초의 과학 문헌의 하나이며, 또한 중국에 현존하는 최초의 농사(農事) 관련 역서(曆書)이다. 원래는 『대대예기(大戴禮記)』의 제47편이었다. 이 『대대예기』에 수록되어 있던 『하소정』 원문은 당(唐)·송(宋) 시기에 유실되었으며, 현존하는 것은 송대에 부숭경(傅嵩卿)이 『하소정전(夏小正傳)』을 지으면서, 당시 소장하고 있던 두 가지 판본의 『하소정』 문고(文稿)를 모아서 만든 것이다. 그래서 원래의 경문과 부숭경 자신의 문자 해석인 전문(傳文)이 구분 없이 혼재되어 있다.
13) 산서성(山西省)의 황하(黃河)에 위치한 협곡으로, 물살이 세기로 유명하다.

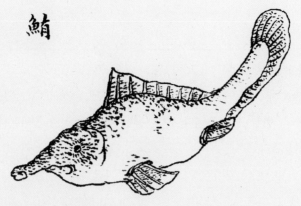

鮨

[그림 1] 유 청(淸)·왕불도본

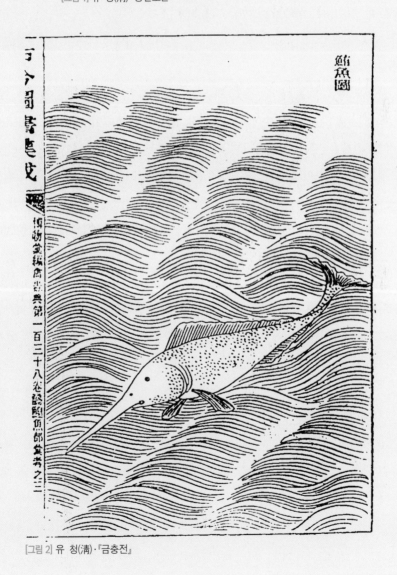

[그림 2] 유 청(淸)·『금충전』

〈권4-22〉 휴구(蠵龜)

【경문(經文)】

「동차삼경(東次三經)」: 기종산(跂踵山)이라는 곳에, ……호수가 있는데, 그 둘레가 40리에 달하고, 온통 용솟음친다. 그 이름은 심택(深澤)이라 하는데, 그 속에 휴구(蠵龜)가 많이 산다. …….

[又南水行五百里, 曰流沙, 行五百里, 有山焉, 曰跂踵之山, 廣員二百里, 無草木, 有大蛇, 其上多玉. 有水焉, 廣員四十里皆涌, 其名曰深澤, 其中多蠵龜. 有魚焉, 其狀如鯉, 而六足鳥尾, 名曰鮯鮯之魚, 其鳴自訓.]

【해설(解說)】

휴구[蠵('携'로 발음)龜]는 즉 주휴(觜蠵)로, 큰 거북인데, 껍데기에 무늬가 있고, 대모(瑇瑁 : 바다거북−역자)와 비슷하게 생겼지만, 좀 더 얇다. 『이아(爾雅)·석어(釋魚)』에 기록하기를, 거북은 열 종류가 있으며, 그 효능이 다르거나 혹은 그것들이 사는 곳이 다르기 때문에, 그에 따라 이름을 붙였으니, 신구(神龜)·영구(靈龜)·섭구(攝龜)·보구(寶龜)·문구(文龜)·서구(筮龜)·산구(山龜)·택구(澤龜)·수구(水龜)·화구(火龜)라 부른다고 했다. 『산해경』에 나오는 기종산(跂踵山)에 사는 휴구는 바로 영구이다. 『이아』에서 말하기를, 부릉군(涪陵郡)에서 큰 거북[大龜]이 나는데, 그 껍데기로 점을 칠 수 있으며, 가장자리와 가운데의 무늬가 대모와 비슷하고, 속칭 영구(靈龜)라 한다. 즉 지금의 주휴구(觜蠵龜)인데, 일명 영휴(靈蠵)라고도 하며, 소리 내어 울 수 있다고 했다. 호문환도설(胡文煥圖說)에 이르기를, "껍데기로 점을 칠 수 있고, 가장자리와 가운데의 무늬가 대모와 비슷하다. 일명 영휴라 한다.[甲可以卜, 緣中似瑇瑁, 有文彩, 一名靈蠵.]"라고 했다. 왕불(汪紱)은 주석하기를, 휴(蠵)는 바로 주휴이며, 거북과 비슷하지만 더 크고, 발이 여섯 개인데, 그 껍데기는 얇지만 무늬가 있어 기물을 장식할 수 있다. 지금 광중(廣中)에도 이 거북이 있다고 했다. 혹은 수컷은 휴모(蠵瑁)라 하고, 암컷은 주휴라 한다고도 전해진다.

곽박(郭璞)의 『산해경도찬(山海經圖讚)』: "호수의 둘레는 40리에 달하고, 깊은 수원(水源)에서 샘솟네. 영구가 여기에 살면서, 꼬리를 흔들며 기(氣)를 기른다네. 장생(莊生 : 장자−역자)이 이에 감동하여, 낚싯대 내저으며 귀한 것을 업신여겼도다.[14)[水圓四十('三

---

14) 옛날에 장자(莊子)가 복수(濮水) 가에서 낚시를 하고 있었는데, 초나라 왕이 대부(大夫) 두 명을 보내 정

方'으로 된 것도 있음), 潛源溢沸. 靈龜爰處, 掉尾養氣. 莊生是感, 揮竿傲貴.]"

[그림 1−호문환도본(胡文煥圖本)]·[그림 2−왕불도본(汪紱圖本)]·[그림 3−『금충전(禽蟲典)』]

[그림 1] 휴구 명(明)·호문환도본

[그림 2] 휴구 청(清)·왕불도본

[그림 3] 휴구 청(清)·『금충전』

치를 맡아달라고 청했다고 한다. 그러자 장자는 묘당에 귀히 모셔진 죽은 거북보다, 진흙탕에서라도 살아서 꼬리를 흔드는 거북이 낫다고 하면서 거절했다고 한다. 『장자(莊子)·추수편(秋水篇)』에 나오는 이야기인데, 여기서는 이를 비유적으로 사용했다.

第四卷 東山經

635

〈권4-23〉 합합어(鮯鮯魚)

【경문(經文)】

「동차삼경(東次三經)」: 기종산(跂踵山)이라는 곳에, ……어떤 물고기가 사는데, 그 생김새는 잉어와 비슷하고, 발이 여섯 개에, 새의 꼬리가 달려 있으며, 이름은 합합어(鮯鮯魚)라 한다. 그 울음소리는 자신의 이름을 부르는 듯하다.

[又南水行五百里, 曰流沙, 行五百里, 有山焉, 曰跂踵之山, 廣員二百里, 無草木, 有大蛇, 其上多玉. 有水焉, 廣員四十里皆涌, 其名曰深澤, 其中多蠵龜. 有魚焉, 其狀如鯉, 而六足鳥尾, 名曰鮯鮯之魚, 其鳴自訆.]

【해설(解說)】

합합어[鮯('格'으로 발음)鮯魚]는 물고기도 아니고 새도 아니며, 발이 여섯 개인 괴상한 물고기이다. 생김새는 잉어와 비슷하지만 새의 꼬리가 달려 있고, 그 울음소리는 마치 자신의 이름을 부르는 듯하다. 『광아(廣雅)』에는, 동방(東方)에 사는 어떤 물고기는, 잉어처럼 생겼고, 발이 여섯 개에 새의 꼬리가 달려 있으며, 그 이름은 합(鮯)이라 한다고 기록되어 있다. 『사물감주(事物紺珠)』에는, 합은 잉어처럼 생겼는데, 발이 여섯 개에 새의 꼬리가 달려 있으며, 동방의 깊은 못에서 난다고 기록되어 있다. 양신(楊愼)은 「이어찬(異魚贊)」에서, 합어(鮯魚)는 새끼를 낳는 기이한 물고기라고 하면서, 동방에 사는 어떤 물고기는, 그 생김새가 잉어와 비슷하고, 이름은 합(鮯)이며, 여섯 개의 발과 새의 꼬리가 달려 있는데, 숙(鱐: '肅'으로 발음)이 그것의 어미이며, 그 새끼를 잉태하여 낳아 기른다고 했다.

곽박(郭璞)의 『산해경도찬(山海經圖讚)』: "합합(鮯鮯)이 헤엄치는 곳은, 그 깊이가 끝이 없다네.[鮯鮯所潛, 厥深('身'으로 된 것도 있음)無限.]"

[그림 1-장응호회도본(蔣應鎬繪圖本)]·[그림 2-호문환도본(胡文煥圖本)]·[그림 3-성혹인회도본(成或因繪圖本)]·[그림 4-필원도본(畢沅圖本)]·[그림 5-왕불도본(汪紱圖本)]·[그림 6-『금충전(禽蟲典)』]

[그림 1] 합합어 명(明)·장응호회도본

[그림 2] 합합어 명(明)·호문환도본

[그림 3] 합합어 청(淸)·사천(四川)성혹인회도본

鮯鮯魚狀如鯉六足鳥尾出湅澤

鮯鮯所潛

厥身無限

[그림 4] 합합어 청(淸)·필원도본

[그림 5] 합합어 청(淸)·왕불도본

[그림 6] 합합어 청(淸)·『금충전』

〈권4-24〉 정정(精精)

【경문(經文)】

「동차삼경(東次三經)」: 무우산(踽隅山)이라는 곳에, ……어떤 짐승이 사는데, 그 생김새는 소와 비슷하지만 말의 꼬리가 달려 있고, 이름은 정정(精精)이라 하며, 그 울음소리는 자신을 부르는 듯하다.

[又南水行九百里, 曰踽隅之山, 其上多草木, 多金·玉, 多赭. 有獸焉, 其狀如牛而馬尾, 名曰精精, 其鳴自叫.]

【해설(解說)】

정정(精精)은 소도 아니고 말도 아닌, 사악한 기운을 물리쳐주는 기이한 짐승으로, 생김새는 소와 비슷하지만, 말의 꼬리가 달려 있고, 그 울음소리는 자신의 이름을 부르는 것 같다. 『병아(騈雅)』에 기록하기를, 어떤 짐승은 소와 비슷하지만 말의 꼬리가 달려 있는데, 정정이라 한다. 만력(萬曆) 25년(1597년-역자)에 괄창(括蒼)¹⁵⁾에서 기이한 짐승을 얻었는데, 뿔이 두 개이고, 몸은 사슴의 무늬로 되어 있으며, 말의 꼬리에 소의 발굽을 가지고 있었다고 했다. 동사장(董斯張)¹⁶⁾은 『음경록(飮景錄)』에서 이것을 인용하여 증거로 삼았는데, 혹은 또 사악함을 물리친다고 한다 했다.

곽박(郭璞)의 『산해경도찬(山海經圖讚)』: "정정은 소처럼 생겼는데, 꼬리로 구별된다네.[精精如牛, 以尾自辨.]"

[그림 1-장응호회도본(蔣應鎬繪圖本)]·[그림 2-성혹인회도본(成或因繪圖本)]·[그림 3-왕불도본(汪紱圖本)]·[그림 4-『금충전(禽蟲典)』]

---

15) 옛 현(縣)의 이름으로, 수(隋)나라 개황(開皇) 9년(589년)에 송양현(松陽縣)에서 분리하여 설치했다. 그 경계 안에 괄창산(括蒼山)이 있어서 붙여진 이름이다. 현 소재지는 지금의 절강(浙江) 여수(麗水) 동남쪽에 있었다.

16) 동사장(董斯張, 1587~1628년)의 원래 이름은 '사장(嗣章)'이며, 자는 연명(然明)이고, 호는 하주(遐周)·차암(借庵)이며, 명나라 말기의 시인이다. 저서로는 『정소재사(靜嘯齋詞)』1권과 『오흥비지(吳興備志)』32권, 『광박물지(廣博物志)』 등이 있다.

[그림 1] 정정 명(明)·장응호회도본

[그림 2] 정정 청(淸)·사천(四川)성혹인회도본

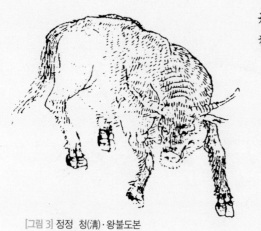

精精

[그림 3] 정정 청(淸)·왕불도본

精精圖

[그림 4] 정정 청(淸)·『금충전』

〈권4-25〉 인신양각신(人身羊角神) : 사람의 몸에 양의 뿔이 달린 신

【경문(經文)】

「동차삼경(東次三經)」: 시호산(尸胡山)부터 무고산(無皋山)까지 모두 아홉 개의 산이 있으며, 그 거리는 6,900리에 달한다. 그 신들은 모두 사람의 몸에 양의 뿔이 나 있다. ……이 신들이 나타나면, 비바람이 몰아치고 큰물이 져 흉년이 든다.
[凡「東次三經」之首, 自尸胡之山至於無皋之山, 凡九山, 六千九百里. 其神狀皆人身而羊角. 其祠, 用一牡羊, 米用黍. 是神也, 見則風雨水爲敗.]

【해설(解說)】

시호산(尸胡山)부터 무고산(無皋山)까지 모두 아홉 개의 산이 있는데, 그 산의 신들은 모두 반(半)은 사람이고 반은 양(羊)의 모습을 하고 있다. 즉 사람의 몸에 양의 뿔이 달린 신[人身羊角神]이다. 이들은 불길한 징조의 산신인데, 이들이 나타나면 바람이 거칠게 불고 비가 몰아쳐 논밭이 황폐해진다.

[그림 1-장응호회도본(蔣應鎬繪圖本)] · [그림 2-『신이전(神異典)』] · [그림 3-성혹인회도본(成或因繪圖本)] · [그림 4-왕불도본(汪紱圖本), 동산신(東山神)이라 함]

[그림 1] 인신양각신 명(明) · 장응호회도본

643

尸雛唯至熊葦山
共十九山之神圖

[그림 2] 인신양각신 청(清)·『신이전』

東山神

[그림 4] 인신양각신(동산신) 청(清)·왕불도본

[그림 3] 인신양각신 청(清)·사천(四川)성혹인회도본

〈권4-26〉 갈저(猲狙)

【경문(經文)】

「동차사경(東次四經)」: 북호산(北號山)이라는 곳에, ……어떤 짐승이 사는데, 그 생김새는 이리와 비슷하고, 붉은 대가리에 쥐의 눈을 하고 있으며, 그 소리는 돼지와 비슷하다. 이름은 갈저(猲狙)라고 하는데, 사람을 잡아먹는다. …….

[又「東次四經」之首, 曰北號之山, 臨於北海. 有木焉, 其狀如楊, 赤華, 其實如棗而無核, 其味酸甘, 食之不瘧. 食水出焉, 而東北流注於海. 有獸焉, 其狀如狼, 赤首鼠目, 其音如豚, 名曰猲狙, 是食人. 有鳥焉, 其狀如雞而白首, 鼠足而虎爪, 其名曰鬿雀, 亦食人.]

【해설(解說)】

갈저[猲('邪'로 발음)狙]는 사람을 잡아먹는 무서운 짐승으로, 이리·쥐·돼지 등 세 짐승의 특징들이 한 몸에 모여 있는데, 생김새는 이리와 비슷하고, 붉은 대가리에, 한 쌍의 쥐처럼 생긴 눈을 하고 있으며, 돼지 울음소리와 비슷한 소리를 낸다.

곽박(郭璞)의 『산해경도찬(山海經圖讚)』: "갈저는 교활한 짐승이고, 기작(鬿雀)은 불길한 새라네. 하나는 그 몸이 이리 같고, 하나는 그 발톱이 호랑이 같다네. 어찌 갑옷과 병기를 사용하겠는가, 도로써 길들여야지.[猲狙狡獸, 鬿雀惡鳥. 或狼其體, 或虎其爪. 安用甲兵, 擾之以道.]"

[그림 1-장응호회도본(蔣應鎬繪圖本)]·[그림 2-성혹인회도본(成或因繪圖本)]·[그림 3-왕불도본(汪紱圖本)]·[그림 4-『금충전(禽蟲典)』]

[그림 1] 갈저 명(明)·장응호회도본

[그림 2] 갈저 청(淸)·사천(四川)성혹인회도본

[그림 3] 갈저 청(淸)·왕불도본

[그림 4] 갈저 청(淸)·『금충전』

〈권4-27〉 기작(鶬雀)

【경문(經文)】

「동차사경(東次四經)」: 북호산(北號山)이라는 곳에, ……어떤 새가 사는데, 그 생김 새는 닭과 비슷하지만 흰 대가리를 하고 있으며, 쥐의 발에 호랑이의 발톱을 가지 고 있고, 이름은 기작(鶬雀)이라 하며, 역시 사람을 잡아먹는다.

[又「東次四經」之首, 曰北號之山, 臨於北海. 有木焉, 其狀如楊, 赤華, 其實如棗而無 核, 其味酸甘, 食之不癙. 食水出焉, 而東北流注於海. 有獸焉, 其狀如狼, 赤首鼠目, 其音如豚, 名曰猲狙, 是食人. 有鳥焉, 其狀如雞而白首, 鼠足而虎爪, 其名曰鶬雀, 亦食人.]

【해설(解說)】

기작[鶬('祈'로 발음)雀]은 사람을 잡아먹는 괴상한 새로, 닭·쥐·호랑이 등 세 짐승의 특징들이 한 몸에 모여 있다. 생김새는 닭과 비슷하며, 흰 대가리를 가지고 있지만, 쥐 의 발과 호랑이의 발톱이 나 있다. 『초사(楚辭)·천문(天問)』에는, "기퇴(鶬堆)라는 새는 어디에 있는가[鶬堆焉處]"라는 시구(詩句)가 있는데, 여기서 말한 기퇴가 바로 기작이 다. 이급간(李給諫)[17]의 『필기(筆記)』에 기재된 내용에 따르면, 숭정(崇禎) 갑술년(甲戌年) 에, 봉양(鳳陽)에 불길한 새 수만 마리가 나타났는데, 토끼의 대가리에 닭의 몸과 쥐의 발을 하고 있었으며, 맛이 매우 좋고, 그 뼈를 건드리면 즉사했다. 그 형상을 살펴보니, 그것들이 바로 이 새인 것 같다고 했다.

곽박(郭璞)의 『산해경도찬(山海經圖讚)』: "갈저(猲狙)는 교활한 짐승이고, 기작(鶬雀) 은 불길한 새라네. 하나는 그 몸이 이리 같고, 하나는 그 발톱이 호랑이 같다네. 어찌 갑옷과 병기를 사용하겠는가, 도로써 길들여야지.[猲狙狡獸, 鶬雀惡鳥. 或狼其體, 或虎其 爪. 安用甲兵, 擾之以道.]"

[그림 1-장응호회도본(蔣應鎬繪圖本)]·[그림 2-성혹인회도본(成或因繪圖本)]·[그림 3-왕불도본(汪紱圖本)]·[그림 4-『금충전(禽蟲典)』]

---

17) '이(李)'는 성씨이고, '급간(給諫)'은 관직명인 듯하다.

[그림 1] 기작 명(明)·장응호회도본

[그림 2] 기작 청(淸)·사천(四川)성혹인회도본

[그림 3] 기작 청(淸)·왕불도본

[그림 4] 기작 청(淸)·『금충전』

古　本　山　海　經　圖　說　(上)

650

〈권4-28〉 추어(鰷魚)

【경문(經文)】

「동차사경(東次四經)」: 모산(𦊩山)이라는 곳에는, 초목이 자라지 않는다. 창체수(蒼體水)가 시작되어 서쪽으로 흘러 전수(展水)로 들어간다. 그 속에 추어(鰷魚)가 많이 사는데, 그 생김새는 잉어와 비슷하지만 대가리가 크고, 그것을 먹으면 혹이 생기지 않는다.

[又南三百里, 曰𦊩山, 無草木. 蒼體之水出焉, 而西流注於展水. 其中多鰷魚, 其狀如鯉而大首, 食者不疣.]

【해설(解說)】

추어[鰷('秋'로 발음)魚]는 즉 미꾸라지[鰍]이며, 속칭 이추(泥鰍)라고 하는데, 생김새는 잉어와 비슷하고, 대가리가 크다. 그것의 고기를 먹으면 혹이 생기지 않는다고 전해진다.

[그림 1-장응호회도본(蔣應鎬繪圖本)]·[그림 2-성혹인회도본(成或因繪圖本)]·[그림 3-왕불도본(汪紱圖本)]

[그림 1] 추어 명(明)·장응호회도본

651

[그림 2] 추어 청(淸)·사천(四川)성혹인회도본

鰌魚

[그림 3] 추어 청(淸)·왕불도본

〈권4-29〉 자어(葘魚)

【경문(經文)】

「동차사경(東次四經)」: 동시산(東始山)이라는 곳에서, ……자수(葘水)가 시작되어 북동쪽으로 흘러 바다로 들어가는데, 그 속에는 아름다운 조개가 많고, 자어(葘魚)가 많이 산다. 자어는 붕어처럼 생겼는데, 대가리는 하나에 열 개의 몸이 있으며, 그 냄새는 마치 궁궁이[蘪蕪][18] 같고, 그것을 먹으면 방귀를 뀌지 않는다.

[又南三百二十里, 曰東始之山, 上多蒼玉. 有木焉, 其狀如楊而赤理, 其汁如血, 不實, 其名曰芑, 可以服馬. 葘水出焉, 而東北流注於海, 其中多美貝, 多葘魚, 其狀如鮒, 一首而十身, 其臭如蘪蕪, 食之不糟[19].]

【해설(解說)】

　자어[葘('子'로 발음)魚]는 기이한 물고기로, 붕어처럼 생겼는데, 대가리는 하나에 몸이 열 개이며, 궁궁이 같은 냄새를 풍긴다. 그것의 고기를 먹으면 육체와 기운을 조화롭게 할 수 있고, 기가 빠져 나가지 않는다고 한다. 「북산경(北山經)」에 나오는 초명산(譙明山)의 하라어(何羅魚)도 또한 대가리는 하나에 몸이 열 개인데, 이것을 먹으면 악창(종기)을 치료할 수 있다.

　곽박(郭璞)의 『산해경도찬(山海經圖讚)』: "몸이 열 개인 물고기가 있으니, 궁궁이 같은 냄새를 풍긴다네. 그것을 먹으면 몸을 조화롭게 하여, 기가 빠져나가지 않는다네.[有魚十身, 蘪蕪其臭. 食之和體, 氣不下溜.]"

　[그림-왕불도본(汪紱圖本)]

---

18) 미나리과의 다년생 식물로, 그 뿌리는 한약재로 쓰인다. 천궁(川芎)이라고도 한다.

19) 필원(畢沅)은 주석하기를, "『광운(廣韻)』에 이르기를, '糟는 방귀와 같으며, 기가 빠져나가는 것이다. 匹과 寐의 반절(反切)이다.'라고 했다.[廣韻云, '糟同屁, 氣下洩也, 匹寐切.']"라고 했다.

此魚

[그림] 자어 청(淸)·왕불도본

〈권4-30〉 박어(薄魚)

【경문(經文)】

「동차사경(東次四經)」: 여증산(女烝山)이라는 곳에는, 그 위에 초목이 자라지 않는다. 석고수(石膏水)가 거기에서 시작되어 서쪽으로 흘러 격수(鬲水)로 들어가는데, 그 속에 박어(薄魚)가 많이 산다. 그 생김새는 드렁허리와 비슷하지만 눈이 하나이며, 그것이 내는 소리는 사람이 토하는 소리 같고, 그것이 나타나면 천하에 큰 가뭄이 든다.

[又東南三百里, 曰女烝之山, 其上無草木. 石膏水出焉, 而西注於鬲水, 其中多薄魚, 其狀如鱣魚而一目, 其音如歐[20], 見則天下大旱.]

【해설(解說)】

박어(薄魚)는 재난의 징조이며, 눈이 하나인 괴상한 물고기로, 생김새는 드렁허리와 비슷하고, 사람이 토하는 듯한 소리를 낸다. 이 물고기는 큰 가뭄의 징조이며, 또한 큰 홍수가 날 징조라고도 하고, 천하에 반역이 일어날 징조라고도 한다. 『물이지(物異志)』에는, 이것이 나타나면 천하에 큰 홍수가 난다고 기록되어 있다. 『초학기(初學記)』권30에 따르면, 박어는 그 생김새가 드렁허리와 비슷하지만, 눈이 하나이고, 그 소리는 사람이 토하는 소리와 비슷하며, 그것이 나타나면 천하에 반역이 일어난다고 한다.

곽박의 『산해경도찬(山海經圖讚)』: "박어가 못에서 뛰어오르면, 이는 재앙이 일어날 징조라네.[薄之躍淵, 是爲('維'로 된 것도 있음)災候.]"

[그림 1-장응호회도본(蔣應鎬繪圖本)]·[그림 2-오임신근문당도본(吳任臣近文堂圖本)]·[그림 3-성혹인회도본(成或因繪圖本)]·[그림 4-왕불도본(汪紱圖本)]·[그림 5-『금충전(禽蟲典)』]·[그림 6-상해금장도본(上海錦章圖本)]

---

20) 곽박(郭璞)은 주석하기를, "마치 사람이 구토하는 소리 같다.[如人嘔吐聲也.]"라고 했다.

[그림 1] 박어 명(明)·장응호회도본

[그림 2] 박어 청(淸)·오임신근문당도본

[그림 3] 박어 청(淸)·사천(四川)성혹인회도본

古 本 山 海 經 圖 說 (上)

薄魚

[그림 4] 박어 청(淸)·왕불도본

蔣魚圖

[그림 5] 박어 청(淸)·『금충전』

薄魚狀如鱣一目見
則大旱出青水

篲之
躍淵
是維
災候

[그림 6] 박어 상해금장도본

〈권4-31〉 당강(當康)

【경문(經文)】

「동차사경(東次四經)」：흠산(欽山)이라는 곳에, ……어떤 짐승이 사는데, 그 생김
새는 돼지와 비슷하지만 어금니가 있고, 이름은 당강(當康)이라 하며, 그 울음소리
는 마치 자신을 부르는 것 같다. 이것이 나타나면 천하에 큰 풍년이 든다.

[又東南二百里, 曰欽山, 多金·玉而無石. 師水出焉, 而北流注於皐澤, 其中多鱔魚,
多文貝. 有獸焉, 其狀如豚而有牙, 其名曰當康, 其鳴自叫, 見則天下大穰.]

【해설(解說)】

당강(當康)은 아돈(牙豚)이라고도 부르며, 풍년이 들 징조인 상서로운 짐승인데, 생김
새는 돼지와 비슷하지만 어금니가 있고, 그 울음소리는 마치 자신의 이름을 부르는 것
같다. 호문환도설(胡文煥圖說)에서는 다음과 같이 설명하고 있다. "흠산(欽山)에 어떤
짐승이 사는데, 돼지처럼 생겼으며, 이름은 당경(當庚)이라고 한다. 그 울음소리는 자신
을 부르는 것 같다. 그것이 나타나면 천하에 크게 풍년이 든다. 한자[韓子 : 한비자(韓非
子)-역자]가 이르기를, '양(穰)은 그 해에 곡식이 잘 여문 것'이라고 했다.[欽山中有獸, 狀
如豚, 名當庚. 其鳴自呼. 見則天下大穰. 韓子曰, '穰, 歲之稔也.']" 전해지기로는 풍년이 드는
해에는, 이 짐승이 먼저 나타나 상서롭게 운다고 한다. 『신이경(神異經)』에서 이르기를,
남방(南方)에 어떤 짐승이 사는데, 사슴처럼 생겼지만, 돼지의 대가리에 어금니가 나
있으며, 사람한테 의지해 오곡을 잘 구하는데, 손해를 끼치지 않는 짐승이라고 했다.
여기에서 설명하고 있는 생김새가 바로 이 짐승과 비슷하다.

곽박(郭璞)의 『산해경도찬(山海經圖讚)』："당강은 돼지처럼 생겼는데, 이것이 나타나
면 풍년이 든다네.[當康如豚, 見則歲穰.]"

당강의 그림에는 두 가지 형태가 있다.

첫째, 돼지의 모습을 한 것으로, [그림 1-장응호회도본(蔣應鎬繪圖本)]·[그림 2-호문
환도본(胡文煥圖本), 이름은 '당경(當庚)'이라 했으며, 생김새는 돼지를 닮지 않음]·[그림
3-성혹인회도본(成或因繪圖本)]·[그림 4-왕불도본(汪紱圖本)]·[그림 5-『금충전(禽蟲典)』]
과 같은 것들이다.

둘째, 사람의 얼굴을 한 짐승으로, [그림 6-일본도본(日本圖本), 이름은 '당경'이라

함]과 같은 것이다.

[그림 1] 당강 명(明)·장응호회도본

當康

[그림 2] 당강(당경) 명(明)·호문환도본

[그림 3] 당강 청(淸)·사천(四川)성혹인회도본

[그림 4] 당강 청(淸)·왕불도본

[그림 5] 당강 청(淸)·『금충전』

[그림 6] 당강(당경) 일본도본

〈권4-32〉 활어(鰣魚)

【경문(經文)】

「동차사경(東次四經)」 : 자동산(子桐山)이라는 곳에서, 자동수(子桐水)가 시작되어 서쪽으로 흘러 여여택(餘如澤)으로 들어간다. 그 속에 활어(鰣魚)가 많이 사는데, 그 생김새는 물고기 같지만 새의 날개가 달려 있고, 드나들 때 빛이 난다. 그 울음 소리는 원앙과 비슷하고, 그것이 나타나면 천하에 큰 가뭄이 든다.

[又東南二百里, 曰子桐之山, 子桐之水出焉, 而西流注於餘如之澤. 其中多鰣魚, 其 狀如魚而鳥翼, 出入有光, 其音如鴛鴦, 見則天下大旱.]

【해설(解說)】

활어(鰣魚)는 이미 「서차삼경(西次三經)」의 도수(桃水)에 나왔는데, 그 생김새는 뱀과 비슷하지만 네 개의 다리가 달려 있고, 물고기를 잡아먹는다. 여기에 나오는 자동수 (子桐水)의 활어는 그것과 이름은 같지만, 둘의 생김새와 효능은 모두 다르다. 자동수 에 사는 활어[鰣('滑'로 발음)魚]는 물고기이기도 하고 새이기도 한, 괴상한 물고기이다. 그것의 생김새는 물고기와 비슷하지만, 새의 날개가 나 있고, 드나들 때 빛이 나며, 그 울음소리는 원앙이 우는 소리와 비슷하다. 그것이 나타나면 장차 큰 가뭄이 들기 때문 에, 가뭄의 징조로 여겨진다.

곽박(郭璞)의 『산해경도찬(山海經圖讚)』 : "당강(當康)은 돼지처럼 생겼는데, 나타나 면 풍년이 든다네. 활어는 새의 날개가 있는데, 날아오르면 빛이 흐른다네. 나타나는 것은 같아도 감응은 다르니, 하나는 재앙을 부르고 하나는 상서로움 가져다 준다네.[當 康如豚, 見則歲穰. 鰣魚鳥翼, 飛乃流光. 同('以'라고 된 것도 있음)出殊應, 或災或祥.]"

[그림 1-장응호회도본(蔣應鎬繪圖本)]·[그림 2-호문환도본(胡文煥圖本)]·[그림 3-성혹 인회도본(成或因繪圖本)]·[그림 4-필원도본(畢沅圖本)]·[그림 5-왕불도본(汪紱圖本)]·[그 림 6-『금충전(禽蟲典)』]

[그림 1] 활어 명(明)·장응호회도본

鰼
魚

[그림 2] 활어 명(明)·호문환도본

[그림 3] 활어 청(淸)·사천(四川)성혹인회도본

鱃魚紫如魚而鳥翼見

鱃魚則大旱出于桐水

鱃魚鳥翼
飛乃流光
同出殊應
或災或祥

[그림 4] 활어 청(淸)·필원도본

鱃魚

[그림 5] 활어 청(淸)·왕불도본

鱃魚圖

[그림 6] 활어 청(淸)·『금충전』

〈권4-33〉 합유(合窳)

【경문(經文)】

「동차사경(東次四經)」: 섬산(剡山)이라는 곳에, ……어떤 짐승이 사는데, 그 생김새가 돼지와 비슷하지만 사람의 얼굴을 하고 있으며, 몸은 누렇고 꼬리는 붉다. 그 이름은 합유(合窳)이고, 갓난아이와 같은 소리를 낸다. 이 짐승은 사람을 잡아먹으며, 또한 벌레와 뱀도 잡아먹는데, 이것이 나타나면 천하에 큰물이 진다.

[又東北二百里, 曰剡山, 多金·玉. 有獸焉, 其狀如彘而人面, 黃身而赤尾, 其名曰合窳, 其音如嬰兒. 是獸也, 食人, 亦食蟲蛇, 見則天下大水.]

【해설(解說)】

합유[合窳('愈'로 발음)]는 사람의 얼굴을 한, 사람을 잡아먹는 짐승이며, 또한 재앙을 부르는 짐승이다. 생김새는 돼지와 비슷하지만, 사람의 머리를 하고 있으며, 몸 전체가 누렇고, 꼬리는 붉으며, 그것이 내는 소리는 갓난아이의 울음소리와 비슷하다. 합유는 사람도 잡아먹고, 벌레나 뱀도 잡아먹으며, 그것이 나타나는 곳에서는 홍수가 범람한다. 『사물감주(事物紺珠)』에서 말하기를, 합유는 돼지처럼 생겼으며, 사람의 얼굴을 하고서 혈식(血食 : 육식-역자)을 한다.

곽박(郭璞)의 『산해경도찬(山海經圖讚)』: "돼지의 몸에 사람의 얼굴을 한 것을 합유라 부른다네. 그 성질이 탐욕스럽고 잔인하여, 모든 것을 씹지도 않고 삼켜버린다네. 음(陰)의 정기가 지극하니, 이것이 나타나면 큰 비가 온다네.[猪身人面, 號曰合窳. 厥性貪殘, 物爲不咀. 至陰之精, 見則水雨.]"

[그림 1-장응호회도본(蔣應鎬繪圖本)]·[그림 2-성혹인회도본(成或因繪圖本)]·[그림 3-왕불도본(汪紱圖本)]·[그림 4-『금충전(禽蟲典)』]

[그림 1] 합유 명(明)·장응호회도본

[그림 2] 합유 청(淸)·사천(四川)성혹인회도본

[그림 3] 합유 청(淸)·왕불도본

[그림 4] 합유 청(淸)·『금충전』

〈권4-34〉 비(蜚)

【경문(經文)】

「동차사경(東次四經)」 : 태산(太山)이라는 곳에, ……어떤 짐승이 사는데, 그 생김
새는 소와 비슷하지만 대가리가 희며, 외눈에 뱀의 꼬리가 달려 있고, 그 이름은
비(蜚)라 한다. 그것이 물을 지나가면 물이 마르고, 풀밭을 지나가면 풀이 말라 죽
으며, 그것이 나타나면 천하에 큰 전염병이 돈다. …….

[又東北二百里, 曰太山, 上多金·玉·楨木. 有獸焉, 其狀如牛而白首, 一目而蛇尾,
其名曰蜚, 行水則竭, 行草則死, 見則天下大疫. 鉤水出焉, 而北流注於勞水, 其中的
鱃魚.]

【해설(解說)】

　　비(蜚)는 외눈의 무서운 짐승이자, 또한 재난을 부르는 짐승이다. 모습은 소와 비슷
하고, 흰 대가리에, 하나의 눈이 한가운데 달려 있으며, 또한 뱀의 꼬리가 달려 있다.
비는 재난의 근원으로, 이 짐승이 이르는 곳에는 물이 마르고, 풀이 말라죽으며, 전염
병이 돌아, 도처에 이재민이 가득하게 된다. 곽박(郭璞)은 다음과 같이 주석했다. "그
몸에 재난의 기운을 품고 있다고들 한다. 그 명문(銘文)에서 이르기를, '비(蜚)라는 이
름으로 봐서는, 그 몸이 마치 무해한 것 같다. 지나가는 곳마다 풀이 말라죽고 물이 마
르는 것이, 짐(鴆)새[21]보다 더 독하다. 만물이 이것을 두려워하여, 멀리 가버리기를 바
란다'고 했다.[言其體含災氣也. 其銘曰, 蜚之爲名, 體似無害. 所經枯竭, 甚於鴆厲. 萬物斯懼, 思
爾遐逝.]" 오임신(吳任臣)은 주석하기를, 『춘추(春秋)·장공(莊公) 25년 가을』에 비가 나
온다고 했다. 유시독(劉侍讀)[22]의 『춘추해(春秋解)』에서는 이것을 인용하여 말하기를,
비는 소처럼 생겼고, 눈이 하나이며, 뱀의 꼬리가 달려 있다고 했다. 강휴복(江休復)[23]
은 잡기(雜記)에서 또한 이르기를, 당언유(唐彦猷)가 『산해경』 구본(舊本)을 가지고 있는

---

21) 『산해경』에는 짐새가 「중차팔경(中次八經)」의 여궤산(女几山)과 금고산(琴鼓山)·「중차구경(中次九經)」의
옥산(玉山)·「중차십일경(中次十一經)」의 요벽산(瑤碧山) 등 모두 네 번 나온다. 이 책에는 여궤산의 짐
새[이 책 하권 〈권5-40〉 참조]와 요벽산의 짐새[이 책 하권 〈권5-57〉 참조]만 수록되어 있다.

22) 유(劉)는 성씨이며, 시독(侍讀)은 관직명인 듯하다.

23) 강휴복(1005~1060년)은 송(宋)나라 때의 관리이자 학자로, 시문과 서예에 뛰어났고, 거문고와 바둑에도
일가견이 있었다. 저서로는 『춘추세론(春秋世論)』·『가우잡지(嘉祐雜志)』·『당의감(唐宜鑑)』 등이 있다.

데, 비가 있는 곳에서는 못의 물이 말라버리고, 지나간 곳에서는 나무가 말라죽는다고
했으니, 『춘추』에서 기록한 것이 바로 이 동물인 것 같다고 했다. 또 『자회(字匯)』에서
는, 비(犤)라는 짐승은 소처럼 생겼고, 흰 대가리에 눈이 하나인데, 아마도 이 짐승인
것 같다고 했다.

곽박의 『산해경도찬(山海經圖讚)』 : "비는 화를 부르는 짐승으로, 기종(跂踵 : 이 책
하권 〈권5-52〉 참조-역자)보다 훨씬 독하다네. 거쳐가는 곳마다, 물이 마르고 숲이 말라
버린다네. 타고난 기가 본디 그러하니, 이에 몸에서도 재앙으로 넘쳐난다네.[蜚則災獸,
跂踵厲深. 會所經涉, 竭水槁林. 稟氣自然, 體此殃淫.]"

[그림 1-장응호회도본(蔣應鎬繪圖本)]·[그림 2-오임신근문당도본(吳任臣近文堂圖
本)]·[그림 3-성혹인회도본(成或因繪圖本)]·[그림 4-필원도본(畢沅圖本)]·[그림 5-왕불
도본(汪紱圖本)]·[그림 6-『금충전(禽蟲典)』]·[그림 7-상해금장도본(上海錦章圖本)]

[그림 1] 비 명(明)·장응호회도본

狴狀如牛面白首一目蛇
尾見則大疫出太山

[그림 2] 비 청(淸)·오임신근문당도본

[그림 3] 비 청(淸)·사천(四川)성혹인회도본

狴則災獸
跋躑腐深
會所經涉
竭水橋林
稟氣自然
體此殃淫

狀姓牛面白首一目蛇
尾見則大疫出泰山

[그림 4] 비 청(淸)·필원도본

蜚

[그림 5] 비 청(淸)·왕불도본

蜚圖

[그림 6] 비 청(淸)·『금충전』

蜚狀如牛面白首一目蛇
尾毛見則大疫此泰山
裴則災獸
政蛭屬深
會所經涉
暘水橋林
桌氣自狀
體比蛱淫

[그림 7] 비 상해금장도본